A Formação do Leitor Literário

Narrativa infantil e juvenil atual

TERESA COLOMER

A Formação do Leitor Literário

Narrativa infantil e juvenil atual

TRADUÇÃO: LAURA SANDRONI

© Teresa Colomer, 2002

1ª Edição, Global Editora, São Paulo 2003
6ª Reimpressão, 2023

Jefferson L. Alves – diretor editorial
Flávio Samuel – gerente de produção
Laura Sandroni – tradução
Maria Aparecida Salmeron e Sandra Lia Farah – revisão
Marilda Castanha – ilustração e projeto
Antonio Silvio Lopes – editoração eletrônica

Dados Internacionais de Catalogação na Publicação (CIP)
(Câmara Brasileira do Livro, SP, Brasil)

Colomer, Teresa
  A formação do leitor literário : narrativa infantil e juvenil
atual / Teresa Colomer ; tradução Laura Sandroni. – São Paulo :
Global, 2003.

  Título original: La formación del lector literario.
  Bibliografia
  ISBN 978-85-260-0801-4

  1. Literatura infantojuvenil – História e crítica I. Título.

03-0911   CDD-809.89282

Índices para catálogo sistemático:
1. Literatura infantojuvenil : História e crítica   809.89282

Obra atualizada conforme o
NOVO ACORDO ORTOGRÁFICO DA LÍNGUA PORTUGUESA

Global Editora e Distribuidora Ltda.
Rua Pirapitingui, 111 – Liberdade
CEP 01508-020 – São Paulo – SP
Tel.: (11) 3277-7999
e-mail: global@globaleditora.com.br

- (g) globaleditora.com.br
- (f) /globaleditora
- (▶) /globaleditora
- (🐦) @globaleditora
- (📷) @globaleditora
- (in) /globaleditora
- (💬) blog.grupoeditorialglobal.com.br

Direitos reservados.
Colabore com a produção científica e cultural.
Proibida a reprodução total ou parcial desta
obra sem a autorização do editor.

Nº de Catálogo: **2355**

*A meus filhos, Xavier e Laura,
porque compartilhamos muitas
das histórias de que se fala aqui.*

Agradecimentos

Este trabalho contou com a ajuda cordial e desinteressada de muitos amigos e companheiros durante a sua realização. Desde logo quero agradecer especialmente a colaboração de Anna Camps pela orientação da tese de doutoramento que resultou neste livro, assim como a participação na banca que o avaliou de Enric Cassany, Pere Darder, Jaime García Padrino, Gabriel Janer Manila e Joan Rué. Também quero agradecer a Alfons Valenzuela, Núria Vilá, Jordi Deulofeu, Assumpció Lisson, Marta Milían, Esteve Pont, Teresa Ribas e Ferran Requejo, pelos diferentes auxílios técnicos e de leitura da obra que me deram.

A informação bibliográfica sobre os livros infantis e juvenis, por outro lado, devo muito à amabilidade bibliotecária de María José Daza, Teresa Mañà, Concepció Martinez e especialmente ao pessoal da Fundação Germán Sánchez Ruipérez, de Salamanca.

Sumário

Introdução 13

PRIMEIRA PARTE

*A evolução dos estudos sobre
literatura infantil e juvenil* 21

1. *A reflexão a partir da difusão dos livros* 23
   Selecionar e difundir: o início dos estudos 23
   O desenvolvimento na Catalunha 27

2. *O desenvolvimento dos estudos históricos* 34
   A delimitação do *corpus* 34
   A evolução dos estudos históricos 37

3. *Os debates teóricos até os anos oitenta* 42
   O debate sobre a definição do campo 42
   Literatura infantil e juvenil *versus* a
   "verdadeira literatura" 43
   A "verdadeira literatura" infantil *versus* o prazer
   do leitor 46
   A literatura infantil e juvenil como campo literário
   específico 50
   O debate sobre a relação entre fantasia e realidade ... 54
   O folclore como literatura infantil 54
   As repercussões dos estudos folclóricos 57
   As consequências do debate na produção 70

4. *As diferentes perspectivas disciplinares a partir
   dos anos oitenta* 76

A perspectiva psicológica 77
    Os estudos psicanalíticos 78
    Os estudos cognitivos 79
A perspectiva literária 91
    A literatura como fenômeno comunicativo 92
    A importância do leitor 95
    As funções da crítica 100
Novos desafios para a crítica a partir da produção
    de livros 103
A perspectiva social 114
    Os estudos sociológicos 114
    Os estudos sobre a ideologia 116
A perspectiva da didática da literatura 125
    A integração da literatura infantil e juvenil
    no ensino 126
Recepção leitora e práticas educacionais 132
    O progresso no domínio das convenções 136

5. *Conclusões sobre a evolução dos estudos de literatura*
   infantil e juvenil 142
    A interdisciplinaridade dos estudos 142
    Os principais debates e linhas de progresso 144

SEGUNDA PARTE

A narrativa infantil e juvenil atual 157

6. *Objetivos, hipóteses e plano da pesquisa* 159
O processo de mudança da narrativa infantil e juvenil ... 160
    A variação das funções educativas e literárias 160
    A tensão de um duplo destinatário 164
    A relação com os demais sistemas culturais 166
    Os pressupostos de simplicidade 169
Um novo leitor implícito? 173
    Definição do destinatário atual da literatura infantil
    e juvenil em nosso país 173
Seleção das obras analisadas 178
    Definição da seleção 178

As fontes da seleção 181
Delimitação das pautas de análise 185
   Definição dos elementos da história 186
   Definição dos elementos do discurso 206
   A ficha de análise das obras 214

7. *Caracterização da narrativa infantil e juvenil atual....* 219
A representação literária do mundo 220
   Os gêneros literários 220
   A novidade temática 256
   O desenlace 286
   Os personagens 292
   O cenário narrativo 303
A fragmentação narrativa 309
   O grau de autonomia das unidades narrativas 310
   A inclusão de outras formas textuais 313
   A mescla de gêneros literários 314
   Os uso de recursos não verbais 316
A evolução da fragmentação narrativa segundo
a idade do destinatário 318
A complexidade narrativa 321
   A estrutura 322
   A focalização 323
   A voz 324
   A ordem temporal 326
   A evolução da complexidade narrativa segundo
   a idade do destinatário 328
A complexidade interpretativa 337
   O distanciamento humorístico 338
   O apelo aos conhecimentos culturais prévios ... 341
   A ambiguidade de significado 347
   A referência à comunicação literária 351
   A evolução da ambiguidade e o distanciamento
   segundo a idade do destinatário 354
   A explicitação do pacto narrativo 362
A evolução da presença do narrador e do narratário
segundo a idade do destinatário 370

8. *Conclusões* 374
  Anexo 1: A ficha de análise 387
  Anexo 2: As fontes da seleção do *corpus* 392
  Anexo 3: O *corpus* de obras analisadas 395
  Anexo 4: Quadros dos resultados numéricos
  da análise 413
  Referências bibliográficas 424

Índice Analítico 445

Introdução

Uma parte muito importante da formação literária das crianças e adolescentes de nossa sociedade produz-se atualmente através da leitura de textos de ficção criados como um produto editorial específico. A crescente alfabetização do mundo ocidental, a progressiva ampliação da escolaridade a um período de vida cada vez mais prolongado, a entrada da literatura infantil e juvenil no âmbito escolar e o aumento de oferta editorial deste tipo de livros são fatores que permitem a meninos e meninas o contato com a literatura infantil e juvenil desde que nascem e durante toda a infância. Por isto, do ponto de vista educativo, o conhecimento desta literatura resulta indispensável para entender o itinerário que as crianças seguem em sua aprendizagem das convenções que regem as obras literárias.

No entanto, apesar de sua grande presença, esta produção editorial é um fato relativamente recente, já que somente a partir do século XVIII pode considerar-se que existem livros dirigidos a crianças e adolescentes, como um fenômeno cultural de certo valor. Em consequência, o nascimento da literatura infantil e juvenil como objeto de estudo produziu-se apenas em tempo recente, e a pesquisa nesse campo só começou a desenvolver-se, realmente, depois da Segunda Guerra Mundial.

As coordenadas a partir das quais seu estudo foi abordado caracterizaram-se por forte ambiguidade, provocada pelas características próprias de uma literatura que relaciona estreitamente sua configuração literária com o conceito social da educação da infância, próprio de cada época. O *corpus* do que se consideram livros para crianças está determinado, então, por limites do que se supõe que seja compreensível, segundo as capacidades interpretativas dos destinatários e do que se julga ser adequado aos seus interesses e à sua educação moral. Nos livros infantis, mais do que na maioria dos textos sociais, se reflete a maneira como uma sociedade deseja ser vista, e pode-se observar que modelos culturais dirigem os adultos às novas gerações e que itinerário de aprendizagem literária se pressupõe realizem os leitores, desde que nascem até sua adolescência.

Apesar de seu evidente interesse educativo, a juventude destes estudos faz com que apenas tenhamos algumas obras, que realizam descrições detalhadas e fidedignas sobre as características da literatura dirigida à infância e adolescência hoje em dia, ou que tenham revelado o processo de complexidade crescente que possuem as obras destinadas a leitores que ampliam sua capacidade interpretativa à medida que se tornam mais velhos. O propósito deste estudo é, portanto, o de contribuir para preencher este vazio a partir de um duplo eixo.

Em primeiro lugar nos propusemos à caracterização atual deste tipo de ficção. Partimos da ideia de que a narrativa infantil e juvenil se modernizou substantivamente nos últimos vinte anos, para poder adequar-se à mudança produzida nas condições de recepção de seus destinatários, e tentamos constatar e avaliar uma série de características dessas narrativas que revelem essa nova configuração.

Em segundo lugar, tentamos explicitar alguns dos pressupostos sobre a evolução da competência literária do leitor, implicitamente presente nas narrativas dirigidas às idades compreendidas na etapa de escolaridade obrigatória.

Para alcançar estes objetivos, tivemos que situar nossa contribuição em um quadro disciplinar que apenas se acha em fase de constituição. Apesar de que o interesse por este tema tenha aumentado de modo evidente na Espanha, faltam obras que tenham descrito a evolução dos estudos sobre literatura infantil e juvenil, que tenham incorporado as reflexões da bibliografia atual de outros países e que tenham feito um balanço da situação na qual nos encontramos. Esta debilidade instrumental nos conduziu à incorporação de um terceiro propósito: o de delimitar a história dos estudos sobre literatura para crianças e jovens e definir a confluência atual das diferentes perspectivas a partir daquelas que abordamos.

A primeira parte desta análise privilegia a reflexão sobre a literatura infantil e juvenil produzida na Catalunha, contexto no qual se insere este trabalho, assim como a influência exercida pelos estudos desenvolvidos na França até a década de oitenta, devido à sua tradicional proximidade cultural. Na contribuição sobre as perspectivas atuais, diferentemente, nos inclinamos, especialmente, pelos estudos próprios da área anglo-saxônica, já que eles aparecem como os mais pujantes e inovadores neste momento e que podem ter mais repercussão na consolidação futura desta área de estudo.

A descrição da situação atual sobre os estudos de literatura infantil e juvenil e a análise das características dessa narrativa constituem, portanto, o objeto de análise respectiva de cada uma das partes deste estudo, que se apresentam organizadas da seguinte forma:

Na primeira parte – denominada "A evolução dos estudos sobre literatura infantil e juvenil" – se descreve o processo de constituição do quadro teórico desse campo. A organização adotada supõe já uma primeira definição sobre este tipo de problemas e perspectivas que nos pareceram mais relevantes. Os estudos sobre literatura infantil e juvenil apresentam-se como reflexões muito pouco delimitadas do ponto de vista disciplinar e, até pouco tempo, esta miscelânea não se produziu por nenhuma vontade metodológica deliberada, mas apenas foi provocada pela mesma indefinição de alguns estudos situados entre a reflexão teórica e a intenção de prescrição prática sobre que livros devem ser dados às crianças. Esta situação dificulta a possibilidade de ordenar as contribuições divididas por disciplinas, enquanto nosso objetivo não se ajusta à maior facilidade de uma estrita exposição cronológica. Finalmente optamos por agrupar os temas e problemas propostos e por combinar a exposição disciplinar e cronológica.

O resultado ficou estabelecido na seguinte ordem: em primeiro lugar se descrevem, brevemente, as duas linhas de estudos que, apesar de contar com uma tradição mais antiga e bem delimitada, não nos interessam aqui especialmente. Trata-se, por um lado, da reflexão sobre as formas de difusão dos livros e do incentivo à sua leitura e, por outro lado, dos estudos históricos e bibliográficos sobre os livros infantis e juvenis. Estes temas são tratados nos capítulos intitulados: "A reflexão a partir da difusão dos livros" e "O desenvolvimento dos estudos históricos".

Em segundo lugar aborda-se a criação do quadro de reflexão teórica sobre literatura infantil e juvenil. A exposição divide cronologicamente os estudos entre aqueles realizados até os anos oitenta e os posteriores.

Em "Os debates teóricos até os anos oitenta", tema de que trata o capítulo 3, se descrevem os estudos aparecidos na década de sessenta e, principalmente, na de setenta, à medida que emergia essa área de estudo, na raiz do aumento da produção editorial e do incremento da atenção concedida a este fenômeno, a partir do campo educativo. Em nossa opinião, a reflexão realizada se polariza em torno de dois tipos de debates: o da delimitação da literatura infantil e juvenil em relação ao sistema literário e o da relação entre literatura para crianças e jovens e a literatura de tradição oral.

O capítulo 4, que aborda "As distintas perspectivas disciplinares a partir dos anos oitenta", repassa sinteticamente os avanços produzidos nos estudos sobre literatura infantil e juvenil nos últimos anos, principalmente a partir da atenção obtida pela relação interativa entre o texto e o leitor. Neste capítulo se mencionam as contribuições das disciplinas de referência, naqueles aspectos que nos pareceram interessantes para o estudo da literatura infantil e juvenil. Alguns destes avanços ocorreram, na realidade, em anos anteriores a essa década, mas não foram incluídos no capítulo precedente, porque sua confluência com os estudos de literatura para crianças só se deu em época recente.

Finalmente, no capítulo 5 se ressalta a convergência disciplinar produzida e se resume o sentido da evolução dos estudos sobre literatura infantil e juvenil, descrita no decorrer desta primeira parte.

A segunda parte do estudo, "A narrativa infantil e juvenil atual", se dedica à caracterização deste tipo de obra.

O capítulo 6, acerca dos "Objetivos, hipóteses e descrição da pesquisa", define os conceitos sobre os quais se sustenta a análise realizada. Assinalam-se as duas funções – literária e educativa – que tem a literatura infantil e juvenil e a forma em que se produzem historicamente as mudanças na sua configuração. Formulam-se as hipóteses do trabalho, tanto sobre a narrativa atual, como sobre o processo de complexidade estabelecido pelas obras ao longo das diferentes idades dos leitores. Descreve-se o processo de elaboração do *corpus* das obras analisadas e se definem os elementos construtivos das narrativas literárias que integram o modelo de análise utilizado.

A seleção consta de 150 narrativas para crianças e jovens publicadas em língua catalã ou espanhola a partir do restabelecimento da democracia na Espanha (1977-1990) e apontadas pela crítica como as melhores, para cada faixa de idade, entre os cinco e os quinze anos. Para modelo de análise se adotaram as classificações habituais nas descrições dos livros infantis e juvenis para a definição dos gêneros e temas considerados, enquanto os demais elementos construtivos foram definidos, principalmente, segundo a sistemática de Genette (1972).

Os resultados obtidos em cada um dos aspectos analisados são descritos e interpretados no capítulo 7, "Caracterização da narrativa infantil e juvenil atual".

O capítulo 8 relaciona os resultados do trabalho com as hipóteses iniciais sobre as mudanças esperadas na narrativa atual e sobre a evolução da competência leitora que as obras dirigidas a uma ou outra faixa de idade pressupõem.

Finalmente, incluem-se as referências bibliográficas e agrupam-se nos anexos a ficha utilizada (anexo 1), as referências das seleções e os prêmios escolhidos para a seleção do *corpus* (anexo 2), os dados bibliográficos das obras e sua divisão por idades (anexo 3) e os quadros com os resultados numéricos dos aspectos incluídos na ficha de análise (anexo 4).

A elaboração deste livro teve que resolver algumas dificuldades de certa envergadura. Uma delas procede, como já foi dito, do estado embrionário dos estudos sobre literatura infantil e juvenil em geral, e na Espanha especificamente. Esta situação supôs que a exploração bibliográfica em relação ao quadro teórico adquirira dimensões "enormes" pela impossibilidade de partir de obras de síntese, que estabelecessem as diversas linhas de interesse que cada disciplina implicada pode apontar. O percurso bibliográfico teve que abordar, portanto, uma tarefa paralela de definição do mapa conceitual de uma área vista de campos bem distintos. Deste modo, revisar as bibliografias produzidas em diferentes áreas culturais não excessivamente interconectadas, detectar as contribuições-chave entre uma avalanche de publicações não hierarquizadas por alguns estudos já estabelecidos ou achar os pontos de confluência entre as novidades conceituais de disciplinas científicas claramente diferenciadas, supôs uma tarefa tão trabalhosa quanto arriscada do ponto de vista teórico.

Outra dificuldade bem distinta deve-se à precariedade das infraestruturas de pesquisa e dos bancos de dados sobre livros infantis. Ocorre então que questões metodológicas, que deveriam resolver-se rapidamente, se convertem num trabalho desproporcional para qualquer estudo que opere sobre obras infantis e juvenis. A necessidade inicial de estabelecer um *corpus* representativo de obras traduziu-se principalmente numa contribuição secundária deste trabalho, já que é a primeira vez que se confrontam uma ampla gama de seleções e prêmios de crítica. Dessa forma, a seleção estabelecida contribui para esclarecer sobre aquilo de que se fala, nos estudos feitos na Espanha, quando se alude à narrativa atual de qualidade e permite, também, progredir na referência a um *corpus* canônico de consenso.

Um terceiro tipo de dificuldade se refere ao esgotamento das obras em relação aos elementos analisados. A intenção deste estudo foi a de evitar uma crítica impressionista, muito habitual neste campo, que pode construir interpretações sobre os fenômenos a partir de umas poucas leituras, por acaso coincidentes. Por isso se tentou converter os aspectos tratados em questões quantificáveis, que ofereçam dados objetivos suscetíveis de serem contrastados com outros possíveis estudos futuros. Ora, reduzir, ainda que em parte, os aspectos literários a dados quantificáveis supõe uma questão bem espinhosa que comportou tensões em diferentes sentidos.

Por um lado, os aspectos escolhidos requeriam caracterização simples, que evitasse qualquer mudança de critério durante o longo processo de esgotamento das obras. Mas, ao mesmo tempo, se devia evitar que esta simplicidade pudesse conduzir à perda da capacidade informativa e tornasse os resultados irrelevantes. A necessidade de equilibrar simplicidade e consistência provocou a correção dos itens previstos inicialmente para a análise de alguns dos elementos construtivos, já que se revelaram excessivamente prolixos ou pouco rentáveis para uma descrição geral como a que se pretendia. Será preciso, pois, esperar que outros estudos parciais elaborem, de forma mais detalhada, cada um dos temas aqui iniciados.

Por outro lado, é evidente que os elementos que constroem uma obra literária são significativos em sua relação e que um mesmo dado pode supor usos literários diferentes em obras distintas. Tentamos evitar esta tensão no comentário valorativo, de maneira que os resultados numéricos foram só uma parte da informação e tratou-se de interpretar sempre estes dados sem perder de vista que títulos os apresentavam e, portanto, que sentido eles tinham.

Também se produziu outro tipo de tensão entre a grande quantidade de dados disponíveis – obtidos pela multiplicação dos 36 itens da ficha de análise pelas 201 narrativas contidas nas 150 obras selecionadas – e o propósito de obter um quadro geral, integrado e explicativo de características e tendências. O motivo que nos impulsionou a escolher um quadro amplo de caracterizações foi a falta de estudos parciais, mas, durante a realização do trabalho, este objetivo mostrou-se difícil de administrar pela grande quantidade de conclusões a que conduz. No sentido contrário, tentar uma caracterização geral implica sempre uma certa insatisfação em relação à profundidade interpretativa dos diferentes aspectos analisados. Frequentemente, pois, tivemos de resistir ao impulso de ampliar o comentário das obras em si mesmas ou a curiosidade de seguir o fio de um ou outro elemento, tal como começava a surgir na análise realizada, para não cair no perigo de perder a imagem do bosque na contemplação das árvores.

Esperamos que, apesar de todas estas dificuldades, os resultados deste estudo contribuam para o melhor conhecimento da literatura, que na sociedade atual se oferece às crianças e jovens, para conseguir os objetivos literários e educativos que lhe são atribuídos. Também desejamos que a descrição de como são os textos e de quais as exigências de leitura que implicam, possam ser um ponto de partida para a investigação sobre como se produz realmente a aprendizagem literária, que problemas ela apresenta e que ações educativas a favorecem.

PRIMEIRA PARTE

A EVOLUÇÃO DOS ESTUDOS SOBRE LITERATURA INFANTIL E JUVENIL

1.
A reflexão a partir da difusão dos livros

Selecionar e difundir: o início dos estudos

Os livros infantis e juvenis têm sido objeto de atenção e polêmica desde seu nascimento como fenômeno cultural no século XVIII. No entanto, a existência de uma reflexão crítica de certo valor corre paralela ao desenvolvimento editorial produzido no período de entreguerras deste século e à aparição de instâncias dedicadas ao incentivo da leitura. Na mudança de século havia terminado de estabelecer-se a escolaridade obrigatória nos distintos países de nossa órbita cultural e havia começado, portanto, a progressiva alfabetização de todas as camadas sociais. Esta situação, e os avanços realizados no campo educativo durante esses anos, deram lugar a uma preocupação social crescente com leitura infantil.

Apesar disso a escola permaneceu ancorada em uma leitura "formativa" de cartilhas, antologias e livros didáticos, e foi nos meios bibliotecários que se iniciou o discurso moderno sobre a leitura como um ato livre dos cidadãos, uma leitura "funcional" que incluía leitura de ficção por simples prazer. A necessidade de definir critérios para selecionar os livros que se deviam oferecer às crianças, provocou os primeiros estudos sobre literatura infantil e juvenil, por parte do que Soriano (1975) denominou "primeira onda" de profissionais interessados por esta literatura, a partir de uma perspectiva moderna: o pessoal bibliotecário.

Foi na área anglo-saxônica que inicialmente se produziu este fenômeno. A existência tradicional de uma rede importante e descentralizada de bibliotecas públicas permitiu que, com a ampliação do serviço voltado para a atenção à infância, surgisse uma categoria socioprofissional caracterizada por uma sólida formação cultural e pelo contato direto com os destinatários da literatura infantil e juvenil. As bibliotecárias britânicas e norte-americanas, em primeiro lugar, e as francesas e as do norte da Europa, posteriormente, exerceram influência decisiva para o desenvolvimento das primeiras experiências de difusão da leitura. Seu papel de mulheres cultas e pioneiras no exercício profissional pode ser comparado ao que comumente se atribui às preceptoras britânicas na formação da literatura infantil naquele país. Sua preocupação profissional em favor da leitura se materializou na fundação de bibliotecas infantis experimentais, na criação de instrumentos de animação de leitura, que constituem clássicos da intervenção (como a "hora do conto"[1] ou os guias bibliográficos de leitura) e na produção de uma importante reflexão sobre os critérios de seleção dos livros.

Os precedentes desta situação remontam a fins do século passado, até 1880, quando em Birkenhead se reservou, pela primeira vez, uma sala de leitura para crianças. Logo abriu-se outra no Brooklyn e foi-se formando uma cadeia em todo o território dos Estados Unidos, que se constituiu numa sólida infraestrutura para a difusão das edições americanas. Já no período de entreguerras, logo na manhã seguinte ao armistício de 1918, formou-se em Nova York um comitê para dotar de bibliotecas infantis as zonas destruídas pela guerra europeia. Era o Comitê de Livros para Bibliotecas Infantis. Com seu impulso inaugurou-se a primeira biblioteca infantil em Bruxelas, em 1920, e em 1924 abriu-se a *L'Heure Joyeuse* (*A Hora Alegre*), em Paris.

Paralelamente foram aparecendo os primeiros estudos sobre literatura infantil e juvenil e se consagraram nomes fundamentais nessa área, como o de May Hill Arbuthnot, Sara

Cone Bryant, Marguerite Lahy-Hollebecque ou Paul Hazard, todos eles autores de obras de grande influência e difusão durante décadas[2].

A partir da Segunda Guerra Mundial, continua e aumenta, em todos os países, a linha de reflexão que enlaça a avaliação dos livros e a extensão das bibliotecas públicas. Assim, a jornalista judia-alemã de nacionalidade americana Jella Lepman, vítima do nazismo, criou a Biblioteca Internacional da Juventude de Munique, em 1949, financiada pela Fundação Rockefeller e pela American Library Association (Associação Americana de Bibliotecas), biblioteca essa que chegou a ser o maior centro de documentação e promoção de pesquisa internacional sobre literatura para crianças e jovens. Em 1960 a International Federation of Library Assotiations – IFLA (Federação Internacional de Associações de Bibliotecas), fundou sua seção de livros infantis e, três anos mais tarde, nos Estados Unidos, se estabelece a Library of Congress Children's Literature Center (Centro de Literatura Infantil da Biblioteca do Congresso).

Também na Grã-Bretanha continuaram os estudos procedentes desse setor através da reflexão escrita da experiência de grandes bibliotecários como John Spink (1989). Na França, a experiência de *L'Heure Joyeuse* se estendeu por todo o país a partir da criação, em 1965, da biblioteca de *La joie par les livres*, de Clamart, criada precisamente para impulsionar as seções infantis da rede francesa, sob a direção de Geneviève Patte (1978). A colaboração entre esta linha bibliotecária e os movimentos de renovação pedagógica (como *Education Nouvelle*) supôs um traço diferencial das bibliotecas francesas em relação às americanas, que as haviam inspirado. As bibliotecas infantis se haviam visto obrigadas a introduzir formas de incentivo e ajuda à leitura semelhantes às habituais nas famílias da burguesia ilustrada. Ao sentir a necessidade de "mediar" entre os livros e as crianças, o discurso bibliotecário se aproximou do discurso formativo típico da escola. Ao mesmo tempo, em um processo inverso, os meios educativos adotaram o discurso moderno de defesa de uma leitura livre e funcional, nos objetivos do ensino. A fusão dos dois discursos permite que, em diferentes iniciativas bibliotecárias da época, se encontrem associados nomes vinculados aos movimentos educativos como Isabelle Jan, ou como o de Paul Faucher, criador dos célebres álbuns de *Père Castor*[3], que pretendeu que os dados oferecidos pela reflexão psicopedagógica da época fossem utilizados para produzir livros melhor adaptados às capacidades infantis:

> Devia ser possível adaptar melhor os livros ao interesse e à capacidade das crianças ao apoiar-se nos dados da psicologia e da pedagogia novas... Começar com livrinhos destinados às crianças, que já tinham o hábito e o gosto da leitura, era como colocar o arado adiante dos bois. Havia que começar-se pelo início, infundir o gosto pela leitura nos mais pequenos e fazê-lo nascer naqueles que não gostavam de ler ou que liam mal. O interesse dos temas, a qualidade dos textos, a simplicidade do estilo e do vocabulário, a supressão dos obstáculos que detêm os principiantes e os que leem mal, tudo isso é necessário mas não é suficiente. Todavia era necessário que a imagem exercesse ao máximo seus poderes de atração e de sedução, que sustentasse, explicasse, prolongasse o relato, falasse diretamente à inteligência e à sensibilidade, que fosse bela e sincera. Por outro lado era necessário adotar uma forma de publicação que, melhor que o livro, pudesse conter elementos de atividades. Por todas essas razões me decidi pelo álbum ilustrado (Faucher, 1957)[4].

Os estudos e as iniciativas de difusão dos livros infantis se desenvolveram também a partir de interesses profissionais mais amplos que os estritamente bibliotecários. Assim, eles receberam um grande impulso com a criação do International Board on Books for Young People – IBBY (Organização Internacional para o Livro Infantil e Juvenil), fundado em 1953, em Zurique, também por iniciativa de Jella Lepman. Lepman organizou, já em 1951, um encontro internacional de duzentos e cinquenta participantes sobre o tema "Os livros para crianças e a paz mundial", com um discurso inaugural de Ortega y Gasset com o título: "Paradoxo da pedagogia: por um ensino criador de mitos". Foi então que se constituiu um comitê que organizou, dois anos mais tarde, a primeira Assembleia Geral do IBBY. Em 1956 criou-se o Prêmio Hans Christian Andersen, outorgado por aquela instituição, o mais importante ainda hoje para livros destinados a crianças e jovens[5].

Em 1957 o IBBY adquiriu dimensão internacional ao associar-se à UNESCO e, mais tarde, também à UNICEF. O crescimento do IBBY, com presença em mais de sessenta países (Crampton, 1991), assim como a fundação e o desenvolvimento de outras instituições com as quais mantém importantes vínculos de colaboração (IRA, IFLA e, obviamente, a Biblioteca Internacional da Juventude, de Munique), constituem uma sólida rede internacional de promoção e estudo do livro infantil na atualidade.

O desenvolvimento na Catalunha

As origens da preocupação com o livro infantil na Catalunha também se relaciona com a criação de bibliotecas infantis. Apesar disso não foi exatamente o setor bibliotecário o que iniciou a reflexão neste campo, mas sim os projetos de atuação institucional e pedagógica sobre a forma de construir uma identidade cultural, um projeto global para a sociedade catalã, que produziram, como consequência simultânea, as bibliotecas, os livros, as editoras e as revistas educativas.

Neste projeto global, logo identificado com o fim do *Noucentisme*[6], teve especial destaque o interesse pelo desenvolvimento do livro infantil (Rovira, 1976). Já em 1906, Eugeni d'Ors reclamava a produção de contos infantis dizendo:

> Já estamos no inverno dos grandes serões. Às cinco já é noite. Acende-se o candeeiro... O que farão em volta dele os pequeninos que não vão à escola?... Oh! Contos, imagens! Se produzem tantos no mundo! Não é triste que o renascimento catalão permaneça órfão destas flores? Oh, um Perrault, um Perrault para nós! (391 – 392)[7]

E, na mesma linha, as primeiras reflexões sobre as características desejáveis para os livros destinados a crianças e jovens feitas, tanto por pedagogos, quanto por críticos da época, em jornais e revistas ou por variadas personalidades do mundo da cultura novecentista, com nomes tão destacados como os de López Picó, Galí, Rovira y Virgili, Martorell, Homs, Domènec Guansé, etc., e mais adiante Tasis ou Teixidor.

Tal como assinala Rovira, em 1908 já se debatia na Câmara Municipal de Barcelona a necessidade de dotar as bibliotecas públicas de sessões infantis. Em 1918 a Mancomunitat inaugurou as três primeiras Bibliotecas Populares da Catalunha, que sempre tiveram sessões infantis, as primeiras de toda a Espanha[8]. Logo, em 1921, a Câmara Municipal de Barcelona criou bibliotecas escolares circulantes destinadas às escolas públicas da cidade.

Quando se iniciaram estas primeiras ações materiais para a difusão da leitura, apareceram os primeiros artigos e matérias sobre literatura infantil e juvenil nas revistas educativas da época, tais como os de Alexandre Galí em *La Revista* ou nos *Quaderns d'Estudi*, os de Artur Martorell no *Butlletí dels Mestres* ou os de Jordi Rubió, fundador da primeira Escola de Bibliotecários, em *La Reviste dels Llibres*[9]. As ideias programáticas de Artur Martorell podem servir para sintetizar o espírito com o qual se abordou a valorização dos livros infantis:

> Vamos dar, não a solução (à escassez de bons livros infantis) que forçosamente é única, editar profusamente bons livros para crianças, mas assinalar os (caminhos) que nos podem conduzir a esta solução. (...) Mas tendo em conta as seguintes questões: a) Ter consciência exata da absoluta necessidade de que as obras que se editem alcancem a maior perfeição possível em dois aspectos; do papel que devem representar na formação espiritual das novas gerações e da expansão do catalão, puro, enxuto e correto. b) Reunir ao redor desta obra, para que a perfeição seja uma realidade, todas as autorias de prestígio que sejam necessárias para assegurar o maior cuidado em todos os aspectos da publicação: linguagem, gramática, ilustração, material e tipografia. c) Ter um critério rígido e bem formado sobre o tipo de literatura que devemos oferecer aos jovens para dar-lhes um vigor são e um enriquecimento cultural e não uma sensibilidade doentia. d) Levar em conta que se trata de uma obra necessária e imprescindível, já que cada dia que passa sem que disponhamos de livros perfeitos para dar a nossas crianças se converte num espaço de tempo que oferecemos sem resistência às línguas e às ideologias forasteiras, para que influam em nós impunemente. e) Adquirir consciência de que não se trata de um negócio meditorial senão de uma obra eminentemente patriótica. (...) Da precisão destes critérios se depreende a consequência, evidentíssima, de que esta obra não pode ser confiada a nenhuma empresa particular. (...) Trata-se de uma obra de governo (...) temos de pô-la nas mãos dos diretores e responsáveis pela cultura de nosso povo (34 – 35).

Em continuação o artigo de Martorell aborda o tema dos critérios de qualidade das obras que deveriam *fazer concorrência à má produção catalã e castelhana que impera*, e na lista que propõe como *corpus* de qualidade seleciona Scott, Kipling, Verne, Dickens, Daudet, Homero, Grimm, Andersen, Twain, e obras de Poe e Wells, entre os autores estrangeiros, além de Ruyra, Vilanova, Maragall e Verdaguer, entre os catalãos. Trata-se, provavelmente, da primeira seleção de um *corpus* de literatura infantil e juvenil confeccionado a partir de uma avaliação pedagógica, sobre critérios de qualidade, tipo de avaliação que não se deixou de produzir até nossos dias. Resulta muito revelador, no entanto, que já naquele momento, Tomàs Garcés (1923) houvesse replicado ceticamente a opinião de Martorell em *La Publicitat*, assinalando:

> Martorell vai além da crítica, até a utopia. (...) Oxalá a editora juvenil que Artur Martorell reclama se converta rapidamente em uma realidade.

Como em todos os demais setores de cultura, a ditadura posterior à Guerra Civil estancou a política de bibliotecas criada no período de entreguerras. Se então a reflexão sobre os livros infantis se havia inscrito em um projeto de grande alcance, que fez recair as orientações programáticas nas grandes figuras da cultura e da pedagogia, durante a época da ditadura esta preocupação recaiu no campo educativo das escolas que configuraram os movimentos de renovação pedagógica. Deste modo, escolas protagonistas desta linha como Costa i Llobera e Thalita publicaram a primeira seleção de livros para crianças (Escuela activa de padres, 1964) e, mais tarde, com a criação da Associação de Mestres Rosa Sensat, começou a funcionar um seminário de literatura infantil e juvenil, que ainda se mantém e que publica as listas periódicas de ¿*Qué libros han de leer los niños?* (Valeri e Lisson, 1988).

Com uma clara influência da atenção pela leitura, própria dos movimentos pedagógicos franceses dos anos setenta, o incremento da leitura na escola, através da presença da literatura infantil e juvenil, foi um dos objetivos evidentes da renovação pedagógica da Catalunha. Até fins dos anos setenta, e tendo em vista a precária situação do livro infantil, os esforços para a promoção da leitura se centraram em um programa de atuação, que poderia esquematizar-se nas seguintes linhas:

a) Promover a urgente necessidade de ampliar a oferta existente de livros infantis e juvenis, tanto em quantidade quanto em qualidade, proposta que marcou, por exemplo, a fundação da editora La Galera em 1962, ou o nascimento das revistas *Cavall Fort, L'infantil, Tretzevents* e outras, em estreita colaboração com os meios educativos.

b) Conectar a população infantil e adolescente aos livros, através de sua introdução na escola e da relação com as bibliotecas públicas. Boa prova da tarefa realizada neste sentido são os resultados do estudo de Baró e Mañá (1990) no qual se evidencia notável preocupação e cuidado dos professores em relação à biblioteca escolar.

c) Experimentar e ampliar as atividades de incentivo e aprofundamento da leitura, impulsionando, por exemplo, as atividades realizadas nas festividades de Sant Jordi e Natal, com sua tradicional exposição de livros infantis, os cursos sobre este tema em escolas de verão, etc.

d) Promover um tipo de livro que se adapte aos valores educativos sustentados pelos movimentos de renovação pedagógica. No caso da Catalunha isto implicava, por exemplo, a criação de uma narrativa de ambientação catalã e nesse mesmo idioma (Bassa, 1994).

A consciência de que era preciso considerar a leitura de ficção na escola foi se ampliando durante as décadas de sessenta e setenta, para passar a lugar-comum durante os anos oitenta, quando se generalizaram conceitos como os de "prazer de ler" ou "incentivo à leitura" nos ambientes educativos.

Por outro lado, cabe destacar nos setores bibliotecários a obra realizada pela *Biblioteca de la Santa Creu i San Pau*, ou do IME da Câmara Municipal de Barcelona. Desaparecida já a ditadura, todos esses esforços se foram consolidando e generalizando em um movimento de colaboração entre o âmbito escolar e o bibliotecário. Durante os últimos anos, a atividade de incentivo à leitura e as recomendações de livros foram produzidas indistintamente nos dois setores e foram objeto de muitas publicações de divulgação em toda Espanha através de revistas e livros surgidos, tanto no âmbito do ensino, como no das bibliotecas.

O crescimento editorial do livro infantil e juvenil exerceu uma forte pressão nesta difusão. O aparecimento de todo tipo de materiais escolares, como guias de leitura e propostas de trabalho escolar, foi tão grande que acabaram invertendo os termos da discussão. Assim, durante os anos sessenta e setenta a ênfase estava na entrada dos livros na escola, no final dos anos oitenta começaram a levantar-se vozes, de maneira mais radical, dos setores bibliotecários, para defender a preservação de uma leitura livre das obrigações escolares.

A respeito das relações com as instituições mais representativas, em nível internacional, cabe destacar que, em 1982, se constituíram tanto o Conselho Catalão de Livros para a Infância, como a Organização Espanhola para o Livro Infantil e Juvenil (OEPLI)[10], esta última com a finalidade de promover a leitura em todo o âmbito do Estado espanhol e de representá-lo no estrangeiro. Este organismo passava assim a constituir-se como seção espanhola do IBBY e adotava uma forma federal de organização. Os intercâmbios, congressos e publicações sobre literatura infantil e juvenil receberam um grande impulso que contribuiu, sem dúvida, para os avanços ocorridos na Espanha neste campo, na última década[11].

Definitivamente, pois, os primeiros estudos a levar em conta os livros para crianças e jovens nasceram a partir da preocupação por sua seleção e difusão. Apareceram no setor bibliotecário, na medida em que os diferentes países criaram bibliotecas especificamente infantis, desde fins do século XIX até o período de entreguerras. Posteriormente, a partir da Segunda Guerra Mundial, o movimento de bibliotecas se ampliou com organizações internacionais e iniciou sua colaboração com a escola. Esse processo teve características diferentes na Catalunha por sua integração inicial no projeto cultural do *Noucentisme*, a ruptura causada pela Guerra Civil, a crescente importância da escola a partir dos anos sessenta e a progressiva normalização derivada da restauração democrática.

Notas

1. Iniciada por Huchet em Paris em 1924, antes inclusive da abertura oficial de *L'Heure Joyeuse*. Tal como ele mesmo explica, o primeiro conto narrado nesta atividade foi de R. Kipling (Huchet, 1927).
2. Como Bryant (1910): *How to tell stories to children**; Lahy-Hollebecque (1928): *Les charmeurs d'enfants***; Darton (1932): *Children's Books in England, Five Centuries of Social Life****; Hazard (1932): *Les livres, les enfants et les hommes***** ou Arbuthnot (1947): *Children and books******.
3. Alguns dos quais foram traduzidos para o catalão e o castelhano pela Editora Estela durante os anos sessenta.
4. Para facilitar a leitura foram traduzidas para o castelhano as citações procedentes de obras publicadas originalmente em outros idiomas.
5. Este prêmio é concedido a cada dois anos a um autor e a um ilustrador pelo conjunto de sua obra e é concedido junto com a lista de honra de livros para crianças, que inclui um livro de cada país. O único autor espanhol que já o obteve foi J. M. Sánchez Silva, no ano de 1968; foi também a única vez em que o prêmio foi dado a dois autores ao mesmo tempo (o outro agraciado foi o alemão James Kruss).
6. Movimento sociocultural produzido na Catalunha entre 1906 e 1922. Criou um projeto social coletivo objetivando modernizar a sociedade e a cultura catalã vinculando-a à cultura europeia da época.
7. A tradução de citações de obras que não foram publicadas em castelhano é de responsabilidade da autora.
8. Rede que foi assumida e ampliada pela direção da Província (até contar com 113 bibliotecas na província de Barcelona) e mais tarde integrada à rede de Bibliotecas Públicas do Governo da Catalunha.
9. Já na época da ditadura de Primo Rivera, desaparecidos os *Quaderns d'Estudi* e *El Butlletí dels Mestres* e mudada a orientação de *La revista*, serão a *Revista de Catalunya* e *La Paraula Cristiana*, assim como os periódicos *La Publicitat* e *La Veu de Catalunya* os que continuaram dando notícias e orientações sobre os livros infantis. Mais tarde, já desaparecida a Ditadura, ressurgiu o *Butlletí dels Mestres* e é nessa publicação e nos jornais da época que se podem achar notícias sobre literatura infantil. Pode-se ver a sequência pormenorizada deste tema em Rovira (1976). Também se inicia em toda a Espanha uma atenção educativa semelhante a partir das sugestões da Instituição Livre de Ensino, tal

como se pode constatar nos artigos em seu *Boletín*, por exemplo, e de Zuzaya em 1930 onde se indaga justamente "que livros hão de ler as crianças?", enquanto que a biblioteca infantil circulante da mesma instituição havia sido também inaugurada no ano de 1918 (Sotomayor, 1993).

10. Coordenação da qual é uma boa prova o curso de "Pós-graduação em Bibliotecas escolares", organizado pela Universidade Autônoma de Barcelona em conjunto com a Escola de Biblioteconomia e Documentação e a Associação de Mestres Rosa Sensat, com a colaboração do IME da Prefeitura de Barcelona e o Serviço de Bibliotecas escolares "L'Amic de Paper". Foi o primeiro curso de pós-graduação organizado na Espanha sobre este tema.

11. Como exemplo pode citar-se a celebração do I Congresso Nacional do Livro Infantil e Juvenil em Ávila, em outubro de 1993, organizado pela Associação Espanhola de Amigos do Livro Infantil e Juvenil, assim como o 24º Congresso Internacional do IBBY, celebrado em Sevilha, em 1994.

* N.T.: Como contar histórias às crianças.
** N.T.: Os encantadores de crianças.
*** N.T.: Livros para crianças na Inglaterra, cinco séculos de vida social.
**** N.T.: Os livros, as crianças e os homens.
*****N.T.: Crianças e livros.

2.
O desenvolvimento dos estudos históricos

A delimitação do *corpus*

Se a primeira preocupação dos estudos sobre literatura infantil foi a de selecionar e difundir os livros, a segunda foi a de estabelecer que obras configuram esta literatura. Realizar estudos históricos e bibliográficos de literatura infantil e juvenil foi, portanto, a tarefa que se considerou mais óbvia e prioritária, a partir de cada literatura específica. Logo as necessidades investigativas destes estudos provocaram o desenvolvimento de infraestruturas de diferentes tipos, desde bancos de dados ou revistas especializadas, a centros de pesquisa ou associações internacionais de intercâmbio.

O estado atual dos estudos sobre a evolução cronológica desta literatura e a instauração de um *corpus* clássico varia enormemente, conforme tenha sido numerosa e consolidada a edição nos diferentes países. Deste modo, a existência de obras de referência na literatura anglo-saxã ou dos países nórdicos é notoriamente superior, quantitativa e qualitativamente, à presença de obras que estabeleçam estes parâmetros nas literaturas da Espanha, onde quase tudo ainda está por fazer.

Delimitar a história da literatura infantil apresenta problemas diversos dos que aparecem quando se estabelecem os parâmetros históricos em outras categorias literárias. Em primeiro lugar há que levar-se em conta que a ruptura entre a possibilidade de leitura dos livros históricos e a dos contemporâneos é consideravelmente mais sensível neste campo. A literatura infantil e juvenil depende de um receptor muito mutável e isto condiciona o estudo do passado, já que se precisa dedicar muita atenção às condições de leitura nas quais se foi produzindo a recepção. Se na literatura para adultos, a contextualização de uma obra do passado pode levar o leitor a criar a distância e o conhecimento necessários para sua fruição, isto não pode ocorrer na literatura de crianças e jovens, já que se trata de leitores que abordam os livros em um encontro despojado de contexto e a partir de sua progressiva aquisição de competência leitora. A discussão sobre a permanência dos clássicos, no sentido de obras que não tenham esgotado sua capacidade de comunicação com os leitores através dos tempos, é uma polêmica recorrente e, muitas vezes, dissimulada pela confusão, porque "estudos históricos" e "seleção de leitura" são dois objetivos que não se costumam distinguir em grande parte da bibliografia mais difundida, apesar de sua evidente diferença.

Assim, por exemplo, a valorização dos livros anglo-saxões da época vitoriana deve ser necessariamente entendida a partir do conhecimento, por parte dos leitores, das fórmulas típicas a que estes textos obedeciam, tal como analisa Hugues (1978). Mas, ainda que estas contribuições sejam essenciais para a compreensão da evolução histórica da literatura para crianças e jovens, é óbvio que isto nunca reverterá ao leitor infantil atual, que se encontra simplesmente impossibilitado de apreciar estes livros. Portanto, se a relação com o contexto da produção e distribuição é relevante para qualquer estudo histórico de literatura, a permanência de alguns clássicos à margem dessas condições resulta muito problemática na literatura infantil. O valor de um livro para converter-se em um clássico, que mereça ser lido em nossos dias, dificilmente pode isolar-se nas características do texto e não se pode conseguir que uma certa proporção de leitores infantis realize uma nova leitura *apesar* destas características.

Um segundo tipo de problema a respeito do estabelecimento de um *corpus* procede da opção entre considerar livros para crianças e jovens apenas aqueles que nasceram com a intenção de dirigir-se a este público concreto, ou aceitar livros que não se destinavam inicialmente a este público, mas que foram lidos por crianças e jovens com certa assiduidade, de forma que terminaram por ser publicados em coleções caracterizadas como infanto-juvenis.

A mudança de destinatário produziu-se no caso da literatura de tradição oral, tal como veremos mais adiante, e também em obras de literatura para adultos, principalmente da época anterior a um desenvolvimento consistente da produção de livros para crianças. Mudar a consideração destas obras adultas cria problemas no julgamento de sua identidade, já que o processo de apropriação por parte do público infantil e juvenil implica, frequentemente, a adaptação ou a redução da obra original. Isso ocorreu, por exemplo, nas *Viagens de Gulliver*, onde, na realidade, apenas a primeira viagem ao país de Liliput foi considerada literatura infantojuvenil. Nestes momentos, a ampliação do livro infantil em direção aos adolescentes traz também o problema de incorporar ou não as obras situadas em terreno ambíguo entre o que pode considerar-se literatura juvenil e literatura para adultos.

Nos últimos tempos, começaram igualmente a inverter-se os termos do problema, já que estão aparecendo livros que, ainda que adotem as características formais de uma obra infantil, parecem dirigir-se, na realidade, a um público adulto, motivo pelo qual se argumentou que não deveriam formar parte da história da literatura infantil e juvenil. Trata-se de produtos editoriais que se propõem, deliberadamente, a apagar as fronteiras entre crianças e adultos através dos chamados livros-presente, livros-objeto, livros-jogo, com um importante componente de imagem ou uso de materiais diversos, assim como também de livros teoricamente dirigidos aos pequeninos, mas que suscitam muitas dúvidas sobre a possibilidade de compreensão por parte destes destinatários por causa do tema, das referências culturais, da complicação formal, etc.

A evolução dos estudos históricos

Algumas análises sobre as histórias da literatura infantil e juvenil (Salway, 1986; Hunt, 1990) assinalam que, até 1945, os panoramas históricos se basearam em critérios intuitivos de avaliação e consistiram em descrições dos argumentos das obras misturados com informações biográficas sobre os autores. Os critérios de avaliação da qualidade reproduziram os da crítica da literatura para adultos e a literatura infantil foi colocada em posição de subordinação.

Algumas dessas obras parecem ter aceito o fato de que o material literário e seu destinatário implicavam um tipo de crítica diferente do habitual em estudos de história literária, mas as únicas diferenças incorporadas foram a atenção em relação ao tema da moralidade e da finalidade educativa da literatura para crianças.

Durante as décadas de sessenta e setenta publicaram-se os estudos que configuraram a história da literatura para crianças e jovens tal como chegou a nossos dias. A história se estabilizou, no sentido de que se chegou a um acordo generalizado sobre os períodos históricos e sobre as obras que representaram marcos importantes na evolução desta literatura. Entre as histórias universais aparecidas na Espanha, sem dúvida o estudo de Hurlimann (1959), traduzido para o castelhano em 1968, é o mais difundido, e o de Escarpit (1981) o de influência mais recente.

Ainda que outros estudos, de grande prestígio em seus respectivos países, não tenham sido traduzidos, algumas de suas contribuições ultrapassaram fronteiras e marcaram igualmente nossa concepção sobre o que o conceito de literatura infantil e juvenil inclui. É o que ocorre, por exemplo, com a história de Trigon (1950) na França, ou de R. L. Green (1946, 1962), na Grã-Bretanha. Este último autor estabeleceu alguns dos tópicos mais consolidados neste campo, tais como os critérios de distinção entre "livros escritos para crianças / livros que foram adotados por crianças", com uma separação conceitual entre "destinatários dos livros / receptores dos livros".

Todas estas divisões foram utilizadas amplamente na classificação dos livros infantis das histórias literárias, como por exemplo nos dicionários completos de literatura infantil e juvenil de Carpenter e Pritchard (1984), assim como as reflexões de orientação teórica que se constituíram obras de referência obrigatória na Espanha, como as de López Tamés (1985) e Cervera (1991), orientação a que se incorporou mais recentemente a obra de Sánchez Corral (1995), que já supõe mudança de visão importante na modernização destes estudos.[1]

Enquanto se estabelecia o mapa evolutivo da literatura para crianças e jovens, os estudos históricos e bibliográficos se constituíram, forçosamente, em um panorama global, onde se percorriam ordenadamente os precedentes, o folclore, as narrativas clássicas de adultos incorporadas ao campo juvenil e a produção contemporânea, até chegar ao leitor atual como se este fosse o receptor de toda a linha evolutiva descrita. A partir da década de oitenta, ao contrário, os estudos de história começaram a depurar-se, tanto de outras perspectivas disciplinares de análise (como a psicológica ou a educativa, por exemplo), como da pretensão de resolver ao mesmo tempo as tarefas coetâneas de seleção e difusão. Progressivamente apareceram então obras mais limitadas a períodos ou gêneros concretos e que relacionam os livros com o seu próprio conceito sociocultural de recepção leitora. Pode-se assinalar, por exemplo, a análise específica de tópicos de livros infantis, como o do protagonista (Gomez del Manzano, 1987), de gêneros como a ficção científica (Le Guin, 1979) ou de condicionantes da literatura infantil, como o tema da censura, que conta com ampla bibliografia na área anglo-saxã.

Nos estudos históricos sobre literatura infantil e juvenil castelhana, a extensa obra de Bravo Villasante (1963, 1985) foi a mais difundida e quase a única até a aparição dos sólidos estudos de García Padrino (1992), que abarcam o período de 1885 a 1985 ou a de Cendán Pazos (1986) sobre distintos aspectos da edição de livros para crianças e jovens entre 1935 e 1985. Na literatura catalã, a obra de Teresa Rovira (1976, 1988) fundamenta solidamente a evolução histórica até os anos sessenta e representa um exemplo de trabalho benfeito, lamentavelmente por demais isolado em nosso panorama. Não pretendemos resenhar aqui os aportes bibliográficos neste campo, mas destacar obras que delimitam o campo histórico, de maneira que nos limitaremos a citar o estudo de Vázquez (1963), sobre os jornais para crianças, ou o de Larreula (1985), sobre revistas infantis na Catalunha desde 1939 a 1985, a obra de divulgação histórica de Valriu (1994) e o estudo de Bassa (1994, 1995) sobre a relação entre a produção de livros infantis catalãos e o pensamento pedagógico desde o pós-guerra até 1985. A partir daí praticamente temos que passar à consideração de artigos e números monográficos de revistas (*CLIJ, Lluc, L'Espill, Temps d'Educació, Estudis Baleàrics,* etc.), que elaboraram aspectos ou esboçaram momentos da evolução atual, mas que devem ser considerados mais como elementos parciais de uma futura articulação histórica, do que como peças acabadas, para encaixarem-se em um quadro suficientemente elaborado.

Recentemente surgiram neste campo obras que, mais que descrever o progresso evolutivo, pretendem revisar a história construída até o momento. Trata-se de obras que, a partir de perspectivas específicas, questionam os padrões históricos estabelecidos e promovem a polêmica. Situam-se aqui, por exemplo, a releitura do período colonial britânico feita por Richards (1989) em *Imperialism and Juvenile Literature*, ou a visão feminista *Girls Only?*, de Reynolds (1990) sobre a literatura infantil anglo-saxônica de 1880 a 1910, na qual se postula a existência de uma literatura dividida em duas linhas paralelas, segundo se destinassem a meninos ou meninas. Também nos últimos tempos autores como Myers defenderam a aplicação na literatura infantil de um "novo historicismo", no sentido de estudos históricos que integrem a análise dos textos, com a análise de seu contexto sócio-histórico. Segundo esta linha, é necessário afastar-se da maneira habitual de organizar o material a partir de uma visão evolutiva do progresso, sempre linear e sempre avançando. Esta ideia é a que Myers sintetiza quando considera que "a maioria das histórias da literatura para crianças e jovens não são histórias analíticas e sim teleologias" (1988:42).

No entanto é preciso ressaltar que o campo dos estudos históricos circunscreveu-se basicamente à narrativa para crianças e adolescentes, enquanto os estudos sobre poesia e teatro constituem um vazio, ainda mais clamoroso do que o que já supõe a escassa produção de obras poéticas e dramáticas para estas faixas etárias. Chambers alude a esta situação ao dizer:

> Ainda que a discussão sobre literatura infantil e juvenil venha ocorrendo desde há duzentos anos até agora, e apesar de contar com profissionais e instituições respeitáveis, quase nada foi escrito sobre dramatização (1982 : 5).

A história da poesia e do teatro infantil castelhano e catalão compartilham da penúria internacional. Assim, com poucas exceções (Cerrillo e García Padrino, 1990, na poesia castelhana ou Prats, 1994, na catalã), os estudos de poesia continuam versando, principalmente, sobre a poesia de tradição oral (com obras de referência como a de Janer Manila, 1982 ou Pelegrín, 1996), enquanto que os de teatro se referem, sobretudo, a aspectos de atividades teatrais a serem realizadas pelas crianças, com exceção das obras pioneiras de Mendoza (1980) ou Cervera (1982), sobre o teatro infantil catalão, e a mais atual de Tejerina (1993, 1994).

A situação da infraestrutura de pesquisa é também incipiente na Espanha. Diferentemente de outros países, não existe ainda nenhuma revista específica de pesquisa e os boletins de resenhas e experiências de incentivo à leitura, próprios das bibliotecas públicas ou de grupos de leitura de diferentes instituições, constituem ainda o material bibliográfico mais abundante, com exceção de algumas revistas como *CLIJ, Cuadernos de Literatura Infantil y Juvenil,* que ao lado da divulgação publicam estudos mais rigorosos. A oferta do Centro Internacional do Livro Infantil e Juvenil, da Fundação Germán Sánchez Ruipérez, de Salamanca, é a única ilha de recursos bibliográficos e de pesquisa com recursos financeiros suficientes, excetuando-se os voluntariosos documentos iniciais de alguns centros, como a Biblioteca de la Santa Creu, na Catalunha. Nota-se ainda a falta de repertórios bibliográficos completos e sistemáticos, como assinala García Padrino (1992)[2], embora ultimamente a Associação de Amigos do Livro venha publicando materiais, como guias de autores e ilustradores, que podem contribuir para preencher estas lacunas.

Notas

1. González Gil realizou um panorama dos estudos críticos na Espanha a pedido da OEPLI para o I Congreso Nacional del Libro Infantil y Juvenil. Ver González Gil (1994).
2. Em língua catalã existe o repertório de Rovira e Ribé (1972) e o de Ventura (1970).

3.
Os debates teóricos até os anos oitenta

Assinalou-se repetidamente que a Literatura Infantil e Juvenil desenvolveu-se sempre situada entre uma função literária e uma função educativa (Shavit, 1986). Revendo a bibliografia sobre esta literatura torna-se fácil detectar que os dois problemas, que centralizam o debate teórico sobre sua constituição como campo de estudo, correspondem a cada uma das áreas deste duplo registro: por um lado, o debate sobre a definição da literatura infantil e juvenil como tal. Por outro, a polêmica sobre a conveniência educativa dos modelos realistas ou fantásticos nas obras de ficção dirigidas às crianças, polêmica que englobou ainda a consideração da relação entre literatura infantil e literatura de tradição oral. Veremos adiante a evolução de ambos os debates e os principais conceitos que geraram a teoria sobre literatura infantil e juvenil.

O debate sobre a definição do campo

A definição do objeto de estudo foi a primeira questão abordada do ponto de vista teórico pelos estudos de literatura infantil e juvenil. A evolução cronológica deste debate passou, em primeiro lugar, pela discussão sobre se os livros infantis podiam ser considerados "literatura", no sentido dado habitualmente a este termo; em segundo lugar, pela polêmica sobre se a literatura infantil configurava-se pelas obras de reconhecida qualidade literária, ou pelas de maior sucesso entre os leitores; em terceiro lugar, pela definição desta literatura como um campo literário específico no interior do sistema de comunicação literária, definição que conduziu à superação das polêmicas anteriores.

Literatura infantil e juvenil *versus* a "verdadeira literatura"

Os estudos sobre livros infantis tenderam, constantemente, a definir-se por oposição em relação às características da literatura para adultos. Num primeiro momento, a polêmica centralizou-se simplesmente na possibilidade de outorgar carta de natureza literária aos textos dirigidos a crianças. Uma das opiniões sustentadas repetidamente pelos partidários da inexistência da literatura infantil é, sem dúvida, a de Benedetto Croce:

> A arte pura (...) requer, para ser saboreada, maturidade da mente, exercício de atenção e experiência psicológica. O sol esplêndido da arte não pode ser suportado pelos olhos ainda débeis da criança e do adolescente (...) para eles são adequados certo tipo de livros que têm algo de artístico, mas contêm elementos extraestéticos, curiosidades, aventuras, ações audazes e guerreiras (...) De qualquer modo, se as crianças podem desfrutar de uma obra de arte pura, esta não terá sido criada para elas, mas para todo o mundo, e por isso não pertencerá à literatura "para crianças". O mesmo se passa com a arte popular, que ou não é arte, ou não é popular (1974 : 67, original: 1922 : 116).

Esta posição foi se repetindo através dos tempos por parte de muitos outros autores, que negaram de forma contundente a denominação de "literatura" a estes textos. São famosas, neste sentido, as opiniões de Sánchez Ferlosio em seu prólogo a uma edição castelhana de *Pinóquio*:

> Se não pode existir (a LIJ), pois que não exista; não há senão que regozijar-se de que não exista algo cuja existência só é possível na degradação (1972 : 11).

Ou a comparação de Rico de Alba que, depois de contrastar fragmentos de livros infantis com a norma de qualidade da literatura para adultos exclama:

> A erradamente chamada literatura infantil é, para a verdadeira literatura, o que os castelos de areia que construímos na praia para nossos filhos são para a verdadeira arquitetura (1986 : 54).

Durante a década de sessenta, a teoria literária ofereceu uma nova formulação do conceito "literatura". Surgiu das teorias estruturalistas desenvolvidas naqueles anos, a partir do propósito dos formalistas russos de estabelecer uma ciência literária. As diversas poéticas estruturalistas concederam em outorgar à literatura uma determinada função da linguagem, a função poética, e se propuseram o estudo das marcas linguísticas que deviam caracterizar a língua literária, que explicariam como a literatura se "desvia" da norma, diferentemente de outros tipos de expressão linguística. Afirmaram, então, que os textos literários se caracterizam por sua "literariedade" e que este traço constitui o objeto de análise da teoria literária (Jakobson, 1923).

Neste sentido, a literatura infantil foi considerada um texto literário menor, já que se trata, geralmente, de um texto menos desviado da norma, menos que um poema vanguardista, por exemplo. A preocupação de muitos críticos e autores de livros infantis foi, então, a de tentar defender-se desta nova qualificação "apequenada". Para fazê-lo começaram a buscar as mesmas marcas de literariedade nos textos para crianças, ou ainda reivindicaram algumas específicas, com a ideia de aceitar serem diferentes, sempre que "a especificidade" outorgava a mesma categoria de valor literário (Poslaniec, 1990).

Embora esta atitude tenha repercutido, em alguma medida, nos estudos de literatura infantil e juvenil em língua catalã, o certo é que a condenação às trevas exteriores dos livros infantis não contou nunca com figuras destacadas nesta tradição crítica. Seja pela sensibilidade dos grandes nomes da pedagogia catalã em relação ao tema, ou seja porque autores indiscutíveis do *Modernismo* e do *Noucentisme*, como Carner,

Manent, Riba, entre outros, escreveram e traduziram livros para crianças e jovens, o certo é que a infravalorização literária, aqui assinalada, jamais foi teorizada, nem defendida explicitamente por nenhuma personalidade ou instância cultural de renome. Provavelmente se trata de um fenômeno generalizável às nações sem estado e com idioma próprio, nas quais a leitura infantil nessa língua é vista positivamente porque é percebida como um fenômeno associado decisivamente à possibilidade de desenvolvimento linguístico e cultural.

No entanto, a restrição do termo literatura imposta a partir das poéticas simbolistas e formalistas pesou intensamente na bibliografia sobre literatura infantil através de uma constante – e para o leitor muito cansativa – necessidade de justificar, uma e outra vez, este campo com todo tipo de argumentações, obrigadas a serem mais ou menos rocambolescas, posto que pretendem replicar a esta objeção, sem chegar a romper com a armadilha teórica em que se encontram. Alcançaram-se assim elaborações sutis segundo as quais, ou bem resulta mais difícil escrever para crianças do que para adultos, ou bem autores e críticos negaram-se reiteradamente a aceitar que se adotem procedimentos distintos para escrever e avaliar os livros, segundo sejam para crianças ou para adultos, posição ainda majoritária hoje em dia nestes setores, reagindo a uma definição que lhes parece condenatória de uma profissão de segunda ordem.

Ora, os autores (como Carandell, 1976), que negaram iradamente a existência de compartimentos estanques na literatura, opinaram com a mesma ênfase, que o acesso das crianças aos textos literários depende de suas possibilidades de compreensão linguística e da adoção de temáticas próximas à sua experiência vital. É evidente, pois, que o que finalmente se enfrentava não eram tanto os pressupostos básicos – facilmente aceitáveis por qualquer um, que não se deixe arrastar a dualidades extrapoláveis e etiquetáveis, tão frequentes, por outro lado, no mundo da educação –, mas uma formulação em termos "de essência", que revelava a necessidade urgente de uma elaboração teórica capaz de redefinir os termos.

A "verdadeira literatura" infantil versus o prazer do leitor

A polêmica sobre o caráter literário ou espúrio da literatura infantil se manteve até os anos setenta. Na realidade, uma grande parte dos mesmos autores que defendiam a existência dos livros infantis aceitavam, quase sem perceber, os argumentos da posição contrária, no momento de responder a outro antigo problema: o de que critérios deve-se ter em conta para a crítica e avaliação dos livros destinados a crianças e jovens. A resposta dividiu a crítica em dois grupos. Uns autores, sentindo-se legitimados por sua própria cultura adulta, se aplicaram em estabelecer uma hierarquia literária e um *corpus* canônico dos *melhores livros*, a partir de critérios idênticos aos utilizados para a literatura de adultos, critérios estes baseados em análises da qualidade literária. Outros autores reagiram violentamente contra esta distância e se propuseram a atender primordialmente ao êxito dos livros entre seus destinatários crianças e adolescentes, reivindicando uma avaliação a partir da experiência dos *livros que agradam às crianças*.

O enfrentamento entre as duas tendências obedecia a uma contradição fundamental da literatura infantil: os livros são escritos, comprados e avaliados por adultos. Os "críticos" da literatura infantil são, na prática, uma multidão: a de todos aqueles que exercem um papel de poder decisivo sobre o acesso das crianças à leitura, tanto se são estudiosos, animadores culturais ou, simplesmente, pais e mães. Explicitar os critérios pelos quais se avaliam as obras infantis torna-se imprescindível para poder ir além dos supostos pelos diferentes grupos sobre o que é conveniente para a infância e a adolescência, inclusive, com frequência, além do débil guia daquilo que os adultos se recordam ter lido na sua própria infância.

A tensão entre as duas posições extremas, quer dizer, entre a avaliação do texto ou a consideração ao leitor, teve momentos de maior ou menor inclinação para um dos dois polos, mas mantém um equilíbrio estável, já que dificilmente alguém pode pretender anular totalmente um dos critérios. O problema, portanto, se apresenta sempre sob forma de como selecionar os livros de maneira que exijam um esforço de interpretação, mas sem que esta literatura se torne distante para aqueles que se supõe sejam seus destinatários.

Até a década de oitenta a crítica se inclinou, em princípio, por escolher livros de qualidade, utilizando os instrumentos próprios da análise literária. Dizemos "em princípio" porque não parece ser exatamente assim quando se leem as avaliações de livros infantis realmente publicados, mas esta é a posição explícita da crítica na bibliografia da época, e só lentamente irá surgindo o reconhecimento da importância de incluir o destinatário na avaliação dos textos.

É muito esclarecedora, neste sentido, a posição de Alderson (1969) em artigo de título suficientemente explícito: "The Irrelevance of Children to the Children's Book Reviewer", no qual se rechaçam completamente os critérios associados à constatação empírica do sucesso dos livros. Os progressos atuais na consideração à recepção do leitor converteram seus argumentos em algo simples, mas a pouca seriedade crítica, que ele denuncia com contundência, ainda se acha presente nos estudos de literatura infantil. Na realidade, o que Alderson rechaça é uma crítica empírica que, segundo assinala, parece destinada a dar livros apenas para entreter:

> Os críticos que abdicam de suas responsabilidades como tais, esquecem provavelmente certo número de coisas que têm considerável importância, se os adultos forem de alguma ajuda na criação de leitores inteligentes (...) A julgar pelo tom das críticas na imprensa popular, nosso propósito não parece muito mais do que desejo de manter as crianças quietas durante meia hora ou de convertê-las em competentes participantes da sociedade burocrática. Mas, uma vez que atribuímos à leitura o papel vital, que eu acredito que ela tem, de fazer as crianças mais atentas e mais conscientes das possibilidades da linguagem, parece necessário manter juízos qualitativos formados sobre a base da experiência adulta. Naturalmente, a empatia e o conhecimento sobre crianças (mais além da lembrança do passado) tem que ser parte vital desses juízos, mas justamente do mesmo modo que é vital baseá-los também no conhecimento dos recursos da literatura infantil e juvenil contemporânea (1969 : 11).

Os meios anglo-saxões denominaram sinteticamente *book people* e *children people* aos representantes das duas posições[1]. Meek, por exemplo, descreveu esta dicotomia caracterizando ao *book people* como os autores preocupados em buscar os melhores critérios para separar a "verdadeira literatura" do material de leitura, e ao *children people* os setores acostumados a lidar com crianças e preocupados, principalmente, com seu desenvolvimento psicológico. E assinalou:

> Certamente, o *book people* não ignora que os leitores são crianças; simplesmente considera irrelevantes suas opiniões sobre os livros. O *children people* certamente não tolera os maus livros infantis, mas prefere centrar-se no leitor (1982 : 285).

O tema não se restringiu à questão de como incorporar o juízo crítico das crianças, mas levou à proposição de critérios gerais para uma resposta literária que, por definição, é pessoal. A função prática da seleção material dos livros e a confrontação cotidiana com os mais diferentes leitores, obrigou a crítica de literatura infantil a rapidamente abordar a relação entre resposta individual e juízos críticos de avaliação, uma questão teórica que foi abordada recentemente pela teoria literária. Assim, por exemplo, Hollindale (1989) destaca que o contencioso se produziu porque se passou a problematizar, não apenas a supremacia do julgamento adulto, mas a possibilidade de generalizar sobre os interesses infantis.

O enfrentamento entre o *book people* e o *children people* não se restringiu à crítica de livros, mas também se trasladou para o âmbito da produção. Por um lado teríamos os autores que reivindicaram a escritura "para si mesmos" ou "para a criança que foram" e que se propunham dotar a literatura infantil de obras valiosas, enquanto diante deles se situaram aqueles que se autodefiniram (Lesson, 1985) como uma espécie de dinamizadores culturais, em continuação à tarefa exercida antes pelos contadores de histórias.

A contraposição entre estas duas posições foi muito mais difusa na Espanha por causa da inexistência de sólidas instâncias de crítica literária infantil e juvenil. Do momento em que as avaliações de livros foram feitas a partir dos meios educativos – por exemplo, as dos seminários da Associação de mestres Rosa Sensat ou do Secretariado de Imprensa e Literatura da CCEI – levar em conta o grau de aceitação dos livros tem sido um critério incorporado de forma habitual às tarefas de seleção e avaliação. Assim, no prólogo do primeiro volume de ¿Qué libros han de leer los niños?, a seleção que tem mais influência e continuidade histórica, podemos ler:

> Não teria sido possível confeccionar um livro como este unicamente a partir de um cômodo, que também existe, cheio de fichários e catálogos. Sob estas páginas, repetimos, há toda uma variedade de trabalho entre livros e crianças, no quadro da biblioteca escolar, totalmente integrada ao tecido educativo da escola (1977 : 11).

À falta de outras instâncias de avaliação, o que poderia ser simplesmente o *children people* como setor em contato com as crianças, assumiu também, portanto, a atenção para com os aspectos literários, durante as décadas de sessenta e setenta. Ora, as avaliações e críticas de livros desses anos respondiam às demandas geradas pelos meios educativos para alcançar os objetivos prioritários já assinalados. A grande implicação da crítica com a prática escolar levou a adotar o ponto de vista da repercussão dos livros junto ao público receptor e a que se procurasse oferecer materiais de avaliação (guias, seleções, resenhas, etc.) adequados às necessidades dos educadores. Esta situação condicionou a crítica da literatura infantil e juvenil em alguns aspectos, como os seguintes:

a) A forçosa supervalorização de alguns títulos em função da penúria existente.

b) A avaliação dos livros a partir de uma perspectiva muito funcional de adequação à idade para orientar sua circulação na escola.

c) A publicação de resenhas muito curtas e com particular insistência na definição do enredo, já que se propunham a cumprir missão informativa, útil para a aquisição das bibliotecas públicas e escolares.

d) O estabelecimento de classificações com critérios pouco homogêneos do ponto de vista literário.

Em relação a este último ponto, por exemplo, pode-se ver que a classificação de ¿Qué libros han de leer los niños?, fazia coexistir classificações muito heterogêneas das obras (contos populares, obras de protagonista humano, narrativas fantásticas e de humor, narrativas mais extensas, etc.), na intenção de facilitar a tarefa dos intermediários entre crianças e livros, mais do que com o propósito de seguir categorias críticas do ponto de vista da teoria literária. É muito interessante, no entanto, ver que o critério de qualidade pressionava esta ampla seleção até o ponto de que, no início do livro, se oferecia, poderíamos dizer que "fora do programa", uma pequena lista de livros infantis e juvenis intitulada "Livros de grande qualidade literária". A partir de 1985, este capítulo desapareceu, o que mostra que a evolução da reflexão teórica sobre os livros infantis conduziu à fusão dos dois tipos de critérios, tal como veremos em seguida.

A literatura infantil e juvenil como campo literário específico

O beco sem saída das duas posições descritas estava em que a primeira de certa forma presumia a inferioridade literária da literatura infantil, enquanto a segunda levava ao abandono da reflexão teórica em favor de um forte pragmatismo do incentivo à leitura. Na fronteira dos anos setenta esta limitação provocou uma nova formulação dos pressupostos teóricos sobre literatura infantil e juvenil. Tomando a noção de "campo literário", de Bourdieu (1966), passou-se a considerar a literatura infantil como um campo literário específico: A formulação mais utilizada foi a de preconizar seu reconhecimento como *um gênero literário*.

A discussão teórica sobre o grau de qualidade literária do campo foi abandonada, considerada um debate estéril sobre as essências e resolvida com um pragmatismo deliberadamente contundente como o da famosa definição de Townsend (1971), um dos grandes críticos anglo-saxões: "A literatura infantil são os livros que aparecem nos catálogos de livros para crianças". Ou a de Soriano (1975) que exerce um mestrado similar na área francófona: "O que é que o senso comum denomina literatura infantil em nossa época? As coleções coloridas de capas duras, que oferecem um certo tipo de prazer feito de curiosidade e atenção".

Os esforços se centraram então, mais do que em procurar marcas literárias, em definir os traços específicos da literatura para crianças e em julgar as obras pelo seu êxito no uso das convenções do gênero. Muitos autores se aplicaram em estabelecer estas características próprias em listas que incluíam estes traços, como por exemplo o protagonismo de crianças e jovens, a flexibilidade especial das possibilidades dos acontecimentos narrados, determinados elementos recorrentes nas tramas (a prova, a viagem através do tempo, golpes de sorte e formas distintas de iniciação à idade adulta), etc. Nesta visão se entende que a imaturidade linguística, emocional e intelectual dos receptores determina, precisamente, as limitações inerentes ao gênero, e passou-se a assinalar, repetidamente, que qualquer gênero literário tem limitações e que a literatura infantil e juvenil não é uma exceção.

Townsend e Soriano marcaram a direção dos estudos para a definição de um campo específico, que oferecesse um equilíbrio moderado entre os critérios centrados no texto e aqueles centrados no leitor. Mas Soriano rechaçou a formulação inicial de "gênero" por sua confusão em relação à terminologia literária tradicional, já que a literatura infantil engloba vários deles e propôs utilizar a definição do esquema comunicativo, de ampla difusão nos estudos filológicos dos anos setenta, para situá-la como:

> Uma comunicação histórica, quer dizer, localizada no tempo e no espaço, entre um locutor ou escritor adulto, o emissor e um destinatário criança, o receptor, que, por definição, não dispõe mais que parcialmente da experiência da realidade e das estruturas linguísticas, intelectuais, afetivas, etcétera, que caracterizam a idade adulta (1985 : 185).

Segundo Soriano, esta nova definição permitia isolar, e também relacionar como inseparáveis, cinco elementos fundamentais, frequentemente estudados de maneira parcial e dispersa na literatura infantil: emissor, destinatário, mensagem, código e realidade a qual emissor e destinatário se referem. O desenvolvimento pormenorizado destes elementos feito por Soriano ofereceu a primeira teorização consistente do campo específico da literatura infantil e a primeira tentativa de utilizar os avanços de muitas disciplinas das ciências sociais e humanísticas, na clarificação do debate. A noção de "comunicação" permitiu-lhe pôr em ordem os numerosos temas implicados no fenômeno literatura infantil e assinalar que a finalidade de seu estudo é, "em definitivo, o diálogo que, de uma época para outra, de uma sociedade para outra, se estabelece entre as crianças e os adultos por meio da literatura" (1985 : 189).

O interesse teórico concedido aos elementos pragmáticos da avaliação literária começaram, então, a desbloquear o tema do reconhecimento literário da literatura para a infância e juventude, ao entendê-la como uma forma específica de comunicação literária. As contribuições de Townsend e Soriano ofereceram uma saída desejada em termos de atenção à mensagem e a partir de alguns únicos critérios de qualidade literária.

Apesar disso, as conclusões concretas sobre os critérios de avaliação que se devia aplicar às obras, diferem entre os dois autores. Townsend enunciou quatro princípios gerais: a adequação a determinados leitores, com frequência definida pela idade, a popularidade potencial do livro, a relevância da leitura para o enriquecimento pessoal e o mérito literário. E, com um estilo muito próprio da melhor tradição humanista e liberal britânica, inclinou-se a outorgar à boa formação do crítico, o equilíbrio entre os conhecimentos – sobre literatura, sobre os leitores e sobre os livros infantis – que se requerem para a tarefa de avaliação. Por outro lado, Soriano, talvez em consonância com o estilo dirigista e a prática educativa, que parece moldar uma certa tradição francesa, chegou a propor uma lista de critérios muito concretos, concretizados numa espécie de ficha estandartizada, que devia servir para unificar a pesquisa e a crítica (e inclusive a produção, sob muitos aspectos). O crítico, portanto, não teria mais que ater-se a esses pontos na sua avaliação de livros para crianças e jovens. A pretensão de Soriano e alguns dos critérios concretamente propostos, são certamente curiosos do ponto de vista atual, mas é uma proposta muito representativa da concepção da crítica do final dos anos setenta, em sua intenção de construir parâmetros teóricos próprios transformados, ao mesmo tempo, em fórmulas práticas de análise[2].

A polêmica aberta pela oposição da literatura infantil a determinadas definições do termo "literatura" foi-se apagando nos últimos anos. A partir de novas contribuições da teoria literária da década de oitenta, tal como veremos mais adiante, temos assistido, progressivamente, ao abandono do debate de confronto para caminharmos, mais produtivamente, em direção à delimitação e fundamentação "positiva" dos parâmetros teóricos de um *corpus* literário definido por seu receptor ideal.

Cabe assinalar, no entanto, que a aceitação da ideia de literatura "pura", que se degrada com qualquer tipo de condicionamento criativo, se acha ainda presente em muitos setores culturais, que sem seguir de perto o debate dos últimos anos, mantiveram inquestionável este pressuposto. Assim o vimos reproduzir-se fielmente a partir do recente aparecimento do que se chamou "literatura juvenil". As mesmas perguntas que marcaram a discussão sobre literatura infantil surgiram de novo, referindo-se agora à parcela juvenil desta literatura. Perguntas como: "existe o romance juvenil?", "que traços podem diferenciá-lo da literatura para adultos?", "devemos entendê-lo como aqueles textos que, entre todo o *corpus* literário de adultos, se encontram perto à experiência vital dos adolescentes ou como textos escritos especificamente para eles?", repetem-se em artigos e mesas-redondas, como um eco dos primeiros passos nos estudos deste campo. E também, por outro lado, respostas bem sensatas revelam a vigência de uma definição em termos de "gênero" e de defesa de uma avaliação baseada no bom uso de suas leis, tal como faz Teixidor (1995) em sua exposição dos critérios para avaliação da literatura juvenil.

O debate sobre a relação entre fantasia e realidade

Um segundo tema onipresente na bibliografia sobre literatura infantil até a década de oitenta é o da relação entre a ficção realista e a ficção fantástica. Este tema implicou dois tipos de questões que dizem respeito novamente, uma aos aspectos literários e outra à função educativa:

a) A primeira questão se referia à relação existente entre os contos de fadas, entendidos no sentido de contos populares, e a literatura infantil, tanto do ponto de vista da evolução histórica como da delimitação do que se considere literatura infantil na atualidade.

b) A segunda centrou-se na avaliação dos contos de fadas como matéria literária conveniente ou prejudicial para crianças e jovens do ponto de vista educativo, polêmica recorrente desde a aparição da literatura infantil.

Trataremos em seguida das contribuições mais importantes dos estudos sobre literatura infantil até os anos oitenta em suas considerações sobre o folclore. Em primeiro lugar se expõe a relação entre o folclore e a história da literatura para crianças. Em segundo lugar se indicarão as repercussões dos estudos folclóricos nos pressupostos culturais, psicológicos e literários, que configuram a crítica da literatura infantil. Finalmente, veremos as consequências deste debate na orientação da produção de livros para crianças a partir dos anos setenta.

O folclore como literatura infantil

A denominação *fairy tales* é a mais difundida nos estudos sobre literatura infantil. Embora a denominação "contos de fadas" não seja um termo muito usado na Espanha, Bortolussi (1985) adotou-o chamando a atenção para seu triplo significado: o de conto folclórico primitivo com intenção de manter-se fiel à forma tal como foi ouvido, como por exemplo no caso dos contos russos compilados por Afanasiev; o de contos recolhidos com alguma intervenção dos autores, como nos de Basile, Perrault e Grimm; e o de contos inventados a partir do romantismo, como os de Andersen. A denominação "contos de fadas" é a que melhor revela que estes contos provocaram a polêmica entre fantasia e realidade ocorrida em todos os países e mostra quão estreita foi a vinculação estabelecida entre folclore e literatura infantil.

Embora a literatura de tradição oral não fosse especialmente dirigida a crianças no momento de sua criação e difusão, é certo que, desde o início de sua fixação escrita, houve uma vontade explícita de apelar a estes ouvintes. As obras de Perrault ou Grimm são exemplos evidentes disso, de maneira que a bibliografia histórica de obras infantis inclui sempre uma grande parte do material folclórico. Por outro lado, faz muito tempo que a literatura de tradição oral perdeu sua caracterização de "popular", no sentido de compartilhada pela população de uma cultura. Foi, precisamente, seu extravasamento para uma nova audiência, a constituída agora pela infância, que lhe permitiu manter sua presença no imaginário coletivo das sociedades contemporâneas. Pode afirmar-se, pois, que o folclore como forma literária viva está enraizado essencialmente na literatura infantil e é parte da descrição deste fenômeno.

Além disso a maioria dos autores concordam em situar a origem da literatura infantil, no sentido moderno, na evolução dos contos de fadas. Ressaltam, por outro lado, a extinção da linha de textos didáticos e moralizantes, que haviam sido escritos para crianças em épocas tão antigas como o século VI, e que possibilitou o reconhecimento de uma literatura para crianças a partir do século XVIII. Em geral, estes livros didáticos são considerados como simples antecessores da literatura infantil, similares em razão da sua vontade de dirigir-se à infância, mas diferentes porque lhes nega, em muitos casos, a qualidade de textos literários. A fantasia existente nos contos de fadas tradicionais teria assim a função literária e teria deslocado a ficção realista da nova criação, que se propunha a cumprir uma função moral. Bortolussi acolhe este esquema ao estabelecer sua definição de conto infantil:

A literatura infantil, entendendo-se por esta expressão uma obra estética destinada ao público infantil é (...) um fenômeno relativamente recente que nasce da conversão posterior dos contos de fadas, de origem popular, em material de leitura infantil, fenômeno que não se produziu de maneira definitiva até o século XIX (1985: 16-17).

Os estudos históricos anglo-saxões são os que mais aprofundaram a relação entre os contos de fadas e o nascimento da literatura infantil. Na verdade, a Grã-Bretanha é o único lugar onde os estudos gerais de história literária foram um referencial importante no momento de abordar a reflexão sobre o nascimento e o desenvolvimento dos livros infantis, posto que conta com uma rica discussão a respeito, desde os estudos literários do século XIX, com a intervenção de nomes tão relevantes quanto Coleridge, Dickens, Tolkien, Chesterton ou Stevenson. Por isso, se outros países abordaram a questão do nascimento da literatura infantil como um fenômeno de âmbito universal, nos estudos da literatura infantil britânica se pôde partir da discussão gerada em sua própria tradição de estudos literários.

Segundo a reflexão anglo-saxã (Hughes, 1978) a literatura infantil teve suas origens na concepção vitoriana do romance como leitura familiar. Diferentemente da poesia e do drama, gêneros literários próprios da excelência literária, o romance foi visto, até sua crise em 1880, como uma forma "baixa" de arte, ligada à burguesia e a critérios de avaliação educativa e moral. Para deixar de ser assim considerado, a definição do romance como objeto artístico se esforçou em marcar distância em relação à narrativa popular, relegando-a a uma forma literária própria de mulheres e crianças. Este contexto, onde se encaixa a polêmica entre H. James (1899) e R. L. Stevenson (1901) sobre a atitude estética do leitor da narrativa, teve consequências decisivas para a literatura infantil, já que converteu-se em um lugar comum a opinião de que as crianças não podem ser consideradas leitores estéticos, por causa de sua proximidade com o objeto artístico. A exclusão das crianças como leitores de verdadeira literatura deu-se, então, em um contexto de desprezo pela fantasia em relação ao realismo, no estabelecimento de uma dicotomia entre literatura trivial e literatura séria. Segundo o parecer dos críticos, a fantasia seria apropriada para as crianças e os povos primitivos, e por isso, ainda recentemente, as obras fantásticas são denominadas "contos de fadas modernos" por parte da crítica formada a partir das ideias estéticas de Forster (1927).

Porém, na atualidade, a produção artística modificou os critérios herdados destas coordenadas. Por um lado, a literatura infantil e juvenil desenvolveu-se sob critérios realistas, e por outro a fantasia renasceu na literatura para adultos. O que contribuiu para mostrar, segundo indica Hughes, a falsidade de uma divisão entre tipos de ficção que expulsou a literatura infantil da consideração literária. Nesta linha se afirma, pois, que toda confusão criada no campo da teoria sobre livros para crianças, incluída a existência mesma de uma literatura diferenciada da do adulto, procede, na verdade, do debate realizado no século XIX entre a possível qualidade literária da ficção fantástica e realista. Deste modo, os dois debates-chave dos anos oitenta – a consideração literária dos livros infantis e a relação entre fantasia e realidade – se achariam fundidos em suas origens.

As repercussões dos estudos folclóricos

Os estudos históricos estabeleceram uma clara vinculação entre folclore e literatura infantil. Mas além de uma simples constatação detectável e historiável, vale a pena elucidar os argumentos de fundo, as razões presentes nos estudos de literatura infantil, para a defesa da inter-relação circunstancial entre estes dois tipos de literaturas. Estas hipóteses se nutriram dos estudos sobre o folclore, desenvolvidos ao longo do século XX, por diferentes tipos de disciplinas, desde a teoria literária à antropologia ou à psicologia. Os conceitos elaborados nestes campos se transferiram para os estudos sobre literatura infantil e configuraram três tipos de pressupostos básicos sobre a contribuição do folclore à literatura infantil, que descreveremos em seguida.

A herança cultural da coletividade

A pesquisa sobre literatura de tradição oral interessou-se pela fascinação que os mitos e outras matérias do folclore exerceram sempre sobre a humanidade. A visão desta literatura como um substrato cultural básico foi transferida ao propósito educativo da literatura dirigida às crianças contemporâneas. O folclore viu-se, assim, como a herança que a humanidade oferece aos jovens e que a ruptura na cadeia oral de transmissão torna urgente proteger e repassar através da moderna instituição escolar. Petrini (1958) assinala a esse respeito:

> É precisamente do folclore que temos de partir, como de um manancial inicial, se queremos descobrir o significado e a função da literatura para a infância (1963: 37)[3].

Esta herança parece referir-se a uma dupla vertente: em primeiro lugar, a de um legado cultural que se considera essencial para a humanidade, já que seu processo de transmissão ao longo dos séculos o foi depurando até sintetizá-lo em uma espécie de mensagem essencial. Esta linha de fundamentação considera que a razão para transmitir o folclore às crianças está na capacidade de resposta desta literatura às necessidades profundas de construção do mundo individual, com independência do momento histórico e da cultura à qual pertencem. O antropologo M. Elíade, ponto de referência importante desta argumentação nos estudos sobre literatura infantil, diz:

> Este ponto de vista não surpreenderá àqueles que vêm a iniciação como um comportamento exclusivo das sociedades tradicionais. Hoje começa a tomar corpo a ideia de que, o que se chama "iniciação", coexiste à condição humana, que toda a existência está construída por uma série ininterrupta de "provas", de "mortes" e de "ressurreições", quaisquer que sejam os termos de que se sirva a linguagem moderna para traduzir estas experiências (originariamente religiosas) (1985:211).

Neste tipo de valor histórico se baseia, por exemplo, Jean (1981) em sua obra sobre o poder dos contos na educação das crianças "pelo fato de que constituem, imaginariamente, por antecipação, repetição ou recorrência "cenários", ou melhor, argumentos existenciais (1988:38). Também aqui, Janer Manila (1982), Pelegrín (1982, 1984), Rodríguez Almodóvar (1989) ou Medina (1990), assim como muitos outros autores, que insistiram em reivindicar o valor educativo do folclore, baseiam-se nesta interpretação dos estudos mitológicos e folclóricos, a partir de seu caráter de representações coletivas.

Em segundo lugar, a herança do folclore é vista como uma aprendizagem de enraizamento histórico a partir do conhecimento das formas culturais antigas. Este último postulado parte da avaliação do folclore como "cultura de povo", avaliação herdada do romantismo e reformulada mais modernamente em um novo sentido de cultura das "classes populares". A partir desta posição defendeu-se a capacidade de subversão social desta literatura e considerou-se tão necessária para a educação das crianças, como propiciavam os ares da contracultura que se respiravam quando de sua formulação, na década de setenta.

Não parece contrária ao discurso, com frequência bastante retórico, de muitos estudos sobre valores educativos do folclore, uma concepção da infância identificada com as capacidades e o tipo de fruição estética atribuídos aos estágios de desenvolvimento das culturas primitivas. Na bibliografia sobre educação de vários países, foi proposto, frequentemente, um itinerário de literatura dirigida às crianças que reproduz a evolução da história literária dos povos, da literatura folclórica à literatura com características de literatura moderna.

Ao processo de revalorização dos contos de fadas durante os anos setenta há que acrescentar-se, também, um elemento particular de nosso país. A revalorização do folclore coincidiu, no tempo, com os últimos anos da ditadura e com a chegada da democracia na Espanha. Como consequência disso produziu-se um movimento de busca e valorização da própria identidade, em todas as nacionalidades do Estado. Desfeita a imagem franquista de um folclore comum a serviço de uma imagem cultural única, foi frequente durante aqueles anos a busca das tradições orais ainda vivas, a reedição e difusão daquelas recolhidas em épocas anteriores e a utilização escolar desse material, associada à possibilidade do ensino em idioma próprio.

A ideia romântica do folclore como expressão das essências nacionais experimentou, pois, uma súbita revitalização a serviço da recuperação nacional e foi defendida como uma literatura "do povo", desenvolvida à margem, tanto da literatura culta, quanto da imposição de um idioma estranho. Esta concepção converteu a literatura de tradição oral em idônea para ser percebida como "a literatura infantil" por antonomásia, o que teve repercussões imediatas no ensino de literatura na escola. Janer Manila reflete esta visão ao dizer:

> Os textos da literatura oral, surgidos de uma linguagem profundamente relacionada e adaptada ao entorno, são capazes, ainda hoje, de propor alternativas válidas à sociedade atual, atitudes contestatórias e de repulsa. Na realidade, trata-se de uma cultura mantida à margem das correntes culturais oficiais. De uma cultura a partir da qual as comunidades linguísticas minoritárias reivindicam o direito a definir sua identidade, uma identidade que busca utilizar seus próprios meios de expressão.
> A linguagem efervescente da oralidade é capaz ainda de abrir a imaginação da criança para o futuro. Uma linguagem perdida, com possibilidades de fecundar a imaginação, de encontrar pelos caminhos da palavra a sabedoria milenar do povo (1982).

A construção da personalidade

As interpretações a partir do campo da psicologia colaboraram estreitamente com alguns dos pressupostos fundamentais que acabamos de citar. O folclore não supõe só ordenação cultural do mundo, mas também resposta à necessidade psíquica de fazê-lo e, além disso, formas terapêuticas de resolução dos conflitos psicológicos dos indivíduos. Desde seus inícios, a psicanálise se interessou pelos mitos e contos como reveladores do inconsciente, e, mais tarde, autores como Bettelheim (1975) ou Winnicot (1970) tiveram influência decisiva na defesa da literatura de tradição oral como parte essencial da literatura infantil.

Efetivamente, as obras desses autores apareceram em um momento histórico de desdém em relação aos contos de fadas, em favor da literatura de tipo realista. Se a literatura nasceu como um *corpus* de livros moralizantes e caracterizados por uma ficção realista que condenava a fantasia dos contos de fadas às trevas exteriores, a lenta e obstinada penetração da fantasia sofreu um novo revés a partir da Segunda Guerra Mundial. O título de uma obra de Brauner (1951), *Nos livres d'enfants ont mentí*, sintetiza perfeitamente a rejeição em relação ao folclore e o deliberado realismo preconizado nos livros daquele período. Os contos de fadas foram desprezados principalmente por sua suposta falta de compromisso com o mundo real, por oferecer uma evasão pouco formadora de valores humanos, por seu grau de violência, que podia ser causa de transtornos emotivos já que, frequentemente, era exercida por personagens tão importantes para as crianças como os pais, e por sua proposta de modelos e comportamentos sociais moralmente reprováveis, tais como a discriminação feminina, o racismo, a mentira ou a falta de compaixão.

As posições pedagógicas e culturais predominantes nestas décadas viram os contos de fadas como a descrição de um mundo arcaico, a expressão de uma ideologia retrógrada, que educava para a resignação ou o êxito individual no interior da perpetuação da ordem estabelecida; objeções que embora tenham diminuído rapidamente do ponto de vista da reivindicação sociopolítica, mantiveram-se ainda, em certos aspectos, como na crítica feminista aos estereótipos do gênero. É nesta linha, por exemplo, que Belotti acusa os contos de fadas de apresentar as mulheres como "míticas, inexpressivas, ocupadas unicamente com sua própria beleza, decididamente ineptas e incapazes" (1980:119).

Isabelle Jan (1977) descreveu a desconfiança educativa em relação aos contos de fadas como provocada pela concepção intensamente racionalista dos movimentos de renovação pedagógica desenvolvidos ao longo do século XX. A experiência dos álbuns de *Père Castor* (1927-1967) inscreveu-se nesta linha, que Jan tacha de tão asfixiantemente pedagógica como os livros didáticos de séculos anteriores. Segundo esta autora, a indiferença que causaram sempre nas crianças os livros especialmente escritos para elas, contrasta com sua adesão entusiástica aos contos de fadas, tanto no século XVIII como no atual, de maneira que se poderia pensar que a falta de vitalidade interna dos livros modernos residia, em primeiro lugar, na sua voluntária exclusão da fantasia:

> Père Castor não pretende, de nenhum modo, apaixonar, fascinar a imaginação. A margem de sombra, de incerteza, de inquietude que subsiste depois de qualquer leitura, parece-lhe, no caso da primeira infância, uma faca de dois gumes. As histórias de Père Castor não têm um prolongamento na imaginação, ao contrário, são um jogo muito concreto. O livro será uma incitação à ação e não ao sonho (1985:35).

Outra causa, também assinalada por Jan, seria que a mensagem dessas obras permanecia confinada na autocomplacência da infância, sem forças de desequilíbrio, nem admissão da angústia, de modo que os contos modernos não mostravam como a vida é, apenas como deveria ser um mundo perfeito e estático. A descrição dos contos de M. Colmont e de A. Deletaille, que formam parte daqueles álbuns, serviu para caracterizar uma importante tendência da produção de literatura infantil muito presente e poderosa entre os anos quarenta e sessenta e ainda presente na atualidade:

> A qualidade de crianças (de seus personagens) não está nunca em perigo. Da mesma maneira que não são questionadas a segurança e a satisfação que estão associadas a este estado. Para eles, não apenas não se trata de crescer, mas inclusive, parece que não terão nunca esta possibilidade. São crianças e crianças permanecerão – e muito felizes em sê-lo. Assim parece conjurado, aparentemente, o desejo de qualquer criança de tornar-se adulto, desejo que é acompanhado de temor e angústia (...) Vínculo com a célula familiar e vontade de correr mundo, este duplo impulso que caracteriza a infância se encontra, ao contrário, fortemente expresso no conto popular. (...) Em outras palavras, as crianças nos contos (de Père Castor) são crianças – pretexto para a demonstração pedagógica. Só a pedagogia mudou. Agora, em lugar de serem dóceis, razoáveis e caridosos, são ativos, espertos e generosos. Mas não são dramáticos e, coisa mais grave, inclusive não são divertidos. Porque para serem divertidos devem ter esta ambiguidade, que os faz tão evidentemente imperfeitos (1985:36).

A obra de Bettelheim, *A psicanálise dos contos de fadas*, lançada no ano de 1975, teve um efeito revulsivo decisivo para a mudança de orientação dos pressupostos educativos sobre literatura infantil. Como Jan, Bettelheim contrapôs os contos populares à literatura infantil moderna, da qual disse, na explicação inicial sobre o propósito do seu livro, que "a principal censura que se pode fazer a esses livros é que enganam as crianças sobre o que a literatura pode lhes dar" (1977:11). O discurso de Bettelheim se refere à necessidade de não infantilizar a criança, de ministrar-lhe um alimento adequado e sólido para seu crescimento pessoal e imaginativo. E defende que esta necessidade se satisfaz, precisamente, nos contos de fadas, um tipo de literatura vista até então como um entretenimento banal em relação à formação infantil. Mas Bettelheim vai além ao insinuar que "apenas" os contos de fadas alcançam as camadas obscuras do inconsciente e contribuem para "mudar a vida", enquanto as narrativas realistas simplesmente "a mostram" tal como é. A vulgarização deste tipo de contraposições favoreceu a extrapolação do debate entre os partidários de uma literatura moderna e portadora de valores convenientes para a infância e os partidários da recuperação do folclore, agora justamente pela convicção sobre a conveniência de sua discutida mensagem educativa.

A análise de Bettelheim estabeleceu umas quantas características positivas dos contos de fadas que passaram a constituir critérios explícitos de avaliação das obras de literatura infantil. As principais destas características são: a simplicidade das situações descritas, a clara distinção entre o bem e o mal, a facilidade de identificação do leitor com o herói positivo e o desenlace feliz da história. A mensagem moral transmitida por esta literatura parece ser a de proporcionar uma "ordem" em relação à "confusão da vida interior", e iria reforçar diretamente uma crença necessária para o desenvolvimento pessoal da criança: "que crescendo e trabalhando duramente e chegando à maturidade, algum dia sairá vitoriosa".

Esta ideia se manteve solidamente assentada nos estudos de literatura infantil desde essa época e todos os autores a subscrevem ao tratar da literatura de tradição oral. Janer Manila a expressa com as seguintes palavras:

> A verdadeira lição moral dos contos de fadas reside na proposta que se depreende da história: o mal não vale a pena, o crime é absurdo. Portanto, não é o triunfo da virtude o que impressiona a criança que ouve, mas a possibilidade de identificar-se com o herói no desenrolar das peripécias e contrariedades que sofre, a possibilidade de participar de suas atribulações e de sentir o triunfo como seu, quando o herói triunfa. A grande lição moral dos contos de fadas é o convencimento de que sempre se pode chegar ao final de todas as dificuldades (1982).

Outras ideias importantes da obra de Bettelheim partem da mesma concepção de respeito pela criança. Por exemplo, ao propor a eliminação de intermediários entre a criança e o conto, eliminação traduzida na necessidade de não adocicar as histórias e de não fazer comentários no curso da narração, facilitando a solidão da criança imersa na história. Em troca, Bettelheim insiste na narração oral e na repetição dos mesmos contos para que produzam seu efeito de "medicina moral e educativa". Esta concepção tão terapêutica da literatura infantil, vista como uma autêntica catarse, foi realmente aplicada como tal pela corrente psicanalítica. O próprio Bettelheim o fez em ações curativas, inicialmente dirigidas a crianças provenientes dos campos de concentração nazistas, na Orthogenic School de Chicago, onde a mediação do conto era utilizada como método distanciador para que as crianças pudessem falar de seus problemas com maior liberdade. Recentemente, realizaram-se outras experiências no mesmo sentido, levadas a cabo por equipes de médicos, psicólogos, bibliotecários e assistentes sociais (Cruiziat *et al.*, 1988).

As posições de Bettelheim foram no entanto contestadas por vários autores. De um lado, Patte (1978) advertiu do perigo de ampliar a concepção terapêutica para a consideração geral do efeito literário dos livros infantis, assim como da transposição simplificada e mecânica deste princípio educativo nas atividades concretas de difusão. O aviso era de todo pertinente. A produção editorial das últimas duas décadas ofereceu coleções inteiras de livros caracterizados por tratar de temas problemáticos, ao mesmo tempo que se elaboraram bibliografias e se valorizaram obras com esse ponto de vista. Divididos por idades, protagonizados por personagens que aprendem a resolver os conflitos com soluções tranquilizadoras, estes livros chegam a ter o inquietante efeito de uma caixa de remédios para qualquer problema.

A partir de uma perspectiva social, Georges Jean (1981) mostrou estar basicamente de acordo com a reivindicação folclórica, mas discordou da condenação de Bettelheim à literatura que não tivesse estas características. Assim, classificou de maniqueísta o enfoque defendido por Bettelheim, acusou-o de idealismo ao pretender potencializar uma realidade imaginária, que fecha os olhos a tudo quanto ocorre no mundo e, em definitivo, opinou que a valorização moral dos contos realizada por Bettelheim estava a serviço de uma moral "recuperadora, estreita, pragmática, definitivamente burguesa; uma moral de classe, própria da sociedade liberal norte-americana" (1988:204).

Apesar destas e de outras críticas, a partir dos anos setenta a fantasia triunfa nos livros infantis motivada pela coincidência produzida entre a defesa educativa do folclore e a recuperação geral da ficção fantástica nos parâmetros culturais de nossa sociedade atual. Chegou-se então à aceitação generalizada de uma concepção ampla da imaginação, que incluía as diferentes representações do imaginário coletivo e da descrição da realidade.

A obra de Malrieu (1967), *La construction de l'imaginaire* ofereceu uma justificação pedagógica para a conveniência da fantasia nos textos dirigidos a crianças e jovens, que foi rapidamente adotada pelos educadores franceses e passada, em pouco tempo, a nosso país. A reserva expressa por Jean à contribuição da "psicologia profunda" em referência às interpretações psicanalíticas, deseja ressaltar a limitação de uma concepção da imaginação que se dirigiria apenas à "busca e devoração dos fantasmas do ser" (1988:241). "Pedagogia da imaginação", "construção do imaginário", "o poder dos contos"... são expressões frequentes nos estudos de literatura infantil dos finais dos anos setenta, que pretendem ampliar as contribuições da psicanálise. Autores como Held (1977) justamente em seu estudo sobre a fantasia, Jean (1976), Jan (1977), Duborgel (1983) ou Janer Manila (1989) contribuíram decisivamente para essa ampliação. Nas palavras de Held:

> O imaginário autêntico não nos afasta da realidade, mas nô-la restitui, porque nos ajuda a salvar a opacidade do esquecimento, a cortina do esquecimento do hábito (1981:45).

A adequação das características literárias

Os estudos psicológicos logo assinalaram a adequação de muitas das características literárias do folclore à mente infantil. Assim, Buhler (1918), em seus estudos clássicos sobre os contos de Grimm, pormenorizou os traços de correspondência plena nos seguintes enunciados:

a) A existência de poucos personagens, muito marcantes e contrastados por características opostas (bem/mal, grande/pequeno, esperto/bobo, etc.), assim como as mudanças súbitas e não graduais (da pobreza à riqueza, etc.) seriam adequadas ao pensamento absoluto infantil, que ignora os matizes e as mudanças relativas.

b) As motivações das ações determinadas por fatores externos, como as ordens, ou por sentimentos primários, seriam de fácil compreensão.

c) A moral maniqueísta e dogmática de premiação aos bons e severo castigo aos maus corresponderia ao que Piaget denominaria mais tarde "responsabilidade objetiva" das ações, avaliadas segundo suas consequências materiais, prescindindo das intenções e estabelecendo uma estreita relação entre bondade e prêmio, maldade e castigo.

Outras correspondências estabelecidas, a partir do campo da psicologia, ao longo do século assinalaram como adequados à compreensão infantil os seguintes traços: o cenário atemporal e indeterminado do conto popular, a estrutura episódica fechada, as referências muito concretas e visuais, a falta de situações simultâneas, a abundância de repetições e a ausência de semelhanças, e, em geral, todas as características de definição nítida e contrastada dos elementos narrativos, como adequadas à compreensão infantil da realidade. Favat (1977), por exemplo, pesquisou a atração exercida pelos contos populares nas crianças entre seis e oito anos para chegar à conclusão de que a aceitação destes contos se dá porque eles são "uma reafirmação de sua concepção original sobre o mundo" (1977:49).

Assim, sob os auspícios da psicologia, a austeridade narrativa da estrutura dos contos populares passou a identificar-se com o modelo narrativo mais adequado às capacidades literárias limitadas das crianças, deixando, agora, de lado o efeito psicológico e cultural das mensagens básicas que transmitem. Assim, se analisarmos as avaliações e resenhas publicadas sobre livros infantis e juvenis, torna-se óbvio que a crítica valorizou positivamente traços narrativos que correspondem aos contos populares, tais como uma estrutura narrativa linear, um protagonista claramente destacado, um conflito externo a resolver, um desenlace em relação direta de causa e efeito, uma narração baseada no encadeamento da ação, uma descrição reduzida, etc.

A influência desta avaliação foi tão grande que não serviu apenas para analisar a produção, mas chegou a prescrever como deveria ser, de modo que os livros infantis se ajustaram, cada vez mais, a estes pressupostos. O tema do final feliz, por exemplo, não era tão estável nos primeiros tempos da literatura para crianças e jovens como o foi posteriormente. Efetivamente, o desenlace, nas épocas mais moralizantes dos livros infantis, não era necessariamente prazeroso para o protagonista, mas o importante era que correspondesse à conduta seguida pelo personagem, e se este se havia comportado mal, o castigo tornava-se possível como final. Tal como assinala Jolles (1972) trata-se de um desenlace baseado na ética do comportamento do personagem e próprio do conto literário (*forme savant*) em contraposição ao desenlace característico do conto popular (*forme simple*) no qual a satisfação deriva da ética dos acontecimentos ou recompensa da vítima[4]. Por outro lado, autores como Andersen tinham incorporado desenlaces de avaliação mais sutil, onde os heróis morriam apesar de sua boa conduta (como, por exemplo, *O soldadinho de chumbo* ou *A vendedora de fósforos*). Por isso, precisamente, Bettelheim condenou os contos deste autor opinando que são excessivamente tristes para crianças, já que não lhes dão nenhum consolo[5].

A facilidade de identificação é outra das características louvadas por Bettelheim, e, sem dúvida, este elemento se acha na base da decidida aposta atual nos protagonistas infantis e adolescentes similares aos destinatários previstos, característica que foi repetidamente assinalada como um dos traços definidores da literatura infantil. Em definitivo, a simplicidade narrativa e moral parece ser o que permitiu passar a literatura folclórica para o campo da literatura destinada às crianças.

Na realidade, a coincidência entre narrativas folclóricas e a capacidade literária infantil não parece surpreendente, já que é previsível que um tipo de relato perpetuado oralmente ao longo dos séculos se baseie, efetivamente, em características narrativas essenciais, que facilitem a memória do narrador e a capacidade de apreciação generalizada por parte do público. Daí o interesse pelo conto popular nos planos surgidos, durante a década de setenta, de construir uma "gramática da narrativa", uma estrutura narrativa entendida como subjacente a todo o ato narrativo e inata na capacidade humana (Denhière, 1984).

Ora, a ideia de que os contos populares se ajustem às capacidades e necessidades das crianças está tão difundida e implícita que, às vezes, parece ter-se perdido de vista, inclusive, que os contos populares só correspondem a esta descrição na sua vertente de contos maravilhosos, e que outros tipos de contos folclóricos, ou inclusive os maravilhosos, só cumprem estas condições se operamos em um grau mais ou menos elevado de abstração.

Assim, por exemplo, a distribuição dos contos maravilhosos em duas sequências ligadas, não parece haver influído nem na produção de livros infantis, nem na identificação realizada pelos estudos entre ambos os campos literários. Do mesmo modo a polêmica sobre a conveniência educativa parece reduzir-se a alguns contos, os mais difundidos hoje em dia, assim como à ideia simplificada de seus lugares comuns, enquanto resultam estranhamente ausentes dos exemplos esgrimidos na polêmica a abundância de temas tabus como o incesto ou o animalismo, assuntos como a mutilação feminina, uma distinção moral clara para distinguir entre heróis e adversários, ou incongruências narrativas na relação causa-efeito dos acontecimentos, aspectos que se acham com muita frequência nas versões mais fiéis das recopilações folclóricas. Há um ponto no qual se pode suspeitar, que o estudo do folclore e o debate sobre literatura infantil se tenham separado, e que o que se debateu diz respeito mais à conveniência, ou não, de uma "primeira versão escrita" dos contos populares, que os tornou legíveis do ponto de vista atual.

Se anteriormente vimos que a reivindicação da imaginação tendeu a ampliar a defesa dos contos populares para englobar outro tipo de literatura infantil, também aqui, do ponto de vista literário, Soriano e muitos outros críticos desta literatura chegaram a sentir-se pressionados pela insistência em assimilar a estrutura narrativa comum e acabaram reclamando atenção através de anedotas, isto é, através dos detalhes, das imagens, da criação de personagens, etc. Em resumo, reivindicaram fixar-se em todos os aspectos que, precisamente, diferenciam um conto do outro. Preconizaram, então, uma literatura infantil mais ampla, que incluísse a evolução seguida pela literatura escrita. Como disse Jean:

> (...) o entusiasmo contemporâneo pelas literaturas orais me irrita, às vezes, na medida em que simplesmente se esquece a literatura. E, particularmente, no campo da "literatura juvenil". Não seria necessário que o renascimento da oralidade, a qual eu gostaria de me dedicar apaixonadamente, ocultasse esses contos escritos (...). Como se a leitura dos contos de autor não fosse um fator de onirismo tão poderoso como o dos contos anônimos! (1988:240).

As consequências do debate na produção

Teoria e produção têm uma estreita relação no campo da literatura infantil e juvenil. Por isso, se o debate sobre o valor educativo das formas realistas e fantásticas estabeleceu princípios básicos para os estudos sobre esta literatura, um segundo resultado, não menos importante, foi a criação de um novo tipo de livros que integrassem as argumentações educativas das duas posições. Efetivamente, a partir dos anos setenta criou-se o que passou a chamar-se *nova fantasia* ou *contos de fadas modernos*. Soriano (1975) foi também um dos primeiros a teorizar este novo produto ao recomendar que, em lugar do folclore, que continuava ainda a ser visto como "um certo tipo de elementos maravilhosos que atrasam a pesquisa e os conhecimentos", se criassem "(uns) novos elementos maravilhosos que tenham, ao menos, as qualidades estéticas e pedagógicas dos antigos (e que) respondam melhor às exigências da idade juvenil".

Este enfoque foi decididamente adotado por Rodari na produção de narrativas fantásticas de novo tipo, que tentavam evitar os conteúdos conformistas atribuídos aos contos de fadas. A obra deste autor, considerada como a peça-chave da renovação neste campo das últimas décadas, manteve-se estreitamente ligada ao aspecto educativo da literatura infantil, mas reivindicando agora os aspectos de jogo e criatividade, aspectos que complementou com suas propostas de estimulação imaginativa na escola Rodari (1973). Além disso, Rodari não se limitou a criar contos de estrutura tradicional, mas de valores ideológicos modernos; ele também provocou uma profunda renovação nas técnicas literárias ao incorporar muitos dos achados experimentais da literatura para adultos de entreguerras. Paradoxalmente, os conteúdos tradicionais criticados nos contos populares foram, muitas vezes, substituídos pelos valores pedagógicos defendidos pelas posições "realistas" da nova pedagogia, que tinha fracassado no seu intento de criar contos de moral "humanizada", sem heróis míticos, nem elementos fantásticos.

A obra de Rodari iniciou uma corrente que não deixou de crescer na produção de livros infantis das últimas décadas. Para Held (1977), as consequências da atenção concedida à fantasia "explica e legitima, nos autores contemporâneos de diferentes países, tentativas e trabalhos convergentes para elaborar, pouco a pouco, um novo tipo de 'fantasia' ou um novo tipo de 'maravilhoso', ou como se queira chamá-lo" (1981:48). Held enumera uma série de títulos que lhe parecem representativos "deste tipo de elaboração de um novo gênero de fantasia" para acabar considerando que é uma enumeração "rápida e incompleta, mas apesar disso suficiente para indicar de forma clara uma busca comum, uma corrente muito definida de nossa época" (1981:48-49).

Nos estudos de literatura infantil foram tentadas várias análises e classificações do novo uso da fantasia nas obras. O estudo de Held, o mais divulgado na Espanha, o faz a partir das categorias estabelecidas por Prédal para tratar o cinema fantástico:

a) Intromissão de um elemento extraordinário em um mundo comum.
b) Projeção de um elemento comum em um mundo extraordinário.
c) Presença de elementos extraordinários que evoluem em um mundo também extraordinário.

A presença da fantasia em cada um destes modelos é difícil de se definir de maneira claramente diferenciada, como reconhece a própria Held ao analisar seus exemplos. A fantasia, em definitivo, é um elemento que perpassa a narração sobre o que é aceito como norma do mundo real, e é esta presença cotidiana subjacente que permite entendê-la, ainda que seja nas formas de experimentação sobre a inter-relação e a ambiguidade entre os dois planos, que são utilizados na ficção atual.

Se Rodari alterou os contos populares a serviço de novas propostas ideológicas, este caminho foi decididamente seguido por um tipo de produção literária nascida da efervescência ideológica dos anos setenta, englobada no termo *antiautoritária* na bibliografia de literatura infantil, decorrendo a denominação da crítica alemã. A reivindicação feminista e pacifista, especialmente, foram tratadas abundantemente através da inversão dos estereótipos dos personagens (princesas ativas, príncipes sensíveis e dragões pacíficos) ou de diferentes convenções narrativas (por exemplo, a do prêmio do casamento como desenlace).

A reutilização dos modelos folclóricos teve também seus detratores. Para alguns autores como Jan, o novo desenvolvimento da fantasia produziu apenas "obras menores, pastiches sem encanto; adota-se voluntariamente o estilo do conto para explicar qualquer coisa às crianças" (1985:53). A exceção ao que os críticos consideraram um fracasso generalizado situou-se na via humorística e na paródia. Os anticontos de T. Ungerer, P. Gripari, etc., consagraram-se como os novos clássicos da fantasia pelo fato de recuperarem, não apenas a estrutura da tradição oral, mas também a expressividade das imagens, que, com sua violência simbólica, permitem dar forma à angústia e aos conflitos dos leitores.

> É graças a estes autores, sem dúvida, que o conto hoje conserva ainda todo seu prestígio junto às crianças. Pode-se dizer, inclusive, que este prestígio aumenta e se expressa tanto mais vivamente quanto os educadores se tornam mais e mais atentos ao poder dos contos (1985:54).

Por outro lado, a literatura antiautoritária militante foi igualmente insultada nos últimos tempos ao ser considerada simples continuação da intenção pedagógica anterior, ainda que em novos moldes (ou em realidade mais antigos), e com uma moral antirrepressora igualmente normativa (Hoodgland, 1994). O debate sobre os valores educativos da fantasia em termos pedagógicos conduziu assim a uma nova formulação mais sutil sobre o valor educativo dos livros infantis enquanto literatura.

Em conclusão, o percurso sobre os dois debates que polarizaram a formação da literatura infantil e juvenil como objeto de estudo teórico a partir da Segunda Guerra Mundial levou-nos a mostrar, em primeiro lugar, como se tentou achar uma saída teórica para a posição literária deste fenômeno literário, que conduziu a diferentes tentativas de definição que reconciliaram suas funções pedagógicas e literárias. E, em segundo lugar, vimos como se questionaram os propósitos pedagógicos e as características realistas predominantes e se produziu uma forte revalorização da fantasia, associada ao desenvolvimento dos estudos literários e psicológicos sobre o folclore.

Os avanços teóricos que estes debates proporcionaram, produziram-se sobre a base de um extraordinário incremento da produção de livros infantis e juvenis a partir da Segunda Guerra Mundial. A década de sessenta, qualificada como uma "década de qualidade" da literatura infantil e juvenil (Moss, 1980), presenciou o auge das formas literárias realistas e a preponderância dos valores educativos característicos dos movimentos de renovação pedagógica de todos os países que nos cercam. Nestes anos o destinatário dos livros infantis foi considerado como um leitor de qualidade literária a quem se dirigia mensagem tão meditada pedagógica e literariamente quanto estéril, segundo sustentou a exacerbada reação posterior de muitos críticos dos anos setenta. A contestação que caracterizou os valores ideológicos daqueles anos desafiou os valores morais e literários tradicionais, ao mesmo tempo que ampliou a consideração de destinatário às classes sociais tradicionalmente pouco leitoras. Desta atitude surgiu uma profunda renovação no campo da produção de livros infantis e juvenis, que abriu caminhos inovadores como a criação da "nova fantasia" ou a comprometida literatura "antiautoritária".

A rejeição a uma crítica literária "pura", a reivindicação da fantasia ou o aparecimento de uma tendência antiautoritária no campo da produção, aspectos que foram assinalados nas páginas anteriores, devem entender-se como fenômenos próprios de uma confluência: "A irrupção do reconhecimento das características e necessidades da criança e do adolescente atual" (Moss, 1980) e a consideração dos leitores "como um componente indissociável da análise dos livros que leem". Estas foram, pois, as bases estabelecidas durante a década de setenta, que permitiram o desenvolvimento ocorrido nos últimos anos.

Notas

1. J. R. Townsend (1971a) foi o primeiro a utilizar estes termos em "Standards of Criticism for Children's Literature". Outros autores reformularam esta contraproposta com uma denominação diferente. Lesnik-Oberstein, por exemplo, prefere chamar "educacionalista" à *children people* e "pluralista" ao *book people*, porque crê que estes termos "redefinem a fonte principal de discrepância entre ambos os grupos, que não é principalmente centrar-se na criança ou no livro, mas uma diferença de ênfase na importância atribuída ao que creem que a literatura pode contribuir" (1994:102).
2. Os pontos assinalados por Soriano são os seguintes:

    a) O nível de vocabulário e de sintaxe. Fazendo eco aos avanços sobre a legibilidade dos textos, o mesmo Soriano realizou pesquisas quantitativas e qualitativas sobre o léxico nos livros infantis e juvenis. A quantidade de palavras distintas ou seu grau de abstração são aspectos importantes a avaliar segundo este autor, que acentua a necessidade de incorporar critérios de legibilidade tanto na produção editorial como na qualificação crítica.

    b) O tipo de relação criança-adulto entre os personagens, avaliando se reflete a inter-relação do mundo real ou se resulta artificialmente infantil.

    c) Os aspectos de ordem histórica ou política, com a proposta de uma fórmula concreta para datar a narrativa segundo ela seja moderna, histórica ou de ficção científica, assim como outra proposta para classificar a presença de problemas sociais (presença vista positivamente).

    d) Uma vigilância especial no trato do racismo e a exaltação nacional sob uma perspectiva de promoção da igualdade e da solidariedade.

    e) A codificação das atitudes adotadas em relação ao tema religioso.

    f) A presença de temas e conhecimentos de áreas diversas, que possam orientar os usuários sobre a utilização de livros para sua relação com temas concretos de aprendizagem (com uma primeira divisão em dois grandes blocos: a natureza e a técnica e a sociedade e as relações humanas).

    g) A fidelidade à descrição da realidade (histórica, política, científica, etc.) das obras de ficção.

3. As citações das obras traduzidas para o castelhano forem feitas para esta edição e não tiradas da obra original.
4. A contraposição estabelecida por Jolles entre estas duas formas literárias, fundamenta muitos estudos sobre literatura infantil dos anos setenta, como os de Soriano e inclusive posteriores, como os de Bortolussi.

5. Ao contrário, muitos autores discrepam inteiramente de Bettelheim e defendem os contos de Andersen, não por sua utilização do folclore, mas pela construção moderna da narrativa e pela mensagem tranquilizadora sobre a fusão entre morte e vida presente em seus contos, nos quais, segundo Jan "nada morre, efetivamente, nem sequer o que parece mais vulnerável, mais efêmero: a infância. Não existe a vida nem a morte, apenas um perpétuo renascimento" (1958:67).

4.
As diferentes perspectivas disciplinares a partir dos anos oitenta

Os estudos teóricos sobre literatura infantil e juvenil desenvolveram-se durante muitos anos equilibrando-se entre as perspectivas histórico-bibliográficas e outras mais específicas – literária, psicológica, pedagógica ou sociocultural – que aparecem mescladas, de forma bastante confusa, nas diferentes contribuições. As primeiras obras clássicas da bibliografia sobre livros infantis, tais como o estudo de Paul Hazard (1932), por exemplo, dão a sensação, afora a possível sagacidade de seus conceitos, de uma divagação pelo campo da literatura infantil que engloba em seu discurso comentários intuitivos e indiscriminados sobre material folclórico, avaliação de obras contemporâneas, difusão de leitura ou características da psicologia infantil.

Em certo sentido, a delimitação disciplinar a que chegaram os estudos durante os anos setenta levava com ela a possibilidade de individualizar as diferentes perspectivas disciplinares e de abordá-las de maneira autônoma. Se poderia pensar, pois, em uma progressiva especialização a partir dos avanços próprios de cada uma das disciplinas implicadas.

Isto ocorreu, efetivamente, em uma parte dos estudos. A consistência, que a análise sobre leitura literária infantil vinha conquistando, permitiu a existência de linhas incipientes, mas delimitadas com precisão muito maior, sobre aspectos distintos deste mesmo fenômeno, assim como os estudos sobre produção e difusão dos livros infantis e juvenis em nível sociológico, as formas educativas de incentivo à leitura, a utilização desta literatura no âmbito escolar da educação leitora e literária, a pesquisa psicológica sobre a evolução da capacidade interpretativa das crianças e dos adolescentes, etc. O desenvolvimento diferenciado destes estudos foi o que trouxe elementos-chave para nutrir a concepção de um quadro geral de estudo teórico da literatura infantil e juvenil.

Mas a mudança verdadeiramente radical que se está produzindo nestes últimos anos nesses estudos é a adoção de uma nova base teórica, que funde de forma consciente e deliberada o interesse especificamente literário com as perspectivas psicopedagógicas e socioculturais. A convergência disciplinar viu-se favorecida porque a evolução de cada uma das disciplinas implicadas caminhou, nas últimas décadas, em seu interesse pela consideração do leitor. Este será o fio condutor da descrição que realizaremos sobre as distintas perspectivas de estudo – psicológica, literária, sociológica e didática – desenvolvidas nos últimos anos.

A perspectiva psicológica

Algumas das contribuições-chave para a consideração do leitor infantil nos chegaram através do campo da psicologia. Tal como vimos, a relação entre a psicologia e os estudos sobre literatura infantil foi sempre muito intensa e existe um grande número de estudos que se situam na interseção desses dois campos. Em seguida se exporão as contribuições realizadas pelos estudos psicológicos, dividindo-as entre as que procedem da psicanálise e as que surgem da psicologia cognitiva. Nesta última área situam-se por um lado os estudos sobre a compreensão de textos narrativos e, por outro, os estudos sobre a narrativa como construção da realidade e sobre os processos psicológicos implicados no uso literário da linguagem.

Os estudos psicanalíticos

Já assinalamos anteriormente que o primeiro impacto importante na área da psicologia deu-se a partir do desenvolvimento da corrente psicanalítica. Esta orientação influiu muito rapidamente na reflexão sobre literatura infantil, provocando tanto paixão como indignação nas suas aplicações.

Efetivamente, a psicanálise, com seu perpétuo indagar sobre o passado do próprio indivíduo, foi uma teoria de fácil divulgação em nossa cultura do século XX, fascinada pelo estudo do indivíduo, em contraposição ao interesse cultural predominante no século passado pelos fatores comunitários da sociedade. E, indubitavelmente, a psicanálise condicionou em grande medida as ideias convencionais sobre a infância. Assim, enquanto a psicologia associacionista tradicional havia postulado que a criança é a soma de suas experiências externas, Freud inverte os termos para defender que a vida interna da criança é o que realmente importa.

Apesar disso, a influência atual da psicanálise no campo da literatura infantil é mais constatável na produção de livros, que se dirigem a atender os conflitos psicológicos das crianças, do que nos parâmetros da crítica, nos quais ficou circunscrita essencialmente, ali, onde se havia aplicado durante a década de setenta: no tema dos valores educativos do folclore.

Na realidade, a literatura infantil moderna parece ser pouco familiar aos psicanalistas. Bettelheim, por exemplo, citou apenas alguns desses títulos em toda sua obra, e declarou que esta literatura é verdadeiramente insípida em comparação com a riqueza do folclore. Se ele e outros autores haviam defendido a presença de temas polêmicos, como o canibalismo, o incesto e a tortura nos contos populares, nada disseram depois sobre a presença de temas igualmente questionáveis nos livros atuais, e, certamente, os psicanalistas latino-americanos se alinharam às vozes escandalizadas de muitos educadores e instâncias religiosas em sua condenação à violência dos quadrinhos, durante a discussão para fixar um código deontológico para sua publicação por parte da associação de editoras norte-americanas nos anos cinquenta (Larsen, 1968).

Fechados pois, os psicanalistas, na reflexão sobre o folclore, só podemos achar incursões mais aventurosas desta corrente em algumas análises de mitos clássicos do livro infantil, como o de *Peter Pan* (Rose, 1984), assim como, principalmente, em sua contribuição ao questionamento dos modelos didáticos tradicionais, tal como fez Rustin (1987) com sua crítica ao personagem exemplar. Neste sentido pode-se afirmar que a psicanálise contribuiu também à derrubada do livro didático já que se passou a considerar que a "bondade" das condutas com que a criança leitora devia se identificar podia fazer supor uma nova forma de repressão, uma nova negação do lado escuro de suas próprias fantasias. As análises sobre a capacidade de violência e sadismo da infância realizadas por autores psicanalistas como Klein contribuíram, também, para este resultado (Mitchell, 1986). Suas teorias se ajustam à exploração literária de fantasias infantis muito violentas, a partir de sentimentos negativos de ressentimento ou ciúmes familiares – exploração realizada por múltiplos criadores, como Sendak –, assim como a aceitação explícita, por parte da crítica atual, de alguns padrões generalizados de permissividade nas atitudes agressivas e antissociais dos protagonistas de livros infantis.

Os estudos cognitivos

A influência mais interessante e poderosa no campo de estudos de literatura infantil e juvenil provém atualmente da psicologia cognitiva. Esta teoria, com seu interesse pela construção do conhecimento e da aprendizagem, penetrou no campo dos livros para crianças de maneira muito mais lenta que a psicanálise e, evidentemente, teve uma repercussão menos emocional nos debates suscitados.

No fim dos anos cinquenta produziu-se na área da psicologia a denominada "revolução cognitiva". Parou-se de insistir na análise da conduta observável e deixou-se de lado o processo de construção do conhecimento para passar a indagar como se encontra representado esse conhecimento na mente.

A finalidade dessa mudança era propor hipóteses sobre os processos de construção do significado através do descobrimento e da descrição formal dos significados que os seres humanos criam a partir de sua relação com o mundo. O interesse de muitos psicólogos centrou-se então nas atividades simbólicas empregadas pelas pessoas para construir e dar sentido, tanto ao mundo exterior, quanto à sua própria vontade pessoal.

De início, os livros infantis não resultaram um tema interessante para os estudos cognitivistas. Neste sentido, Tucker (1992) associa Piaget a Rousseau por sua visão de uma aprendizagem infantil baseada na experiência direta e não mediatizada pela instrução livresca da realidade. Mas, ao contrário, o que repercutiu rapidamente na produção e na avaliação dos livros infantis foi a descrição da infância, realizada a partir dos estudos piagetianos sobre os estágios de desenvolvimento intelectual das crianças (1964). Entender como se desenvolvem as estruturas de pensamento durante a infância mudou muitos dos pressupostos educativos vigentes e promoveu um novo tipo de ensino centrado nas crianças que aprendem.

Uma das consequências desta mudança foi sua contribuição ao recolhimento dos antigos livros de texto, escritos com um estilo que dificultava a compreensão dos alunos e sua substituição gradual por livros com mais ênfase gráfica, mais propostas de atividades de experimentação direta e explicações verbais mais simples e menos numerosas. Tanto os conteúdos, como a linguagem, foram contrastados com a evolução intelectual descrita e sua correspondência com as diferentes idades infantis tornou-se muito mais cuidadosa. Os livros tentaram responder ao postulado de uma natureza ativa da aprendizagem e à concepção de um desejo, natural por parte das crianças, de construção do sentido a partir de material inovador.

Enquanto as novas características dos livros infantis se mantiveram nos livros informativos e de texto escolar, sua oportunidade esteve fora de dúvida. Mas o efeito desta concepção pareceu muito mais discutível, quando tentou projetar-se nos livros de ficção. Realmente, a única obra de ficção que aplicou as contribuições de Piaget sobre a forma pela qual as crianças entendem o mundo foi a experiência realizada por Delessert e uma equipe de psicólogos, dirigidos pelo próprio Piaget, no livro: *Como o rato descobre o mundo ao cair-lhe uma pedra na cabeça* (1971). Esta equipe trabalhou durante oito meses com vinte e três crianças suíças de cinco a seis anos, com o propósito de assegurar a compreensibilidade do conto a partir de provas de memória, reveladoras, segundo manifesta Piaget no prefácio do livro, tanto da compreensão como do interesse infantil. A visão da realidade, que tem o ratão protagonista, corresponde à das crianças dessa idade, segundo os estudos piagetianos sobre a representação do mundo (1926) e a causalidade física das crianças (1927).

Essa experiência provocou o "fervor unânime" e explícito dos psicólogos (Danser-Léger, 1988:20) porque se acreditava permitiria que o êxito da literatura infantil saísse do empirismo. Mas justamente este foi um dos livros de menor sucesso entre os produzidos pela *L'École des Loisirs* (Francès, 1977), o qual questiona, em grande medida, a ideia de que o êxito de um livro consiste em transportar os avanços da psicologia para a produção de livros infantis para apresentar às crianças o reflexo de sua própria visão do mundo. Para dizer a verdade, tem sido repetidamente observado que as crianças preferem os desenhos e textos feitos por adultos àqueles produzidos por crianças. Por isso, a publicação de livros de autor infantil, que proliferou na segunda metade dos anos setenta, foi prontamente abandonada e considerada um caminho falido.

Mais que no campo da criação literária, pois, as teorias de Piaget exerceram uma grande influência nos estudos sobre literatura infantil para os quais trouxeram duas ideias fundamentais: a consciência explícita dos problemas de compreensão implicados na leitura e alguns critérios genéricos sobre a divisão de livros segundo a idade do possível destinatário.

Os estudos psicanalíticos se haviam centrado no efeito dos contos sobre o amadurecimento afetivo das crianças, na análise de como a experiência literária na infância estimula a criação de representações que contribuem para a construção da personalidade. A partir da psicologia cognitiva, e dos estudos de Piaget em particular, tentou-se, diferentemente, delimitar a relação entre a capacidade de recepção dos contos e o grau de desenvolvimento psicológico das crianças, isto é, o estágio das operações mentais, que os leitores infantis são capazes de realizar. Estudos clássicos sobre estes aspectos, como o de Applebee (1978) ou os de Tucker (1981) converteram-se, rapidamente, em ponto de referência indiscutível no campo da literatura infantil.

No entanto, cabe recordar que a atenção de Piaget sempre esteve mais dirigida ao desenvolvimento lógico da criança que ao desenvolvimento de sua imaginação. Ao tentar aplicar estes estudos à investigação literária, vários autores pós-piagetianos assinalaram que as crianças pareciam mais interessadas e capazes de ir além das histórias classificadas como próprias para seu estágio de desenvolvimento, mais além do que Piaget teria estimado em termos de sua compreensão dos pensamentos, condutas e sentimentos humanos. A pesquisa demonstrou, por exemplo, que as crianças de seis anos se mostraram capazes de fazer comentários sobre as histórias com um nível de raciocínio mais complexo do que era esperável segundo as teorias piagetianas (Donaldson, 1978). O que os leitores de sete, nove e onze anos manifestavam era uma certa capacidade para a identificação irônica com o herói, além dos pressupostos piagetianos utilizados na pesquisa (Bunbury e Tabbert, 1989[1]; Bunbury, 1980). Tal como algumas destas pesquisas insinuaram, pode-se pensar que as crianças, observadas por Piaget, pareciam menos capazes de abstração, simplesmente por sua pouca familiaridade com o tipo de problemas que deviam enfrentar.

O fato de que Piaget não levava em conta as competências narrativas resultou, portanto, uma limitação importante em sua aplicação ao estudo da literatura infantil. A visão piagetiana da criança remetia à imagem "de uma espécie de explorador solitário de um mundo inanimado" tal como expressa Tucker (1992), enquanto que a evolução seguida posteriormente pela psicologia cognitiva enfatizou a ideia de que a criança encontra uma grande ajuda nas situações sociais construir sua compreensão do mundo, e, portanto, pode manifestar uma certa sofisticação na compreensão dos aspectos sociais, muito mais avançada intelectualmente do que a alcançada em outros aspectos (Bruner, 1986).

Esta nova linha de pensamento foi enormemente valorizada, durante a década de sessenta, pela difusão da obra psicolinguística da Vigotsky, assinalando que o papel da linguagem, como instrumento essencial para a aprendizagem, havia sido tremendamente subavaliado. Durante os anos sessenta e setenta divulgaram-se as teorias de Vigotsky (1978) e tentou-se uma descrição dos processos mentais de construção do significado, a partir da ideia de que o jogo e a linguagem representam a capacidade humana mais decisiva para transcender seu "aqui e agora", com a finalidade de construir modelos simbólicos que permitam entender melhor o mundo.

Durante a década de oitenta desenvolveu-se fortemente a ideia vigotskiana da importância do contexto social para esta construção. Bruffee (1984, 1986) chamou-a "construtivismo social". Estudar os processos através dos quais se criam e se negociam os significados em uma comunidade, pôs em relevo a relação entre pensamento e linguagem, assim como o aspecto cultural da aprendizagem. Passou-se a defender que a experiência humana só pode plasmar-se através da participação nos sistemas simbólicos da cultura, e que a forma de nossas vidas resulta compreensível a nós mesmos e aos demais em virtude, unicamente, dos sistemas simbólicos de interpretação cultural: as modalidades de linguagem e discurso ou as formas de explicação lógica e narrativa.

Este enfoque sustenta a nova orientação da pesquisa psicológica em direção ao estudo da "leitura como processo de compreensão do texto" e do estudo das formas narrativas do discurso como "um sistema cultural extraordinariamente potente para dar forma à experiência". Neste campo de interesses, é bem compreensível que a ficção literária passasse a suscitar um interesse crescente a partir da perspectiva psicológica.

A leitura como processo de compreensão do texto

A pesquisa sobre compreensão leitora dirigiu-se tanto a saber o que faz uma pessoa quando lê, como a ver que características do texto ajudam a entendê-lo melhor. O conhecimento da relação entre texto e leitura teve grande repercussão no ensino da leitura na escola (Colomer e Camps, 1991). Da mesma forma, estes avanços puderam repercutir na literatura infantil e juvenil, já que permitem avaliar os livros segundo critérios de dificuldade muito mais definidos.

A primeira tentativa de relação entre os progressos da pesquisa sobre leitura e produção ou avaliação de livros infantis e juvenis deu-se a partir dos estudos sobre legibilidade (Richaudeau, 1976, 1987). O tamanho das frases, a proporção de palavras desconhecidas e outras características textuais deram lugar a fórmulas concretas para medir a dificuldade de compreensão dos textos oferecidos às crianças para leitura. Com estes padrões confeccionaram-se numerosos textos escolares, especialmente contos destinados à primeira aprendizagem de leitura. Foi, precisamente, contra este material de leitura que reagiram Bettelheim e Zelan (1981) destacando sua esterilidade educativa e literária frente à riqueza da literatura oral; enquanto outros autores defenderam a possibilidade de obter obras excelentes a partir destas condicionantes, remetendo a narrativas exemplares realizadas por autores como Arnold Lobel, que se atinham a estas características.

O acesso à língua escrita foi um dos campos mais fecundos na pesquisa da psicologia cognitiva. Ainda que os temas pesquisados se referissem a aspectos gerais do acesso à leitura, já que a observação demonstrou que as crianças adquirem muitos conhecimentos sobre a escrita a partir dos contos e do folclore infantil. Wells (1986), por exemplo, em um estudo muito conhecido sobre a aquisição da língua escrita, chegou à conclusão de que a atividade mais influente nesse processo era ter escutado histórias na infância. Em sua pergunta sobre "o que têm os contos para serem tão poderosos?", Wells conclui que "através desta experiência, a criança começa a descobrir a potencialidade simbólica da linguagem: seu poder para criar mundos possíveis ou imaginários por meio da palavra" (1988:192).

Ora, a denúncia que Bettelheim e Zelan (1981) realizaram a partir da perspectiva psicanalítica recebeu uma certa confirmação por parte da pesquisa sobre a leitura, que analisou as características das narrativas utilizadas para sua primeira aprendizagem. Estas pesquisas parecem demonstrar que muitos daqueles livros contradizem os modelos literários das histórias ao oferecer temas excessivamente limitados, evitar uma parte tão importante da estrutura narrativa como o conflito, não oferecer pontos de vista variados, ou distanciar o leitor do texto ao adotar um ponto de vista externo.

A pesquisa sobre compreensão leitora tratou também de literatura ao estudar a compreensão das narrativas. À parte seu óbvio interesse, este campo era mais simples de abordar do que o da compreensão de outros tipos de texto, já que os estudos sobre a "gramática da narração", dos anos setenta, haviam realizado uma descrição detalhada da estrutura do texto narrativo que a deixaram pronta para ser utilizada na pesquisa sobre leitura.

Logo ficou claro que a representação interna dessa estrutura, ou seja, do "esquema narrativo", é muito rapidamente dominada em nossa cultura e que o leitor utiliza este conhecimento para entender e recordar as histórias. Applebee (1978) precisou que a aquisição do esquema narrativo se produz nos quatro ou cinco primeiros anos de vida. Durante este tempo as crianças evoluem, primeiro, na capacidade de estabelecer uma simples estrutura associativa entre os elementos da narrativa, até o domínio de uma estrutura baseada em "um personagem a quem acontecem coisas". Esta última predomina aos cinco anos e já integra os acontecimentos numa linha cronológica que conduz, finalmente, ao estabelecimento de uma estrutura narrativa do tipo começo – dificuldade – desfecho. Este resultado básico foi completado por numerosas pesquisas sobre as características das histórias que o leitor considera mais importantes, as que o ajudam a lembrar melhor o que leu, ou a repercussão de algumas delas em seu estado afetivo. Os aspectos levados em conta foram muito variados e vão desde as referidas questões estruturais (demonstrando, por exemplo, que as narrativas que não começam com um acontecimento provocam pouco interesse no leitor) até os que respondem a questões de conteúdo (por exemplo, que as situações inusitadas impactam mais o leitor e são por ele mais lembradas).

Também resulta importante para o estudo atual do acesso infantil à ficção saber se a maneira, oral, audiovisual ou escrita, de receber a narrativa influi na aquisição da competência narrativa. Ainda que a pesquisa sobre este aspecto tenha sido muito limitada, ela parece indicar que o receptor trabalha igualmente nos processos profundos de compreensão, seja qual for a forma pela qual se realizem as narrativas.

Atualmente, a pesquisa sobre leitura continua avançando. O texto literário, precisamente, está começando a receber uma atenção muito mais ampla que nas décadas passadas. Se até hoje as narrativas tinham sido analisadas, basicamente, em relação à sua estrutura narrativa, agora começam a estender-se em direção a outros aspectos. Já no início dos anos oitenta, Spiro assinalou que:

> Os estudos tradicionais sobre o esquema teórico focalizaram-se na estrutura do conhecimento que tem que ser analisada, mais do que na textura que deve ser sentida (1980:127).

Enfrentar a capacidade de interpretação literária além da estrita compreensão estrutural, levou a pesquisa psicológica a ter que aprofundar aspectos mais difíceis de apreender, tais como a maioria dos processos de elaboração do significado.[2]

Até agora o único destes processos que se havia estudado era o de predição, tanto porque era o mais facilmente observável, como por causa de sua relação com o esquema narrativo, tão intensamente tratado. Com efeito, a capacidade do leitor de conectar os acontecimentos narrativos entre eles, tem relação com sua habilidade de prever o que acontecerá. Se os leitores não os levam todos em conta, se, por exemplo, só consideram os últimos acontecimentos, não constroem uma representação suficientemente poderosa para prever a continuação. Os estudos sobre a previsão de implicações de histórias incompletas ou parciais mostram que, aos seis anos, o mais frequente é formar expectativas sobre as últimas linhas do texto, mais do que sobre a narrativa inteira, de tal forma que não é senão a partir dos onze ou doze anos que os garotos e garotas são capazes de construir finais consistentes e, precisamente por causa das expectativas mais sólidas destes leitores, é na adolescência que surpreende mais um final inesperado.

Na atualidade, além disso, parece firmar-se a ideia de que a resposta efetiva do leitor pode influir mais em sua compreensão do texto do que a própria organização da história (Mosenthal, 1987). Em torno desta ideia estão se desenvolvendo linhas de estudo tais como a percepção estética da linguagem, a resposta emotiva ao enredo, a identificação com os personagens ou a variabilidade das interpretações entre os leitores. Algumas hipóteses sobre estes aspectos já foram consideradas. Vários autores, por exemplo, têm procurado saber se existe uma evolução na atividade mental das crianças e adolescentes que leem uma história. A evidência encontrada parece demonstrar que, a partir dos primeiros anos, não existem diferenças qualitativas. Concoran e Evans (1987), por exemplo, sustentam que a atividade mental desenvolvida por qualquer leitor, seja em que idade for, engloba as seguintes atividades:

a) Configuração e imaginação: os leitores constroem o quadro mental, que lhes permitirá acompanhar a narrativa como se estivessem presentes.
b) Previsão e retrospectiva: o leitor avança hipóteses sobre o desenvolvimento narrativo ou reflete sobre o que leu.
c) Participação e construção: os leitores se identificam com os personagens e as situações e ficam emocionalmente imersos no texto.
d) Valorização e avaliação: os leitores elaboram julgamentos sobre o mérito do texto, embora também apliquem seus próprios julgamentos de valor sobre as situações descritas.

A narrativa como forma de pensamento e o uso literário da linguagem

O deslocamento da pesquisa sobre leitura dos aspectos mais parciais e facilmente observáveis, até os processos de elaboração do significado, levou os estudiosos a se perguntarem como as crianças e os adolescentes elaboram sua própria experiência através do significado da leitura. Esta questão suscitou muito interesse nos estudos cognitivos, que desde o final dos anos setenta destacaram a importância da ficção para o desenvolvimento cognitivo dos indivíduos.

O interesse pela narrativa em sua perspectiva cognitiva radica simplesmente, como disse Bruner (1986), no fato de que a narrativa "trata da ação e da intenção humana". Bruner chega a formular a ideia de uma forma de pensamento narrativo, que juntamente com o pensamento lógico-científico, constituiriam duas modalidades de funcionamento cognitivo, as duas maneiras com as quais os humanos ordenam a experiência e constroem a realidade.

Tal como descreveu pormenorizadamente este autor, a ficção narrativa cumpre a função de colocar os acontecimentos em um horizonte mais amplo e mais ordenado de "mundos possíveis", nos quais o receptor vê-se favorecido pelos recursos narrativos e as técnicas interpretativas acumuladas pela comunidade, tais como os mitos, as tipologias dos dramas humanos, etc.

Desta maneira, a psicologia cognitiva recorreu e reformulou o interesse pela literatura de tradição oral, como forma de ficção necessária para a construção pessoal e cultural das crianças. Bruner (1979) e outros autores assinalaram que os mitos e a épica em geral oferecem as primeiras respostas a muitos dos eternos problemas da existência, já que reduzem a complexidade da vida cotidiana a séries simbólicas de formas e escolhas. A forma imprecisa de misturar-se realidade e fantasia durante os primeiros anos de vida, contribui para que a literatura seja um meio poderoso de ampliar a experiência limitada das crianças. Como Applebee (1978) ressaltou, as histórias podem ajudar a criar expectativas sólidas sobre como é o mundo e como se fala sobre ele, sem necessidade de avaliar e contrastar sua realidade. Quando as crianças aprendem que as histórias são ficção, assimilam que o são unicamente em sua especificidade, enquanto que os esquemas de valores recorrentes, as expectativas estáveis que formam parte de sua cultura própria, já passaram a configurar seus esquemas de conhecimento. São esses esquemas implícitos, e não as bruxas e os gigantes que os encarnam, que convertem as histórias em um importante agente de socialização, uma das muitas maneiras através das quais as novas gerações adquirem os valores e normas das gerações anteriores.

As implicações desta proposta para a literatura infantil são consideráveis, já que confirmam a visão da ficção como meio pelo qual as crianças, a partir de seu "aqui e agora", podem mover-se em diferentes mundos e adotar distintos papéis sociais. A habilidade para entrar neste tipo de jogo imaginativo constitui uma característica essencial das pessoas, já que, como Vigotsky assinalou, os humanos são os únicos animais que podem pensar outras maneiras de fazer coisas em outro tempo e em outro lugar. Estas ideias são experimentadas primeiro na linguagem, no jogo ou através da imaginação.

O estudo do acesso humano à ficção, ou, dito de outra forma, o estudo do desenvolvimento infantil na compreensão do sentido das histórias, desenvolveu-se concretamente em questões tais como a maneira em que as crianças estabelecem o esquema narrativo, aspecto a que acabamos de aludir, ou como a descrição dos inícios da competência literária e, especificamente, na aquisição de expectativas sobre a conduta dos personagens.

O acesso à literatura se acha marcado, em seus primeiros passos, pela aquisição progressiva do uso distanciado da linguagem, um uso estético, diferente das formas transacionais de transmissão da informação. Applebee (1978) e outros autores o chamaram "papel de espectador", termo tomado a Harding (1937), e a ele atribuíram importância decisiva na capacidade das crianças de representarem-se a experiência.

Um primeiro resultado deste tipo de estudos foi o de destacar que este uso distanciado da linguagem começa muito cedo. Mostraram, por exemplo, que alguns artifícios que formam parte do repertório poético – como o ritmo – correspondem a funções adquiridas muito cedo, quase na pré-linguagem. Ou ainda acharam que, já aos dois anos e meio, as crianças constroem monólogos nos quais inter-relacionam a reflexão sobre sua experiência com a contemplação da linguagem, como um jogo de repetições e variações. Muito rapidamente estes monólogos e cadências se integram no quadro proporcionado pelas convenções culturais das narrativas, canções ou poemas. Sabemos, por exemplo, que já aos dois anos setenta por cento das crianças utilizam alguma convenção literária em sua explanação de histórias. A inclusão de várias fórmulas de início e fim, o uso do imperfeito, a intenção de estabelecer relações causais entre os acontecimentos, etc., supõem indícios que mostram que as crianças aprenderam, que as histórias requerem o uso diferenciado da linguagem.

Por outro lado, a criação de expectativas sobre os personagens revelou-se um ponto realmente vital na engrenagem da compreensão das narrativas por parte dos leitores infantis, que se situam nas histórias a partir de formulações como: "é a história de um homem que...". Justamente a partir de outro contexto, Reuter (1988) analisou a importância dos personagens para estabelecer mentalmente as coordenadas da história e mostrou que a leitura de narrativas clássicas de J. Verne apresentavam problemas de compreensão para alguns adolescentes, por causa de diferentes questões na definição inicial dos personagens. A pesquisa sobre a aquisição do "sentido da história"[3] estabeleceu, por exemplo, que aos cinco anos as histórias contadas pelas crianças já utilizam personagens convencionais e que aos seis já dominam muitas das conotações, que se atribuem a estes personagens em suas culturas.

O progresso na perspectiva psicológica produziu-se, portanto, principalmente em relação ao desenvolvimento das idades iniciais, o que começou a ter repercussões na avaliação e produção de livros para pré-leitores, uma ampliação recente da literatura infantil, que pôde assim beneficiar-se dos progressos da pesquisa (Duran e Ros, 1995; Colomer, 1995a).

Em resumo, e como se foi destacando ao longo deste trecho, as repercussões da psicologia cognitiva no estudo da literatura infantil parecem cada vez mais promissoras. Inicialmente, as contribuições da psicanálise revolucionaram o conceito de adequação educativa dos livros infantis. Mais tarde, as teorias piagetianas sobre o desenvolvimento das possibilidades de recepção narrativa dos leitores propuseram um quadro de referência para comparação e classificação dos livros por faixa de idade. E também o auge da pesquisa sobre leitura trouxe muitos dados a respeito da legibilidade dos textos e a compreensão das histórias.

A evolução dos interesses cognitivos conduziu, finalmente, à concepção da narrativa como uma forma de construção da realidade e propiciou a pesquisa sobre o modelo linguístico e cultural exercido pelos contos. Na realidade, entender como as crianças interpretam as histórias e as convertem em experiência pessoal, apresenta um duplo interesse: por um lado determina as condições e necessidades a que devem responder os livros infantis, o que tem claras repercussões na produção dos livros e das formas educativas de transmissão. Por outro, saber por que determinados temas e formas narrativas são compreendidas e agradáveis a determinadas idades nos oferece informação sobre a infância. O progresso no estudo destes temas, portanto, supõe uma contribuição fundamental tanto para os estudos da literatura infantil e juvenil – muito além da tradicional preocupação pelas faixas de idade –, como para muitas áreas da psicopedagogia.

A perspectiva literária

É óbvio que para analisar as características literárias dos livros dirigidos a crianças e jovens é preciso recorrer aos princípios estabelecidos pelas ciências da linguagem e, basicamente, pela teoria literária. Nas últimas décadas assistiu-se a um deslocamento teórico importante neste campo, que passou do estudo das obras ao estudo de todo o circuito comunicativo literário. A teoria literária evoluiu desde os estudos estruturalistas, centrados na análise da obra, para a teoria da recepção e a da pragmática literária, que incluem a figura do leitor e o contexto social da produção e uso da literatura.

Enquanto o estudo de cada disciplina centrou-se em um elemento isolado da comunicação literária – a psicologia no leitor, a teoria literária na obra, etc. –, foi muito difícil para os estudos dos livros e a literatura infantil estabelecer um quadro teórico de referência. Mas agora pode ver-se que o deslocamento em direção aos problemas de interpretação e comunicação, por parte das ciências da linguagem, convergem com as orientações de outros campos disciplinares. O estudo inter-relacionado de todos os elementos fez-se plausível e os estudos sobre literatura infantil e juvenil podem resultar especialmente beneficiados por isso.

Não se trata de realizar aqui uma descrição pormenorizada da completa revolução da teoria literária durante as últimas décadas.[4] Mas sim nos interessava ressaltar alguns conceitos-chave na consideração do fenômeno literário, que começavam a ter repercussão nos estudos sobre literatura infantil e que podem situar a maneira de entender uma teoria desta literatura de agora em diante. Os três primeiros trechos se dedicarão, pois, a esta questão. Em seguida, passaremos a ver que, se a crítica de literatura infantil e juvenil teve que propor-se novos temas, não foi somente a partir dos avanços teóricos. A própria produção editorial atual de livros infantis também foi um desafio para estes estudos, que tiveram de criar novos instrumentos de crítica para poder analisá-la e avaliá-la.

A literatura como fenômeno comunicativo

Se as crianças entram em contato com a literatura através dos livros infantis e juvenis é necessário pensar que tipo de aprendizagem é esse, que tipo de texto supõe e que relação há entre os textos destinados às crianças e o conjunto do fenômeno literário.

A natureza da aprendizagem recebeu uma formulação decisiva com a criação do conceito de "competência literária". A existência de uma competência literária foi postulada pela teoria generativa e definida por Bierwisch (1965) como capacidade humana que possibilita a produção e recepção de estruturas poéticas. Mas este mesmo autor se afastou da perspectiva inatista generativa, segundo a qual a competência seria uma capacidade inata, para descrevê-la como um domínio, uma habilidade, que está determinada por fatores históricos, sociológicos, estéticos, etc. A competência literária, como assinalaram Brioschi e Di Girolamo (1984), "só se pode entendê-la numa acepção histórico-cultural, no sentido de que é necessário possuir uma bagagem de conhecimentos teóricos e históricos, que nem todos podem extrair dos textos" (1988:49) e, portanto, deve ser aprendida socialmente.

Ao admitir a importância dos fatores contextuais, a teoria literária avançou em direção ao estabelecimento de um quadro que ultrapassava a análise circunscrita das obras. Várias linhas teóricas marcaram o final das poéticas centradas nos textos e na linguagem literária e preconizaram diferentes maneiras de incorporar o contexto histórico e cultural à definição de literatura.

Lotman e outros autores da escola de Tartu (1970, 1979), por exemplo, estabeleceram o estudo da literatura a partir do que denominaram "semiótica da cultura", cultura entendida não como um "depósito" que os indivíduos armazenam, mas como um mecanismo estruturador de sua forma de ver o mundo. Desta perspectiva o texto literário foi definido como um texto de "codificação plural", já que nele não intervêm apenas os códigos da língua natural e as normas literárias de uma tradição concreta, mas também os artísticos, ideológicos, etc., de todo o sistema cultural de uma sociedade. Ao situar a análise do texto literário em seu contexto, contudo, insistiu-se em que a literatura não é um reflexo mimético das condições sócio-históricas, mas exerce uma função de construção do conhecimento, de criação do mundo como modelador da realidade, a qual configura e dá sentido (Segre, 1977).

A partir desta e outras posições, a qualidade de "literário" deixa de pertencer a uns sinais literários especiais – a literariedade – para entender-se como um uso determinado da linguagem comum, que realizam aqueles (autores, receptores) que intervêm em um ato comunicativo. As regras desse ato – a competência para levá-lo a cabo – foram aprendidas socialmente, no contexto de uma cultura. A análise da literatura infantil e juvenil deveria poder revelar, precisamente, "como", através de que textos e com que ajudas sociais se desenvolvem estas competências nas crianças e jovens, para torná-los capazes de participar, plenamente, neste tipo de comunicação.

Por outro lado, a definição de um campo teórico específico da literatura infantil e juvenil, iniciada especialmente por Soriano durante a década de setenta, pôde beneficiar-se de novas formulações da teoria literária, tais como a de "sistema literário" de Even-Zohar (1978) e o grupo de Tel Aviv.

A teoria literária de Even-Zohar partiu do formalismo russo para descrever o fenômeno literário como um "polissistema", um "sistema de sistemas", que implica passar de um enfoque estático, sincrônico, a outro dinâmico, interessado na mobilidade dos fenômenos culturais. Este autor dividiu o polissistema literário em um sistema canônico e um sistema não canônico, que se subdividem, por sua vez, em outros subsistemas, de forma que o sistema canônico pode ver-se como um sistema central rodeado de sistemas periféricos, que interagem entre si. Defende-se, assim, que as mudanças na hierarquia de valores entre os dois sistemas, canônico e não canônico, dependem tanto da evolução diacrônica, como das relações sincrônicas entre os diferentes subsistemas e que estas mudanças estão estreitamente relacionadas com as mudanças sociológicas e culturais. Para esta teoria, tal como destaca Moisan (1990):

> Qualquer fenômeno literário comporta ao menos três elementos identificáveis: autor(es), texto(s), leitor(es), assim como suas relações de produção, de recepção, de difusão, de consumo, que implicam que um (...) texto possa ser ficcional ou não, que possa ser classificado como literário ou não literário, em função das normas admitidas ou

administradas pelas instâncias pertinentes. Estas relações implicam que nenhum fenômeno literário se concebe *in vacuo*; ele se fundamenta cm alguns códigos, alguns modelos, implícitos ou explícitos, implica relações entre os elementos, alguns dos quais são dominados, ou não, em certos momentos, segundo os critérios de seleção e avaliação do curso (1990:98).

Shavit (1986) utilizou esta perspectiva para situar a literatura infantil como uma parte do sistema literário e para analisar os condicionamentos socioliterários procedentes dos demais sistemas "vizinhos". Assinalou, por exemplo, que não se pode conceber o nascimento da literatura infantil sem analisá-la em relação às mudanças no conceito de infância produzidas no século XVIII, sem ver os livros a partir da ótica da função educativa que os originou e os legitimou socialmente. Ou ainda que não é possível entender como e por que aparecem elementos literários novos nos livros infantis, sem relacioná-los com as mudanças sofridas por elementos literários já existentes nos sistemas laterais. O caminho aberto por esta perspectiva é o de uma análise da literatura infantil a partir das múltiplas relações que estabelece com as normas literárias, sociais e educativas vigentes em cada momento histórico e a da concepção desta literatura, portanto, como uma parte da vida cultural da nossa sociedade.

A importância do leitor

A concepção da literatura como um fenômeno comunicativo conduziu também ao interesse por entender por que um texto é considerado literário e que chaves convencionais se requerem para interpretar um texto neste sentido. A teoria da recepção, de tradição germânica, desenvolveu estas questões relacionando-as com a evolução da linguística textual europeia, segundo a qual a coerência do texto resulta das estratégias de leitura. A teoria da recepção insistiu em que o texto não é o único elemento do fenômeno literário, mas é também a reação do leitor e que, por conseguinte, é preciso explicar o texto a partir desta reação.

Uma contribuição essencial da teoria da recepção, e especialmente importante para a tarefa de delimitar as diferentes aproximações à literatura infantil, é a distinção estabelecida a partir da figura do leitor. Para Iser (1976) o texto apresenta um efeito potencial, que é atualizado pelo "leitor implícito", como construção teórica diferente do leitor real. O texto e o leitor interagem a partir de uma construção do mundo e de algumas convenções compartilhadas. Isto é, a partir de uma imagem da realidade, que Iser denomina "repertório", e que se acrescenta à existência de "estratégias" utilizadas tanto na realização do texto por parte do autor, como nos atos de compreensão do leitor. Repertório e estratégias constituiriam, pois, a base funcional na qual se desenvolve o ato da leitura. A leitura pretende estabelecer coerências significativas entre os signos e inclui tanto a modificação das expectativas do leitor, como da informação armazenada em sua memória. Assim, a leitura passou a ser vista como busca intencional de significado por parte do leitor. Esta visão da leitura postulada pela teoria da recepção oferece, pois, uma grande coincidência com a descrição da leitura feita a partir da psicolinguística.

A relevância dada ao protagonismo do leitor poderia fazer pensar que a interpretação do texto é um ato subjetivo, livre de condicionantes textuais. Eco (1979) seguiu esta ideia em suas contribuições a esta linha de reflexão. É certo que o texto está repleto de elementos não ditos, que o leitor deve preencher, mas estes espaços não se oferecem à imaginação arbitrária: o texto tem que ter previsto a interpretação do leitor através de seus próprios mecanismos de geração de sentido. O texto implica um "leitor modelo", mas o prevê como um "leitor cooperativo", e, nesta antecipação, o autor escolheu desde uma língua, uma enciclopédia, um gênero ou um léxico, até uma competência interpretativa que não apenas se pressupõe, como o texto se encarrega de construir através de suas pistas.

A aplicação desta linha de análise aos livros para crianças e jovens deveria poder revelar o "leitor modelo" que as obras pressupõem: as características psicológicas, as competências literárias, os conhecimentos e comportamentos sociais e culturais, que se supõe as crianças e jovens possuem ou que se pretende que aprendam, tudo aquilo que os autores imaginam sobre seus leitores e que se pode ver inscrito nos textos, quando se analisam os livros infantis e juvenis de determinada época.

Neste caminho, a consequência mais importante e imediata das mudanças da teoria literária nos estudos de literatura infantil e juvenil foi a reflexão sobre o leitor. Assim, se os estudos psicanalíticos deram início à consideração psicológica sobre a recepção dos contos, no final dos setenta a consideração literária da recepção será abordada por diversos autores.

Um artigo de Chambers (1977) com o significativo título de *"The reader in the book"* teve grande influência nos estudos anglo-saxões e pode ser considerado o início desta linha. Para Chambers e os autores que coincidem nesta nova proposta, a questão decisiva na reflexão sobre literatura infantil e juvenil não é que os livros sejam para crianças, nem quais são bons segundo critérios literários convencionais – problemas que haviam centralizado os debates críticos até a década de oitenta –, mas mostrar a forma pela qual o texto constrói o seu leitor implícito e como este conceito descreve a ideia que temos da criança como leitor e do livro como leitura. O aparato conceitual desenvolvido pela teoria da recepção foi utilizado também na Espanha, para a análise da literatura infantil e juvenil no inovador estudo de Lluch (1995).

Em outros casos aplicou-se à teoria sobre literatura infantil as distinções estabelecidas entre os seis termos essenciais da comunicação literária: autor/leitor reais, autor/leitor implícitos e narrador/narratário (Chatman, 1978; Eco, 1979; Rimmon-Kenan, 1983; etc.). A obra de Wall (1991) sobressai especialmente neste campo. Esta autora reivindica a necessidade de que os estudos de literatura infantil trabalhem com o quadro completo das seis instâncias, já que o problema do leitor, expresso através delas, é precisamente o que define a literatura infantil e permite ver sua evolução histórica.

Wall enfatiza especialmente a importância do par constituído por autor/leitor implícitos, neste tipo de obras. A análise dos implícitos é, por exemplo, o que permite explicar que durante muito tempo não houvesse problemas para atribuir os livros ou bem a meninos, ou bem a meninas, porque o leitor implícito era claramente visto como um leitor discriminado em função do gênero. A evolução dos implícitos evidencia a evolução dos livros infantis ao longo do século e estabelece três grandes etapas nesse processo. Inicialmente os autores partiram de uma voz narrativa "dupla" dirigida alternadamente a um ouvinte infantil e a um adulto. O adulto "escutava" como o narrador contava a história às crianças e recebia os comentários que o narrador, de vez em quando, lhe dirigia "por cima da cabeça" do ouvinte infantil. Mais tarde os autores tentaram prescindir do adulto e utilizaram uma voz simples, dirigida apenas ao ouvinte infantil. Atualmente, as melhores obras se debatem para achar uma voz narrativa dual, que possa incluir o adulto sem desdobrar-se e tentam circunscrever-se às relações entre narrador e ouvinte, o par literário "inscrito" no texto. É deste modo que a literatura infantil tem evoluído em direção a uma diminuição da importância dos "implícitos" em favor da relevância definitória da relação narrador/ouvinte. Na literatura catalã o poeta Carles Riba (1949) tinha se referido também ao problema literário do duplo registro do destinatário dos livros infantis ao dizer:

> O leitor: mas qual? A criança, o adulto? (...) Eu mesmo sou autor de alguns destes livros de destinação ambígua; talvez fosse melhor dizer comum (1949:7).

O empenho numa perspectiva social-interativa do texto deu lugar a outro conceito muito interessante para o estudo dos textos destinados às crianças: o do "pacto narrativo". Tal como o formulou Bajtin e Medvedev (1985), o significado do texto é uma construção negociada por autor e leitor, através da mediação do texto. A mensagem não se transmite do autor para o leitor, mas se constrói, como uma espécie de ponte ideológica, que se edifica no processo de sua interação. Os limites do significado acham-se nas relações entre as intenções do autor, o conhecimento do leitor e as propriedades do texto, durante o processo de interpretação (Nystrand, 1989). Ao ler um texto de ficção ficam em suspenso as condições de "verdade" referidos no mundo real do leitor, já que o discurso de um relato é sempre uma organização convencional, que se propõe como verdadeira. Esta suspensão da realidade, que se pode analisar de perspectivas poéticas, psicanalíticas, filosóficas, etc., é causada pelo pacto narrativo, que o leitor assume ao abrir o livro e que estabelece que a história que se conta é "verdade" e que é necessário respeitar as condições de enunciação-recepção presentes no texto. O leitor aceita que a situação comunicativa proposta pela obra é diferente da situação fora dela. A partir dos signos oferecidos pelo texto, o leitor distingue entre narrador (quem enuncia a história), o autor (quem escreveu o livro) e, ao mesmo tempo, distingue o receptor real (ele mesmo) do papel dos receptores que atuam no interior do texto como tais.

A habilidade do escritor se vê compelida, assim, constantemente, por seu sentido de reciprocidade com os leitores e vice-versa. Na literatura infantil e juvenil este ponto é especialmente relevante, já que o autor se dirige a um leitor definido por sua menor experiência de vida e por estar num estágio inferior de desenvolvimento de suas diferentes capacidades. Como qualquer outro autor, porém mais condicionado por estas características diferenciais, o autor de livros infantis tem que avaliar o nível possível das referências compartilhadas, detectar os pontos nos quais pode falhar a convergência com o leitor e oferecer possíveis soluções. Por exemplo, pode-se contextualizar suficientemente a nova informação, com algum tipo de elaboração (uma definição do termo introduzido, talvez), dividir o texto em unidades que facilitem a leitura (parágrafos, capítulos, etc.), ou qualquer outro meio que permita resolver o problema previsto. Por outro lado, o início do discurso tem que estabelecer o quadro de referências mútuas, definir o tópico e deixar claro o tipo de comunicação (o gênero do texto), enquanto ao longo dele devem se oferecer elementos metadiscursivos, que orientem o leitor sobre como interpretá-lo. As soluções adotadas pelos autores nos livros infantis oferecem de forma precisa ao leitor os caminhos para progredir em sua capacidade de recepção das obras.

As funções da crítica

As distinções estabelecidas pela teoria da recepção e o conceito de pacto narrativo presidem uma das linhas de estudo, que parecem mais frutíferas para o desenvolvimento futuro dos estudos de literatura infantil e juvenil. Muitos autores (Meek, 1988; Lluch, 1995; Colomer, 1997; etc.) passaram a interessar-se pela maneira como as crianças aprendem a seguir as instruções do texto e sustentaram que a análise da crítica deveria encaminhar-se a determinar a forma em que os livros infantis ensinam as crianças a ler, ajudando-as a negociar o significado e a desenvolver as habilidades de perceber o texto como literário.

Essa questão traz à tona uma revisão do problema dos "bons livros", que tanto havia preocupado a crítica. Meek enfrentou-a ao assinalar que as crianças aprenderam as competências de leitura quando liam livros, que não necessariamente haviam sido sancionados pela crítica como os melhores:

> Frequentemente não sabemos o que escolhem (as crianças) porque sua banalidade (a dos livros) nos supera. E ao fazê-lo não vemos realmente o leitor inexperiente construindo um objeto imaginário (...) Na leitura infantil, na literatura infantil, podemos ver as convenções, os repertórios, e demonstrar como as crianças aprendem e desenvolvem sua competência literária (1982:290).

A partir dos parâmetros da qualidade literária, se havia argumentado muito frequentemente que as narrativas infantis são ficções literárias, mais do que romances, que suas poesias são versos, mais do que poemas, e que seu teatro é improvisação dramática, mais do que texto teatral. Toda a literatura para crianças e jovens, como a literatura popular de adultos, parece formada, em grande parte, por simples estereótipos literários. Mas esta "banalidade" das obras infantis tem sido abordada, agora, como exemplo da insuficiência dos métodos da crítica literária para avaliação dos livros para a infância e a adolescência.

Com efeito, se nos limitamos às interpretações tradicionais, podemos afirmar que os livros canônicos desta literatura, aqueles que a crítica assinala como seus clássicos, se diferenciam bem pouco das regras de construção, que imperam em todas as outras obras infantis e juvenis.

Mas, ainda que sua singularidade seja bem pouco precisa, o instinto crítico nos faz distinguir livros dignos de ser destacados como grandes obras da literatura para crianças e jovens. Desta contradição nasceu a convicção de muitos autores de que a literatura para crianças requer uma aproximação interpretativa diferente daquela própria à literatura para adultos.

No entanto, pode-se alegar que esta conclusão limita-se a transferir para a interpretação crítica a antiga especificidade procurada no terreno dos livros infantis até os anos oitenta. Efetivamente, alguns autores anglo-saxões reivindicaram um modelo autônomo de crítica, uma espécie de discriminação positiva para outorgar valores aos aspectos culturais criados e mantidos às margens da cultura oficial. Esta é a intenção de Hunt (1991) quando propõe o termo *childist* para a crítica da literatura infantil, em paralelo ao termo *feminist*, utilizado para denominar uma perspectiva feminina especial na crítica literária. A *childist* consistiria em ler, no grau que fosse possível, do ponto de vista da criança, levando em conta sua experiência, a diferença psicológica em relação ao adulto e o que Hunt denomina "cultura da infância". Cabe objetar, contudo, que a *childist*, inscrita em uma crítica ideológica sobre a relatividade do valor de excelência das obras e da uniformidade das leituras, se mostra paradoxalmente propensa a considerar a infância como uma espécie de estágio incontaminado pelas ideologias, a par da dificuldade inerente de pensar que um adulto possa ler, precisamente, de outra maneira que não a de adulto.

Mais comedidamente, podemos pensar que o que se tentava com a nova crítica de literatura infantil era converter esta literatura em pedra de toque, que questionasse o aparato teórico da literatura de adultos, mostrando suas limitações na análise do fenômeno literário. Tal como reflete Nodelman:

> (Podemos chegar) a uma conclusão mais sutil: que, com efeito, a literatura infantil é, de maneira menos significativa, um tipo especial de ficção, um sério desafio às ideias convencionais sobre interpretação e distinção (...) Se a interpretação destes livros não nos mostra o que os torna únicos, talvez a informação que a interpretação dos romances mais "complexos" nos dá seja, igualmente, equivocada.
> (...) Até que desenvolvamos um novo tipo de aproximação, não entendemos como os romances para crianças possam ser únicos, embora seus personagens, tramas, linguagem "simples" e inclusive seu núcleo central de modelos e ideias não o sejam (1985: 6, 20).

Apesar da excessiva pretensão teórica de alguns dos novos estudos sobre literatura infantil, uma das constantes preocupações tem sido a de não cair na tentação de utilizar de forma acrítica algumas das recentes e complexas metodologias ensaiadas pela teoria literária. Assim, em uma reação similar à produzida no campo escolar, onde se rechaçou a transferência dos sofisticados aparatos críticos de análises aos programas escolares, tachando-os de "tecnocráticos", Chambers (1985) reclamou "algum tipo de crítica compreensivelmente útil" para o problema de ajudar as crianças a ler literatura" (1985: 123). E, na mesma linha, Pickering denunciou a inutilidade do desconstrutivismo como método de análise dizendo:

> Como a arte pela arte foi uma reação contra a hegemonia da ciência no fim do século XIX, a crítica pela crítica tornou-se popular hoje em dia. Em lugar de revelar significados nos temas tratados, este ramo da crítica tornou-se uma espécie de alta religião decadente (...) Alguns poucos críticos – aqueles que, contra toda a evidência, haviam desejado crer que a crítica influi na sociedade – acham que este artifício é positivo. (...) Esforçando-se por ser messiânicos, tornaram-se críticos. Escrevem apenas para um pequeno número de seguidores, e como o imperador que estava nu, convencidos de que sua crítica está mudando a sociedade (1982: 14).

A simplicidade dos livros infantis pode servir precisamente para que o crítico desta literatura evite cair na tentação de crer que a ficção trata apenas de si mesma, como corolário, de crer que a crítica se refere também unicamente a ela mesma.

Posto que se torna difícil para a crítica de literatura infantil ficar impressionada pelo texto que avalia, pode ter mais presente sua função de utilidade social. Ao destacar o absurdo de dedicar-se a "desconstruir" livros infantis, Pickering defende um tipo de crítica, talvez menos ambicioso, mas com maior contato com a realidade:

> Talvez tudo quanto possa tentar-se é tornar mais acessível a boa literatura a um maior número de pessoas. Certamente isto não se poderá conseguir imitando o desconstrutivismo, e seus métodos nos levariam a pensar que a crítica de literatura infantil havia perdido o contato com a realidade da experiência humana (1982: 15).

Com a mesma energia, muitos autores defenderam que os estudos de literatura infantil pertencem, de pleno direito, ao mundo literário, já que separar esta parcela dos demais estudos, como Hunt havia proposto, a converteria em um fragmento arbitrário da cultura e enfraqueceria seu estudo. A saída para essas contradições criadas na teoria literária pela análise de livros infantis se encontraria, pois, mais do que na segregação disciplinar, na confluência de instrumentos metodológicos de diferentes disciplinas, que permitissem dar conta deste tipo de literatura e contribuir, inclusive, à criação de novos modelos de análise literária. Esta é a linha representada por Pickering, embora talvez com o mesmo excesso de zelo disciplinar:

> Já que muitos fenômenos da sociedade se refletem na literatura infantil mais rapidamente que em outros estudos literários, exceto na crítica de jornais, a crítica de literatura infantil e juvenil somente será capaz de enriquecer-se a partir de outros estudos e na junção com outras críticas e perspectivas sociais. Com o potencial, e quase a necessidade, de enlaçar-se a outros estudos, a boa crítica de literatura infantil e juvenil poderia chegar a ser, no futuro, um modelo para os demais estudos literários (1982: 16).

Novos desafios para a crítica a partir da produção de livros

Além de suas relações com as recentes teorias literárias, os estudos sobre literatura infantil e juvenil dos anos oitenta tiveram que abordar novos temas propostos pelas mudanças sofridas pela produção editorial de livros para crianças e jovens. Descreveremos, em seguida, os dois principais tipos de desejos, que a produção atual propõe aos estudos literários: a necessidade de incluir o uso de recursos não verbais – ou seja, não literários – na descrição e na avaliação das obras infantis, e o debate sobre a possibilidade de incorporar características próprias do que se chamou "literatura pós-moderna", aos livros destinados a crianças.

A incorporação de recursos não verbais

Durante os últimos anos a edição de livros para crianças e adolescentes ampliou enormemente suas técnicas de ilustração, os materiais utilizados para confeccioná-los, o tipo de paginação do texto e da imagem, incluindo, às vezes, volume, movimento, som ou tato, com funções significativas. O *corpus* resultante parece simplesmente inabordável a partir das convenções habituais da crítica literária, já que uma grande parte dos livros não são unicamente textos, nem tampouco textos ilustrados no sentido tradicional, senão um tipo absolutamente novo de livros para crianças. Pensemos em títulos de grande êxito na produção mais recente, como *The jolly postman*, dos Alhberg, por exemplo, traduzido com o título de *El cartero simpático*. Um carteiro entrega cartas a personagens clássicos dos contos infantis. As cartas, inseridas materialmente em envelopes dentro do conto, adotam uma ampla gama de formas textuais, desde a postal à denúncia jurídica. Mais que uma narrativa, *El cartero simpático* consiste em um jogo de abertura e leitura de cartas procedentes da bolsa de um carteiro, com o referente implícito de todos os contos populares aos quais alude e a apresentação de formas textuais, muito distantes da linguagem literária. Esta e tantas outras obras são um bom exemplo da complexidade da teoria necessária para descrever estes textos.

Para enfrentar sua análise, os estudos de literatura infantil se acham bastante desassistidos, posto que, inclusive a análise da ilustração, o elemento não verbal de uso mais prolongado ao longo do tempo, tem uma tradição muito escassa. Efetivamente, a ilustração tem sido uma área muito pouco estudada até agora nos estudos de literatura infantil. Possivelmente porque se entendia que sua função era de um simples ornamento que contribuía para a atração pelo livro, contamos apenas com algumas análises históricas (Parmegiani, 1985; Hunt, 1995; Fernández Pacheco, 1996; Castillo, 1997; etc.), algumas descrições mais teóricas (as produzidas sob o estímulo de D. Escarpit, 1973; Moss, 1981; Perrot, 1991; Duran, 1995; e outros), e algumas outras centradas na recepção do leitor (Crago, 1983; 1985; Kiefer, 1983; etc.). Mas o desenvolvimento dos livros para não leitores, a proliferação de obras que sobrepassam as formas estritamente textuais, como o exemplo aludido, e, principalmente, a criação do novo conceito de "álbum", convertem em incontestável, felizmente, que a ilustração comece a despertar uma certa atenção, que talvez a resgate do lugar periférico que ocupa, tanto nas análises literárias, como nas artes gráficas. Não por casualidade as fronteiras profissionais entre os ilustradores, pintores, publicitários, desenhistas de humor ou de quadrinhos, etc., tornaram-se permeáveis nos últimos tempos e os álbuns converteram-se em um campo propício à experimentação artística.

Da perspectiva do estudo dos livros infantis, a intervenção da ilustração no desenvolvimento literário das crianças oferece dois campos de grande interesse: o da iniciação narrativa através da imagem e o da inter-relação entre o texto e a imagem nos álbuns.

No primeiro destes campos a pesquisa sobre leitura da imagem de crianças pequenas tentou precisar o progresso da compreensão deste código, em relação à compreensão da narrativa. Este tipo de observações foi realizado, habitualmente, a partir dos modelos cognitivos de Piaget (por exemplo, Danset-Léger, 1988; Sarland, 1985; Moebius, 1986; etc.) e ofereceu dados sobre as idades nas quais as crianças são capazes de dominar aspectos tais como relacionar ações de diferentes ilustrações, em lugar de citá-las como um inventário, entender representações pouco convencionais de objetos, etc.

Em relação ao segundo dos campos de análises, convém lembrar que os álbuns já nasceram na década de sessenta com a decidida vontade de criar um espaço de experimentalismo entre texto e imagem. Tal como o explicitaram os diretores da editora *L'École des Loisirs*, seu objetivo era conseguir que texto e imagem "formem um jogo de espelhos de perspectiva indefinida e infinita" (Fabre e Delas, 1975: 214). Durante os últimos vinte anos, mantendo-se nesse caminho, o álbum representou uma forma cultural inovadora. Deixou de ser um produto destinado aos menores e tomou em consideração temas que supõem um desafio às convenções sobre a capacidade interpretativa destas idades por causa de sua riqueza em mensagens implícitas e, inclusive, por sua vinculação à experiência adulta. Longe da ideia de uma amável literatura para crianças pequenas, o álbum produziu as maiores tensões educativas e estéticas da produção infantil, e, em lugar de oferecer-se como o tipo de livro mais simples, resultou em um dos gêneros mais complexos da literatura para crianças e jovens, já que utiliza simultaneamente duas formas de arte, a plástica e a linguagem, e porque implica dois receptores, as crianças e os adultos. A necessidade de inter-relacionar os conhecimentos críticos do âmbito literário e da imagem parece, pois, absolutamente incontestável no campo da literatura infantil, tal como destacou Lobato (1996).

O jogo entre os dois códigos utilizados estabelecido nos álbuns serviu a dois propósitos diferentes. Por um lado, ampliou as possibilidades de complexidade narrativa das obras, já que a imagem podia colaborar com o texto oferecendo uma espécie de andaime para os problemas de compreensão das crianças. Por outro, e talvez precisamente pela consciência dos autores de que as crianças não dominam todas as regras convencionais do código, reforçou o jogo formal, já que seria através do jogo entre o texto e a imagem que estes códigos poderiam ser experimentados, invertidos, alterados e, finalmente, assimilados por seus leitores. Whalen-Levitt (1984) assinalou que, na atualidade, os autores assumiram um jogo deliberado com as convenções, para levar os leitores a tomarem consciência de como opera a obra e propôs uma classificação das maneiras mais frequentes com as quais os álbuns jogam com as convenções:

a) Violação do sentido comum da visão do mundo, com imagens impossíveis na realidade, do tipo das escadas enlaçadas de Moebius.
b) Manipulação do ponto de vista ao propor perspectivas alternadas.
c) Camuflagem das imagens em outros objetos, ressaltando suas relações de semelhança e diferença.
d) Alusões a outras obras de arte, como, por exemplo, quadros famosos.

Estas características revelam que o álbum foi o primeiro tipo de livro infantil que incorporou uma certa ruptura das técnicas literárias habituais, aquela que corresponde ao que foi analisado pela crítica recente em termos de "pós-modernidade".

O pós-modernismo

Vários autores (Kermode, 1979; Jameson, 1984; Eagleton, 1986; McHale, 1987; Cesarini e De Federicis, 1988; etc.) definiram o conceito de pós-modernismo para referir-se ao estágio cultural próprio das sociedades pós-industriais. Construído a partir dos postulados pós-estruturalistas, este conceito descreve uma visão relativista do mundo acentuada, a partir de uma observação descentralizada do indivíduo. Este não é visto como um produto da consciência individual, mas como um processo, em construção constante, perpetuamente contraditório e aberto a mudanças. As interrogações artísticas pós-modernas se dirigem a explorar o que acontece quando se confrontam mundos distintos, quando se violam as fronteiras entre realidades e categorias diferentes. O resultado desta busca foi um aumento da autoconsciência na arte em geral e na literatura em particular, uma exploração dos limites e possibilidades da arte, a partir da tradição que as conforma. Cesarini e De Federicis (1988) o descrevem da seguinte maneira:

> (...) a identificação de um fenômeno central e difuso, de grande relevo (que foi etiquetado com a fórmula, problemática e insuficiente em muitos aspectos, de *pós-modernismo*). Entretanto, é difícil estabelecer um sistema preciso de formas, gêneros e modas (já que também é característica do período a indiscriminada e universal utilização simultânea de todas as formas possíveis e disponíveis) que é típica de muitas operações de escritura deste período, uma tematização de procedimentos formais da literatura. A narração se converteu a si mesma no tema central da obra narrativa (e a ação de narrar, em não poucos casos, foi tomada como modelo mesmo do conhecimento). A literatura tornou-se literariedade. O ato de ficcionar foi eleito tema central e justificativa de muitas escrituras. As regras e as maneiras da representação tornaram-se o conteúdo mesmo do ato de representatividade. O modo de comunicação tornou-se o elemento fundamental do novo modelo cultural.
> (...) Uma tendência para o excesso passou paradoxalmente a formar parte do comportamento habitual. Produzimos e consumimos imagens cada vez mais e mais surpreendentes. Publicidade, mercado, técnica de comunicação educam os olhos e a mente a um contínuo descartar (em relação ao que se espera, já se viu, é previsível). Há uma inversão geral dos aspectos normativos da sociedade e da cultura, um processo de fragmentação e liberalização. O fim do sistema de valores típicos da sociedade hierarquizada liberou impulsos positivos, consentindo que se formasse uma efetiva cultura da tolerância. Os sujeitos sociais silenciosos (mulheres, jovens) adquiriram o direito de expressão (1988: 48).

Mas a literatura infantil não parece um campo especialmente propenso a este tipo de experimentação. Talvez a partir de seu didatismo inicial e em seguida de seu humanismo racionalista, o que lhe é próprio é a ideia de um estatuto do sujeito não fragmentado. A forma generalizada dos livros infantis convida o leitor a aceitar que o autor expressou no texto uma única interpretação do mundo e que lhe ofereceu um acesso direto a ela. A estrutura e as técnicas empregadas são vistas apenas como o entrecho no qual a mensagem é negociada através de um meio aparentemente neutro e transparente, que permite a identificação da intenção do autor se se lê com suficiente atenção. Os textos dos livros infantis utilizam a alusão de forma muito limitada e, até agora, não foram majoritariamente irônicos, paródicos ou baseados na autoconsciência literária. Poderíamos afirmar que a maioria dos textos de literatura infantil e juvenil caracteriza-se porque evita a pluralidade de significados, porque têm o que Barthes denominou "leiturabilidade" (1970). Os autores pressupõem uma leitura inocente por parte do leitor. Por isso, esta é a forma predominante dos livros para crianças e jovens e, segundo muitos críticos, a única possível.

Mas no outro extremo do *continuum* de Barthes situa-se a "escriturabilidade", e então, em correspondência com a descrição de Cesarini e De Federicis, o texto tende a explicitar as regras do artifício literário e a propor uma conexão mimética entre ficção e realidade, entre significado e significante, características que foram colocadas pela teoria literária sob o termo de "metaficção".

Nos gêneros mais recentes da literatura infantil e juvenil – os álbuns e o romance juvenil – pode-se ver que os códigos tornaram-se vulneráveis no mesmo sentido metaficcional dos textos que se dirigem aos adultos em nossa cultura pós-moderna. Na obra de Chambers (1978), *Breaktimes*, há um diário de adolescente no qual o protagonista é construído pelo autor e pelo leitor, mais que apresentado como uma realidade verossímil. Desta forma, ao final da novela, um personagem diz: "Você está me dizendo que eu sou só um personagem numa história?" E o protagonista responde: "Não o somos todos?" (1985: 139). Ou ainda, como em uma obra de Martin (1987) diz o personagem de Fréderic, supostamente diante de seu autor: "É a vida... perdão, é a literatura".

Existe, pois, uma parte da produção, escassa quantitativamente, mas muito importante do ponto de vista teórico, que pode ser iluminada pela teoria crítica associada ao pós-modernismo. Alguns autores aplicaram, efetivamente, este instrumento da descrição da cultura atual à análise do *corpus* infantil e juvenil. A análise realizada por Moss (1992) chega à conclusão de que nos livros infantis utilizam-se os seguintes tipos de ruptura em relação às normas tradicionais:

a) *Narrativa descontínua*. Segundo as normas habituais, um leitor pressupõe que um texto tem que ser coerente. Espera que todos os elementos de uma narrativa confluam para um significado determinado, e que se aparece algum elemento estranho, será retomado e explicado ao longo da narrativa. Mas se o texto não resolve as ações e evita a ordem casual, o leitor será forçado a exercer uma atividade mais intensa e reflexiva para conseguir um significado coerente. Terá sido convidado, portanto, a tomar parte no texto e atuar como elemento organizador.
b) *Curto-circuito*. O propósito dos recursos agrupados sob esta denominação é o de provocar um "choque" no leitor ao lembrar-lhe a divisão convencional entre o texto e o mundo real. Ao atrair a atenção em relação às convenções literárias ou em relação à materialidade do livro, força o leitor a não envolver-se com o texto apenas do ponto de vista emocional, mas também a apreciá-lo em sua qualidade de obra de arte construída. Por exemplo, o uso de significados ilusórios – como a existência de um vazio na ficção que é, ao mesmo tempo, um vazio real no livro – procura evidenciar a relação entre o livro como objeto do mundo real e o mundo de ficção que o livro projeta.
c) *Mundos polifônicos*. Este conceito alude ao uso de diferentes códigos e sistemas semânticos, à multiplicidade de linhas narrativas, que com sua orquestração se propõe a expressar uma pluralidade de mundos. Por exemplo, em *I Hate my Teddy Bear* (1982), de Mckee, traduzido para *No quiero mi osito*, em 1991, pela Editora Altea, coexistem uma singela narrativa de crianças e brinquedos, contada pelo texto, e uma tela ao fundo, na imagem, repleta de personagens e de ações variadas e surpreendentes, algumas das quais se resolvem ao final, enquanto outras não. O leitor tem que ler e recriar um texto, que o entretenha em seu nível mais simples, mas que, ao mesmo tempo, o envolva numa atividade de acompanhamento de histórias e significados complexos.
d) *Ataque à coerência individual*. Como assinalou-se, muitos postulados das teorias pós-estruturalistas atacaram a ideia

da unidade individual, argumentando que "o sujeito, e o sentido de uma única subjetividade própria, constrói-se na língua e no discurso, que, mais que fixado e unificado, o sujeito é instável e fragmentado" (Rice e Waugh, 1998:119). Apesar de que a possibilidade de aplicar esta ideia à literatura infantil parece muito pouco promissora, apareceram alguns livros com especial ênfase na fragmentação, onde cada imagem, por exemplo, relata uma posição diferente do sujeito e oferece um novo ponto de vista. Se as explicações convencionais – como, por exemplo, supor que o personagem está se movendo – resultam impossíveis, inicia-se o leitor na ideia de que o indivíduo não é uma unidade estável.

e) *Jogos com as palavras*. A cultura atual explicita e ressalta a construção do mundo através da linguagem e sua arbitrariedade. Concordando com isso, muitos autores brincaram de inventar novas linguagens (por exemplo Obiols em ¡*Ay, Filomena, Filomena!*), de maneira que o texto propõe-se a jogar com a forma pela qual a linguagem constrói o mundo e mostrá-la claramente em sua qualidade de sistema arbitrário de signos.

f) *O prazer do texto*. As obras que seguiram esta linha apresentam-se como livros atraentes, livros que podem representar a cultura de forma divertida e nos quais se convidam as crianças a brincar com as formas convencionais, tanto visuais como linguísticas dos adultos, antes de dominá-las.

Como se pode supor facilmente, a partir desta descrição, o uso da metaficção nos livros para crianças gerou polêmica entre os críticos de literatura infantil. Por um lado, diferentes vozes (Townsend, 1971b; Rees, 1980; Bowles, 1987) manifestaram que as formas sofisticadas a que a metaficção dá lugar, são excessivamente difíceis para crianças e, portanto, impróprias para este tipo de literatura. Outros autores (A. Moss, 1985; Perrot, 1987; Hunt, 1992 ou G. Moss, 1992), ao contrário, defenderam estas obras a partir da ideia de que as crianças, precisamente, estão mais próximas das obras experimentais, do que de outros textos julgados mais convencionais apenas porque requerem algumas habilidades leitoras, que os adultos consideram familiares, mas que, para as crianças, que ainda não as dominam, são igualmente complexas.

Mas a atitude mais radical em defesa da metaficção procede de uma leitura ideológica da polêmica (Rose, 1984; Stephens, 1991; 1992; etc.), que acusou a crítica de partir de princípios sociais conservadores em sua resistência à experimentação. Rose sustentou que a crítica louva a "leiturabilidade" dos textos, porque parte de um conceito da infância como sujeito passivo, de um conceito do mundo cognoscível de maneira direta e imediata. Segundo esta autora, a própria concepção de literatura infantil pode denunciar-se como um produto de adultos, que querem controlar o processo de aculturação das crianças, mantendo-as como receptores passivos de textos de interpretação fechada. A metaficção, ao contrário – que nega que a linguagem seja invisível, e alerta contra a total identificação e absorção no livro – é um agente subversor da forma canônica da literatura infantil e juvenil e converte o leitor em colaborador autoconsciente, mais do que em um consumidor facilmente manipulável.

Os argumentos em defesa da metaficção se estenderam desde a simples constatação do prazer com que uma parte do público adota estes livros – insinuando que talvez a provocação seja uma importante satisfação para as crianças (Crago, 1979) –, até a defesa da função destes textos para estimular uma crítica ativa, de muitos modelos narrativos habituais. Também, em definitivo, porque representam a evolução do *corpus* em direção a formas culturais presentes em nossa sociedade, no interior da qual a literatura infantil, como qualquer forma literária, inevitavelmente construirá, julgará e talvez destruirá as formas convencionais nas quais se desenvolveu.

Na Espanha a descrição dos livros infantis atuais realizada por Mayor *et al.* (1982) ou Díaz Plaja (1988), coincidiram em alguns dos aspectos aqui assinalados, como próprios da produção mais inovadora. Mas ao contrário, o debate sobre sua pertinência foi pouco explícito na crítica escrita, embora surja, reiteradamente, nas mesas-redondas ou conferências sobre o tema. Parece que a crítica não se sentiu capacitada para rejeitar alguns livros, que evidenciaram um alto nível de qualidade, mas a perplexidade resultante pode ser constatada na expressão oral de uma certa inquietude e na ausência de títulos, representativos desta tendência, em muitas das seleções publicadas de livros mais recomendados para crianças e jovens.

O que parece mais interessante na polêmica sobre a metaficção é que o que se está debatendo, na realidade, são os limites do que se pode considerar literatura para crianças e jovens. O pós-modernismo foi atacado frequentemente pelo seu narcisismo e obscuridade, ou por seu niilismo, ao apresentar um ponto de vista irônico ou paródico sobre o mundo, mas no caso dos livros infantis a consciência da limitada habilidade narrativa ou gráfica desse público, levou os autores a se esforçarem para buscar fórmulas que unam os jogos experimentais às ajudas necessárias para sua interpretação. Então, esta tarefa de busca na produção oferece informação justamente sobre as possibilidades de competência literária das crianças e sobre os limites da literatura que se pode dirigir a elas. Ou seja, a discussão sobre a metaficção resulta especialmente rentável, porque os estudos de literatura infantil tiveram que começar a se aprofundar na análise das técnicas implicadas nesse gênero "demasiado difícil para as crianças", e destes estudos pode surgir um melhor conhecimento do desenvolvimento e dos limites, por parte das crianças, de cada um dos tipos de convenções literárias.

Este gênero de descrições sobre a produção foram iniciadas muito recentemente e este trabalho se propõe a contribuir para isso, na medida em que pretende demonstrar que a participação do leitor é uma das principais mudanças ocorridas na literatura infantil nos últimos anos. Quanto ao balanço sobre os estudos de literatura infantil, o que interessa aqui é assinalar que, à diferença de todos os debates anteriores sobre que livros são adequados para a infância e a juventude, esta polêmica não se refere aos temas tratados e a sua adequação formadora, mas, pela primeira vez, a discussão centra-se na avaliação da dificuldade de interpretação formal dos livros.

A perspectiva social

A análise da literatura infantil, de uma perspectiva social, iniciou-se na década de setenta e foi-se fortalecendo durante a década de oitenta. Em seguida se descreverão os progressos realizados nesta área diferenciando dois campos de estudos: o primeiro, formado pelos estudos sociológicos sobre a leitura de livros infantis; o segundo, referindo-se aos estudos sobre a ideologia inscrita nos livros infantis e subjacente nos critérios de avaliação utilizados pela crítica.

Os estudos sociológicos

Um primeiro tipo de estudos sociológicos sobre os textos literários é o que agrupa as obras que se interessam pela leitura como fenômeno social e pela literatura como instituição cultural. Esta linha de investigação sociológica tem uma especial tradição na França, a partir de mestres-autores como R. Escarpit, Bourdieu, Dubois, etc. Já na década de setenta começaram a desenvolver-se também no campo específico da literatura infantil, com autores como D. Escarpit ou Robin, através de estudos sobre a maneira como as crianças e os jovens, de distintos setores sociais, aceitam os livros e se apropriam culturalmente dos textos escritos.

De início os estudos sociológicos abordaram os aspectos quantitativos do fenômeno e não se deixaram de produzir análises estatísticas neste campo. São estudos que buscam dados sobre o número de livros lidos, o tipo, os lugares habituais de leitura, etc. e sua relação com as características socioculturais de sexo ou idade dos leitores. Inscrevem-se aqui, por exemplo, as múltiplas e periódicas pesquisas feitas por muitos organismos oficiais de quase todos os países, assim como por meios de comunicação ou outras organizações dedicadas à promoção da leitura (representações do IBBY, o Institut National de Recherche Pédagogique, a Association Française pour la Lecture, a Fundación Santa Maria, etc.).

Os resultados das primeiras pesquisas quantitativas produziram uma decepção generalizada das expectativas sobre a leitura, depositadas na mudança da escola e no aumento do número de bibliotecas públicas. Esta decepção pode sintetizar-se num tópico muito repetido na bibliografia francesa: *nos enfants ne lisent plus*. Mas, como alegou Robin (1989), *les enfants* já não eram *nos enfants*, mas crianças de todos os setores sociais, de maneira que a sociologia teve que afinar seus instrumentos e delimitar, com maior precisão, os objetos de estudo. Desta maneira pôde revelar-se, por exemplo, que, na década de sessenta, as meninas das classes menos favorecidas liam menos que os meninos do seu mesmo meio social e menos que os meninos e meninas das classes superiores, enquanto que agora as meninas de qualquer classe social leem mais que os meninos, embora a diferença entre as classes se reproduza no interior da subdivisão de gênero (Patureau, 1992).

Paralelamente, iniciou-se um tipo de investigação sociológica mais qualitativa. Produziu-se em estreita vinculação com os movimentos bibliotecários de incentivo à leitura e educativos, de renovação pedagógica. Por isso adotou-se, frequentemente, formas de pesquisa aplicada à melhoria da leitura (Comte e Risnes, 1986; Privat e Vinson, 1989; Sublet e Preteur, 1989). Estes estudos insistiram na descrição de uma nova situação social do fenômeno da leitura, caracterizada por um novo público procedente da explosão demográfica da população escolarizada, pelas mudanças escolares no incentivo ao hábito de leitura de obras de ficção e pela pressão editorial, que aumentou e diversificou enormemente a oferta de livros infantis e juvenis. Em consonância com esta descrição, a partir dos anos oitenta desenvolveu-se uma atitude muito mais cuidadosa na obtenção de dados sociológicos sobre a leitura, atendendo a diferentes formas de leitura e não unicamente àquela do que se pode considerar boa literatura infantil e juvenil. Enlaçava-se, assim, com o problema dos pressupostos da avaliação dos livros tendo que distinguir entre saber se as crianças e jovens liam ou se liam "o que deveriam ler".

Os questionários utilizados tornaram-se mais complexos para poder distinguir aspectos de maior sofisticação, como as diferenças dos leitores, não em sua prática, mas em suas atitudes e valores em relação à leitura de ficção. Os estudos de Singly (1989; 1993; 1993b) mostraram que as diferenças entre meninos e meninas adolescentes, por exemplo, parecem muito maiores em sua adesão afetiva do que na quantidade ou tipo de livros lidos. O interesse pedagógico destes dados enraíza-se, justamente, nos resultados que permitem progredir na reflexão sobre as causas da indiferença masculina e vão além da constatação numérica da diferença. Se, como se depreende destas pesquisas, a leitura é vista como uma atividade essencialmente feminina, será preciso levá-lo em conta ao planejar uma intervenção educativa, e talvez, inclusive, promover uma produção de literatura juvenil mais adequada às necessidades da imaginação dos rapazes.

Os resultados dos estudos sociológicos têm sido relacionados, cada vez mais estreitamente, com preocupações de outras disciplinas. Por exemplo, com o desejo da psicologia de estabelecer preferências padrão segundo a idade, ou da ação pedagógica de ensaiar as melhores formas de educação leitora. O estudo de Singly sobre as diferenças leitoras entre os adolescentes de ambos os sexos, há pouco citado, inscreve-se num amplo leque de temas abordados pela pesquisa atual da sociologia educativa: a relação entre os comportamentos leitores e os valores familiares ou do grupo de referência, a importância da qualidade no aumento efetivo da leitura, da mediação adulta, mais do que da quantidade de livros disponíveis, a relação entre os critérios de seleção e das características do livro como objeto de consumo, a diversificação de gostos segundo a idade e a oferta editorial existente, a criação de hábitos de leitura segundo o lugar concedido aos livros de ficção na primeira fase de aprendizagem escolar, etc.[5]

Os estudos sobre a ideologia

Outro tipo de estudos sociológicos é o que não se centraliza nos leitores e nas formas culturais de comunicação entre livros e leitores, mas sim na análise dos textos, para evidenciar o reflexo sociocultural ou a intenção de transmissão de valores sociais, frequentemente de uma perspectiva crítica em relação a estas mensagens. Com enfoques e denominações diversas (sociologia da literatura, sociologia textual, sociolinguística dos conteúdos, pragmática do discurso, sociocrítica, etc.) a relação entre os textos e as ideologias sociais tem sido estudada com assiduidade e progrediu-se no conhecimento da maneira como a ideologia se inscreve nos textos literários, para expressar a visão do mundo dos diferentes grupos sociais.

A ideia de que nenhuma obra, inclusive o livro mais simples, é inocente ideologicamente, tem sido enormemente tentadora para os estudos de literatura infantil, que podem contar com um *corpus* especialmente apto para detectar os reflexos dos valores sociais (Lafite, 1978). Nos livros infantis o poder das relações entre autor e leitor é mais evidente que na literatura produzida e lida entre adultos; sua função educativa é muito óbvia e torna-se também muito visível, que os autores e editores estão constrangidos por pressões sociais de diversos tipos. Tudo isso faz com que o tema ideológico seja um problema especialmente importante nos livros para crianças e jovens.

O primeiro problema neste campo remete à discussão sobre os critérios de qualidade, já que se quer estabelecer se é importante detectar a ideologia ao avaliar um livro, como fazê-lo e que consequências deve ter esta ação na indicação das obras. Ou seja, como a crítica deve encarar uma obra, literariamente boa, mas ideologicamente "perniciosa".

Se as posições da crítica se excedem ante o tema, há duas formas de proceder: uma minimiza a importância de avaliar ideologicamente o livro e subordina este critério à consideração estética e literária. Hollindale (1989) retoma a denominação de *book people*, para associar esta posição ao conservadorismo ideológico e caracterizá-la como uma forma de operar, guiada pelo difundido princípio de que "se uma história para crianças só agrada às crianças, é uma história ruim para crianças", independentemente de seus valores morais. A outra posição avalia a qualidade da obra segundo seu compromisso educativo e trabalha sob o princípio de "o que o livro ensina" sobre a forma de ser e de atuar no mundo. Com frequência, esta posição reflete suas ideias no campo mesmo da produção editorial e pode dar lugar a enfoques ideológicos diametralmente opostos. Já que o que importa é a adequação da obra ao discurso ideológico preconizado, se este se acha dominado pelo desejo de propagação imperialista, os protagonistas dos livros seriam pequenos colonos; se se trata de denunciar a opressão serão proletários; se defende os novos valores da década de setenta, dará lugar à literatura "antiautoritária"; e se se preocupa com o respeito a todos os grupos sociais, se integrará na corrente do "politicamente correto".

Tal como indica Hollindale, pode exemplificar-se a diferença de critério das duas posições, no fato de que a obra de E. Blyton desperta a ira de ambos os grupos, mas a partir de razões absolutamente distintas. Enquanto para o *book people* trata-se de obras sem qualidade literária, para a *children people*, ideologicamente progressista, são obras simplesmente reacionárias.

Se se admite a importância de atender ao aspecto ideológico dos livros infantis, o segundo problema proposto é o de detectá-lo e descrevê-lo. Ora, embora a teoria literária tenha assinalado a onipresença da ideologia e a impossibilidade de confiná-la nos aspectos superficiais do texto, tanto o estudo ideológico da literatura infantil como a produção editorial tenderam, até agora, a restringir-se a este nível, assinalando, portanto, os aspectos ideológicos entranhados nas crenças dos personagens ou no discurso explícito do narrador.

Sem dúvida, os estudos que analisam a ideologia na superfície do texto são os mais simples de observar, já que se trata de uma presença, às vezes deliberada e ponderada por parte do autor, e outras inconsciente, mas sempre traduzida em sinais identificáveis pelos críticos. Por exemplo, é fácil ver a ideologia presente na literatura do século XIX, por sua grande dependência de intenções didáticas, obsoletas hoje em dia, assim como também na literatura infantil e juvenil moderna "comprometida", porque sua opção explícita contradiz nosso conhecimento da sociedade atual. Da mesma maneira, a produção que se situa neste nível é a mais fácil de ser realizada. Trata-se simplesmente, por exemplo, de levar os personagens a dizer ou fazer aquilo que se quer promover ou denunciar.

Coisa muito diferente é o êxito que estes propósitos possam alcançar. De início, pronunciar-se sobre um tema já lhe confere uma carga evidente de anormalidade e revela que as condutas defendidas na história são ideais, mais do que realidades. Os autores enfrentam então, uma dualidade de difícil solução: se o comportamento que se deseja difundir se apresenta como natural, a experiência de vida do leitor o leva a detectá-la como estranha e cria-se um problema de verossimilhança narrativa: mas, se se destacam as tensões existentes na realidade, corre-se o grave risco de converter a obra num panfleto estridente e definitivamente ingênuo. Parece, pois, que a vontade de introduzir mudanças ideológicas requer uma sutileza literária muito acentuada, que deve envolver os níveis mais profundos do texto.

A linha mais comum dos estudos de literatura infantil e juvenil é a de tentar aproximar-se das formas de operar na prática. Aprender a localizar a ideologia implícita nas obras de ficção é importante para, por exemplo, os setores educativos, que têm que ensinar às crianças e aos adolescentes a ler sem ficar a mercê daquilo que leem. Por isso os estudos sobre a ideologia ofereceram também várias provas e atividades de análise para detectar os valores implícitos nos livros infantis e juvenis. Hollindale (1989), por exemplo, sistematiza uma série de provas, tais como comprovar o tipo de mudanças que se dariam em uma obra, se se manipulassem ou invertessem determinados elementos, considerar se o final contradiz ou reafirma os valores nela contidos, avaliar se se trata de um final coerente com o desenvolvimento da narrativa ou se deriva de pressupostos ideológicos, verificar se existe contradição entre os valores de fundo e os declarados na superfície, etc.

Provavelmente as propostas que desejam aprofundar-se na leitura ideológica das obras, contribuem para esclarecer a relação entre os valores sociais e os livros destinados à infância e à adolescência. Mas este progresso não busca conclusões mecânicas sobre o que se deve fazer com os livros, tal como, frequentemente, se propõe na ampla bibliografia existente sobre o tema. Devem suprimir-se, por exemplo, as obras clássicas, por seu conteúdo sexista ou racista?, ou ainda, devem produzir-se livros combativos, que contradigam a experiência cotidiana das crianças?, que critérios de censura têm que ser introduzidos na seleção e difusão das obras?, etc. Revisando os artigos publicados a respeito, não parece óbvio assinalar, inclusive, que a ideologia não é um conceito suspeito em si mesmo, mas, ao contrário, molda a todos os indivíduos de uma sociedade, e que as diversas constelações de valores existentes configuram a imagem que as crianças formam de si mesmas e da sociedade em que vivem.

Desta perspectiva a descrição dos textos conta com abundante *corpus* bibliográfico. Agrupam-se aqui estudos sobre a evolução dos modelos educativos (Lesson, 1977; Colomer, 1991; Lesnik-Oberstein, 1994; Machado, 1995; etc.) e análises de tópicos específicos como a multicultura (Jeffcoate, 1978; Perrot e Bruno, 1993; Dearden, 1994; etc.) ou o feminismo (Lesson, 1976; Turin, 1995; entre outros).

A discriminação em função do sexo tem sido um tema especialmente estudado nas últimas décadas. O ano de 1971 pode ser considerado a data inicial dos estudos nesta área, quando a literatura infantil foi incorporada como campo específico de análise, em um amplo estudo da Universidade de Princeton sobre a imagem da mulher na literatura. O resultado deste estudo demonstrou o protagonismo opressor do mundo masculino e a diferenciação dos modelos de conduta segundo o gênero[6]. A reivindicação feminista da década de setenta, principalmente a partir do ano de 1975, declarado Ano Internacional da Mulher, traduziu-se em diferentes projetos em favor de um tratamento não discriminador nos livros infantis e juvenis. A partir desses anos, apareceram estudos de descrição histórica (Cadogan e Craig, 1976), outros com vontade normativa (Michel, 1987), guias bibliográficos de contos não sexistas, manuais de editoras para orientação da própria produção dos autores e coleções inteiras preparadas com esse propósito.

A partir dos anos oitenta diminuíram os estudos de denúncia e as iniciativas de mudanças na produção, através da simples inversão dos papéis tradicionais. A militância no campo da produção e da difusão sobre a criação positiva de modelos femininos, tal como assinalam Orquín (1989) e Colomer (1994a). Por outro lado aumentou a reflexão teórica feminista sobre a literatura infantil e juvenil relacionada com outras áreas disciplinares, como a teoria literária (Paul, 1987) ou a psicanálise (Rose, 1984).

A recente atenção à composição multicultural das sociedades pós-industriais também produziu uma grande quantidade de iniciativas sobre o conteúdo ideológico dos livros que, por um lado, foram analisados sob o prisma do respeito universal entre culturas. Por outro, mais complexo, a partir das relações entre as culturas que convivem num mesmo lugar. Nestes momentos, pois, à ideia da "república da infância" preconizada por Hazard (1932) como uma poderosa arma de internacionalismo, acrescentou-se a consideração de que a literatura infantil também pode facilitar a compreensão da diferença cultural de nossas próprias sociedades.

Nesta linha destacou-se que as crianças das diferentes subculturas necessitam de narradores que lhes falem de forma distinta, inclusive em uma linguagem diferente, que remeta a problemas linguísticos de uso padrão nos setores sociais marginais ou de imigrantes. Neste sentido produziram-se várias experiências, tais como a de propor uma alternativa editorial a partir de livros escritos pelas próprias crianças, fórmulas de aproximação às gírias juvenis ou narrativas folclóricas orais para as minorias étnicas. A tensão entre todas estas tendências centrífugas e o *corpus* consagrado da literatura infantil leva a uma discussão muito variada sobre os problemas de conveniência entre culturas ou sobre aqueles das normas culturais e linguísticas no interior de uma sociedade.

Finalmente, alguns dos estudos sobre o funcionamento da ideologia na cultura atual se situaram em um novo terreno disciplinar, ainda muito ambíguo, que surgiu da inter-relação das disciplinas de ciências sociais e humanidades e começou a receber, precisamente, o nome de "estudos culturais". Brantlinger define-os da seguinte forma:

> Estudos culturais se referem à geração e circulação de significados nas sociedades industriais (1990: ix).

Nos estudos de literatura infantil se inscrevem nesta linha obras sobre a análise do pós-modernismo ou dos livros infantis como fenômeno ideológico de autores (Rose, Inglis, Myers, Zipes, etc.), que tendem a autodefinir também sua contribuição com expressões como "novo historicismo" ou "nova história cultural". Hunt (1992) define os princípios configuradores desta perspectiva nos seguintes pontos:

a) A realidade só tem sentido através da linguagem ou outros sistemas culturais, que são inevitavelmente históricos. Portanto, a ideia de uma verdade objetiva e empírica é insustentável e deve entender-se em termos de quando se constrói, por que e quando.
b) A sociedade se conceitualiza, de uma perspectiva marxista, com uma luta pelo poder social.
c) A individualidade deve ser entendida como uma construção sociocultural.
d) Os atos de comunicação, incluído o processo de leitura, devem ser analisados como práticas sociais, e neste sentido se inscreve a mudança de atenção da primazia do texto à negociação do significado que se produziu durante os anos setenta.
e) A ideologia supõe um conceito central.

O interesse das contribuições destes estudos para a literatura infantil pode radicar em sua experiência interdisciplinar, a partir da preeminência que se dá ao encontro de matérias como a antropologia (principalmente da obra de Geertz, 1973, com sua perspectiva de "cultura em ação"), a teoria literária e a filosofia (por exemplo, de Ricoeur, 1986) e em que esta conjunção de disciplinas se põe a serviço da reflexão sobre a narração, vista como um elemento-chave na análise do discurso de uma sociedade.

Por ideologia, na medida em que busca sustentar as relações de dominação, porquanto as representa como "legitimadas", tende-se a assumir uma forma narrativa. As histórias são discursos, que justificam o exercício do poder para os que o possuem, situando estes indivíduos no interior da trama dos contos, que recapitulam o passado e antecipam o futuro (Thompson, 1984: 11).

"As narrativas – diz Hardy (1977) – iluminam o caminho das crianças desde o lar até o mundo". Estes estudos unem-se à reflexão antropológica sobre o folclore e os mitos literários, aplicando-se à descrição de como agem sobre a nova realidade das sociedades pós-industriais. Um exemplo, que se pretende ilustrativo dos estudos sobre estas mudanças, é o da criação do mito da identidade nacional. Para isso, Hunt (1992) analisa duas obras infantis clássicas, *O mágico de Oz*, de Baum e *El viento en los sauces*, de Grahame, para mostrar suas diferenças na construção de um mito de identidade nacional: a americana, na primeira, e a britânica, na segunda. Segundo Hunt, a contraposição entre "aventura" e "lar", presente nestas obras, dá a *O mágico de Oz* a representação progressista e orientada para o futuro, enquanto que *El viento en los sauces* apresenta uma utopia essencialmente nostálgica, fixa a imagem britânica dos fins do século XIX segundo a qual a Grã-Bretanha real é a Arcádia rural, e faz parte da linha do imaginário própria da literatura inglesa, que de Grahame passa a Tolkien ou a Richard Adams.

Um aspecto interessante destes estudos é que eles evitam, cuidadosamente, a identificação da proposta ideológica com o efeito de sua leitura. Um elemento-chave de sua concepção é destacar os efeitos contraditórios produzidos na leitura das obras no curso da história e nos seus diferentes contextos sociais. Porque, como disse Thompson, trata-se de ver "o uso social das formas simbólicas" (1990:8). As narrativas dirigidas às crianças podem ajudá-las a construir sua identidade, mas o significado de um texto depende da história de sua recepção e da maneira particular de mobilizar o significado por parte dos grupos concretos de leitores, e, em definitivo, da relação entre os significados estabelecidos pela comunidade interpretativa e os significados de cada um. Um texto como *El viento en los sauces*, com sua fantasia nostálgica sobre a ruralidade, pode servir apropriadamente a interesses ideológicos contrapostos ao progresso industrial, segundo a ideia de Hunt, mas também, na opinião deste mesmo autor, pode servir como forma de utopia crítica que meça a distância entre o que é o mundo e o que poderia ser. Pode oferecer às crianças "imagens desejadas", que constituem uma herança cultural da ideia do que poderia ser "a terra prometida". Tal como sintetiza Myers:

> Um Novo Historicismo da literatura infantil e juvenil integraria o texto e o contexto sócio-histórico, demonstrando, por um lado, que as formações culturais extraliterárias iluminam o discurso literário e, por outro, que as práticas literárias são atividades que fazem com que as coisas aconteçam (1988: 42).

Neste trecho vimos, em primeiro lugar, que os estudos sobre literatura infantil e juvenil se ampliaram a partir dos anos setenta, pela necessidade de ter dados confiáveis sobre o circuito de leitura dos livros infantis e juvenis. Os dados obtidos influíram, notavelmente, na preocupação educativa sobre a leitura e contribuíram, inclusive, para a criação de novos modelos de produção literária que levassem em conta os diferentes setores da população aos quais se dirigiam. Os estudos sociológicos coincidiram assim com a reflexão pedagógica e com os estudos sobre a valorização dos livros e dessa confluência surgiu um tipo de pesquisa mais qualitativa.

Em segundo lugar descreveu-se o impulso recebido pelos estudos sobre a imagem sociocultural, que se deseja transmitir às crianças, a partir da ideologização militante dos anos setenta. Tal como dissemos, anteriormente, o poder das relações entre autor e leitor, patente na literatura para a infância e a juventude, a função socializadora destas obras e as pressões sociais, que envolvem sua produção e circulação, tornam a literatura infantil e juvenil um objeto especialmente idôneo para os estudos nesta perspectiva. Eles se aprofundaram na necessidade de analisar a ideologia subjacente nos livros, nos níveis e na forma de fazê-lo, ou na relação entre a análise e as práticas normativas; descreveram ideologicamente os *corpus* literários históricos ou atuais em sua preocupação ideológica por um ou outro tema, tais como a convivência multicultural, a defesa contra a discriminação de sexo ou o desmascaramento geral da ideologia subjacente à literatura infantil e juvenil enquanto tal. Os debates suscitados por estes temas não se limitaram à análise das obras, mas incluíram a própria crítica como objeto de estudo e tiveram repercussões no campo da produção.

A perspectiva da didática da literatura

O ensino escolar sempre teve relação com os livros escritos para crianças. Desde as origens desta produção a escola acolheu os livros didáticos e organizou antologias de contos e narrativas utilizadas para o ensino da leitura e para a formação moral[7]. Mas, abstraindo aqui deste tipo de materiais e atendendo ao conceito moderno de literatura infantil e juvenil, pode-se afirmar que essa relação tem aumentado nas últimas décadas. Nos países com poucas bibliotecas, como a Espanha[8], a escola tem tido um papel ainda mais ativo ao longo do século e, por isso, neste panorama sobre a evolução dos estudos, fizeram-se muitas referências ao âmbito educativo. Por exemplo, aludiu-se à organização de bibliotecas escolares a partir dos anos sessenta; também o debate sobre a qualidade literária da literatura infantil e juvenil tinha, como pano de fundo, a necessidade de sua legitimação como *corpus* a ser utilizado na escola, necessidade tanto maior quanto mais alto era o nível escolar no qual se pretendia usá-lo; do mesmo modo o debate sobre o folclore teve consequências imediatas no uso desse material na pré-escola e no primário. Neste mesmo capítulo indicou-se que a pesquisa sobre o acesso à língua escrita mostrou a importância crucial da literatura, neste processo de aprendizagem.

No entanto foi durante a década de oitenta que a literatura infantil e juvenil tornou-se mais presente no âmbito escolar, ao passar-se a considerar que os livros para crianças e jovens são um elemento imprescindível para a formação leitora e literária. Este consenso propicia, atualmente, a reflexão sobre este tipo de literatura do ponto de vista do ensino regulamentar. Ao mesmo tempo, muitas reflexões psicológicas, sociológicas e literárias, assinaladas anteriormente, começaram a reverter agora, na forma de articular a presença destes textos nos objetivos e práticas educativas, que giram em torno da educação literária.

Como nos parágrafos dedicados a outras disciplinas, não se trata de estabelecer aqui a trajetória das mudanças ocorridas no ensino da literatura, desde os anos setenta[9]. Assinalaremos apenas que, naqueles anos, as mudanças sociais e a evolução da teoria literária favoreceram a discussão sobre a função da literatura na educação obrigatória e, em consequência, a revisão dos textos e das práticas tradicionais. O debate foi presidido, em nosso país, pelo impacto dos modelos estruturalistas franceses, a partir do Congresso de Cérisy-La Salle (1969) sob a direção de Todorov e Dobrovsky. O questionamento dos métodos historicistas e a preeminência do acesso direto ao texto a que deram lugar estas discussões, criaram as condições para reivindicar a leitura das obras literárias próximas às capacidades e aos interesses dos alunos. A literatura infantil e juvenil encontrou, portanto, um quadro mais favorável para sua entrada no âmbito escolar.

A integração da literatura infantil e juvenil no ensino

As novas formulações da teoria literária deram uma primeira causa para a introdução dos livros infantis na escola. Com efeito, a aparição da noção de "competência literária" levou a estabelecer os objetivos da educação literária em termos de "formação de um leitor competente" (Colomer, 1994b) e muitos professores acolheram então aqueles livros nos quais parecia construir-se, de forma espontânea, a competência dos leitores, quando liam fora do quadro escolar.

Além das novas tentativas da teoria para fundar uma ciência literária, a crise do ensino desta disciplina provinha da constatação do fracasso escolar, identificado com o fracasso da formação leitora. Se antes nos referimos ao desencanto social das esperanças postas na escolaridade obrigatória, há que recordar aqui que o ensino da leitura se realizava, tradicionalmente, a partir da leitura de textos literários. Foi pois o modelo linguístico e literário da formação que se viu especialmente posto em questão. O tema, bastante profundo, remete à discussão da função da literatura em uma escola de massas e em uma sociedade pós-industrial, caracterizada pela alfabetização, o desenvolvimento dos meios audiovisuais e a economia de consumo. Sem nos desviarmos agora em direção a estas questões, o que nos interessa destacar é que, para além dos textos utilizados, o que penetrou naqueles anos na instituição escolar foi o discurso social a favor de um tipo de leitura livre e autônoma.

Chartier e Hébrard (1994) sustentam que foi nos meios bibliotecários do princípio do século que se iniciou o discurso social moderno sobre a leitura, vista como um ato cidadão, e livre da tutela esclesiástica primeiro e escolar depois, a que havia estado submetida. A leitura "funcional", própria dos usos sociais, passava assim a opor-se à leitura "formativa", própria da escola. A crise dos anos setenta levou a propor-se como saída, primeiro, a "desescolarização da leitura" (Foucambert, 1976) e, mais tarde, ao propósito progressivo de dar espaço a ambos os tipos de leitura no âmbito educativo. A entrada da "leitura funcional" trouxe junto a diversificação dos materiais de leitura e, entre eles, a introdução da literatura infantil e juvenil, como textos nos quais se podia exercer a leitura funcional de ócio e entretenimento, através de atividades o mais possível parecidas a seu uso exterior, tais como a leitura silenciosa em sala de aula ou a frequência à biblioteca escolar.

Neste contexto, não é de estranhar-se que na Espanha fosse a lei geral de Educação de 1970 que instaurasse a obrigatoriedade da biblioteca escolar. O fato de que esta regulamentação não trouxesse com ela a formação de recursos humanos, dificultou enormemente o desenvolvimento deste instrumento de formação leitora. E, lamentavelmente, a situação se manteve a mesma na atual reforma educativa, apesar de que seus princípios pedagógicos não fazem se não avalizar a necessidade de potencializar o uso da biblioteca. Apesar destas dificuldades, e em relação ao tema que nos ocupa, os movimentos de renovação pedagógica generalizaram, rapidamente, práticas de leitura livre, de maneira que esta atividade invadiu, decisivamente, a fronteira existente entre livro escolar, entendido como antologia de autores consagrados ou fragmentos literários integrados nos livros de texto, e o livro de prazer, entendido como leitura de textos completos de ficção.

Durante a década de 1980 desenvolveu-se a nova atenção psicopedagógica dada aos processos de aprendizagem dos alunos e à sua relação com as práticas de ensino. A concepção vigotskiana de aprendizagem a partir da inter-relação social, a investigação psicolinguística sobre o uso da língua escrita e a importância dada à leitura literária como elemento de aculturação, justificaram também a introdução da literatura infantil na escola, especialmente através dos caminhos que serão mencionados a seguir.

A preocupação crescente com a melhora da primeira aprendizagem leitora foi um dos maiores e mais apaixonados debates no âmbito escolar nas últimas décadas. A fundamentação teórica sobre a importância da compreensão e do interesse do leitor pelo texto lido, propiciou o recolhimento das antigas cartilhas e sua substituição por contos infantis (mais ou menos autênticos, isso já é outra questão, como já foi indicado).

A presença de contos infantis nas aulas das primeiras séries escolares viu-se reforçada pelo aumento da narração oral de histórias e do uso generalizado do folclore, que agora estava no auge da sua valorização. Nesta época, além disso, desenvolveu-se a pré-escola, de maneira que a idoneidade deste tipo de literatura passou a ser considerada fora de dúvida. O uso destes materiais foi aumentando nos vários níveis de ensino e, rapidamente, todo o ensino primário aderiu ao incentivo da leitura livre e às atividades sobre textos de tradição oral. Estudos literários, como os de Propp, sobre os contos populares, graças à sua cientificidade, deram respaldo à análise do material folclórico usado na escola.

Na mesma época, e em outro contexto presidido pela reflexão sobre o brinquedo e a criatividade, com autores de referência como Wallon, Winnicott, Claparède ou Freinet, divulgaram-se as propostas de Rodari para melhorar a redação através da escrita criativa e a utilização dos contos infantis. A análise dos contos populares e a redação livre, a partir de seus esquemas e características, traduziram-se em grande quantidade de materiais didáticos, desde diversos baralhos de cartas com as funções de Propp para construir histórias, até propostas completas de trabalho, a partir dos relatos folclóricos ou de propostas, já mais gerais, sobre a relação entre o ensino da leitura e a literatura infantil e juvenil[10].

Muitas das obras sobre compreensão e resposta leitora começaram a destacar a necessidade de um contexto educativo de construção compartilhada, na interpretação do texto. Neste sentido, a literatura infantil e juvenil pareceu oferecer um fórum muito apropriado para a discussão sobre as intenções do autor, as características dos personagens, o desenvolvimento da narrativa, etc., assim como uma grande quantidade de livros, que podem ser entendidos numa primeira leitura individual, mas que também podem ser aprofundados na troca de opiniões da "comunidade de leitores". A partir daí foi ganhando terreno o argumento de que os livros utilizados na escola não deviam ser avaliados apenas a partir de seus méritos literários, mas também pela oportunidade que ofereciam para discutir, comparar e favorecer a introspecção e a comunicação. Esta ideia parece ter penetrado com tanto força no ensino, que se encontra presente, inclusive, na etapa secundária, habitualmente muito mais resistente a esse tipo de textos. Os valores atribuídos pelos professores desta etapa ao romance juvenil circunscrevem-se a suas vantagens como textos motivadores, propícios ao debate de temas e adequados à criação de hábitos de leitura.

Que a literatura infantil e juvenil tenha entrado na escola não significa, no entanto, que se saiba exatamente que lugar deve ali ocupar. A ênfase dada à competência literária conduziu à formulação da ideia de "itinerários leitores", ou seja, à previsão de uma ampliação progressiva do *corpus* que pode ser realmente desfrutado pelos alunos. Este itinerário deve incluir, necessariamente, uma relação das leituras que lhes possam estar mais próximas e não se referir ao uso exclusivo daquelas obras, que derivam de uma programação literária, a partir do *corpus* de qualidade, consagrado pela tradição literária adulta. Mas a relação entre os diferentes tipos de textos manteve-se em constante tensão. Embora, na prática, tenha aumentado o objetivo de incentivar o prazer do texto, continua sem ocorrer uma reconciliação teórica de ambos os tipos de textos e de leituras na articulação dos objetivos da aprendizagem. Este é, sem dúvida, um dos pontos mais sensíveis nos debates da didática da literatura, frequentemente divididos entre os objetivos de formação de hábitos de leitura e os de acesso a formas complexas de conhecimento cultural, que requerem mediação educativa (Manesse e Grelet, 1994).

No campo da produção editorial, a introdução dos livros infantis e juvenis na escola teve repercussões imediatas. A constituição de um novo mercado fez com que se criassem livros pensados para oferecer uma alternativa de leitura às faixas de idade, que iam sendo progressivamente escolarizadas, ou para serem utilizados nas salas de aula. São exemplos disso os livros para pré-leitores, que se propõem a brincar com conceitos opostos como dentro/fora ou antes/depois, pois eram livros que pretendiam responder aos chamados "requisitos de amadurecimento" das crianças, concepção muito em voga nos ambientes educativos dos anos sessenta e setenta; ou determinadas características dos textos, como o uso da letra manuscrita nos contos para os leitores iniciantes, em consonância com sua aprendizagem através deste tipo de grafia; ou ainda os questionários de compreensão anexos aos livros de ficção, assim como a criação de programas inteiros de leitura, por parte das editoras, assunto que provocou um certo clamor nos últimos tempos, contra a "escolarização da literatura infantil e juvenil", como já foi assinalado.

Recentemente, as propostas curriculares da atual reforma educativa do ensino secundário obrigatório formularam objetivos educativos em termos de "hábitos de leitura literária", sugeriram critérios metodológicos procedentes da pesquisa sobre leitura, reconhecendo que a literatura infantil e juvenil é um *corpus* adequado para essa leitura. Deste modo, portanto, pode-se dizer que esta literatura obteve o reconhecimento oficial de sua presença no âmbito escolar.

As obras para a infância e juventude foram pois obtendo um certo reconhecimento de "textos onde se aprende a ler literariamente" (Meek, 1988) e isso significa que os professores e os críticos de literatura infantil e juvenil encontram-se trabalhando no mesmo campo. Se, como disse Genette (1972) "a literatura, como qualquer outra atividade da mente, se baseia em convenções que, com alguma exceção, são desconhecidas inicialmente", o problema consiste em saber em que textos e em que idades se aprendem estas convenções. Sem dúvida, a recepção depende das capacidades do leitor e daí o interesse educativo pelos resultados da pesquisa psicopedagógica, que deveria descrever como se desenvolvem e o que ajuda a realizar este processo. Mas não é menos certo que depende também de como estão configurados os textos e, deste modo, a perspectiva educativa outorga uma função específica à crítica deste tipo de literatura.

Assim pois, depois de um longo período em que foi privilegiada a atenção psicológica para com o leitor-aprendiz, tal como vimos em trechos anteriores, surgiu agora um interesse renovado pela análise dos textos utilizados na escola. A análise e a avaliação dos textos devem ser abordadas a partir de novas bases que relacionem o progresso do leitor com as características dos textos. Esta proposta se traduz numa linha educativa que, com a obra de outros como Cairney (1990), Meek e Milles (1988), Cooper (1986), Benton e Fox (1985), Protheroug (1983), Egoff *et al.* (1980), etc., na área anglo-saxã; Poslaniec (1992), Goldstein (1989), Adam (1988), Reuter (1988), Petit-Jean (1984), etc., na francófona; Bertoni del Guercio (1992), Armellini (1987), Coveri (1986), Lugarini (1985), etc., na italiana, iniciou na década de oitenta o propósito de aproveitar a confluência dos estudos sobre a narração, a leitura e a recepção, para sustentar uma proposta de prática educativa na escola.

A análise dos critérios mais inovadores de atuação educativa evidenciam que a literatura infantil e juvenil exerce um papel importante nos dois tipos de objetivos inter-relacionados, que configuram a educação literária: a maneira de suscitar a cumplicidade e a resposta dos alunos na complexidade interpretativa das obras. Em seguida assinalaremos a reflexão sobre cada um destes objetivos por parte daqueles estudos que se situam na interseção entre os estudos didáticos e os estudos sobre literatura infantil e juvenil.

Recepção leitora e práticas educacionais

As práticas educativas em torno da recepção da obra procedem, em grande parte, da área anglo-saxã. A tradição do ensino literário nestes países está centrada nas habilidades de leitura e na análise estilística (no *close reading*) e, em consequência, seus métodos se baseiam na prática da lectoescritura e no comentário oral das obras. A tradição educacional europeia, por outro lado, dá mais importância à dimensão histórica e sociocultural da literatura e isto se deriva de uma prática mais centrada nos programas cronológicos e nos conteúdos formais. O substrato educativo anglo-saxão resultou, portanto, mais propício à aceitação do livro infantil no âmbito escolar e ao deslocamento da atenção da valorização do texto, para a valorização do efeito provocado no leitor.

A obra de Rosenblatt (1938) fundamentou os novos enfoques educativos dos países anglo-saxões ao aplicar a pedagogia de Dewey ao campo da educação literária. Seu postulado essencial é de que o ensino da literatura deve centrar-se na experiência individual do aluno e, nos Estados Unidos, deu lugar à corrente denominada *Response Centered Movement* a partir do Congresso de Dartmouth (1966-1967). A mudança preconizada consistia em uma reação aos modelos procedentes do *New Criticism*, a partir da atenção à resposta do leitor, segundo os postulados da teoria literária da recepção e da ótica psicológica de atenção à diversidade das respostas e aos processos mentais do leitor.

Dessa perspectiva tendeu-se a destacar que o leitor literário compreende as obras segundo a complexidade da sua experiência de vida e da sua experiência literária. A forma pela qual percebe a relação entre a experiência refletida na obra e a sua própria é essencial, de tal maneira que a especificidade da leitura "estética", própria da comunicação literária, frente à leitura "eferente", que reclamam os outros tipos de textos, é seu apelo radical à resposta subjetiva do leitor. O que o leitor traz para o texto é tão importante quanto a contribuição inversa, no sentido em que ele se acomoda à leitura através da mescla de suas experiências literárias e vitais até o momento. Seu próprio conhecimento das analogias que o texto estabelece com o mundo primário e das relações entre o texto e as outras manifestações do mundo da ficção, o levam a estabelecer seu significado próprio e único.

O principal derivado deste enfoque educativo é que se a literatura oferece uma maneira articulada de reconstruir a realidade, de gozar dela esteticamente, de explorar os pontos de vista próprios através da apresentação de outras alternativas ou de reconciliar-se com os conflitos através de uma experiência pessoal e subjetiva, o papel do professor deveria ser, principalmente, o de questionar e enriquecer as respostas, o de esclarecer a representação da realidade, que a obra pretendeu construir, mais do que o de ensinar princípios ou categorias de análise. A competência literária derivaria, assim, "do legado das satisfações passadas", nas palavras de Britton (1979:20). E estas satisfações teriam pouco a ver com a aprendizagem de regras e muito com a possibilidade de ligar os alunos, quanto mais cedo melhor, com a literatura, numa ampla gama de formas e em estreito contato com a leitura dos demais, de maneira que o contraste entre a verbalização das respostas obtidas por uns e outros fizesse progredir, com neutralidade, as capacidades leitoras.

Pode considerar-se que Benton (1978) foi um dos primeiros autores a traduzir esta perspectiva para propostas educativas e destacar a óbvia importância que nela se dá aos livros infantis. Benton e outros autores pretenderam descrever e classificar as respostas dos leitores utilizando categorias como: empatia, analogia, reflexão sobre si mesmo, etc. (Thompson, 1987). No entanto, as respostas acabam escapando sempre dos compartimentos prévios, do mesmo modo que foi impossível estabelecer uma sucessão evolutiva através das idades ou dos aprendizados literários, segundo demonstram Cairney e Langbien (1989), em uma pesquisa que abarcou desde crianças de cinco anos a jovens de dezoito. Corcoran e Evans (1987) iniciaram um novo caminho, abandonando a classificação de respostas para passar a analisar o tipo de atividade mental desenvolvida pelo leitor, tal como se disse antes, embora alguns insistam em estabelecer uma relação entre suas observações e os estágios de amadurecimento piagetianos.

As explorações sobre a resposta do leitor tiveram consequências nos métodos de ensino literário. Um dos mais difundidos é o de Benton e Fox (1985), que desenvolve um programa didático a partir do estabelecimento de quatro características próprias da leitura de uma obra:

a) *Ativa*. Neste ponto Benton e Fox ressaltam o desconforto de refletir sobre um processo que não pode ser observado diretamente, já que a história se constrói na mente das crianças e foi construída antes de que possa ser articulada. Coincidem, pois, com a pesquisa sobre compreensão leitora na busca de métodos, que permitam compreender como se constrói a ficção na imaginação, durante o ato da leitura. Através deles a atenção escolar deve dirigir-se à compreensão estabelecida pelos alunos, sem partir da ideia de um público que recebe passivamente um texto e sua explicação, por parte do professor.

b) *Criativa*. Benton e Fox recorrem à definição de Tolkien sobre o "mundo secundário", que o leitor deve gerar em sua mente. Fazê-lo implica um diálogo entre o autor, o narrador, os personagens e o leitor, de maneira que a obra

é contemplada da perspectiva bajtiniana de um conjunto de vozes. A tarefa da escola é, precisamente, ensinar ao leitor a "distingui-las e viver entre elas".
c) *Única.* Como a interpretação de uma sinfonia, cada leitura é uma experiência única, incluindo as possíveis releituras de um mesmo leitor, porque, embora o texto não varie, muda sempre o tipo de participação imaginativa do leitor. Portanto, a escola deve potencializar a expressão e o respeito pela ressonância individual da leitura e não sua ocultação atrás de categorias objetivas de análise.
d) *Cooperativa.* A leitura é sempre uma experiência de "duas mentes". O que se denomina "interpretação literal" não deixa de parecer aqui um curioso limbo, que não pertence nem ao autor, nem ao leitor, mas que se situa entre ambos, como um estágio de experiência virtual (1985:19-20), de onde se deriva seu escasso interesse educativo.

As múltiplas formas de potencializar a resposta individual e a comunicação com os demais configuram as propostas de Benton e Fox, e de outros autores como Alvermann *et al.*, 1990; Chambers, 1985; Dias, 1986; Wade, 1981; etc. O trabalho a partir de obras infantis e juvenis mantém, em todos os casos, um grau muito elevado de aspectos da criação literária. Por isso, esta linha se enlaça com os enfoques educativos derivados da escritura criativa e o trabalho de oficinas literárias, desenvolvido em nosso país durante a década de oitenta.

Também se enlaça, evidentemente, com as chamadas "atividades de incentivo à leitura". No entanto, este é um campo de aplicação muito amplo. Desborda da escola e abarca, em realidade, toda a mediação adulta entre as crianças e os livros, tanto na formação regulamentar como no âmbito informal. Aqui tendemos a considerá-lo englobado na reflexão realizada a partir do fenômeno mais amplo da "difusão dos livros". Nós nos limitaremos a assinalar, portanto, a introdução pioneira destas atividades na obra de Sarto (1984) e a grande quantidade de bibliografia sobre recursos deste tipo, aparecida durante os últimos anos[11].

O progresso no domínio das convenções

O estudo formal da literatura parece igualmente essencial para a educação literária, já que a possibilidade de aceder a este tipo de comunicação depende do domínio das convenções implícitas, que governam o pacto entre autor e o leitor. Por isso, mais recentemente, outros autores renovaram a defesa anterior da atenção às características formais dos textos, ainda que a partir do uso da literatura infantil e juvenil no ensino. Defendeu-se, assim, que estes textos podem cumprir uma função formativa na aquisição explícita das convenções literárias, ou seja, que podem e devem utilizar-se, para além de sua presença, como material motivador de leitura individual. Como assinalamos anteriormente, a reflexão sobre a ajuda que a literatura infantil e juvenil presta ao domínio das convenções é uma questão situada na mesma interseção entre didática da literatura e os estudos sobre esta literatura.

Williams (1985) assinalou que ignorar a consideração da forma no uso escolar da literatura infantil e juvenil, corresponde a assumir que as crianças só leem narrativas por interesse pelos enredos e que sua sensibilidade em relação à construção verbal é inexistente e, inclusive, irrelevante. Mas, se bem que seja fora de dúvida que as crianças se interessam especialmente pelo enredo, parece muito discutível que ele seja o único elemento importante em sua leitura e, mais ainda, que a escola deva acomodar-se a esta situação. Em realidade, fenômenos como a insistência infantil em ouvir ou ler as mesmas histórias várias vezes, indicam um argumento evidente em favor do prazer da recorrência literária e desmentem a preeminência exclusiva da intriga como fruição. Williams mostra que a comparação com o desenvolvimento da linguagem oral, onde se acham presentes todos os níveis da comunicação desde o primeiro momento, pode ser útil para pensar sobre o desenvolvimento da leitura literária e para considerar que a crítica sobre os textos dirigidos a crianças e adolescentes deveria centrar-se também nestes aspectos.

A interseção entre os estudos de literatura infantil e juvenil e os da didática da literatura produziram-se até agora nas pesquisas sobre a motivação e os hábitos de leitura e sobre as interpretações infantis das histórias, para poder avaliar sua capacidade de entendê-las. Mas, neste momento, começou-se a verificar que analisar a forma dos livros que são oferecidos às crianças para convidá-las a ler, é crucial para conhecer o domínio implícito que elas têm das convenções que as regem. Eliminar a análise da forma resulta, pois, muito redutor, enquanto que, bem ao contrário, como diz Williams, "o estudo da literatura infantil e juvenil poderia contribuir muito utilmente para o debate sobre as definições atuais de (...) competência literária e para o debate sobre como se produz o desenvolvimento leitor" (1985:4).

No momento, entretanto, contamos apenas com estudos nesta perspectiva e sua carência afeta gravemente o programa curricular do ensino da literatura. Talvez a incipiente linha da relação entre escrita e leitura literária possa contribuir para acelerar este tipo de pesquisa. Em primeiro lugar, porque quando as crianças têm que enfrentar as tarefas de escrita literária, os professores sentem necessidade de delimitar os modelos textuais dos quais devem partir e os resultados que esperam obter, enquanto que, quando a atividade se reduz à leitura e inclusive se se atendem aos aspectos formais, não costuma parecer tão imperativo haver fixado alguns objetivos de desenvolvimento, com respeito às competências formais. Em segundo lugar, porque a reflexão escolar sobre a construção das narrativas, que os alunos leem, teria que reverter em sua capacidade de melhorar conscientemente os textos de ficção que produzem (Colomer, 1996b). Ao mesmo tempo, e na direção inversa, experimentar o prazer de inventar mundos de ficção e de utilizar a língua literariamente, deveria ajudar-lhes a apreciar a leitura literária. E em terceiro lugar, porque as narrativas são o tipo de texto "longo" que as crianças mais facilmente dominam e a pesquisa em didática da lectoescritura destacou a importância de produzir e receber textos de um certo valor que deem tempo e lugar para a mobilização dos recursos dos alunos. Desta forma, pois, uma aprendizagem mais consciente da leitura e da escrita através das narrativas infantis e juvenis deveria melhorar o domínio geral da leitura e da escrita de qualquer tipo de texto.

Nesta linha, alguns estudos sobre os problemas e carências no domínio das convenções literárias durante a redação escolar começaram a convergir com os interesses dos estudos de literatura infantil da perspectiva didática. É o caso, por exemplo, do de Tolchinsky (1993) em que se analisa a pouca qualidade literária dos contos reproduzidos pelas crianças após sua leitura. Tolchinsky situa o problema na falta de distinção entre argumento e trama, na estrita representação dos argumentos do relato sem intervenção da voz do narrador através de comentários e avaliações, na ausência de descrição do panorama da consciência dos personagens e na falta de relação entre os detalhes e o significado global. Também se acha nesta convergência o estudo de Bigas *et al.* (1986) sobre a relação entre os modelos narrativos dos contos populares e a capacidade de escrita narrativa das crianças, onde se mostra que elas redigem textos mais consistentes a partir de seu conhecimento da estrutura dos contos populares, enquanto que, quando abandonam este modelo, as redações retrocedem pela falta de conhecimento explícito de outros tipos de estrutura.

Nesta mesma linha de inter-relação podem situar-se as experiências didáticas sobre projetos de trabalho de escrita literária a partir da leitura e análise de obras juvenis, que pertençam a gêneros literários concretos. O fato de integrarem coleções juvenis as faz exequíveis aos alunos e permite aceder, com facilidade, às vantagens de um trabalho por gêneros muito demarcados, que ajudam a construir o horizonte de expectativas sobre o qual há que situar-se a leitura, experiência iludível no campo da educação literária. Nos últimos tempos desenvolveu-se também o interesse pelo trabalho de escritura a partir da reelaboração de textos muito conhecidos para observar o funcionamento da intertextualidade literária, reforçar a relação com outros sistemas de ficção ou aprofundar os recursos de manipulação do texto. Os clássicos infantis e juvenis e os contos populares são um instrumento idôneo para este tipo de atividade. No entanto, alguns autores advertiram sobre o perigo que supõe reescrever contos, reduzindo a riqueza polissêmica que, precisamente, os mantém no imaginário coletivo a uma só chave de leitura, a paródica por exemplo, que fecha e fixa seu sentido (Petitjean, 1996).

Em definitivo, pois, a perspectiva pedagógica foi aumentando, nos estudos de literatura infantil e juvenil, na medida em que este tipo de texto ampliava sua presença na escola. Até agora, praticamente todos os debates em torno à literatura infantil e juvenil foram suscitados ou tiveram repercussões, no âmbito escolar. Neste momento o esforço de inovação na didática da literatura supõe tanto um motor para o estudo dos livros infantis, como um espaço no qual se deve reverter tudo o que as demais disciplinas possam trazer sobre a leitura destes textos. Confluem aqui o interesse pelo progresso no conhecimento das características da literatura infantil e juvenil, da forma de desenvolver-se a competência infantil da leitura literária e do tipo de práticas educativas, que favorecem esta aquisição. Os problemas constantes nos estudos de literatura infantil e juvenil, como, por exemplo, que livros são os melhores, quais as crianças podem compreender, que práticas de difusão são as mais adequadas, etc., podem contemplar-se agora também no quadro escolar, posto que se passou a reconhecer a relevância desta literatura para os objetivos educativos do ensino obrigatório.

Notas

1. Resulta especialmente interessante a reflexão destes autores sobre a possibilidade de identificação das crianças com os personagens, a partir de sua definição de identificação como "um mecanismo mental no qual o indivíduo adquire gratificação, suporte emocional ou alívio da ansiedade para atribuir-se, consciente ou inconscientemente, as características de outra pessoa ou grupo" (1989:29). A partir dos cinco tipos de identificação estabelecidos por Jauss (1973-1974) na teoria da recepção literária, selecionam dois deles como especialmente significativos para a literatura infantil: a "identificação admirativa" e a "identificação simpática". Assim, por exemplo, pode-se admirar um personagem como *Pip*

meia-longa de Lindgren, do mesmo modo que aos semi-deuses dos dramas clássicos e pode-se simpatizar com *El cuento de Perico, el conejo travieso*, respectivamente. Mas a obra paródica que utilizam em sua pesquisa parece corresponder a um terceiro tipo, que Jauss denomina "identificação irônica". De todas as possibilidades de identificação estética com o herói, esta é a identificação fraturada por excelência, já que exige uma resposta dual de identificação/não identificação simultânea, e por isso seria admissível sua impossibilidade de realização por parte das crianças, segundo a perspectiva piagetiana, mas a hipótese parece desmentida pelo resultado desta pesquisa.

2. Irwin (1986) divide os processos de leitura em cinco grandes categorias: microprocessos, processos de integração, macroprocessos, processos de elaboração e processos metacognitivos. Os microprocessos referem-se à identificação e compreensão dos níveis inferiores do texto até o nível da frase. Os processos de integração permitem ligar as frases a partir dos referentes, dos conectivos e o estabelecimento de inferências. Os macroprocessos estão orientados à compreensão global do texto, aos sinais que permitem construir a coerência textual e compreendem aspectos como a identificação das ideias principais, o resumo e a utilização da estrutura do texto. Os processos de elaboração constam das inferências e reações não indispensáveis para a compreensão literal e não necessariamente previstas pelo autor. Irwin divide-os em: predições, formação de imagens mentais, reação emotiva, reflexão sobre o texto e inter-relação com os conhecimentos prévios. Os processos metacognitivos que o leitor desenvolve sobre a leitura regulam seu autocontrole da compreensão e sua adequação ao texto e à situação de leitura.
3. O "sentido do final", segundo a denominação de Kermode (1967).
4. O leitor interessado pode fazê-lo através de múltiplas sínteses a respeito, como a de Pozuelo (1989), por exemplo.
5. Os estudos sobre a leitura sempre ofereceram resultados abaixo das expectativas sociais criadas pela escolarização obrigatória. As últimas pesquisas francesas, por exemplo, causaram alarme naquele país, porque indicam que a média de leitura dos jovens entre 15 e 24 anos é mais baixa do que a do conjunto da população e também mostram que, agora, os grandes leitores o são menos que antes (Patureau, 1992). Na Espanha, uma pesquisa da Fundação Santamaría, de 1989, realizada com jovens da mesma faixa de idade, revela que cinquenta por cento deles afirmam que não leem nunca, o que parece corresponder aos dados do MEC de 1993, segundo os quais cinquenta por cento dos espanhóis não haviam lido nenhum livro durante todo o ano, o que situa a Espanha como o penúltimo país europeu em leitura.
6. Assim, por exemplo, a análise de quinze coleções de livros evidenciou que os meninos eram protagonistas de 881 contos e as meninas de 344.

Outro estudo sobre os títulos situou, numa proporção de oito para um, os livros onde aparecia o nome de um menino em relação aos que tinham um nome feminino (citados por Orquín, 1989).
7. Ou para o ensino de idiomas estrangeiros, já que, por exemplo, a primeira publicação de contos de Perrault, na Grã-Bretanha, foi em livro destinado ao ensino do francês.
8. Em 1989, segundo dados do MEC, havia 3.000 bibliotecas públicas, quando seriam necessárias 9.000, e os fundos oferecidos supunham uma média de meio livro por habitante, quando o mínimo estabelecido pela IFLA (Federação Internacional de Associações de Bibliotecários) e pela UNESCO é de dois a três livros. No ano de 1996 o crescimento se havia situado em apenas 3.500 bibliotecas com uma média de 1,2 livros (Fernández, 1997).
9. O leitor interessado pode achar uma síntese das polêmicas gerais que marcaram a mudança, em Colombo e Sommadossi (ed.) (1985) ou em Campillo (1990); para as repercussões do debate na Espanha, em González Nieto (1993); para a evolução do ensino de literatura e suas possibilidades de reformulação, em Colomer (1996a).
10. Podem citar-se como exemplos nesta linha, a proposta de Lluch e Serrano, 1995, uma das mais recentes, sobre os contos de Enric Valor, ou as obras de Fernández Paz (1990) e Calleja (1992) baseadas em amplo uso da literatura infantil e juvenil. Vale a pena também citar Goldstein (1979) já que é um dos primeiros e escassos exemplos de aplicação das análises da teoria literária do momento à etapa do ensino secundário através de uma obra de Verne.
11. Podemos remeter aqui aos artigos bibliográficos publicados em CLIJ (1990) pelo Centro de Documentação da Fundação Germán Sánchez Ruipérez e por González e Mañà, que recolhem mais de trezentas publicações sobre incentivo à leitura surgidas na Espanha nos últimos anos.

5.
Conclusões sobre a evolução dos estudos de literatura infantil e juvenil

A interdisciplinaridade dos estudos

A partir do percurso que acabamos de realizar, parece que se pode concluir que a literatura infantil e juvenil constituiu-se uma área legítima de estudo nos últimos vinte anos. Neste período as diferentes disciplinas de seu quadro de referência – psicologia, teoria literária, sociologia, didática, etc. – realizaram importantes avanços teóricos, que oferecem a possibilidade de utilizar métodos de análise dos livros infantis, que não se prendem a uma ou outra disciplina, mas supõem o resultado de sua inter-relação. O estudo da literatura para a infância e a adolescência se propõe a descrever a relação entre os textos, os leitores e as funções educativas, culturais e literárias deste fenômeno. Se, tal como se pretendeu expor aqui, as disciplinas implicadas acham-se em um momento de ampliação de seu objeto de estudo e de convergência entre elas, os estudos de literatura infantil e juvenil poderão, sem dúvida, beneficiar-se disso. A necessidade de interdisciplinaridade não é nenhuma conclusão nova nos estudos sobre livros infantis, já que a dupla função, educativa e literária, desta literatura tem forçado sempre a consideração de aspectos não estritamente circunscritos ao texto. Por isso, por exemplo, Nobile (1990) subscreve a proposta de Bressan segundo a qual uma teoria da literatura infantil e juvenil deve conter um componente estético-literário, um componente psicoevolutivo e um componente ético-literário, enfoque não muito distanciado da proposta de Medina de um critério quádruplo de avaliação, que inclua "língua, literatura, vida, sociedade" (1989:513) ou da referência de Cervera à necessidade de atender aos âmbitos linguísticos e literários e aos aspectos vitais e psicossociais (1991:58).

O problema reside no fato de que estas definições ainda produzem a sensação de tentar proteger-se de uma possível crítica sobre a falta de rigor metodológico e, em seguida, não se limitam suficientemente os aspectos e conceitos de que deve aproveitar-se a convergência das disciplinas, que têm diferentes objetos de análise. Bortolussi evidencia este problema ao dizer:

> A teoria e a crítica literária no campo da literatura infantil se acham, contudo, em um estado quase pré-estruturalista. E a consequência lamentável é que ainda não se tem estudado, nem compreendido bem, este setor da criação artística. Avançar neste terreno tem sido nossa aspiração. Consideramos que compreender a literatura infantil implica um estudo interdisciplinar através da natureza específica do receptor (1985:140).

Apesar disso, também é certo que efetivamente começaram a produzir-se estudos que partem das inter-relações disciplinares. Pode-se aludir aqui, por exemplo, aos estudos realizados por Butler (1980) ou por Crago e sua mulher, Maureen (1983), sobre o acesso de suas respectivas filhas – a primeira com problemas psíquicos – aos livros infantis. Processo de aprendizagem da leitura, desenvolvimento cognitivo, exemplo do tipo de recepção literária ou avaliação crítica das obras, estes estudos são impossíveis de classificar em termos excludentes e resultam altamente representativos, portanto, do tipo de perspectiva interdisciplinar, que uma parte dos estudos sobre literatura infantil e juvenil começou a adotar.

Certamente, esta área possui vantagens indubitáveis para impulsionar fórmulas interdisciplinares, já que a teoria e a prática coexistiram sempre nela de forma relacionada e, com muita frequência, se teve que recorrer a mais de uma disciplina (Hunt, 1990). Desta forma, a tendência permanente a considerar o leitor e a ter finalidades práticas, obrigou a conhecer e a utilizar métodos alheios àqueles estritamente literários. Por isso, o interesse pelo desenvolvimento psicológico infantil caminhou paralelamente ao debate sobre as políticas prescritivas; a avaliação do estilo literário teve que opor-se à definição sobre legibilidade; a consideração do papel da ilustração situou-se junto à análise dos *mass-media*; o ensaio de formas de incentivo à leitura teve de relacionar-se com as estratégias educativas ou com a organização de bibliotecas e a reflexão sobre a recepção do leitor viu-se frente a frente com as respostas dos leitores concretos na prática educativa.

As disciplinas de referência interessaram-se, ultimamente, pelos aspectos básicos para a crítica dos livros infantis como, por exemplo, o que significa qualidade e o que significa literatura, a forma em que o texto implica e guia o leitor ou os problemas de aproximação sociocultural e multicultural na produção e na recepção literária. Pode-se pensar, portanto, que finalmente resultará mais simples progredir no desenvolvimento de uma teoria mais coerente e complexa para explicar o fenômeno da literatura infantil e juvenil.

Os principais debates e linhas de progresso

Até aqui procedemos à revisão do que consideramos as principais contribuições dos estudos de literatura infantil e juvenil nas últimas décadas, agrupando-as por interesses disciplinares e tipos de problemas suscitados. O propósito de selecionar e ordenar toda esta literatura, ainda muito recente e muito pouco implantada na Espanha, corre o risco evidente de esquecer obras importantes ou de cair em excessivo artificialismo, na sua distribuição em perspectivas diferenciadas. No entanto, ao recapitular o percurso realizado, como faremos em seguida, pode ver-se que dele decorre uma linha evolutiva nos parâmetros de estudo da literatura infantil e juvenil, que põe em relevo suas tendências atuais e futuras.

Em primeiro lugar, assinalou-se que os estudos de literatura infantil e juvenil iniciaram-se no período de entreguerras de nosso século, quando a produção de livros para crianças e jovens já constituía um fenômeno de importância suficiente, por causa da paulatina ampliação de seu público potencial em uma sociedade cada vez mais alfabetizada.

As primeiras obras de referência procederam das instâncias responsáveis pela seleção e difusão de livros. Isto é, dos setores bibliotecários e, mais tarde, da colaboração e do protagonismo progressivo dos setores mais dinâmicos do âmbito escolar. Originadas, pois, em setores profissionais em contato com os leitores, as primeiras reflexões sobre literatura infantil estiveram marcadas por um forte empirismo a partir do qual se iniciou o propósito de equilibrar a avaliação moral e literária dos livros com a experiência prática de sua difusão. A tensão entre estes dois polos tornou-se um motor constante de reflexão, especialmente a partir da Segunda Guerra Mundial, quando o acesso aos livros infantis ampliou-se a todas as camadas sociais e a novas faixas de idade, como a adolescência ou a primeira infância. Há aqui, portanto, uma causa permanente de interrogação sobre um dos problemas fundamentais a que pretendem responder os estudos de literatura infantil: "com que critérios se devem avaliar os livros?".

Em segundo lugar, e paralelamente aos inícios deste desenvolvimento, os estudos sobre literatura infantil e juvenil abordaram o estabelecimento de seus parâmetros históricos. Os estudos históricos propuseram várias questões acerca do *corpus* que devia considerar-se. Por exemplo, se se devia defini-lo a partir dos "livros escritos para crianças" ou dos "livros por elas adotados", embora não fossem seus destinatários originais, debate similar ao que interroga sobre se havia que considerar o folclore dentro dos limites da literatura infantil; também foi objeto de uma certa polêmica a possibilidade de estabelecer uma categoria de obras "clássicas" quando muitas destas obras exigem uma leitura muito mediada por fatores externos ao texto. Nos últimos anos acrescentaram-se novos problemas ao possível consenso sobre que livros pertencem à literatura infantil. Por um lado porque apareceram novos tipos de livros (livros-brinquedo, livros sem texto, etc.) e, por outro, porque se ampliou a concepção de livro infantil, tanto em relação aos parâmetros de acessibilidade e de adequação educativa com os quais são avaliados, quanto em relação à discussão sobre as fronteiras existentes entre literatura juvenil e de adultos.

Frequentemente os debates originados por estas questões estiveram muito relacionados com o trabalho de seleção, mas, tal como foi dito, a consolidação dos estudos históricos conseguiu desviar a análise da evolução histórica do livro infantil da função seletiva para as práticas da mediação da leitura. Ao longo do tempo foi-se obtendo um acordo generalizado sobre os parâmetros do *corpus*, os períodos cronológicos e o desenvolvimento das literaturas dos diferentes idiomas. A partir destas bases iniciaram-se estudos muito mais específicos sobre diversos aspectos, gêneros ou períodos concretos. Na Espanha, os progressos produzidos durante a última década começam a traduzir-se em um certo *corpus* de estudos sobre livros infantis, mas, ainda assim, uma descrição mais pormenorizada revela as carências existentes, tanto na fragilidade das infraestruturas de difusão e investigação, como nas lacunas bibliográficas que apresentam estudos históricos. Que livros configuram a literatura infantil e juvenil e como sua leitura evoluiu foi, portanto, outra das principais linhas de reflexão.

Em terceiro lugar, vimos que a década de setenta presenciou um salto qualitativo nas propostas teóricas dos estudos neste campo. Este período foi presidido por dois tipos de debates: um referente à função literária das obras infantis e juvenis, e outro referente à sua função educativa. O primeiro, consistiu na discussão sobre a credencial da natureza literária da ficção destinada à infância, ou seja, sobre a possibilidade de avaliar estas obras a partir dos critérios aplicados à literatura em geral. O segundo estabeleceu-se em torno à reflexão sobre o valor educativo da fantasia. Foi provocado pela tensão entre os valores educativos, que sancionavam o predomínio do realismo nos livros infantis e a reivindicação da fantasia e do folclore, iniciada pela psicanálise.

A fundamentação da qualidade literária da literatura infantil seguiu um itinerário derivado das sucessivas definições do termo "literatura", do ponto de vista da teoria literária. Inicialmente se pretendeu assimilá-la a um significado muito restrito do termo, fruto das poéticas simbolistas e muito difícil de relacionar com as capacidades limitadas de interpretação e fruição artística das crianças. Mais adiante, a partir das teorias estruturalistas, pretendeu-se achar e definir marcas de "literariedade", neste tipo de livros. Em meados dos anos setenta, a teoria literária começou a incluir o circuito da comunicação literária em seu campo de estudo. Abandonou-se, então, a ideia de uma mera assimilação da literatura infantil à literatura de adultos, para passar a defini-la, sucessivamente, como um gênero literário, uma situação comunicativa específica ou um subsistema literário, termos progressivamente mais afinados, mas que em todos os casos já partiam do estudo conjunto de texto e leitor.

Porém, o mesmo tipo de contraposição, entre qualidade de texto e possibilidade de recepção por parte das crianças, transferiu-se então para o campo da crítica de livros infantis. A polêmica entre "bons livros" e "livros de que gostam" permitiu aprofundar nas diferenças de apreciação literária entre os diversos públicos e entre os supostos destinatários e o leitor concreto. Neste sentido se destacaram as distorções introduzidas pela avaliação-mediação do adulto, não apenas em relação aos gostos da criança, mas também na produção mesma de uma literatura, que espera a sanção de um público diferente de seu suposto destinatário.

A contraposição existente entre "verdadeira literatura /livros para crianças" liga-se a outras contraposições, produzidas a partir do século XIX, entre literatura culta/literatura popular e entre realismo/fantasia. Correlacioná-las permite chegar ao segundo debate onipresente na bibliografia sobre literatura infantil dos anos setenta, já que nesse período questionaram-se os pressupostos educativos favoráveis ao realismo, que sempre haviam estado presentes na literatura infantil e que nas décadas de cinquenta e sessenta se tinham revitalizado por causa da confluência entre a pedagogia racionalista e as correntes culturais da época.

O interesse pelo folclore, desvelado pelos estudos estruturalistas, assim como a reivindicação da fantasia e dos contos populares realizada pela psicanálise, produziram a ruptura dos critérios educativos vigentes. Os estudos sobre livros infantis analisaram profundamente a adequação do folclore à recepção das crianças e teorizaram seus benefícios a partir de critérios antropológicos, psicológicos e literários. A consequência desta reflexão configura uma grande parte dos pressupostos atuais nesta área de estudo. Por um lado, o folclore é visto como o precedente que se liga à literatura infantil atual e como um tipo de literatura que passou a integrar a literatura destinada a crianças. Por outro lado, a descrição das características literárias e educativas da literatura de tradição oral estabeleceu o padrão para avaliar os livros infantis, a tal ponto, que apenas recentemente começaram a assinalar-se os limites deste modelo para a exploração de uma literatura atual de transmissão fundamentalmente escrita.

A defesa do folclore e do valor educativo da fantasia teve também grandes repercussões no campo da produção. A criação da chamada "nova fantasia" caracteriza uma grande parte dos livros infantis modernos e foi utilizada com múltiplos propósitos. Algumas das tendências desenvolvidas neste quadro provocaram novas polêmicas sobre a articulação entre as funções literárias e educativas da literatura para crianças, acusando-as de constituir um "novo didatismo" da literatura infantil.

Em quarto lugar procedeu-se a revisão das diferentes perspectivas disciplinares que incidiram nos estudos de literatura infantil e juvenil durante os anos oitenta e inícios dos noventa. Os debates da década de setenta haviam dado uma atenção progressiva ao destinatário, tanto para definir este tipo de literatura, como para medir a adequação das características literárias e educativas das obras. Este "levar em conta a criança" mudou qualitativamente a partir da confluência das disciplinas implicadas, que conduziram os estudos de literatura infantil a abordar o conhecimento dos leitores infantis, enquanto aprendizes do código literário.

Os primeiros progressos disciplinares, que repercutiram nos estudos de literatura infantil e juvenil, procediam da psicologia cognitiva, que tomou a importância da psicanálise como ponto de referência. As contribuições mais influentes foram os estudos piagetianos sobre a evolução das capacidades infantis e as pesquisas sobre leitura e a legibilidade dos textos.

O interesse psicolinguístico pelo papel da linguagem e da narrativa, como instrumento de construção simbólica da realidade, provocou uma intensa investigação sobre a primeira infância. Se primeiro se havia observado a aquisição externa da linguagem e das formas narrativas, posteriormente se passou à descrição do desenvolvimento do "sentido da história" nos processos mentais infantis. Ao mesmo tempo, a pesquisa sobre a aquisição da linguagem escrita destacou a importância do contato com as formas literárias da linguagem e a pesquisa sobre a leitura ofereceu dados muito mais amplos e significativos que as primeiras observações sobre a legibilidade dos textos. Assim, pois, a análise de como as crianças adquirem as formas codificadas da linguagem oral e escrita e de como entendem os textos, começou a esclarecer a forma pela qual se desenvolve a "competência literária" preconizada pela teoria literária.

Os avanços da teoria literária permitiram estabelecer um novo quadro teórico nos estudos da literatura infantil e juvenil. Inicialmente, para poder situá-la no sistema literário de nossa cultura, como já se tinha começado a fazer na década de setenta. Porém, ainda mais para beneficiar-se dos diferentes instrumentos de análise que se foram gerando. A descrição estruturalista continua oferecendo um instrumento muito útil para a descrição interna das narrativas, enquanto a teoria da recepção ou o conceito de "pacto narrativo" ampliam a possibilidade de entender a maneira pela qual o texto se adapta e forma, ao mesmo tempo, o leitor. A partir destas questões, a crítica de livros infantis pôde estabelecer – com novos instrumentos – que livros ajudam a formar leitores e que tipo de crítica é útil socialmente.

Mas a crítica de livros infantis também teve que enfrentar problemas derivados da produção literária recente. Os novos livros infantis e juvenis provocaram, em primeiro lugar, a necessidade de criar novos instrumentos de análise para descrever um *corpus* que não utiliza unicamente o texto artístico verbal. E, em segundo lugar, obrigaram a precisar os limites artísticos do que pode ser considerado "para a infância e adolescência", do ponto de vista de sua capacidade de compreensão. A partir da inclusão de características próprias do pós-modernismo, tais como a metaficção, produziu-se o primeiro debate generalizado no campo da literatura infantil e juvenil, que não se situa na vertente da adequação moral, mas na possibilidade de compreensão literária de seus destinatários.

Os estudos sociológicos obtiveram dados quantitativos e qualitativos sobre a leitura de ficção de crianças e jovens. A partir desta perspectiva concretizou-se a ideia de "infância", relacionando esta etapa com variáveis como o entorno socio-cultural ou o sexo do leitor. As perguntas sobre de que crianças se fala e em que sociedade vivem, complementaram-se com a descrição de quais contextos educativos e de que práticas leitoras favorecem a leitura, de maneira que a perspectiva sociológica contribui para enriquecer a confluência disciplinar, que oferece dados para a educação literária das crianças. A polêmica entre "bons livros/livros de que gostam" tornou-se mais clara a partir do conhecimento real de quais livros leem, quais crianças leem e por que o fazem.

O desenvolvimento atual dos estudos sociais transportou, para o campo da literatura infantil, algumas de suas preocupações e de suas correntes teóricas. Neste sentido citaram-se aqui os incipientes "estudos culturais" como exemplo da nova proposta interdisciplinar. Mas o tema mais presente, na perspectiva social, é o da análise ideológica das obras infantis. Desde sempre o tema da formação foi incorporado, tanto à produção de livros quanto às tarefas de seleção. Mas, atualmente, recebem maior atenção explícita, posto que a descoberta da ideologia que impregna todo o tipo de mensagem educativa passou a ser tema de interesse pedagógico generalizado. A atenção à diversidade educativa, à não discriminação em função da raça ou do sexo, ao "politicamente correto", ou aos critérios de censura e adaptação de obras clássicas cheias de valores caducos, são temas de absoluta prioridade na produção, nos estudos e nas formas de mediação educativa em torno do livro infantil[1]. Sem dúvida, a função educativa dos livros infantis e a transparência com que revelam a autoimagem que a sociedade deseja transmitir fazem deste campo, de diferentes perspectivas, objeto privilegiado de estudo.

Finalmente, vimos que, no quadro escolar a reivindicação do folclore e a investigação psicolinguística possibilitaram a entrada da literatura infantil nos primeiros níveis escolares. A pesquisa sobre leitura mudou também a aprendizagem escolar promovendo a presença de livros de ficção, ao longo de todas as etapas educativas. Durante a década de oitenta, a didática da literatura começou a articular os avanços da teoria literária e a reflexão psicopedagógica, para saber o que se deve ensinar, a partir de que textos e através de quais atividades. Os estudos da literatura infantil e a didática da literatura coincidiram aqui em um espaço comum, já que em ambos os campos interessa saber que livros "ensinam a ler" e que práticas de difusão dos livros ou da aprendizagem escolar permitem o progresso das crianças na interpretação das obras literárias.

Definitivamente, portanto, ao longo da década de oitenta e início da de noventa, os estudos sobre literatura infantil e juvenil começaram a consolidar-se. Uma boa parte da reflexão move-se ainda em um vago terreno de "consideração pela criança" e os elementos mais presentes continuam sendo a importância do folclore, os estudos piagetianos e o incentivo a hábitos literários, através de atividades prazerosas. Mas, em geral, deu-se um grande passo adiante a partir de um duplo movimento: por um lado, delimitaram-se e especializaram-se as perspectivas correspondentes a diferentes disciplinas; por outro, elas foram relacionadas a partir do interesse comum pelo leitor e pela narrativa, que caracteriza, em grande parte, o avanço disciplinar dos últimos anos. A análise, aqui esboçada, sobre os estudos mais relevantes da literatura infantil e juvenil no presente século, permite deduzir algumas linhas evolutivas que mostram as relações produzidas entre esta literatura e os cinco âmbitos de relação que se seguem: o sistema literário, a literatura de tradição oral, o leitor, a sociedade e a instituição escolar.

Como um resumo do estado atual da questão, podemos, pois, sintetizar a evolução destas relações nos seguintes pontos:

a) Da preocupação em legitimar a literatura infantil e juvenil como um objeto literário passou-se à sua definição no interior do sistema social de comunicação literária.

Dentro desse sistema, a literatura infantil mantém relações múltiplas e diversas com os diferentes subsistemas que a configuram e que variam também segundo os próprios subsistemas da literatura para crianças e jovens. Além das primeiras aproximações à definição desta literatura em termos de comunicação, a evolução seguida pela teoria literária, desde as poéticas estruturalistas até a consideração de todo o circuito comunicativo literário, permitiu delimitar este campo sem ter que basear a discussão sobre sua "qualidade" literária intrínseca.

Neste quadro é preciso inscrever a relativa solidez adquirida pelos estudos históricos. A história atual dos livros infantis refere-se tanto ao fenômeno internacional como às literaturas específicas de cada idioma e descreve também a evolução das características de cada um dos códigos – verbal, iconográfico, etc. – nela implicados. Nesta tarefa torna-se imprescindível relacionar a produção para crianças e jovens, não apenas com a literatura de adultos, senão também com outras formas culturais, que exercem uma influência especial na ficção infantil, tais como os meios audiovisuais.

b) Da reivindicação genérica da potencialidade educativa da fantasia e do jogo verbal, passou-se à possibilidade de precisar as relações existentes entre a literatura infantil e juvenil e a literatura de tradição oral.

Se os avanços dos anos setenta incorporaram a descrição formalista e estruturalista do folclore e sua significação a partir da perspectiva antropológica e psicanalítica, encontramo-nos agora em situação de indicar os limites destas contribuições.

Neste sentido pode-se assinalar, em primeiro lugar, que o folclore pertence apenas em parte à literatura infantil; em segundo lugar, que sua aceitação por parte das crianças não supõe uma primeira etapa autossuficiente, posto que na experiência literária infantil a literatura oral coexiste, desde o primeiro momento, com outros veículos da ficção, como os livros atuais ou os audiovisuais e, em terceiro lugar, que a produção atual de livros infantis se distancia das características literárias próprias do folclore, embora, ao mesmo tempo, se utilize dele para novas funções literárias que, paradoxalmente, procedem, muito frequentemente, da mesma literatura escrita.

c) Da consideração dos condicionamentos do público leitor baseada em forte empirismo ou em um esquema excessivamente simples e rápido sobre a evolução dos livros para as diferentes idades, iniciou-se uma descrição teórica sobre a forma de adequar-se os textos a crianças e jovens.

A grande novidade dos anos oitenta foi, justamente, a confluência dos avanços entre a psicologia cognitiva e a teoria literária. Por um lado abriu-se um novo campo de reflexão sobre a contribuição da literatura para a construção do indivíduo em seu contexto cultural, sobre como as crianças compreendem as histórias e sobre como progridem nesta competência. Enquanto que, por outro lado, começaram a utilizar-se dos avanços da teoria literária na descrição do pacto narrativo estabelecido entre autor e leitor, para analisar como se acomodam os textos às características dos leitores infantis e de que forma lhes oferecem ajuda para que possam fazer interpretações mais complexas.

d) Da confiança na educação e na leitura como chave para a democratização e o progresso social, passou-se a uma reflexão mais complexa sobre o grau e as formas de alfabetização, no interior das sociedades pós-industriais.

Deste modo, o hipotético leitor de livros infantis e juvenis começou a multiplicar-se em função de suas características socioculturais. Ao mesmo tempo que se aprofundava na relação entre a composição social desse público e as formas de acesso à leitura, a análise do papel ideológico desses livros tornou-se mais complexa. Da ideia, solidamente assentada desde o nascimento de uma literatura para a infância, de que esta constitui um veículo educativo de valores sociais, passou-se à reflexão sobre como adequá-la às novas formas de transmissão de valores, propiciadas por uma sociedade que requer uma grande capacidade de operar com códigos simbólicos por parte de seus cidadãos e na qual formas de coesão ideológica sofreram profundas modificações. Igualmente é de grande atualidade a análise ideológica a partir de novos valores sociais (como o feminismo ou o antiautoritarismo) e um tipo de reflexão que pretende ir além da localização de dados superficiais nos textos.

e) Da reivindicação da presença da literatura infantil e juvenil na escola e do desenvolvimento de múltiplas formas de animação leitora passou-se à necessidade de definir os objetivos da educação literária e de precisar os melhores instrumentos para consegui-lo.

Os progressos da última década – tanto nas ciências da educação como nas da linguagem – conduziram, muito recentemente, a um novo interesse pelo fenômeno literário, que permite redefinir o acesso escolar ao discurso literário. O esforço para determinar o que significa competência literária e que atividades ajudam a desenvolvê-la, implica definir o papel da leitura de livros destinados a jovens, na relação entre a biblioteca escolar e as atividades de aula, a seleção de textos entre a literatura de adultos e a literatura infantil e juvenil, etc. Se a crise das formas tradicionais, sobre ensino de literatura, se havia traduzido, basicamente, em substituí-la pela leitura livre e pelas atividades de criação espontânea, parece que agora se começa a abordar a articulação de todas estas atividades, para conseguir uns objetivos mais precisos, que requerem, mais do que nunca, algumas reflexões sobre este tipo de literatura do ponto de vista da formação do leitor.

No entanto, apesar da nova consciência da área propiciada pelos avanços da atenção social em relação ao fenômeno cultural da literatura infantil e juvenil, parece bastante evidente que as novas propostas mostram um quadro rico em possibilidades, mas, na realidade, bem desestruturado. As inter-relações se produzem quase ao acaso, nas obras de um ou outro autor. Coincide-se, majoritariamente, em enumerar aqueles elementos, que permitirão uma nova orientação, mas, para dizer a verdade, não se acham ainda desenvolvidos, exceto em tentativas pouco globalizadoras e genéricas. Nesta linha, o desafio dos estudos de literatura infantil e juvenil é, precisamente, o de progredir na integração coerente dos elementos desenvolvidos.

Nota

1. Este foi, por exemplo, o tema do Congresso do IBBY realizado em Sevilha, em 1994.

SEGUNDA PARTE

A NARRATIVA INFANTIL E JUVENIL ATUAL

6.
Objetivos, hipóteses e plano da pesquisa

Nesta segunda parte se descreverão as características da narrativa infantil e juvenil atual que, tal como se assinalou na primeira parte, se define em função de seu destinatário e responde aos propósitos sociais, que lhe foram atribuídos em cada momento histórico. Assim, pois, para caracterizar estas narrativas é preciso, em primeiro lugar, delimitar o processo de mudança, através do qual esta literatura se adapta a seus destinatários e às variações das funções que se lhe atribuem em cada período histórico. Em segundo lugar, é necessário formular as hipóteses sobre que mudanças podem ter-se produzido nos livros para crianças e jovens nas últimas décadas. Em terceiro lugar, haverá que determinar que instrumentos de análise podem utilizar-se para cumprir o objetivo fixado. Ou seja, há que estabelecer os critérios para a seleção da mostra de narrativas infantis e juvenis e a pauta para sua análise.

A descrição realizada se enquadra na perspectiva da teoria do polissistema, antes assinalada, e aplicada por Shavit (1986) à literatura infantil e juvenil. Segundo esta concepção, pode-se entender que a literatura para crianças é parte de um sistema literário estratificado, no qual a posição de cada um dos subsistemas se acha determinada por diferentes condições sociais e literárias. Portanto serão analisadas narrativas infantis, levando em conta as normas, tanto literárias como educativas, que as condicionam. Não nos interessam, aqui, nem a análise de autores ou de textos isolados, nem a perspectiva cronológica ou a história específica da literatura infantil em um ou outro idioma. O problema que se pretende abordar é a caracterização comum das narrativas atuais, com a expectativa de que o modelo que apareça explicite a proposta de leitura, que se faz para as crianças e jovens, e mostre que itinerário de educação literária configuram as obras a eles dirigidas.

O processo de mudança da narrativa infantil e juvenil

A variação das funções educativas e literárias

A consideração da infância como um sujeito social diferenciado e a sólida existência de um mercado de livros dirigido a este público são uma realidade tão óbvia atualmente, que se torna fácil esquecer que ambos os fenômenos se produziram em datas bem recentes e que se desenvolveram de forma inter-relacionada. Assim, se pode afirmar (Ariès, 1962; de Mause, 1982; Lesnik-Oberstein, 1994) que, em última instância, é a mudança social sobre o conceito de infância a responsável pelas mudanças produzidas nos textos para crianças, segundo o período histórico analisado.

A noção de infância surgiu no século XVII, primeiro com o reconhecimento e a legitimação de algumas necessidades infantis diferenciadas, em relação aos adultos e, mais tarde, com a incorporação da ideia de que o adulto é o responsável pela aprendizagem das novas gerações. A evolução desta concepção pode relacionar-se com a criação, a partir do século XVIII, de uma literatura específica para os primeiros anos de vida e com a existência de uma consciência social explícita sobre a função educativa, que se devia atribuir a este tipo de livros. Foi, precisamente, a função educativa a que tornou possível a aceitação social do novo "produto", tal como foi profusamente assinalado pelos estudos de história da literatura infantil. Por outro lado, a indústria do livro infantil e juvenil não começou a florescer senão na segunda metade do século

XIX e sua expansão definitiva se produziu nos últimos cinquenta anos do século XX.

Ao longo deste processo pôde-se assistir à ampliação de um grande consenso social, em favor da importância do bem-estar físico e mental das crianças. A infância, devido em parte à psicanálise, tal como já se afirmou, passou a ser considerada o período mais decisivo na experiência vital humana, enquanto que os estudos sociais a assinalaram como a etapa educativa-chave para as exigências das sociedades altamente industrializadas. A visão da infância como um tempo de aprendizagem é um dos elementos básicos para a emergência de um sistema educativo progressivamente generalizado a toda a população e ampliado no período de idade que deve abarcar[1]. Neste momento, por exemplo, acaba de prolongar-se o sistema educativo na Espanha, com a regulamentação da etapa da educação infantil (antes dos seis anos) e a implantação do secundário obrigatório, dos quatorze aos dezesseis anos. Este processo motivou uma enorme ampliação do público leitor e, por conseguinte, o crescimento do público potencial do livro infantil, que já inclui a primeira infância e os adolescentes de setores sociais pouco cultos, que agora se encontram escolarizados, enquanto que até bem pouco tempo se incorporavam ao mercado de trabalho e às formas de vida adulta.

Neste caminho de ampliação, a literatura infantil e juvenil foi se consolidando como um instrumento socializador de nossa cultura. Por isso é preciso levar em conta a reflexão própria da sociologia da educação sobre as formas de transmissão dos valores educativos surgidos nas últimas décadas nas sociedades pós-industriais, já que estas formas e valores transferiram-se para os livros infantis e juvenis e podem ser ali detectadas da mesma maneira que na família ou na escola, campos já profusamente analisados pelos estudos sociológicos. É também neste sentido que Bassa (1995) utiliza o conceito *agência educativa*, para referir-se aos livros infantis em seu estudo sobre a reação entre propósitos educativos e literatura infantil e juvenil catalã.

A contribuição de Bernstein (1975), em sua definição de "pedagogia invisível", resulta especialmente útil neste campo de análise. Bernstein parte das teorias de Durkheim (1947), que afirma que as relações de trabalho de uma sociedade industrial avançada se situam na difícil passagem de uma ordem social baseada na dominação, para outra baseada na cooperação[2]. Neste quadro macrossociológico, que não pretendemos descrever aqui, podem observar-se as mudanças educativas provocadas pelas variações na divisão social do trabalho, produzidas na segunda metade do século XX, período no qual a sociedade aumentou extraordinariamente a complexidade de sua divisão de trabalho cultural, exigiu uma capacidade de operar simbolicamente, cada vez mais elevada, por parte de seus cidadãos, e gerou o apogeu de setores da classe média, que exercem profissões baseadas no domínio da informação. Este fenômeno é, segundo Bernstein, o mais significativo de todo o desenvolvimento social atual e implicou transformações educacionais importantes, já que a tarefa de integração social, encomendada à escola, teve que adaptar-se às novas necessidades, passando de algumas formas de transmissão educativa baseadas em papéis referentes a posições sociais (ou de escola fechada, nos termos de Bernstein), a algumas formas baseadas em papéis individualizados e personalizados (ou de escola aberta).

A análise da prática pedagógica derivada deste processo de mudança levou Bernstein à formulação do conceito de "pedagogia invisível" para caracterizar a maneira pouco formulada e difusa na qual, na atualidade, se tendem a transmitir os critérios de conduta social às crianças. A pedagogia invisível se distingue por ter regras hierárquicas extremamente implícitas, uma sequência débil dos conteúdos de aprendizagem e alguns critérios de conduta extremamente vagos e numerosos, em contraposição à "pedagogia visível", predominante na etapa anterior e caracterizada por formas muito mais hierárquicas, delimitadas e explícitas. A pedagogia invisível se relaciona com a ideologia das novas formas de socialização nas relações familiares. Por exemplo, na ênfase posta na interiorização das relações de autoridade, mais do que na resposta ao castigo, como método educativo. Como diz Bernstein:

Esta fração das classes médias (...) seleciona, dentre as formas prevalecentes da socialização dos jovens, aquelas formas que animam as crianças a mostrar sua diversidade e a aprender as sutilezas e estratégias do controle inter e intrapessoal. Estas formas de socialização estão legitimadas por um grupo de teorias, que se consideram progressivas dentro do espectro das ciências sociais (1975:22).

A nova atitude educativa assinalada por Bernstein implica algumas relações pessoais baseadas na verbalização dos problemas, sua negociação constante, a potência da imaginação, a compreensão das posições enfrentadas, a aceitação interna das normas, etc. São estas formas de relação social e estes valores, aqueles que deveriam ter também sua tradução na proposta educativa realizada pelos livros infantil e juvenil atuais e esta proposta será, pois, o pressuposto a que aqui nos referimos, quando falamos de "novos valores".

Ora, além do fato de que a função educativa se adapta às mudanças sociais, o que resulta evidente é que a ênfase dada a esta função dos livros infantis tem variado ao longo da história. O peso desta questão foi diminuindo durante o século XIX e ainda no século XX, para ir aceitando, progressivamente, as funções de entretenimento e ócio, que forçaram o reconhecimento da função literária deste tipo de texto. O reconhecimento destas novas funções explicitou a dupla função dos livros destinados a crianças e jovens, e nas últimas décadas, inclusive, acabaram tornando predominante o aspecto literário.

No entanto, apesar de que a ênfase se situou em um ou outro dos dois extremos, o certo é que a literatura infantil manteve-se sempre entre as duas funções. Sua destinação à infância, ou seja, a um setor social em fase de formação e aprendizagem, impõe restrições de dois tipos a estes textos: em primeiro lugar, na maneira como a obra apresenta, caracteriza e julga o mundo, já que se trata de oferecer aos leitores modelos de conduta e de interpretação social da realidade; e, em segundo lugar, na maneira como se configura a criança-leitora implícita, já que se deve atender o nível de compreensibilidade dos textos, segundo a competência literária que nela se pressupõe.

Os dois princípios básicos de adequação da literatura infantil e juvenil a seu destinatário são, pois, a conveniência educativa e a compreensibilidade do texto. Pode suceder que os dois princípios não sejam complementares, ou que inclusive sejam contraditórios. Pode-se pensar, por exemplo, que as crianças são capazes de entender um texto sobre a doença ou a morte, mas considerar-se que este tema não é conveniente para a infância por causa de sua crueza ou de seu distanciamento em relação aos interesses infantis. De qualquer modo, o texto, apesar dos diferentes graus de equilíbrio adotados, deve aderir aos dois princípios, ou ao menos não pode violá-los, se pretende ser aceito no subsistema literário dirigido a crianças e jovens.

A literatura infantil e juvenil que cumpra ambos os objetivos, o educativo e o literário, pode ser sancionada pelos adultos como literatura infantil e juvenil de qualidade. Trata-se das obras que Shavit (1986) qualifica de "literatura canônica", ao ressaltar que qualquer sistema literário, tanto o de adultos como o infantil, diversifica-se em formas literárias canônicas e não canônicas. A definição de "literatura infantil e juvenil canônica" implica, pois, que este *corpus* deve ajustar-se aos critérios que os adultos têm sobre o destinatário infantil. Ou seja, deve basear-se em sua opinião, como responsáveis sociais da etapa educativa, do que lhes parece educativo e compreensível para crianças. É, precisamente, esta narrativa infantil e juvenil canônica a que se pretende analisar aqui.

A tensão de um duplo destinatário

Muitos autores (Wall, 1991; Shavit, 1986; etc.) afirmam que o estado ambivalente do destinatário, que acabamos de assinalar, constitui o condicionamento fundamental da literatura infantil e juvenil. Tal como se indicou anteriormente, os autores de livros infantis têm que resolver a contradição, que supõe a criação de textos que embora destinados às crianças, são sancionados pelos adultos. Nossa cultura, ou mais concretamente, as distintas instâncias que cercam a edição para crianças, declara que o material de leitura é crucial para o seu desenvolvimento e o bem-estar mental e pressionam os autores para que elaborem textos que agradem às crianças, mas que, ao mesmo tempo, obtenham o beneplácito dos adultos enquanto textos de leitura para a infância. Assim, os autores devem comprometer-se com dois destinatários, que podem diferir em seus gostos e em suas normas de interpretação do texto.

Esta situação provoca que, frequentemente, os autores de literatura infantil e juvenil canônica compliquem seus textos para poder dirigir-se realmente a este duplo destinatário. Pode-se pensar que talvez as crianças só entendam estes textos até um determinado nível, enquanto o significado mais complexo organizado pelo autor pode unicamente ser interpretado pelos leitores adultos. Mas, desta forma, o uso, nos textos, de complicadas estratégias de compensação, viria salvar o compromisso provocado pela presença de dois destinatários simultâneos, colocando, ao mesmo tempo, a maior parte da literatura infantil e juvenil canônica em um estado ambivalente no interior do sistema literário, já que estaria constituída por textos lidos por dois grupos de leitores com diferentes expectativas e com normas e hábitos de leituras distintos, que conduziriam a uma interpretação igualmente heterogênea.

Segundo Shavit, o fenômeno de uma dupla destinação é o principal motor de inovação na literatura infantil e juvenil, já que, ao não dirigir-se, exclusivamente, ao leitor infantil, os autores adquirem liberdade para manipular modelos existentes e criar outros novos. Desta perspectiva podem interpretar-se muitas das obras clássicas de literatura infantil, como *Alice no país das maravilhas*, repletos de exigências de leitura impossíveis de serem realizadas pelo destinatário infantil, mas que, ao contrário, deram condições para a evolução da literatura para crianças ao abrir caminho para novos modelos narrativos. Assim, por exemplo, a partir de Carroll, o novo modelo foi imitado através de formas muito mais compreensíveis para crianças, embora menos valorizadas pela crítica, e passou a constituir um modelo usual para leitores crianças. O mesmo Carroll realizou uma versão realmente infantil, *The nursery "Alice"*, em 1889³, no qual respeitou os pressupostos de compreensibilidade da literatura infantil estabelecida: utilizou o tom autoritário típico do espírito didático de seu tempo, que partia do princípio de que os livros eram lidos *para as crianças* e não *por crianças*, suprimiu a sátira e a paródia de poemas tradicionalmente aprendidos na infância – e que eram deslocados como um jogo referencial para os adultos, na obra original – e ajustou a obra às convenções de uma história fantástica, sem ferir as normas de tempo, espaço e relações entre fantasia e realidade, tal como o fazia na primeira obra. Definitivamente, transformou um texto ambivalente em um texto univalente.

A relação com os demais sistemas culturais

Embora aceitando que a produção de textos ambivalentes seja o motor de inovações da literatura infantil, o processo de renovação literária deve ser contemplado do interior de uma dinâmica mais geral de mudanças. Parece evidente, historicamente, que os textos inovadores para crianças trabalharam modelos literários que já iniciavam sua decadência no sistema adulto, porquanto ainda não houvessem sido aceitos na literatura infantil. Ou seja, para que a literatura infantil e juvenil – um sistema que foi geralmente muito conservador – admita novas normas literárias, é preciso que estas normas tenham se consolidado, antes, na tradição cultural e, inclusive, tenham começado a perder sua vigência no sistema literário de adultos. Uma vez que tenham sido incorporadas à literatura infantil graças à aprovação dos adultos, passam a situar-se no centro canônico dos livros para crianças e abre-se o caminho para o desenvolvimento e a exploração generalizada do novo modelo.

Assim, por exemplo, no século XIX, a literatura romântica canônica dos adultos construiu um modelo de ficção fantástica, a partir dos contos de fadas. Unicamente depois da expansão deste modelo, a fantasia, até então proscrita nas obras infantis, muito didáticas, pôde passar a incorporar a literatura infantil canônica, embora, durante muito tempo, o modelo realista continuasse a predominar. O exemplo de *Alice no país das maravilhas*, a que acabamos de aludir, pode também servir para exemplificar este processo mais amplo de mudança literária. O modelo de fantasia nos livros infantis já existia quando Carroll escreveu *Alice*. Portanto, ele não introduziu a utilização da fantasia na literatura infantil, o seu mérito constituiu-se em manipular o modelo vigente naquele momento, através das contribuições de outros modelos, presentes na literatura de adultos. Assim, Carroll combinou os níveis de realidade e fantasia, e, por outro lado, fundiu o modelo de fantasia com o de aventuras e com o *nonsense*, menos difundido, de onde tomou, por exemplo, o uso de relações metonímicas e não lógicas. A ampliação das possibilidades da ficção fantástica, realizada por Carroll e outros autores que o seguiram, provocou, gradualmente, que os temas da imaginação fossem se deslocando em direção ao centro do sistema literário infantil, até transformarem-se em sua principal norma. Processos similares podem também ser observados na penetração atual da novela policial ou de ficção científica, que estão passando a ocupar um lugar importante na literatura infantil e juvenil.

Da descrição deste processo de inovação cabe inferir que a dinâmica será mais acentuada nos períodos de mudança cultural, períodos de transição, nos quais os modelos literários são explorados e recriados, em contraposição aos períodos estáveis, com continuidade de modelos já consolidados.

Os caminhos mais conhecidos para a inovação literária, nos livros para crianças e jovens, podem caracterizar-se, pois, em primeiro lugar, como a realização de textos ambivalentes, dirigidos a um destinatário duplo nos quais se ensaiam fórmulas que, a partir de seu êxito, adotam formas mais limitadas, para garantir a compreensão infantil dos novos moldes; em segundo lugar, como a utilização conjunta de um modelo estabelecido em combinação com outro, não admitido ainda, na literatura infantil e juvenil e caracterizado por uma sofisticação maior, pela paródia do estabelecido, pela introdução de novos elementos, pela mudança de sua função anterior, etc.

Nestes momentos, este princípio de evolução pode ter-se acelerado ou alterado, em vários sentidos. Em primeiro lugar, a criação de novos modelos literários passou a ser mais rápida, por causa de vários fenômenos atuais, tais como o elevado nível de consumo, que necessita criar novos produtos em grande velocidade, ou como o aumento de permeabilidade da literatura infantil e juvenil, em relação à literatura adulta, a partir do momento em que aquela se consolidou como uma literatura escrita. Ao mesmo tempo, nestes momentos, todo o sistema cultural atual pode tender a reforçar a renovação e a mobilidade dos modelos literários infantis e juvenis. A definição de "pós-modernidade", vista no capítulo anterior, engloba uma intercomunicação de elementos e modelos, que se detecta no conjunto do sistema literário e que pode favorecer a incorporação à literatura infantil de novos recursos, como a mistura deliberada de modelos ou a tematização dos procedimentos formais.

Em segundo lugar, a criação de novos modelos literários poderia estar se produzindo diretamente no sistema literário infantil e juvenil, por causa de suas atuais relações com os demais sistemas culturais. Por exemplo, pela imprecisão da fronteira entre o romance juvenil e a literatura canônica de adultos ou pela existência de outros fenômenos culturais como a televisão, as revistas em quadrinhos, os *videogames*, etc. A necessidade de competência entre estes fenômenos estaria promovida, por um lado, pela vontade dos estamentos educativos de atrair as crianças e jovens para os hábitos de leitura – e de uma leitura mais adequada –, e, por outro lado, porque os fenômenos culturais aludidos exerceriam uma influência decisiva nos caminhos de experimentação dos livros infantis e juvenis (tais como a nova relação texto-imagem ou os livros--jogo), que conduziria à criação de produtos inovadores, inclusive em comparação com o conjunto de todo o sistema literário, tal como se assinalou a propósito dos álbuns, nos estudos descritos no capítulo quatro.

Se, ao analisar as narrativas atuais, confirmou-se uma presença significativa de elementos e modelos caracterizados tradicionalmente como pouco compreensíveis ou adequados, nos livros infantis, caberia pensar que a aceleração das mudanças está levando a uma presunção diferente acerca do que pode ser compreensível ou adequado ao destinatário criança ou jovem. Poder-se-ia chegar, portanto, à conclusão de que a ênfase na função literária da literatura infantil e juvenil forçou os limites de suas circunstâncias iniciais e conduziu à criação de um produto cultural literariamente menos protetor do que anteriormente em relação ao seu destinatário.

Os pressupostos de simplicidade

Temos falado de modelos inovadores e mais complexos e citamos alguns exemplos, como a mescla de realidade e fantasia. É necessário, no entanto, precisar quais são os pressupostos de simplicidade da narrativa infantil e juvenil, quais são os critérios utilizados pelos adultos para pensar que um texto para crianças e adolescentes é mais facilmente legível que outro. Além das características destacadas a partir da pesquisa sobre a preferência dos leitores, tentou-se revelar o que se considera um texto simples e compreensível, através de dois caminhos: o primeiro foi a análise das narrativas infantis e juvenis não canônicas; e em segundo lugar, o estudo das simplificações efetuadas ao adaptarem-se, para crianças, obras originariamente destinadas aos adultos.

No primeiro caso, observou-se que – diferentemente da solução adotada pela literatura infantil canônica –, a literatura infantil não canônica livra-se da contradição entre o destinatário infantil e o destinatário crítico adulto à base de prescindir do segundo. Os autores (ou os editores que decidem publicá--los) não esperam obter a aprovação da crítica e dos meios educativos, não supõem que estes textos serão recomendados, nem considerados como literatura infantil de qualidade. As características destes livros, portanto, pretendem responder estritamente ao que se supõe seja mais simples de ler para as crianças, suposições que, de certa maneira, são compartilhadas pela literatura popular adulta e que lhes proporciona um claro sucesso de vendas. Neste sentido, a crítica literária assinalou, repetidamente, como traços próprios de maior facilidade de leitura: um argumento e uma caracterização estereotipada dos personagens e situações, um reforço da moral e da estratificação social estabelecida, uma forte coesão do texto e uma grande simplicidade da linguagem.

No caso dos livros infantis estas características populares incluem também aspectos próprios. Ray (1982) analisou as obras de E. Blyton para chegar à conclusão de que seu retrato de um mundo exclusivamente infantil não apenas ignora as pessoas adultas, mas também estabelece uma oposição entre os dois mundos, que se plasma na narrativa, através dos cenários diferentes em relação ao espaço (crianças e adultos se acham em dois territórios, por exemplo, na casa e no internato) ou em tempos distintos (um tempo de férias reservado às crianças, por exemplo, e a aparição dos adultos ao final, quando as férias se acabam), assim como a utilização de uma linguagem deliberadamente próxima ao mundo juvenil. A divisão do mundo em duas partes bem delimitadas permite que os personagens infantis se situem em um espaço momentaneamente liberado das normas sociais, para voltar a elas, mais tarde, sem nenhum tipo de questionamento moral[4].

A necessidade de textos unívocos, estruturas lineares e temas com uma moral diáfana são também os critérios que presidem as adaptações simplificadas de obras literárias para crianças, versões que podem proceder de obras de adultos (a *Odisseia**, por exemplo), de obras clássicas do próprio sistema da literatura infantil (como a já citada *Alice no país das maravilhas*) ou ainda da tradição oral (como as versões de contos populares, das coleções vendidas em bancas de jornal ou como as versões cinematográficas de Walt Disney).

Este segundo método de análise, através das simplificações, é o adotado por Shavit para caracterizar os traços de simplicidade da literatura infantil. Esta autora compara várias

---

* N.T: De Homero.

obras clássicas com suas versões para crianças, para ver, precisamente, o que, segundo os adultos, torna um livro aceitável para este público. Sua conclusão é de que as restrições literárias produzidas pela definição de um destinatário infantil podem descrever-se, basicamente, como uma sujeição às seguintes características:

a) O texto deve pertencer a modelos literários já existentes. A tendência do sistema é a de aceitar apenas o que é convencional e o que se considera adequado e familiar às crianças. Nas adaptações infantis de *As viagens de Gulliver*, por exemplo, esta obra se converte em uma história fantástica e de aventuras, modelos que já existem como tais na literatura infantil, diferentemente da sátira social e política existente no texto original que é abandonada. Assim mesmo, os habitantes de Liliput, muito parecidos aos humanos na obra de Swift, acentuam seu caráter de pequenos seres fantásticos, para reforçar o protesto do contraste de dimensões, tema sempre interessante para os leitores infantis.

b) O texto deve constituir-se a partir de uma forte integração dos seus elementos. Nas avaliações habituais da crítica e nas declarações explícitas de muitos autores pode constatar-se que a ação da trama é considerada o mais importante nas narrativas infantis e juvenis. Como diz Bawden (1980), o texto tem que ter uma "forte linha narrativa". Também Shavit o assinala em sua análise das adaptações de obras, já que uma das principais operações é a de encurtar os textos e, logicamente, tudo o que se elimina é o que se considera secundário: os parágrafos, que não são imprescindíveis para acompanhar a trama, os comentários do narrador sobre a história, as descrições, etc. No entanto, cabe destacar que esta ação pode dificultar a compreensão, já que o texto resultante deve dar mais informações com menos elementos e, frequentemente, portanto, devem manipular-se também os elementos não suprimidos.

c) O texto deve apresentar uma complexidade e sofisticação mínimas. Em contraste com a valorização positiva da complexidade, por parte da norma canônica adulta, a literatura infantil faz prevalecer o critério da simplicidade. Esta determina os temas, a caracterização dos personagens e as estruturas narrativas permitidas. Na adaptação de textos eliminam-se a paródia e os momentos de distanciamento e ironia, separam-se os níveis de realidade e fantasia, precisa-se a conduta dos personagens, sem deixar lugar para a ambiguidade, esclarecem-se os desenlaces abertos, etc. Este é o processo que Carroll seguiu, por exemplo, na versão infantil de *Alice*, que citamos anteriormente.

d) Os valores preconizados e a moral subjacente devem ajustar-se a propósitos educativos e ideológicos, de acordo com as regras sociais predominantes. A ideia de que a literatura serve como instrumento didático para difundir valores inequívocos, é ainda muito poderosa hoje em dia. Nas adaptações de obras para adultos pode-se ver que, frequentemente, chega-se a alterar por completo o sentido do texto original para pô-lo a serviço de propósitos educativos adequados à época. As sucessivas adaptações do mito de *Robinson Crusoé** constituem um exemplo bem claro deste tipo de alteração, ocorrida ao longo do tempo.

e) A linguagem deve ser simples. Na literatura canônica adulta a elaboração da linguagem é valorizada *per se*; o que se exige na literatura infantil, ao contrário, é uma elaboração associada ao conceito didático de incrementar o conhecimento linguístico dos leitores, especialmente no que se refere à aquisição de vocabulário. Esta elaboração léxica tem que estar de acordo, no entanto, com o grau de simplicidade, frequentemente exercida nos demais níveis linguísticos, com o objetivo de facilitar a compreensão. Do mesmo modo que nos aspectos anteriores, a simplificação do nível linguístico pode ser constatada também nas mudanças realizadas nas obras adaptadas.

---

* N.T.: De Daniel Defoe.

Um novo leitor implícito?

Se a literatura infantil e juvenil se define em função de seu destinatário e os livros infantis refletem os pressupostos sociais sobre esses destinatários, tratar-se-á agora de analisar um *corpus* significativo de narrativas canônicas dirigidas às crianças e jovens de nosso país durante os últimos anos, para ver se refletem uma nova configuração do leitor implícito, que haja provocado o rompimento dos pressupostos de simplicidade, que acabamos de enumerar, e haja conduzido à criação de novos modelos de literatura infantil e juvenil.

Definição do destinatário atual da literatura infantil e juvenil em nosso país

O destinatário da literatura infantil e juvenil de qualidade pode definir-se, em primeiro lugar, como um leitor criança ou adolescente, que aprende socialmente e a quem se dirigem textos, que pretendem favorecer sua educação social através de uma proposta de valores, de modelos de relação social e de interpretação ordenada do mundo. E, em segundo lugar, como um leitor infantil ou adolescente, que aprende uma forma cultural codificada – a literatura –, e a quem se dirigem alguns textos, que ultrapassam algumas formas fixadas do imaginário, algumas formas narrativas com tradição de uso literário, uma avaliação estética do mundo e um uso especial da linguagem.

A literatura infantil e juvenil de cada período concretiza esta ideia geral do destinatário em um quadro cultural determinado. O ponto do qual partimos é a ideia de que, desde os fins da década de setenta, a literatura infantil e juvenil experimentou um enorme impulso inovador para adequar-se às características de seu público atual, características que permitem definir o leitor implícito a quem se dirigem agora as obras através dos seguintes traços:

a) *Um leitor próprio das sociedades atuais*, a quem se destinam textos que refletem as mudanças sociológicas e os pressupostos axiológicos e educativos de nossa sociedade pós-industrial e democrática. Isto permite esperar importantes mudanças em relação à narrativa anterior, nos critérios dos autores sobre o que é adequado e pertinente, nos temas que abordam em suas narrativas, na descrição do mundo que oferecem e nos valores que propõem.
b) *Um leitor integrado em uma sociedade alfabetizada* com um sistema educativo generalizado, a quem se dirigem textos criados como literatura para ser lida. Deste modo, pode-se esperar que as obras utilizem recursos mais próprios de um texto escrito, do que de uma narrativa oral e que este fenômeno haja favorecido a renovação dos modelos literários ao permitir maior permeabilidade em relação à literatura de adultos, literatura que seguiu, principalmente, a transmissão escrita desde uma época muito anterior.
c) *Um leitor familiarizado com os sistemas audiovisuais* desenvolvidos em nossas sociedades durante as últimas décadas. Cabe supor, pois, que a narrativa para crianças e adolescentes tenha incorporado novos recursos procedentes destes meios e que contará com hábitos narrativos ali adquiridos, tais como a competência na leitura da imagem ou o costume de enfrentar unidades informativas muito curtas.
d) *Um leitor que se incorpore às correntes literárias atuais*, a quem se dirigem textos que seguem as formas literárias vigentes no conjunto do sistema literário, modernização que poderia haver-se produzido de forma, inclusive, mais acelerada que em outros momentos históricos, por diversas causas antes aludidas, tais como a pressão do mercado ou a caracterização pós-moderna da cultura atual.
e) Embora os pontos anteriores convirjam na criação de uma nova configuração dos modelos canônicos da literatura infantil e juvenil, é preciso indicar que, secundariamente, se deve pensar no leitor de uma literatura, a de seu país, que recuperou o "tempo cultural" recentemente através de uma política ativa de traduções, o qual teria que representar

um *período excepcionalmente rico na variedade dos modelos oferecidos.*

f) *Um leitor cuja idade aumenta*, que amplia progressivamente suas possibilidades de compreensão do mundo e do texto escrito, e a quem, portanto, dirigem-se alguns textos que deveriam diferenciar-se segundo as características psicológicas da idade e segundo a complexidade das exigências de leitura. Embora se pudesse pensar que esta definição faz parte dos traços gerais do destinatário infantil e juvenil, a estratificação dos livros por idades é um fenômeno produzido durante as últimas décadas, fruto, tanto de sua relação com o sistema escolar, como das necessidades comerciais, e, portanto, consideramos que é necessário assinalá-lo como uma construção da narrativa mais recente. Pode esperar-se, então, que existam fórmulas literárias mais homogêneas no interior de cada um dos grupos de idade a que os livros se destinam.

Tratar-se-á, pois, em primeiro lugar, de analisar as narrativas canônicas atuais para ver se é certo que a narrativa contemporânea atende a este leitor explícito. Certamente, a modernização ocorrida na Espanha a partir do restabelecimento democrático, implicou a difusão de novos valores e de novas maneiras de transmissão educativa, mudanças sociológicas importantes nas formas de vida e um desenvolvimento sem precedentes dos livros para crianças e jovens[5]. Todos estes fatores parecem conduzir à necessidade de modelos literários diversificados. Logicamente, esta inovação deveria afetar a níveis narrativos muito diversos e deveria afastar a narrativa canônica atual dos pressupostos básicos de simplicidade antes estabelecidos. Concretamente, se poderia esperar que se houvessem produzido as mudanças que enumeramos em seguida, que poderiam estar refletidas nos aspectos narrativos especificados e que seriam os que se sistematizaram em uma pauta de análise da narrativa atual.

a) A configuração de novos *modelos literários* condicionados pelos seguintes fatores: pela psicologização de nossa cultura e, especificamente, pelos modelos nessa linha desenvolvidos pela literatura para adultos durante este século; pela necessidade de refletir as formas de vida e os problemas sociais próprios da sociedade ocidental atual; pela criação de novos tipos de livros infantil e juvenil dirigidos às diferentes faixas etárias; pela relação com literaturas não canônicas adultas; pela relação com as formas narrativas da imagem, etc. A confluência destes fatores deveria plasmar-se em inovações situadas nos temas tratados, no tipo de imaginário, nos personagens, no cenário narrativo ou na incorporação de recursos não verbais.

b) A adoção de *valores morais* próprios de uma sociedade altamente industrializada, pressupostos englobados no conceito de "pedagogia invisível", como forma de transmissão das normas de conduta e que implicariam uma nova proposta moral baseada na verbalização dos problemas, a negociação dos conflitos, a adaptação pessoal às mudanças externas, a hierarquia não estratificada, a autoridade consensual, a imaginação criativa ou a anulação de determinadas fronteiras entre o mundo infantil e o mundo adulto.

c) A *ruptura da integração do texto* a partir da vigência de um modelo cultural caracterizado de "pós-moderno", da irrupção da imagem no texto e da incorporação dos hábitos narrativos do mundo audiovisual, fatores que determinaram o auge de recursos que fragmentam o texto e escapam de modelos bem delimitados tais como: a inclusão de tipos textuais variados, a mistura de gêneros literários, a autonomia das sequências narrativas e a presença de elementos não verbais.

d) O aumento da *complexidade narrativa* a partir de um processo de inovação acelerado que teria requerido maior complexidade dos elementos, que configuram o discurso narrativo e que, portanto, deveriam tê-lo afastado dos pressupostos básicos de uma estrutura simples, um ponto de vista onisciente, uma voz narrativa ulterior e um desenvolvimento cronológico linear.

e) O aumento da *complexidade narrativa*, já que o mesmo contexto anterior deveria ter levado à utilização de características que atentariam contra a definição tradicional do leitor infantil, tais como a necessidade de textos com um sentido unívoco e com um controle narrativo muito enfatizado por parte do emissor adulto. Ao mesmo tempo deveria haver-se produzido uma ruptura da ilusão realista, através da cessão, ao destinatário, de um papel explícito na construção do relato. A ideia de um leitor mais ativo no estabelecimento de cumplicidades com o autor pode encontrar-se na alusão a referências culturais compartilhadas, na adoção de diversas formas de distanciamento, na participação da construção aberta da obra e na aceitação de significados ambíguos.

f) A configuração da narrativa infantil e juvenil como uma *literatura escrita*. A ideia implícita de um destinatário que lê devia traduzir-se na presença, ou no uso mais frequente, de recursos impossíveis em um texto destinado a ser contado ou lido em voz alta pelo adulto, recursos tais como a integração da imagem no discurso narrativo, a criação de determinados tipos de imaginários como o do jogo com as convenções narrativas ou gráficas e o dos sonhos, assim como outros fenômenos convergentes com alguns dos parágrafos anteriores, como a maior complexidade do discurso, a participação do destinatário na construção narrativa ou a distância compartilhada pelo autor e o leitor em relação à obra.

Em segundo lugar, se analisarão as obras para verificar se evidenciam a evolução, que se espera que sigam os leitores formados ao longo do itinerário de leitura que lhes ofereçem os livros dirigidos às diferentes idades. Concretamente, se tentará elucidar se são cumpridas as seguintes suposições:

a) Por um lado, se as narrativas tentam adequar sua proposta educativa ao desenvolvimento psicológico das crianças e jovens, teriam de ser detectadas, em cada faixa de idade, fórmulas mais homogêneas destinadas a responder às fantasias e necessidades psicológicas que se consideram predominantes nelas.

b) Por outro lado, se as narrativas tentam adequar-se a uma competência literária progressivamente elaborada, as características do discurso narrativo teriam que aumentar sua diversidade e complexidade, ao longo do itinerário proposto.

Para verificar se as narrativas contemporâneas cumprem estas hipóteses é preciso escolher um *corpus* representativo da narrativa infantil e juvenil canônica atual e definir as pautas com que ele será analisado.

Seleção das obras analisadas

Tal como indicamos antes, e como assinalaram outros estudos de literatura infantil e juvenil (García Padrino, 1992; Bassa, 1994, etc.), a precariedade das infraestruturas de pesquisa neste campo provoca uma falta de dados bibliográficos e de lacunas nas fontes de consulta, que converte a seleção de obras infantis e juvenis numa tarefa desproporcionadamente árdua. Finalmente, no entanto, chegou-se à confecção de uma lista de 150 obras que, da perspectiva definida na sequência, pode contemplar-se como o conjunto de narrativas que a crítica sancionou como as melhores publicadas, em castelhano ou catalão, na Espanha, no período que vai de 1977 a 1990.

Definição da seleção

A intenção deste estudo requeria centrar-se em narrativas de qualidade, já que estas obras são as que melhor podem evidenciar os pressupostos educativos e literários, que configuram a literatura infantil e juvenil.

Decidir o que se entende por obras de "qualidade" remete a problemas difíceis, que já foram aludidos na descrição dos debates sobre literatura infantil e juvenil ocorridos nas últimas décadas. Não pretendemos resolver este ponto, já que não contamos com estudos que permitam contrastar a seleção de livros organizada pela crítica, com outras variáveis imprescindíveis, tais como o êxito da recepção dos livros por parte de seu verdadeiro público. Tampouco contamos, por outro lado, com estudos que estabeleçam os diferentes subsistemas da literatura infantil e juvenil. A única divisão que se dá habitualmente em relação aos livros infantis é uma certa classificação por gêneros, que divide a produção em narração, poesia, teatro e história em quadrinhos. Esta divisão tradicional apresenta, inclusive, um grande número de problemas, já que existem obras narrativas em verso, livros com ilustrações muito próximas às técnicas dos quadrinhos ou livros que utilizam, conjuntamente, textos narrativos, teatrais e poéticos.

Assim, pois, a única possibilidade real para delimitar um *corpus*, com um certo grau de homogeneidade textual e de qualidade, foi a de basear-se na classificação da crítica especializada publicada em nosso país, durante este período. Diferentemente de outros países, como a Grã-Bretanha, existe no nosso uma divisão muito fluida entre críticos "acadêmicos" e críticos em contato com a reação do público infantil e juvenil, o que permite pensar que a atenção aos aspectos da recepção, ainda que empírica, deve ter estado presente na sensibilidade dos especialistas, que assinalaram as obras que melhor cumprem as expectativas sociais da educação literária. Também é preciso recorrer ao consenso dos especialistas, para atribuir as obras escolhidas ao gênero narrativo, apesar das possíveis dúvidas suscitadas pelas características de algumas delas. Em todo caso, o *corpus* selecionado pela crítica especializada constitui o que, oficialmente, pode ser considerado, hoje em dia, e na falta de outros indicadores, o "melhor da narrativa" atual.

Um segundo critério refere-se à delimitação temporal e linguística das obras. O critério de "atualidade" circunscreveu-se à publicação das obras durante o período 1977-1990. Escolheu-se o ano de 1977 por ser a data do restabelecimento da democracia na Espanha e por supor uma importante mudança na evolução dos livros infantis e juvenis, tanto no que diz respeito às tendências da produção autóctone, como no notável aumento de traduções ocorrido, que colocou a narrativa estrangeira ao alcance do público infantil. A análise contempla as obras publicadas em castelhano ou catalão, sem levar em conta sua língua de criação original, já que não interessa aqui distinguir a caracterização e a evolução própria de cada uma das literaturas implicadas e estes são os idiomas dominados pelo público infantil, do contexto no qual se situa o estudo.

A aplicação deste critério eliminou as obras reeditadas durante esses anos[6], enquanto que, ao contrário, foram incluídas as obras estrangeiras lançadas antes daquelas datas na sua língua original, se cumpriam a condição de haverem sido traduzidas em castelhano ou catalão. Podia ocorrer, portanto, que fossem selecionadas algumas obras bastante antigas e que já eram consideradas clássicas daquela literatura, mas consideramos que sua presença no panorama atual da literatura infantil e juvenil da Espanha é inquestionável e, portanto, foi nesse período que exerceram sua influência. Além disso, por tratar-se de obras muito inovadoras quando surgiram, pode esperar-se que se ajustem folgadamente à descrição resultante.

Em terceiro lugar, e em relação às características internas do campo narrativo, escolheram-se obras que seguissem os seguintes critérios:

a) Obras literárias, sem uma intenção predominante de transmitir conhecimentos, critério que levou à exclusão de algumas obras biográficas ou de história local, que haviam alcançado consenso favorável da crítica.
b) Obras com presença significativa de texto escrito, abandonando os livros de imagem ou aqueles que ostentaram clara preponderância da ilustração para efeito de construção do significado. Deste modo foram abandonados das seleções críticas, obviamente, os livros "para não leitores", e também os classificados para um público de mais idade, já que a complexidade material e de imagem dos livros atuais produz livros sem texto para todo tipo de leitores.
c) Obras de narrativa moderna. Ou seja, deixou-se de lado a presença de contos populares, lendas, narrações

mitológicas, etc., que constituem um importante legado da literatura de tradição oral e parte notável da edição para crianças e jovens. Algumas das versões destas obras foram realizadas por autores contemporâneos, com uma certa liberdade criativa, o que causou alguns problemas na hora de decidir sobre sua possível eliminação.
d) Obras recomendadas para leitores de menos de quinze anos. A partir do desenvolvimento do romance juvenil, algumas seleções incluem livros para leitores de dezesseis anos em diante, mas este campo, por outro lado muito discutível, ficou fora do estudo.

Definitivamente, pois, segundo este terceiro critério, a análise se refere a narrativas literárias atuais, escritas para crianças e jovens entre cinco e quinze anos.

As fontes da seleção

Dirigir a análise aos livros atuais tornava inviável a possibilidade de recorrer aos estudos históricos sobre literatura infantil e juvenil, já que a proximidade temporal de sua publicação implica que a maioria destes livros só podem achar-se citada em artigos recentes sobre as tendências evolutivas destacadas pela crítica, ainda sem perspectiva para sua aceitação definitiva como obras de prestígio. Tampouco podiam ajudar as resenhas publicadas em jornais e revistas, já que estes textos não se propõem a destacar as principais obras, nem têm a pretensão de oferecer o resultado de uma leitura exaustiva, mas apresentam um componente de acaso na leitura de um ou outro título, suficientemente destacável em algum sentido, isto sim, para que dele se ocupassem.

Foi preciso, pois, recorrer às seleções publicadas, já que se oferecem como uma seleção dos melhores livros infantis e juvenis do mercado, por parte da crítica especializada. O problema transferiu-se, em seguida, à decisão sobre qual dessas seleções era a mais adequada. Nosso trabalho requeria seleções bibliográficas que cobrissem o período escolhido e que não distinguissem entre produção autóctone e tradução. Qualquer estudo deve situar-se em um contexto determinado e por isso a ótica escolhida faz referência à avaliação das obras da perspectiva da Catalunha, o que nos levou a priorizar as seleções de maior influência neste âmbito. Também era necessário que as seleções especificassem a idade dos destinatários, se se desejava proceder a uma análise evolutiva das exigências literárias requeridas, mas este ponto não representava nenhum problema, já que todas as seleções contemplam esta divisão. Finalmente, dentre as seleções consultadas, foram selecionadas as seguintes[7]:

a) A do *Seminari de Bibliografia Infantil de l'Associació de Mestres "Rosa Sensat"*. Esta seleção é a mais antiga e sistemática dentre as publicadas. O seminário é formado por professores e bibliotecários com múltiplas atividades no campo da literatura infantil e juvenil e tem o reconhecimento profissional da instituição educativa, de que faz parte, e dos movimentos de renovação pedagógica. Tal como se assinalou anteriormente, esta organização foi pioneira em introduzir esta literatura na escola. Pode-se afirmar, portanto, que esta seleção foi uma das mais difundidas neste período, e que se tornou um ponto de referência muito claro para a obtenção de um certo consenso sobre os "melhores" livros.

b) A *Bibliografia Básica para Biblioteques Infantiles y Juveniles* do governo da Catalunha. Esta seleção é a oficial da Administração pública catalã, e, portanto, é a utilizada na rede de bibliotecas públicas infantis e juvenis desde seu aparecimento, o que lhe dá também uma influência importante na sanção dos livros mais valorizados e conhecidos no contexto catalão.

c) A seleção de literatura infantil e juvenil do *Servei de Biblioteques Escolars "L'amic de paper"*. Esta organização, sem fins lucrativos, foi criada, precisamente, para orientar a formação e a manutenção das bibliotecas escolares da Catalunha, e sua tarefa alcançou mais de mil escolas. A seleção de livros que oferecia era comprada pelas escolas com recursos do Governo da Catalunha e da prefeitura de cada localidade, o que, de certa maneira, transforma também em "oficial" a repercussão desta seleção.

Não foram utilizadas, ao contrário, algumas seleções de prestígio. Algumas por serem excessivamente amplas e não destacarem os títulos mais valorizados, o que suporia critérios de qualidade menos rígidos do que as seleções anteriores, e outras por incluírem, exclusivamente, obras catalãs[8]. Tampouco levaram-se em conta as múltiplas seleções particulares de um ou outro crítico, publicadas em revistas ou estudos diversos, por considerá-las expressões de um ponto de vista excessivamente particular e sem transcendência social apreciável.

Na realidade, uma vez avaliadas as seleções existentes, estaria justificada a utilização de qualquer uma das três citadas. No entanto, pareceu-nos conveniente utilizá-las conjuntamente, para que o resultado fosse mais representativo de todo o estamento crítico e constituísse, assim, uma primeira contribuição a este trabalho, ao indicarem que títulos obtiveram maior fama em nosso país, nas últimas décadas. Com o mesmo objetivo decidiu-se ampliar as seleções escolhidas com as listas de títulos que obtiveram prêmios da crítica, durante este período. Ao fazê-lo, prescindiu-se dos prêmios concedidos pelas diferentes editoras, já que estes supõem uma ótica excessivamente particular, frequentemente determinada pela linha editorial de uma ou outra coleção. A seleção centrou-se nos prêmios que podem ser considerados os mais importantes em razão de serem oficiais ou de seu prestígio profissional. Não foram levados em conta, também, os prêmios de ilustração ou edição, já que não se ajustam ao objeto de nossa análise[9].

O método utilizado consistiu em sobrepor os títulos das obras – uma vez assegurado que cumpriam os critérios para a delimitação do *corpus* desejado – tanto das três seleções mencionadas, como dos nove prêmios incorporados[10]. Para a divisão por idades, tomou-se como base a seleção do Governo da Catalunha, que agrupa os livros nos seguintes blocos: contos para 5-8 anos, contos para 8-10 anos, romances para 10-12 anos e romance juvenil (12-15 anos).

No entanto a superposição das listas de títulos não cobria equilibradamente o período. Alguns desajustes, tais como o desaparecimento repentino de prêmios ou a data da edição, de alguma das seleções[11] fazia com que umas obras tivessem mais possibilidades de aparecer do que outras, de maneira que foi necessário recorrer a novas fontes, que cobrissem os vazios detectados, especialmente nos primeiros e últimos anos do período[12]. Com estas incorporações pode-se dizer que usou-se praticamente a totalidade das seleções existentes, que cumprem as condições de pertencer a entidades oficiais e/ou coletivas e de manter proporções não excessivamente amplas, que garantem uma seleção de qualidade.

O equilíbrio entre a produção catalã, a castelhana e as traduções se apresentava como um problema mais sutil. Não se tratava de criar uma relação de percentuais determinados, senão de levar em conta a avaliação feita pelos estamentos educacionais e críticos da Catalunha, através do método indireto da seleção das bibliografias e prêmios de maior relevância neste contexto. Assim, as três bibliografias de base são seleções elaboradas na Catalunha e, embora contemplem livros dos três tipos de produção, podem conter autores catalãos não traduzidos para o castelhano e, sem dúvida, pode ser que incorporem mais obras catalãs do que as seleções realizadas em outros lugares. Por outro lado, os prêmios equilibram no sentido desejado, já que apenas um inclui as obras traduzidas, três se referem a livros catalãos e castelhanos, com um certo predomínio dos segundos, e quatro são outorgados exclusivamente a obras catalãs[13]. Por último, os prêmios do IBBY e da Biblioteca de Munique oferecem uma perspectiva externa sobre a produção dos quatro idiomas do Estado.

A partir destas fontes surgiu um primeiro *corpus* de mais de mil títulos. Este resultado tão grande não deixa de ser surpreendente, já que, *a priori*, parecia que a coincidência entre fontes profissionais tão próximas e inter-relacionadas deveria ser muito mais elevada, mas cabe levar em conta que a quantidade de livros publicados neste período se eleva a muitos milhares. A partir deste primeiro *corpus*, demasiado amplo para a análise prevista, tive que proceder à escolha das obras que eram mais citadas nas listas de seleções ou que tinham obtido mais prêmios[14].

Delimitação das pautas de análise

Para comprovar se a narrativa infantil e juvenil atual responde a novos pressupostos educacionais e literários é preciso selecionar e definir alguns traços que revelem esta adaptação. Para fazê-lo encaixou-se a análise no esquema da comunicação narrativa estabelecido pela crítica literária, especialmente a partir dos formalistas russos, e que decompõem a definição de comunicação narrativa nos termos: "Alguém explica uma história a alguém" (Pozuelo, 1988). Obtêm-se, assim, dois elementos: um, a *história*, que se define, segundo Bal (1990) como uma série de acontecimentos entrelaçados de forma lógica, sujeitos a uma cronologia, inseridos em um espaço e causados e/ou sofridos por personagens. O outro, o *discurso*, se define, segundo Todorov (1966) como a construção artística a que se acopla a história, a maneira como o leitor conhece a história graças ao narrador.

Ao estabelecer as pautas de análise das obras escolheu-se esta distinção, embora a crítica tenha declarado reiteradamente que se trata de uma divisão puramente operacional, e que o relato é uma unidade que integra ambos os elementos e não existe nenhum enunciado que possa ser analisado com independência da enunciação que o apresenta. Por esta razão, Genette (1972), a quem seguiremos em outros pontos, reelaborou esta distinção acrescentando o conceito de *récit** como uma realidade que engloba a história, o conjunto dos acontecimentos explicados, e a narração, o ato de explicar, a atividade que produz o relato.

---

* N.T.: Do francês, narração.

Definição dos elementos da história

Os gêneros e temas literários

É evidente que se se deseja estabelecer que renovação de temas e gêneros foi produzida na narrativa infantil e juvenil atual é necessário ver de onde se começa, ou seja, é preciso descrever as linhas gerais dos modelos usuais neste tipo de literatura. Os estudos históricos da literatura infantil e juvenil criaram um certo consenso sobre a existência dos gêneros literários mais habituais na moderna criação desta literatura. No entanto, estamos longe de possuir uma classificação sistematizada e de uso comum sobre temas e gêneros, que possa ser aplicada à análise de períodos concretos.

A maioria dos estudos históricos de literatura infantil e juvenil adota, como fio condutor de sua exposição, a aparição cronológica das obras ou a divisão por autores em um período determinado. Quase nunca se presta muita atenção em distinguir, com rigor, os aspectos formais e temáticos ou em indicar sua evolução como tais e é corrente, também, que a descrição da narrativa limite-se a dividi-la entre contos populares e modernos ou que a alusão aos gêneros se produza só naqueles casos em que, como a ficção científica, já existe uma definição procedente dos estudos literários.

Por outro lado, nos casos em que um ou outro autor estabelece sua própria classificação, esta parece depender de critérios práticos, em relação ao tipo de *corpus* que se comenta, sem pretender estabelecer um quadro de uso generalizado a partir da definição dos termos. Deste modo, a forma de ordenar os gêneros e os temas aparece como um problema presidido pela superposição de termos não excludentes, nem complementares e por uma mescla casual das possíveis perspectivas de definição, refiram-se elas aos argumentos, aos temas, às faixas etárias a que se destinam, etc.

Praticamente a única classificação, anterior a esta análise e com vocação sistematizadora da narrativa infantil e juvenil em nosso país, é a de Cubells (1990) em sua introdução a *Corrientes actuales de la narrativa infantil y juvenil española en lengua castellana*. No entanto, basta ler os parágrafos relativos a tais correntes, escritos por diferentes autores, para ver que não existe uma definição dos termos usados, nem uma delimitação clara entre cada uma delas. Além disso, a classificação de Cubells peca pelo excesso (mais de cento e cinquenta subdivisões) que, embora torne louvável a tentativa de sistematização, implica uma operacionabilidade duvidosa como pauta de utilização generalizável.

Uma classificação interessante, procedente dos estudos anglo-saxões, é a proposta por Golden (1990) a partir da estrutura narrativa, que divide as obras em:

a) O modelo clássico do herói, que caracteriza um tipo de narrativa regida por uma relação causal e hierarquizada entre os acontecimentos e característica, por exemplo, dos contos populares.
b) A viagem realizada através de mundos extraordinários na narrativa fantástica, ou no mundo real na descrição de um personagem que viaja, física ou emocionalmente, de seu lar originário a outro novo. Neste modelo combinam-se relações episódicas e progressivas entre os acontecimentos.
c) O modelo de problema-solução, caracterizado pela presença de um perigo pessoal para o protagonista, a formulação de um plano de sobrevivência, a implementação do plano e a resolução da situação de perigo.
d) As aventuras cotidianas nas quais se produz uma estrutura episódica sem progressão dos acontecimentos em direção a um único clímax.

Apesar de se tratar de uma boa tentativa de apresentar a narrativa infantil e juvenil além das classificações baseadas em características de superfície, a divisão de Golden resulta excessivamente inclinada para uma descrição geral, além do inconveniente de não ter sido desenvolvida e de que parece duvidoso que ela seja capaz de gerar uma descrição suficientemente explicativa da variedade dos modelos existentes.

Como resultado da revisão realizada inclinamo-nos, finalmente, por utilizar a classificação proposta pelos autores americanos Huck *et al.* (1987), já que parece que suas epígrafes cobrem, satisfatoriamente, o campo da produção, respondem às linhas de evolução dos temas e gêneros vigentes, resultam suficientemente excludentes entre elas e os termos e conceitos utilizados acham-se bastante difundidos nos estudos de literatura infantil e juvenil. Nossa descrição dos gêneros na narrativa infantil e juvenil atual se baseia, pois, nesta contribuição, que estabelece as linhas de evolução histórica dos gêneros narrativos do seguinte modo:

a) *Os gêneros e temas da narrativa infantil e juvenil surgidos do século XIX até a Segunda Guerra Mundial*

As histórias realistas com protagonista infantil

Na primeira metade do século XIX, a literatura infantil e juvenil continuava constituída basicamente por livros didáticos que proscreviam a fantasia. A narrativa de como aprendiam a comportar-se os jovens protagonistas se realizava através de modelos realistas de ficção, que se inscreviam na descrição de histórias familiares ou escolares e que podiam incluir vários modelos provenientes da literatura realista e de folhetim da época.

Segundo Carpenter e Prichard (1984) foi C. Sinclair, com *Holiday House* (1938) que cunhou o modelo de crônica familiar, que teve tanto uso na narrativa infantil e juvenil e que produziu obras tão conhecidas quanto *Mulherzinhas* (1868), de L. M. Alcott. Também teve muitas variações cujos exemplos mais famosos são *Heidi* (1884), de J. Spyri, ou *O pequeno Lord* (1886), de F. H. Burnett. Por outro lado, *Tom Brown's schooldays* (1857), de T. Hugues, representa a primeira obra que desenvolve o modelo de histórias no contexto escolar, onde se poderia incluir ainda, por exemplo, *Coração* (1878), de E. de Amicis.

Ao longo do século XX foi-se tornando mais forte o protagonismo exclusivamente infantil na linha destes modelos. A partir da Segunda Guerra Mundial, generalizou-se a fórmula de grupos de crianças protagonistas e de adultos ausentes, adversários ou em papéis muito secundários. Esta tendência, predominante até os anos setenta, provocou uma grande diminuição das "histórias de família", como contexto realista da ficção. Paradoxalmente, com esta evolução desapareceram também as descrições das histórias escolares. Centradas, principalmente, na vida dos internatos britânicos, as mudanças educativas as fizeram perder força e a aventura mudou-se para outros cenários ou para a época de férias. Apenas recentemente, a vida escolar parece ter recobrado o protagonismo através de muitos romances juvenis, enquanto que um novo auge do protagonismo individual recuperou também, em certa medida, o contexto familiar como cenário vital do protagonista.

As narrativas de aventuras

Ainda que a aventura possa derivar-se de formas tão antigas quanto a época medieval, é lugar comum considerar que a aventura deriva diretamente de *Robinson Crusoé* (1719), de D. Defoe. As *robinsonadas* tiveram sua primeira continuação na obra alemã *Robinsons suíços* (1812-1813)* e não se deixou de produzir novas versões deste modelo. Durante o século XIX a aventura foi um dos gêneros narrativos mais estáveis para adolescentes, fosse através do protagonismo familiar ou mais correntemente individual, situada em ambiente distante e centrada na luta pela sobrevivência.

Este padrão geral, relacionado também a vários subgêneros da literatura para adultos, dividiu-se em variantes, que configuraram linhas de aventura de grande rendimento posterior: às robinsonadas se juntaram a conquista de novos mundos com a figura dos colonizadores brancos contraposta à dos nativos (no Oeste americano, na África, no Oriente), a vida de aventureiros (piratas, bandoleiros, etc.) ou as derivações da narrativa histórica. Também podem situar-se aqui muitas obras

---

* N.T.: De J. R. Wyss.

de J. Verne, inclusive aquelas que marcaram os inícios da ficção científica.

Até finais do século produziram-se mudanças decisivas no gênero aventura ao passar-se a situá-la em ambientes cotidianos para os leitores e ao serem protagonizadas por crianças. *As aventuras de Tom Sawyer* (1876) de M. Twain é um título-chave desta evolução, já que continha aventura, realismo e humor, no retrato do amadurecimento de um simples menino em uma pequena aldeia norte-americana.

As histórias de animais

As histórias de animais derivam diretamente das fábulas e tiveram sempre grande presença nos livros infantis. Durante o século XIX, no entanto, diversificaram-se as formas e os propósitos de sua utilização, passando da sátira dos costumes à defesa dos animais (como em *Beleza Negra*, de A. Sewell, 1877) ou a descrição de diversos modelos de convivência entre protagonistas humanos e animais (como em *O livro da selva*, 1894-1895, de R. Kipling).

Logo as narrativas de animais tomaram a forma, que sobreviveu majoritariamente até a atualidade: por um lado, sua utilização como personagens humanizados para descrever a sociedade humana, nos livros para crianças pequenas. *Todas as aventuras de Pedro o Coelho*, de B. Potter (1902) ou *El viento en los sauces*, de K. Grahame (1908) iniciaram este modelo, que se manteve de maneira muito estável ao longo do século. Por outro lado, a descrição realista dos animais, normalmente convivendo com os protagonistas crianças ou jovens, para tratar dos sentimentos de afeto, lealdade ou de socialização em geral. Muitas destas obras foram difundidas através do cinema, como no caso de *Lassie vuelve a casa*, de E. Knight (1940). Sem dúvida, o descobrimento do livro ilustrado possibilitou também este tipo de obra, que oferece um campo muito amplo aos autores de álbuns, para representar as suas personagens.

As narrativas fantásticas e de humor

Os propósitos moralizadores da literatura para crianças e jovens retardaram o aparecimento de livros de humor e fantasia, até a metade do século XIX. De modo geral, as narrativas de autor conhecido, que incluem elementos irreais, surgem naquela época, através dos contos populares e a partir do interesse pelo folclore então desenvolvido. A parte alguns precedentes, cabe atribuir à já mencionada *As aventuras de Alice no país das maravilhas*, de L. Carroll (1865), a origem real da entronização deste novo modelo literário para crianças. O humor e a mistura de realidade e fantasia podem incluir aqui um outro clássico: *As aventuras de Pinóquio* (1883), de C. Collodi, embora este autor pretenda conservar explicitamente o propósito didático habitual.

No início do século XX, este tipo de narrativa deu forma ao padrão, que mais se generalizaria posteriormente na narrativa infantil: a inclusão de um elemento mágico em um mundo real e moderno, que pode causar surpresa e alarme, mas que habitualmente produz consequências cômicas. As obras de E. Nesbit (a primeira das quais, *Five children and it*, aparece em 1902) ou *Peter Pan*, de J. M. Barrie (1904) são exemplos bem conhecidos deste modelo.

No período de entreguerras a fantasia constituiu-se como forma dominante e fixaram-se muitos dos imaginários fantásticos, que chegaram até os nossos dias. Assim, por exemplo, a caracterização de um personagem estranho em um contexto realista produziu acertos de grande repercussão como os de *Mary Poppins* (1934), de P. L. Travers ou de *Pipp meia-longa*, de A. Lindgren (obra aparecida já em 1945). Também foi nesta época que se ampliou a humanização de objetos, especialmente de brinquedos, apesar dos precedentes que já existiam nos séculos anteriores.

Neste período criou-se ainda um novo gênero literário, denominado *alta fantasia*. A principal contribuição deste modelo se deve a J. R. R. Tolkien, que em obras como *O Hobbit* (1937), já estabelece um funcionamento baseado na descrição de um mundo secundário completo, onde se desenvolve uma luta entre o bem e o mal, onde a fantasia baseia-se na alusão a personagens e poderes antigos recolhidos das tradições míticas e onde o desenvolvimento narrativo adota a forma de uma missão de busca, através de grandes aventuras. A possibilidade de entender a alta fantasia como um gênero infantil e juvenil é muito discutível, e o próprio Tolkien mudou de opinião sobre este ponto ao longo de sua vida, no sentido de ampliar a consideração do público destinatário a todas as idades. As obras que podem inscrever-se neste modelo foram publicadas tanto em coleções juvenis, como para adultos e o êxito público que obtêm não parece circunscrever-se, de modo algum, aos leitores adolescentes.

b) *Os gêneros e temas da narrativa infantil e juvenil surgidos na segunda metade do século XX*

Os estudos de literatura infantil e juvenil caracterizam a evolução da produção das últimas décadas dividindo-a entre obras realistas e de fantasia. Huck *et al.* adotam também esta separação para descrever a produção de obras infantis e juvenis atuais e para agrupá-las nos seguintes gêneros:

A fantasia moderna

Sob esta epígrafe, Huck *et al.* situam as versões modernas dos contos populares, a fantasia moderna propriamente dita e a ficção científica.

Tal como já assinalamos, os contos populares constituem um modelo essencial desta literatura. Desde que no século XIX Andersen adotou muitas de suas características para incorporá-las às suas próprias obras para crianças, muitos autores continuaram, ininterruptamente, esta linha. A partir dos anos setenta, depois da reivindicação do folclore como literatura adequada aos pequenos, precisamente a literatura construída sobre este modelo multiplicou-se. No presente estudo deixou-se de lado tanto as versões mais ou menos fiéis aos contos da tradição oral, como a criação de novos contos sem contribuições importantes ao modelo já estabelecido. É de esperar-se, ao contrário, que precise a renovação produzida através do uso de novas características literárias.

Huck *et al.* utilizam o mesmo termo, *fantasia moderna*, em um sentido mais restrito, para agrupar as obras escritas hoje, que contêm elementos inexistentes na realidade. Outros autores utilizaram o termo "realismo fantástico" para referir-se ao modelo de fantasia surgido na década de setenta. Esta é a denominação usada por Valriu (1994) ao caracterizá-lo com os seguintes traços:

a) Os personagens são conscientes de que o que sucede se acha além da realidade aceita.
b) Incorporam-se personagens, situações e ações que não são próprias dos contos tradicionais, mas que procedem de outras fontes. O exemplo apresentado por Valriu – uma lâmpada elétrica como protagonista – refere-se à tecnologia moderna.
c) Existe uma relação direta entre o mundo mágico e o mundo real. Valriu alude ao comentário de Gómez del Manzano (1990) sobre *Alice* para exemplificar a contínua referência ao mundo real realizada a partir do mundo mágico.

Em relação ao tipo de elementos fantásticos utilizados (ou segundo o predominante, se se produz uma combinação de diferentes elementos), Huck *et al.* propõem a seguinte divisão: Animais personificados; Objetos animados, especialmente brinquedos; Personagens minúsculos; Personagens ou situações extraordinárias; Mundos extraordinários; Poderes mágicos; Suspense e sobrenatural; Viagens no tempo e Modelo de alta fantasia. Se bem que os primeiros títulos pareçam bastante eficientes para descrever os atuais campos da fantasia, cremos que os três últimos, ao contrário, deveriam compor a mesma categoria que a fantasia moderna. Em realidade, as mesmas Huck *et al.*, ao definirem estes últimos títulos, os caracterizam como produzidos inicialmente na literatura para adultos ou gerados pelo cruzamento da fantasia com outros modelos do gênero.

Efetivamente, durante os anos sessenta, a fantasia foi afastada do espaço central da literatura infantil e juvenil pelas correntes realistas do pós-guerra e pela dificuldade de ser aceita por um novo público adolescente a quem a produção começava a dirigir-se. Como saída, a fantasia começou a associar-se a outros modelos literários. Em alguns casos a relação não passou de um uso ocasional de elementos fantásticos, mas em outras, consolidou-se a criação de um novo gênero literário. Assim, A. Gardner com *Elidar* (1960) ou P. Pearce com *O jardim da meia-noite* (1958) inauguraram uma nova classe de fantasia na qual alguns garotos e garotas atuais se encontram relacionados ou enfrentam forças misteriosas e terroríficas. O interesse pelo *oculto e o sobrenatural*, presente na literatura para adultos, transferiu-se para a literatura infantil e juvenil. Desta maneira, as obras detetivescas de protagonismo grupal, tão características dos anos sessenta, alcançaram as possibilidades narrativas derivadas da criação de personagens ou mundos inexistentes. Esta linha de intriga e terror funde as histórias clássicas de fantasmas, com o modelo de mistérios por descobrir e constitui um gênero literário recente neste campo.

As viagens através do tempo, por outro lado, podem ser consideradas como um elemento fantástico, se vistas como realização de um desejo humano similar a ter poderes especiais. Ou seja, no mesmo sentido em que se pode desejar ser invisível ou entender a linguagem dos animais. Sem dúvida existem obras que se limitam a este tipo de fantasia, mas as viagens através do tempo foram utilizadas, principalmente, para a constituição de dois gêneros narrativos, que a maioria dos autores consideram distintos da fantasia moderna: a ficção científica e as narrativas históricas.

A ficção científica

Uma das vias de escape para a fantasia durante o predomínio do realismo foi a ficção científica, a ponto de Carpenter e Prichard observarem que: "muito da fantasia moderna escrita para crianças pode ser classificado como ficção científica" (1991: 472).

Certamente, a separação entre fantasia e ficção científica não é fácil de delimitar. Tentou-se, qualificando a fantasia científica, a apresentação de um mundo que não existiu nem jamais existirá, enquanto que a ficção científica se definiria como a especulação sobre o que o mundo poderia chegar a ser a partir dos conhecimentos atuais da ciência. Engdahl (1971) opina que a ficção científica difere da fantasia no propósito e não no tema, posto que o propósito da primeira é sugerir hipóteses reais sobre a construção do futuro ou sobre o universo. O problema consiste, no entanto, em definir o que se pode considerar uma "hipótese real" e que diferença há entre, por exemplo, um gato que fala – fenômeno qualificado de fantasia – e uma planta cristalina como personagem – fenômeno caracterizado como um elemento de ficção científica. De uma maneira bastante intuitiva a crítica dos livros infantis e juvenis costuma englobar no termo "ficção científica" todas aquelas obras, que incorporam um imaginário tecnológico ou científico inexistente em nosso mundo atual, um cenário espacial sideral, personagens procedentes de outros planetas ou especulações sobre o futuro da humanidade.

Historicamente, a ficção científica tem suas raízes na obra *Frankenstein* (1818) de M. Shelley e estabelece o modelo de gênero nas obras de J. Verne publicadas a partir de 1860 e as de H. G. Wells, como *A máquina do tempo* (1895). Foi na segunda metade do século XX, entretanto, que ela realmente se desenvolveu. A dificuldade da descrição científica na qual deve basear-se a obra ou a complexidade de sua possível especulação moral fizeram com que, durante muito tempo, não tenha sido vista como um gênero adequado às crianças. Mas o crescimento do romance juvenil, a partir dos anos setenta, propiciou sua aceitação neste *corpus* literário. Ao mesmo tempo, a crescente complexidade tecnológica atual começou a dificultar a possibilidade de uma especulação científica compreensível para o público e admitiu uma certa presença de fatos e personagens simplesmente estranhos, que aproximaram a ficção científica às formas da fantasia tradicional e facilitaram, pois, sua assimilação por parte da narrativa infantil e juvenil.

A ficção realista contemporânea

Huck *et al.* definem a ficção realista como "uma obra de imaginação, que pretende refletir a vida tal como foi vivida no passado ou poderia ser vivida no presente" (1987: 465). A narrativa histórica, no sentido amplo do termo, retrata a vida do passado, enquanto que o realismo contemporâneo focaliza os problemas da vida atual. Estes autores dividem tematicamente a ficção realista nos seguintes itens:

a) *A construção da própria personalidade.*
O processo de crescimento pessoal, da infância à vida adulta, se subdivide em três tipos de temáticas: a vida em família, a vida com os demais e o amadurecimento pessoal.
b) *O enfrentamento com os problemas da condição humana* (deficiências físicas ou mentais, a velhice, a morte, etc.).
c) *A vida numa sociedade plural* (o respeito às minorias, o conhecimento intercultural, etc.).

Huck *et al.* eliminam desta classificação alguns temas de ficção realista por considerarem que passaram a configurar um certo modelo de gênero popular, através da produção de séries de pouca qualidade. São alguns tipos de livros de humor, de esportes, de vida de animais e de mistério, que não parecem corresponder exatamente à produção da Espanha. Finalmente, a classificação destes autores inclui a *narração histórica* e as *biografias*.

A narrativa histórica

A narrativa histórica foi um gênero muito popular na literatura para jovens desde sua criação. As obras de W. Scott e um grande número de romances históricos de aventuras produzidos na segunda metade do século XIX foram sempre considerados clássicos da literatura juvenil. Em sua origem a narrativa histórica foi vista como um cenário para a aventura ou como drama de costumes, mas este modelo mudou na segunda metade do século XX, para passar a ser utilizado como um instrumento a serviço do conhecimento cultural ou como uma exploração sobre a natureza humana.

A narrativa histórica para crianças e jovens relacionou-se, especialmente, com o tipo de valores educativos predominantes em uma ou outra época. Assim, por exemplo, a literatura castelhana das primeiras décadas da ditadura utilizou-a para exaltar os heróis e momentos históricos ideologicamente pertinentes; a literatura catalã dos anos sessenta e setenta o fez para dar a conhecer a história da Catalunha, silenciada nas escolas, e a literatura europeia a adotou, desde o pós-guerra, para preservar a memória histórica dos horrores da Segunda Guerra Mundial.

c) A classificação de temas e gêneros utilizada

A classificação de Huck *et al.* serviu de base para estabelecer a classificação das obras deste trabalho, em uma tipologia de obras de ficção. No entanto, inevitavelmente a definição dos gêneros apresenta discrepâncias segundo a preeminência que se outorga aos aspectos temáticos ou aos aspectos formais para defini-los. Assim, pois, para distinguir melhor as inter-relações produzidas na atualidade entre inovações temáticas e sobrevivência ou criação de gêneros literários, procedeu-se a uma dupla análise:

a) Em primeiro lugar seguiu-se a classificação de Huck *et al.*, com algumas modificações[15], para dividir as obras entre os gêneros literários habituais na narrativa atual.
b) Posteriormente, classificaram-se as obras atendendo exclusivamente à temática, com independência do tipo de gênero utilizado para tratá-la.

Apesar deste esforço de definição, a adscrição das obras a um ou outro gênero não deixa de apresentar problemas, já que, em vários casos, os critérios não são, estritamente, excludentes. Sem dúvida esta dificuldade é uma das principais causas da definição pouco precisa, observada ao comparar as classificações dos estudos de literatura infantil e juvenil. Aqui atribuiu-se cada obra a uma só categoria, contando com que a possível mistura de vários gêneros já esteja contemplada em outro item específico da pauta de análise e pode esperar-se que as interferências tenham sido notadas, pois, tanto nesse item, como no processo posterior de inter-relação dos dados obtidos.

A análise temática parte de uma divisão prévia entre temas considerados tradicionais e temas novos, segundo a continuidade ou inovação a respeito das temáticas constantes da narrativa infantil e juvenil até nossos dias. Os temas que foram definidos como inovações tratam dos seguintes aspectos:

a) Temas que remetem a conflitos psicológicos concretos dos personagens e que constituem o núcleo central da obra.
b) Temas que, tradicionalmente, foram considerados inadequados para crianças e jovens por causa de sua crueza ou complexidade moral ou por causa de sua distância em relação aos interesses e necessidades educativas consideradas próprias destas idades. Estariam neste item também os temas caracterizados por Huck *et al.* como problemas da condição humana (a enfermidade, a morte, a velhice, a solidão, a dor, etc.) e outros como a violência, a sexualidade, o amor, ou a ambivalência de sentimentos.
c) Temas que, tradicionalmente, se mantiveram afastados da literatura escrita para crianças e jovens por causa, em primeiro lugar, de sua transgressão das normas de convivência, ou seja, os temas considerados de mau gosto ou de excessiva alteração da ordem ou do respeito entre as pessoas. As obras sobre temas fisiológicos, sobre insultos, brigas e desordens variadas seriam exemplos deste tipo de temas, sempre que se situem em uma perspectiva de deleite humorístico sobre a transgressão da ordem estabelecida. Também, em segundo lugar, os temas que se dirigem ao rompimento das normas literárias e à alteração paródica dos gêneros tradicionais. Definitivamente, as obras que têm como tema principal um determinado tipo de jogo desorganizador sobre as regras.
d) Temas sociais, que se referem a problemas surgidos ou difundidos recentemente em nossa sociedade, tais como a

ecologia, a defesa das minorias, a não discriminação em função de sexo ou raça, o problema da droga, a alienação das sociedades modernas, o pacifismo, etc.
e) Temas sociais que se referem às mudanças produzidas na estrutura familiar: o divórcio, as famílias onde só há um dos pais, as formas de vida comunitárias, etc.

O cenário narrativo

Além da informação proporcionada por alguns dos itens que acabamos de mencionar (tais como os novos temas sociais ou as novas formas familiares), a modernização da descrição social pode oferecer-se também na renovação do cenário narrativo. Por isso incluíram-se itens referentes ao contexto das relações pessoais, ao lugar e ao tempo em que transcorre a ação das obras.

O contexto de relações especifica o tipo de estrutura social na qual vive o protagonista e foi dividido em: *família completa* quando estão presentes, no mínimo, pai, mãe e um filho ou filha. *Formas assimiláveis* se aparecem famílias nas quais faltam pai ou mãe ou qualquer outra situação de adultos, que tenham crianças sob sua responsabilidade, tais como avós e netos. *Formas comunitárias* se se apresentam formas de organização coletivas similares às experimentadas durante a década de setenta ou agrupamentos de crianças, como os dos internatos, muito frequentes na narrativa de décadas anteriores.

O cenário narrativo consta das coordenadas de espaço e tempo nas quais transcorre a maior parte da ação. Em relação ao lugar, não se faz distinção entre cenários que correspondem a lugares possíveis ou puramente imaginários, mas especificou-se um item de lugar fantástico no qual se incluem cenários, que não pretendem reproduzir o mundo real, nem que apenas atribuem a ele algum elemento fantástico, mas que supõem um lugar impossível, como o é, por exemplo, a situação de uma cena no interior da folha de um livro.

Em relação ao tempo, este foi dividido segundo seja determinado/indeterminado e segundo um eixo cronológico entre o passado e o futuro. Uma obra só se classifica como tempo antigo, se este traço aparece, explicitamente, na descrição dos objetos, trabalhos, maneiras de viver, data histórica, etc. Contabilizam-se como indeterminados os cenários que poderiam parecer antigos, mas que não respondem à vontade de situá-los em uma cronologia real. É o caso, por exemplo, das variações do conto popular, nos quais, ainda que apareçam maneiras de viver próprias do passado (castelos, vida agrária, etc.) se entende que não existe intenção de referi-las a uma época histórica concreta.

Os personagens

A importância dos personagens nas obras literárias pode medir-se, como disse Reuter, "pelos efeitos de sua ausência. Sem personagens, como se poderiam exemplificar as histórias, resumi-las, falar sobre elas, recordá-las?" (1988: 3). Os personagens são tão importantes para a compreensão dos relatos por parte das crianças, que Kergueno, em seus estudos sobre os principais problemas de leitura das crianças entre sete e dez anos, conclui que os personagens são um ponto essencial e que "as histórias demasiado insignificantes, sem verdadeiros heróis, são esquecidas rapidamente" (1986: 6). No mesmo sentido, Laparra (1988) constatou que as crianças de seis anos aceitavam como verdadeiros, falsos resumos das narrativas, se os nomes dos personagens eram mantidos. Reuter estabelece três campos de interesse no estudo dos personagens:

a) O personagem como *marca* que permite diferenciar os textos narrativos dos demais – o que explica, por exemplo, que o aparecimento de personagens nos enunciados matemáticos seja, para as crianças, uma dificuldade para a compreensão, tal como demonstra Tauveron (1987) –, assim como aos diferentes gêneros narrativos entre si. Deste modo, as qualificações de realista/não realista das histórias, por exemplo, se estabelecem, em grande parte, segundo a categoria de seus personagens que aparecem e que se consideram como peças que enlaçam o texto com a realidade. Os personagens são um dos grandes pilares da ilusão realista de qualquer obra e, por isso, determinam em grande medida os juízos do leitor sobre a aceitabilidade, coerência e verossimilhança do texto.

b) O personagem como *organizador* do texto. Ao não se realizar uma análise interna de cada uma das obras do *corpus*, não se escolheu aqui esta perspectiva. Vê-se unicamente os personagens, da perspectiva da construção do relato, ao distinguir os principais dos secundários. Na expressão "personagens principais" estão englobados tanto os protagonistas quanto seus antagonistas.

c) O personagem como *suporte* fundamental dos valores propostos e da interpretação da obra, o qual propiciou seu estudo a partir de diferentes disciplinas, da sociologia da literatura à sociocrítica, e também dos estudos sobre a função educativa da literatura infantil. Assim, Chombart de Lauwe e Bellan (1979) estudaram, do ponto de vista sociológico, as diferentes formas de identificação do leitor com os personagens e as variações que se produzem segundo os leitores ou as leitoras, para chegar à conclusão de que aqueles exercem a função de mediadores entre as crianças e a sociedade, entre seu presente e seu futuro.

A importância do personagem fez com que lhe fosse dedicada uma atenção pormenorizada em nossa análise da perspectiva de sua função de marcador do gênero e mediador entre o texto e a visão do mundo, já que isto resulta interessante para ver a proposta de socialização subjacente às obras. Analisaremos, portanto, a proposta de identificação através de protagonistas infantis, os modelos adultos oferecidos, o tratamento igualitário ou discriminador dos sexos, os personagens antagonistas, o tipo de personagens tradicionais que sobrevivem, o tipo de personagens fantásticos inventados atualmente e as mesclas de tipos de personagens que se produzem.

Os protagonistas foram divididos em humanos, animais e seres fantásticos e constatou-se também se as obras mesclaram personagens de diferentes categorias. Os protagonistas foram separados segundo o gênero (masculino/feminino), a idade (infantil/adulto) e a profissão, no caso dos adultos. Os animais e os seres fantásticos dividiram-se em tradicionais ou novos na literatura infantil e juvenil e especificou-se o tipo de animal ou de ser fantástico. Os objetos animados foram considerados novos, apesar de sua relativa tradição. Para estas classificações privilegiou-se o personagem que exerce o protagonismo principal do relato, embora se tenha qualificado de "compartilhadas" ou "ambas" as características de idade, sexo, etc., nos casos em que é impossível atribuir o protagonismo a um só personagem, sem que os dados numéricos traiam o fenômeno real.

Em relação aos antagonistas, marcou-se como não especificada a função de oponente estrutural, quando se trata de um problema abstrato ou psíquico do personagem, um contratempo não causado por qualquer personagem, etc. A representação do mal, através de adversários humanos, dividiu-se entre homens, entorno social e outros. "Homens" refere-se exclusivamente a pessoas adultas masculinas, dada a sua abundância nos relatos. "Entorno social" refere-se a conflitos concretos baseados na hostilidade de personagens, que representem um enfrentamento com a sociedade: os habitantes de um povoado, os companheiros de classe, etc.

A conotação negativa sancionada pelo texto observa-se na divisão entre: antagonistas negativos, convertidos – quando abandonam sua conotação negativa durante a narrativa –, desmitificados – quando se apresentam como antagonistas, mas a partir de uma caracterização que anula a possibilidade de enfrentá-los em favor de uma visão humorística –, e funcionais, quando cumprem um papel estritamente narrativo, sem nenhuma representação de atitudes negativas.

A estrutura narrativa

Como se trata de narrativas, cabe supor que as obras analisadas seguem a estrutura narrativa, que foi profusamente estudada e definida nas últimas décadas. Uma possível análise da estrutura narrativa poderia pôr em relevo as diferentes variantes existentes, mas este estudo não se propõe à descrição pormenorizada das estruturas narrativas mais usadas nos livros infantis, senão que, para evidenciar o sentido das mudanças produzidas e o aumento da complexidade ao longo das idades dos destinatários, nos limitaremos a constatar as rupturas produzidas na estrutura narrativa em dois sentidos distintos: se se utilizam recursos que fragmentam a estrutura narrativa e se esta se complica com a presença de várias linhas de argumento no interior da mesma narrativa.

A fragmentação narrativa

Comprovar a ruptura da coesão narrativa da literatura infantil e juvenil atual requeria vários itens a serem observados, os quais foram estabelecidos da seguinte forma:

a) O primeiro se propõe a observar se as obras apresentam um grau elevado de autonomia entre suas partes: (capítulos, unidade de sentido ou dos episódios) ou se, ao contrário, todos os seus elementos se acham fortemente integrados em uma só linha argumental. A definição dos fragmentos narrativos é deliberadamente ampla, posto que não se deseja analisar as relações entre os episódios, mas pretende-se observar a desagregação daquilo que Simone (1988) denomina histórias "em forma de cone" – ou seja, a ideia de um texto "no qual todas as pistas (ou quase todas) disseminadas ao longo do relato, contribuem para orientar o leitor em direção a um determinado tipo de conclusões ou, em alguns casos, uma só conclusão específica" (1992: 33) – por contraste com o que se chama "histórias em forma de cone truncado", nas quais falta tensão em relação ao desenlace.

> Os textos ricos em "tensão" são aqueles nos quais é grande (mas não desalentadora) a distância entre a capacidade que o leitor tem de prever como a história "vai acabar" e o ponto da leitura em que, efetivamente, se encontra; os textos privados de tensão, ao contrário, são feitos de tal maneira que de qualquer ponto da narrativa pode-se

entrever facilmente o fim, ou, o inverso, de tal forma que a distância entre o ponto em que está o leitor e o ponto de previsão seja tão grande que não possa ser controlado (1992: 36-37).

Neste momento, justamente, Simone defende a necessidade de histórias infantis "em forma de cone" ao ressaltar as dificuldades de uma menina para memorizar um poema de Rodari, com uma estrutura de "catálogo", tal como a denominamos aqui, e que Simone contrapõe às narrativas clássicas, como o episódio de Ulisses e Polifemo na *Odisseia*. A desagregação narrativa que se deseja constatar mostraria, assim, que a narrativa para crianças está se aventurando em terreno novo, que força os limites estabelecidos pelo princípio de compreensibilidade, que rege a produção de histórias infantis.

b) O segundo item pretende ver se as narrativas incluem textos impróprios da forma narrativa, entendendo que sua configuração habitual compreende a descrição, a narração e o diálogo. Agrupam-se aqui textos de outras formas discursivas específicas, tais como cartas, canções, poemas, textos jornalísticos, anúncios, etc. A inclusão destes elementos se observa do ponto de vista de ruptura que introduzem na enunciação da narrativa e, portanto, não se classificam neste item as obras que adotam outras formas textuais como fio condutor da narração, ou seja, as obras epistolares, a narrativa em versos, etc.

c) O terceiro se encaminha a saber se a mescla de elementos provenientes de gêneros literários diferentes é muito empregada. A mescla de elementos, assim identificada, responde ao jogo literário realizado a partir da fragmentação dos modelos de origem e corresponde a um tipo de ficção presente nas formas artísticas atuais. Seria o caso, por exemplo, da utilização de fadas em uma trama policial, a interferência de elementos da ficção científica em um conto popular, etc. sempre que a interferência tenha uma certa consistência e não se limite a simples detalhe anedótico a serviço do humor ou de qualquer outro propósito.

d) O quarto registra a ruptura narrativa derivada da inclusão de recursos não verbais na narração da história, recursos que podem proceder da imagem, da tipografia, da distribuição especial do texto, etc.

A relação entre diferentes linhas narrativas

As obras literárias incluem, muito frequentemente, linhas narrativas distintas. Isso supõe uma complicação na estrutura básica, inerente à necessidade de intercalar as diversas estruturas narrativas no interior de uma mesma história. A observação deste aspecto interessa para apreciar o critério implícito sobre a evolução do domínio infantil das estruturas narrativas complexas. Para dividir as narrativas em simples ou complexas partiu-se da classificação das formas complexas do relato literário realizada por Todorov (1966).

a) O *encadeamento* consiste em justapor diferentes histórias, de maneira que a segunda comece uma vez terminada a primeira. Neste caso, a unidade é assegurada através da semelhança da construção de cada uma delas. Por exemplo, três irmãs partem, uma depois da outra, em busca de um objeto, e cada viagem proporciona a base para uma das histórias.

b) A *inclusão* situa uma história no interior de outra, tal como pode suceder, por exemplo, em *As mil e uma noites*.

c) A *alternância* consiste em relatar, simultaneamente, diferentes histórias, interrompendo alternadamente uma e outra, até retomá-las na interrupção seguinte. Evidentemente, tal como indica Todorov, esta forma é própria da literatura escrita.

Em alguns casos, este traço de complicação pode superpor-se à fragmentação narrativa se se considera que a relação entre as histórias supõe um grau elevado de independência entre as partes. No caso da fragmentação, no entanto, o critério adotado para entendê-la como tal é o da possibilidade de supressão dos elementos autônomos, sem que isso afete a narrativa de forma importante, enquanto que na análise da complicação estrutural, o critério adotado é o da possibilidade de separar a narrativa em diferentes histórias.

O desfecho

O interesse em observar o desfecho das obras não deriva de sua indiscutível importância como elemento construtivo do relato, mas de sua possível conexão com a proposta educacional que subjaz nos livros infantis e juvenis. Os estudos da literatura infantil contemplam sempre o desfecho da obra como um ponto-chave para a mensagem educativa transmitida, já que o leitor pode deduzir normas de conduta a partir do êxito ou fracasso do personagem. Em nossa análise classificamos os desfechos do seguinte modo:

a) Um desfecho positivo consiste na resolução do problema. Este seria o tipo de final mais comum, até agora, e o defendido, precisamente, por muitos autores, como aquele educativo por excelência.
b) Um desfecho visto como positivo, segundo a interpretação proposta pelo texto, mas que, em realidade, consiste unicamente na assunção do problema por parte das personagens, que devem aprender a conviver com ele.
c) Um desfecho negativo em relação ao problema apresentado na narrativa.
d) Um desfecho aberto, que permite várias interpretações dos acontecimentos relatados, o que deixa no ar distintas possibilidades do personagem comportar-se em relação ao conflito em questão. O leitor não pode saber, pois, com certeza o que ocorreu na história narrada ou o que ocorrerá em aspectos essenciais do relato a partir do momento em que a narrativa é interrompida.

Definição dos elementos do discurso

> Narrar é administrar um tempo, escolher uma ótica, optar por uma modalidade (diálogo, narrativa-pura, descrição), realizar, enfim, um argumento entendido como composição ou construção artística e deliberada de um discurso sobre as coisas (Pozuelo, 1988: 240).

Toda crítica da narrativa, principalmente a anglo-americana (H. James, Forster, Scholes), centrou-se tradicionalmente na composição narrativa, ou seja, na organização da história, na enunciação do relato, segundo as opções adotadas pelo autor em relação às condições do discurso. Mais tarde, a crítica francesa, a partir dos formalistas russos, e com figuras destacadas como Todorov e Genette, sistematizou e ordenou, metodicamente, os problemas discursivos em torno de quatro grandes categorias, que correspondem àquelas inerentes à atividade verbal discursiva:

a) O aspecto, enfoque ou maneira pela qual a história é percebida pelo narrador.
b) A voz ou registro verbal da enunciação da história.
c) O modo ou tipo de discurso utilizado pelo narrador para dar-nos a conhecer a história (mostrar/dizer, narrar/descrever, etc.).
d) O tempo ou as relações entre o tempo da história e o tempo do discurso ou narração.

Cada um destes pontos foi tratado de diferentes perspectivas na teoria literária e consta de uma vasta bibliografia que não pretendemos de modo algum sintetizar aqui. Para nosso propósito parece adequado adotar um enfoque estruturalista que, ao centrar-se no texto, proporcionou uma sistematização operacional para descrever as figuras narrativas de uma obra literária. Seguiremos preferencialmente a sistemática básica de Genette (1972), embora prescindindo do desenvolvimento mais aperfeiçoado de algumas destas figuras, já que sua pormenorização resulta excessiva para o caráter geral da descrição que se pretende realizar.

O ponto de vista ou enfoque

A pergunta que define o ponto de vista é: "quem vê os acontecimentos?, de que perspectiva?" Interrogar-se sobre os recursos verbais, usados para parcelar a informação da narrativa, levou os estruturalistas a aprofundarem a possibilidade de distinguir "quem vê" e "quem explica" os fatos, ou seja, a tentar deslindar uma fusão, até então habitual, entre o ponto de vista e a pessoa verbal utilizada, de maneira que a classificação de Genette sobre o ponto de vista se refere unicamente à perspectiva da visão.

Para comprovar a complexidade narrativa dos livros infantis e juvenis em relação à perspectiva que adotam, distinguiu-se entre o relato não focalizado de Genette – o que corresponde ao narrador omnisciente, aquele que sabe mais que qualquer personagem – e outros enfoques. Este segundo grupo subdividiu-se, por sua vez, em: foco fixo no protagonista e outros enfoques. Este último item agrupa focos narrativos menos habituais, com o enfoque externo, os internos em um personagem secundário, os variáveis, múltiplos, etc., que só aparecerão ressaltados ocasionalmente em alguns comentários sobre as obras.

A distância narrativa

Alguns autores assinalaram que as tipologias estruturalistas sobre o ponto de vista restringem-se, excessivamente, ao campo de visão do narrador. Booth (1961) estabeleceu a relação existente entre ponto de vista e distância, destacando que o narrador pode situar-se a maior ou menor distância dos personagens, do autor e do leitor, com respeito a diferentes eixos de valores. Deste modo, o ponto de vista não se refere unicamente à interrogação sobre "de que perspectiva" se contempla o que se narra, senão também à pergunta "de que distância moral". Por exemplo, o narrador de memórias costuma separar-se da inexperiência do personagem protagonista para avaliar a vida narrada como um processo de aprendizagem. Também se destacou a estreita relação existente entre a distância narrativa e o fenômeno mais geral da ironia (Booth, 1974) e, em traços largos pode-se afirmar que se produz distância sempre que o autor se esconde, se disfarça de diferentes formas ou oferece traços visíveis de duplicidade ou ambiguidade.

Em muitas obras para a infância e a juventude, é habitual, por exemplo, que o narrador ostente sua distância intelectual do personagem, tal como ocorre de forma evidente com o narrador em *Huckleberry Finn**. Alguns estudos de literatura infantil e juvenil ressaltaram, precisamente, este aspecto como um ponto essencial neste tipo de literatura. A distância estabelecida pelo narrador seria o instrumento usado pelos autores para negociar o incômodo de uma mensagem dirigida ao mesmo tempo às crianças e aos adultos que o julgam, de tal forma que pareceria que o autor levantara intermitentemente a vista de seu receptor infantil, para dirigir-se ao adulto presente ao seu lado.

Além disso, abordou-se recentemente a estreita relação que se produz entre perspectiva e discursos sociais de natureza ideológica, moral, etc., a partir do impulso das teorias desenvolvidas por Bajtin (1978) sobre o jogo de vozes e perspectivas adotados em um texto literário. Destes novos enfoques surgiram novas tipologias, segundo a distância narrativa se estabeleça em relação à história narrada – voz externa ou interna –, em relação ao espaço e tempo – com restrições, ou não, sobre os lugares e momentos temporais nos quais transcorre a ação – e em relação à consciência dos personagens – o acesso ao seu mundo interior ou apenas ao de percepção externa no qual as atitudes e emoções têm que ser inferidas (Uspenki, 1973).

Apesar de seu enorme interesse, estas distinções não foram aqui levadas em conta; embora se tenham acolhido alguns aspectos que implicam distância narrativa, com o propósito de comprovar a hipótese de uma distância mais pronunciada na oferta atual da leitura infantil e juvenil:

a) *As referências explícitas aos elementos da comunicação literária* de tal forma que se evita a leitura "inocente" do leitor, impedindo-o de esquecer que está lendo um texto criado e não inteirando-se de uma história possível.

---

* N.T.: De Mark Twain.

b) *As alusões intertextuais ou de outros tipos de conhecimentos culturais prévios* do leitor que estabelecem uma cumplicidade sábia, que distancia do relato.

c) *A utilização de recursos humorísticos, de desmitificação e paródia*, a qual apela à consciência explícita dos conhecimentos do leitor sobre os gêneros e elementos literários, que foram subvertidos.

Apela-se, pois, à competência narrativa e intertextual do leitor para que se distancie do texto e aceite o convite do narrador para participar de um jogo interpretativo consciente e explícito. Utilizaremos o termo paródia em um sentido mais amplo que o definido por Bajtin, como uma situação de "mundo ao contrário" próxima à sátira. Seguindo Marchese e Forradellas entenderemos que a paródia se refere à "imitação consciente e voluntária de um texto, de um personagem ou de um motivo literário, feita de forma irônica para manifestar o distanciamento do modelo original e seu tratamento crítico (1986: 311).

A voz narrativa

Tal como dissemos antes, a voz narrativa identificou-se tradicionalmente com as pessoas verbais utilizadas. Mas os progressos da teoria literária revelaram a complexidade desta figura da narração. Em realidade, o narrador é sempre o sujeito da enunciação e, portanto, só pode identificar-se com a primeira pessoa. A ação do romancista é a emissão de um enunciado, de maneira que todo o romance pode ser visto como a fala de uma primeira pessoa (eu digo que X disse...). Ora, o romancista cede sua voz ao admitir enunciações de outros no interior do seu discurso e esta forma de proceder dá lugar a uma grande complexidade na problemática da voz narrativa.

Genette (1972) indica que a opção a tomar não consiste em uma opção entre três pessoas verbais, senão que se trata de uma opção entre um narrador, que se situa dentro ou fora da história contada. Ou seja, uma opção entre "falo de mim/falo de ti ou dele", opções denominadas por Genette homodiegesis/ heterodiegesis*. Em nossa análise leva-se em consideração esta opção dual, prescindindo, em geral, de sua tradução posterior nas diferentes pessoas verbais.

O segundo problema que a voz narrativa apresenta, e também aqui se acolheu, é o de sua relação com o tempo da história. O mais comum é achar uma voz que narra fatos passados, acontecimentos ocorridos antes de sua narração. Trata-se de uma voz narrativa ulterior e é adotada, por exemplo, pelos contos populares. Mas também pode suceder que se narrem fatos futuros (em relatos proféticos, por exemplo), ou ainda fatos que se pretendem simultâneos à sua narração verbal, e também pode ocorrer que os momentos de narração se vão intercalando com os momentos de desenvolvimento da ação (por exemplo, nos diários pessoais ou nos romances epistolares).

Prescindiu-se, ao contrário, da problemática derivada do fato de que um relato implica, frequentemente, diferentes histórias, intercaladas de distintas formas e que podem ter vários narradores, o que dá lugar a uma estratificação entre os níveis da ficção e de sua narração verbal para o que se pode ver a tipologia estabelecida por Genette (1972).

A modalidade narrativa

A modalidade narrativa se refere ao tipo de discurso usado pelo narrador para dar-nos a conhecer a história. Para dizer a verdade, para Genette trata-se de um aspecto incluído no tema da focalização e que responde à pergunta sobre "como se reproduz o que se viu, através de que tipo de discurso verbal". O tema da modalidade inclui dois tipos de questões:

---

* N.T.: Diegese: o significado ou conteúdo narrativo.

a) O tipo de discurso verbal utilizado (direto, indireto e indireto livre).
b) A relação entre a narração e a descrição.

Este campo de estudo surgiu com força na última década e, ainda que as teorias sejam incipientes, produziu-se avanços muito sugestivos. A análise destas questões pode oferecer informações relevantes sobre a literatura infantil e juvenil e sobre sua evolução. Por exemplo, pode-se pensar que se produziu uma diminuição do discurso monológico de um autor, que conta às crianças e aos adolescentes receptores "como é o mundo", em favor de um discurso que se limita a mostrar ou a reproduzir uma multiplicidade de discursos. Mas a modalidade narrativa como tal ficou fora de nossa observação, já que requer um nível de análise do discurso concreto de cada obra, muito difícil de realizar a partir do estado atual da teoria e demasiado detalhado para o tipo de descrição a que nos propomos. Observou-se, no entanto, a presença explícita do narrador e do narratário* no discurso, o qual permite realizar uma primeira aproximação a este aspecto, como veremos ao falar de pacto narrativo.

O tempo do relato

Como se sabe, o problema do tempo no relato consiste na necessidade de se relacionar dois tempos distintos: o da história, ou seja, a ordem cronológica em que ocorrem os fatos relatados e o do discurso, ou seja, a maneira como o narrador os ordena para contá-los. Justamente, os estudos sobre a aprendizagem da composição escrita mostraram este ponto como uma das dificuldades dos aprendizes para produzir textos mais elaborados. Tal como se disse antes, Tolchinsky (1993) constata que os contos escritos por crianças de oito e

---

* N.T.: Refere-se à presença do destinatário inscrita no texto narrativo, seja sob forma continuada, como na narrativa tradicional, ou na forma de um suposto leitor cooperativo a quem o narrador, às vezes, se dirige, como na narrativa mais experimental.

nove anos, raramente se distanciam da exposição cronológica dos acontecimentos da história. Do ponto de vista da descrição retórica, Genette propõe medir a falta de correspondência entre o tempo da história e o tempo do discurso a partir de três eixos:

a) A relação entre a ordem temporal da história e a ordem de aparição no discurso.
b) A relação entre a duração dos acontecimentos na história e sua duração no discurso.
c) A relação de frequência, ou seja, a repetição dos acontecimentos na história e no discurso.

Aqui nos limitamos à análise da primeira questão, se bem que os outros eixos também podem oferecer informações importantes para a interpretação das obras infantis e juvenis. Por exemplo, em uma da obras analisadas, *Munia y el cocolilo naranja**, a duração da relação entre o crocodilo e a menina preocupada sobre se seus dentes, que caíram, voltarão a nascer, se acha a serviço de uma finalidade no sentido definido por Ricoeur (1984). Este autor reprova nos estruturalistas, que não levem em conta a organização do tempo em função da representação de como vivem os personagens dos fatos narrados, já que, desta forma, o tempo aparece como um signo com um sentido, que não pode reduzir-se a um mero jogo retórico de ordenação discursiva.

A discordância essencial entre o momento em que os fatos se produzem e o momento em que são narrados se deve a que o discurso narrativo está repleto de anacronismos. O mais comum responde à necessidade do discurso de explicar linearmente alguns acontecimentos que podem ter sido simultâneos na história. Outros são particulares e obedecem à vontade do autor de oferecer a informação em uma ordem determinada, por exemplo, ocultando até o final a identidade do autor de um crime que foi relatado no início da história. As discrepâncias são chamadas anacronismos e como tais foram

---

* De A. Balzola.

aqui acolhidas, sem distingui-las entre retrospectivas ou antecipatórias, tal como propõe Genette.

O pacto narrativo

A manifestação textual do pacto narrativo, aludido ao descrever-se as mudanças na teoria literária, tem sido objeto de atenção por parte do estudo da narrativa, que estabeleceu diversas categorias a respeito. Tal como temos mostrado ao falar da modalidade narrativa, nos limitaremos aqui a constatar a presença explícita ou a ausência do narrador e do narratário.

Podem esperar-se diferenças significativas entre a forma de apresentar-se o narrador-narratário na narrativa infantil e juvenil tradicional e a utilização de um novo tipo de presença, que implica maior complexidade interpretativa. As diferenças poderão detectar-se, por exemplo, nos itens sobre o grau de distância exigido pelas obras. Também haverá diferenças se as obras atuais silenciam a interpretação explícita dos fatos por parte do narrador, em favor de um relato que mantém ambiguidades significativas. Além, pois, dos itens referentes à distância narrativa, a análise contemplará se existem comentários explícitos do narrador sobre a história ou sobre a construção do discurso, se se produz a aparição explícita do narratário e se se mantém ambiguidades significativas não resolvidas pelo narrador.

A ficha de análise das obras

As características da história e do discurso, que acabamos de assinalar, parecem suficientes para proceder a uma descrição da narrativa infantil e juvenil atual, que responda às hipóteses formuladas sobre sua modernização em função de um novo destinatário. Assim, pois, se agruparão os resultados obtidos em quatro itens que correspondem às regras de simplicidade estabelecidas por Shavit (1986), assinaladas anteriormente, para comprovar se as características das obras as violaram segundo se expõe nos seguintes pontos:

a) Se nestas obras existe uma representação do mundo, que reflete a sociedade atual em aspectos tais como os temas tratados, os cenários narrados e a caracterização dos personagens; e que seja adequada aos valores e formas educativas próprias de uma sociedade pós-industrial nestes e em outros aspectos, como o grau de permissividade na transgressão ou o tipo de desfecho. Da mesma maneira será necessário evidenciar se a inter-relação dos gêneros utilizados, o tipo de inovações temáticas, de personagens e de cenários, assim como o uso de recursos não verbais, de mistura de gêneros ou de distância narrativa passaram a configurar novos gêneros literários.

b) Se a tendência à desagregação narrativa, que se opõe a uma forte linha de integração em torno do argumento, se revela em um certo grau de fragmentação, observável em formas acentuadas de autonomia das sequências narrativas, na inclusão de formas textuais não narrativas, a mistura de elementos narrativos de diversos gêneros, a utilização de elementos não verbais ou a adoção de formas escassamente narrativas como jogo literário.

c) Se o aumento da complicação nos elementos construtivos do discurso aparece no uso de estruturas narrativas complexas, enfoques anacrônicos e vozes narrativas extradiegéticas, diferentes da ulterior e deliberadamente distanciadas do relato através da "não intervenção" ou do estabelecimento de novos tipos de cumplicidade com o leitor.

d) Se a tarefa interpretativa do leitor é mais complexa através da presença de ambiguidades no significado – tais como a mistura entre os elementos da fantasia e realidade da ficção ou outros –, desfechos abertos, recursos de distanciamento – tais como a explicitação dos elementos de comunicação literária, o uso de recursos humorísticos, especialmente os baseados na desmitificação ou na paródia, referências a conhecimentos culturais, especialmente sobre intertextualidade literária – ou determinados tipos de presença do narratário e do narrador, que suponham dar ao leitor um papel maior que o habitual na construção narrativa da obra.

Por outro lado, todos os elementos escolhidos – da história e do discurso – devem ser analisados tanto conjuntamente, para descrever a narrativa infantil e juvenil atual, como por faixas de idade, para ver os pressupostos na evolução da leitura e no tipo de imaginário adequado a cada etapa.

Os elementos literários se agruparam em uma ficha de recolhimento de dados para efeito de contagem (Anexo 1). Tal como se advertiu na introdução, para confeccionar a ficha de análise levou-se em conta a possibilidade de um resultado numérico e isso condicionou a seleção e definição dos itens para tentar evitar os múltiplos problemas que provoca uma análise deste tipo. Em primeiro lugar, porque nos itens mais abertos resulta difícil estabelecer tanto as possíveis alternativas, como fazê-lo de forma excludente o bastante para que se assegure que não se variará o critério de classificação. Em segundo lugar, porque deve evitar-se que a decisão, sempre restritiva, sobre estas alternativas, não conduza a resultados excessivamente simplificados. Em terceiro lugar, porque a inter-relação entre os itens em cada uma das obras, oferece uma informação muito mais rica que seu desmembramento em compartimentos, levando em conta o plus semântico que os elementos combinados oferecem nos textos literários. Mas, ao contrário, tal como dissemos antes, obter dados quantitativos sobre os elementos construtivos das narrativas infantis e juvenis resulta imprescindível para fugir do perigo de generalizar os dados observados sem conhecer, realmente, sua extensão.

Notas

1. A escolaridade obrigatória na Espanha foi implantada em 1857 para a faixa dos seis aos nove anos, e em 1909 foi ampliada até os doze. A obrigatoriedade, no entanto, não supunha a gratuidade universal.

2. A uma sociedade estruturada na divisão simples do trabalho correspondem algumas formas de integração entre seus indivíduos que se denomina *solidariedade mecânica*. A uma sociedade na qual a divisão do trabalho foi-se tornando muito mais complexa, por outro lado, correspondem algumas formas de integração entre os indivíduos, que se chama *solidariedade orgânica*. Para diferenciá-las pode-se pensar numa sociedade na qual a perda repentina de uma grande parte de sua população não alteraria sua continuidade, enquanto que em outra sociedade onde há especialização de funções, a carência de alguns tipos de especialistas afetaria, gravemente, o funcionamento social.
3. Traduzida como *Alicia para niños* e publicada pela Editora Alfaguara.
4. É interessante observar que algumas destas características se acham presentes também na literatura infantil e juvenil canônica do nosso pós-guerra, mas com diferenças significativas. Por exemplo, existe o mundo exclusivo das crianças, mas o mundo adulto não é negativo, mas sim um modelo a imitar e a separação é unicamente física, sem pretender criar a impressão de uma separação também mental. Alguns títulos recentes, que produzem rupturas, acrescentaram outro passo diferencial ao estabelecer uma nova separação, que agora ocorre entre o mundo infantil positivo e um mundo de adultos socialmente muito negativo.
5. Assim, por exemplo, Bassa (1994) indica que foram editados mais títulos em catalão, incluídas as traduções, nos dez anos que vão de 1976 a 1984, do que durante os quarenta anos anteriores.
6. Inclusive, se a primeira edição é muito antiga, como no caso de *A história de Babar, o pequeno elefante*, de J. de Brunhoff, publicada pela Editora Alfaguara, em 1977. Mas, tanto este como outros títulos da série, lançados entre os anos 1931-1937 na França, já haviam tido uma primeira edição em catalão e castelhano na Editora Aymá, em 1953, numa edição em formato grande e em 1957 em outra de tamanho menor. Também a Editorial Bruguera publicou algumas edições em castelhano no início dos anos setenta.
7. As referências bibliográficas das seleções podem ser consultadas no Anexo 2.
8. É o caso das seguintes seleções examinadas: *La bibliografía básica para Bibliotecas Infantiles y Juveniles*, do Centro de Coordenação Bibliotecária da Direção Geral de Livro e Bibliotecas do Ministério da Educação. Esta bibliografia consta de 3.240 títulos publicados a partir de 1980. *Más de mil libros infantiles y juveniles seleccionados, reseñados y clasificados por edades. Hasta 1985*, da Comissão Católica Espanhola da Infância (CCEI). A seleção do Instituto Municipal de Educação da Prefeitura de Barcelona: *Los Llibres infantils i juvenils en llengua catalana 1976-1982*, seleção realizada por Aurora Díaz-Plaja e Montserrat Pavía, publicada pelo Departamento de Cultura do Governo da Catalunha para a exposição de Munique, de 1982. *El Catàleg de Llibres en Català de l'INLE, a partir de 1967* e do Serviço do Livro, do Departamento de Cultura e Meios de Comunicação do Governo.

9. No Anexo 2 figura a lista dos prêmios incorporados à seleção.
10. Para manter o critério de utilizar seleções moderadamente extensas, recorreu-se às seleções completas do Governo e do Serviço de Bibliotecas Escolares, mas apenas os livros destacados como obras mais recomendadas na seleção do Seminário Rosa Sensat.
11. Dado que a seleção do Governo só inclui os livros publicados até o ano de 1987, considerou-se como um acréscimo a esta seleção a lista de livros recomendados pela Biblioteca Pública infantil "Lola Anglada" durante os anos de 1988, 1989 e 1990, já que estas listas foram feitas pela mesma equipe de bibliotecários, dirigida por Núria Ventura, e pode-se pressupor, portanto, que haja uma continuidade nos critérios de seleção adotados, com esta incorporação, as três seleções de base passaram a cobrir o mesmo período.
12. A do Grupo de Estudos do Livro Infantil do Colégio Oficial de Bibliotecários e Documentalistas da Catalunha (GRILLS), criado em 1988 e que dava especial atenção aos livros mais recentes. Tinha também a vantagem extra de que passava a reforçar a opinião dos setores bibliotecários, equilibrando a relação entre estes meios e os escolares. *The White Ravens, A Selection of International Children's and Youth Literature de la Internationale Jugend-bibliothek Munchen. Spanish and Catalan de los años 1986 a 1990** e uma seleção de 60 títulos de livros publicados até 1980 realizada pela Comissão Católica Espanhola da Infância (CCEI).
13. É o caso dos prêmios *Folch i Torres* e *Joaquim Ruyra*, considerados também uma exceção em sua qualidade de prêmios editoriais, exceção concedida em virtude de sua representatividade como instrumentos de intervenção educativa, no âmbito cultural catalão.
14. No Anexo 3 pode-se consultar a lista das obras selecionadas.
15. Pode-se ver a justificativa da adaptação realizada em Colomer (1995b).

* N.T.: "O corvo branco, uma seleção da Biblioteca Internacional da Juventude de Munique. Espanhol e Catalão dos anos 1986 a 1990".

7.

Caracterização da narrativa infantil e juvenil atual

Neste capítulo se analisarão e interpretarão os dados obtidos ao aplicar-se a ficha de análise ao *corpus* de obras. A exposição se dividirá em quatro partes: *a representação literária do mundo* que as obras oferecem, *a fragmentação narrativa* que apresentam, *a complexidade interpretativa* que requerem do leitor. Em cada uma destas partes comentam-se os distintos elementos, que foram escolhidos como indícios de sua configuração e que foram definidos na pauta de análise.

Cada avaliação se divide em duas partes. Na primeira, descrevem-se as características dos elementos tratados em relação com a configuração geral da narrativa infantil e juvenil atual. Na segunda, expõem-se as diferenças que os elementos observados apresentam, segundo pertençam a uma ou outra das quatro faixas de idade leitora, em que o *corpus* foi dividido.

Antes de cada exposição oferece-se um quadro com os dados numéricos resultantes da aplicação da ficha de análise de cada uma das unidades narrativas do *corpus*, ou seja, às 201 narrativas que foram incluídas nas 150 obras selecionadas. Para não dificultar a leitura, colocaram-se no Anexo os quadros pormenorizados dos resultados correspondentes às diferentes faixas de idade.

O comentário das narrativas infantis e juvenis não se limita à consideração destes resultados, posto que é preciso ver a relação dos dados com o resto dos elementos construtivos da obra, para que não se altere o seu significado real. Ao longo do comentário exemplificam-se as observações com referências aos textos analisados. Para facilitar a leitura tendeu-se a utilizar, como exemplo, um reduzido número de títulos.

A representação literária do mundo

Os gêneros literários

Gêneros literários[1]			
Presença[2]			66,67
Modelos da tradição oral			16,92
Fantasia moderna			41,79
	Fantasia moderna	32,34	
	Animais humanizados	9,45	
Forças sobrenaturais			2,98
Ficção científica			4,98
Ausência			33,33
Construção de uma personalidade própria			18,41
	Interpessoal	9,95	
	Entre iguais	2,00	
	Maturação	6,46	
Aventuras			2,48
Viver em sociedade			6,96
Históricas			1,00
Policiais			4,48
Total			**100**

A primeira constatação sobre os gêneros literários da narrativa infantil e juvenil surgida no final dos anos setenta é de que se trata de uma literatura eminentemente fantástica, dado que 66,67 por cento das obras da amostragem pertencem a esta categoria. Torna-se evidente que as correntes fantásticas triunfaram sobre o realismo social e sobre os pressupostos educacionais predominantes nas décadas posteriores ao pós-guerra mundial; também cabe lembrar que, na Espanha, o predomínio realista se situa na década de setenta, quando a literatura infantil e juvenil iniciou sua recuperação depois da regressão experimentada por causa dos critérios impostos, nesta área, pela ditadura franquista (Cendán Pazos, 1986). A reivindicação da fantasia se encontra explicitamente em muitas das obras analisadas, o que traduz a consciência dos autores de estarem contrariando os modelos, que imperavam até aquele momento nos livros para crianças.

A generalização da ficção fantástica viu-se favorecida, sem dúvida, pelas correntes culturais da época mais recente. Diversas variantes do "realismo mágico" coincidiram em emprestar à literatura infantil uma descrição costumbrista* e irônica, que encaixa, com naturalidade, a aparição de fenômenos fantásticos para projetar uma nova luz interpretativa sobre a realidade. Neste sentido, são facilmente detectáveis, por exemplo, a influência de Calders entre os autores catalãos ou de Cunqueiro, entre os galegos. Além da constatação quantitativa, o predomínio atual da fantasia pode ser visto no fato de que um terço das narrativas para adolescentes continua situando-se neste campo, apesar de que a ficção realista aumenta com a idade de seus destinatários e apesar de que o romance juvenil parte de uma tradição basicamente realista dos modelos do século XIX nos quais se formou.

O predomínio da fantasia não se reduz, porém, a uma simples alternância na evolução literária, mas constitui um bom exemplo das tensões provocadas pela conexão entre as funções literárias e educativas destas obras. Assim, o auge da

---

* N.T.: O termo significa, na literatura espanhola romântica, a descrição realística da vida popular.

fantasia se produz a partir de uma ênfase explícita na função literária, que leva à desqualificação do realismo, tachando-o de ficção ligada à função educativa. É o que nos diz um título tão emblemático das novas correntes como *A história sem fim*, de Ende:

> Só de má vontade os pensamentos de Bastián voltaram-se para a realidade. Alegrava-o que *A história sem fim* não tivesse nada a ver com essa realidade.
> Não gostava dos livros em que, com mau humor e de forma azeda, contavam-se acontecimentos totalmente comuns, da vida totalmente comum, de pessoas totalmente comuns. Disso havia já o bastante na realidade e, por que tinha que ler ainda mais sobre o assunto? Por outro lado, ficava danado quando percebia que queriam convencê-lo de algo. E nesse tipo de livros, mais ou menos claramente, sempre o queriam convencer de alguma coisa.
> Bastián preferia os livros apaixonantes, ou divertidos, ou que faziam sonhar; livros nos quais os personagens inventados viviam aventuras fabulosas e nos quais tudo se podia imaginar (28).

Além disso a defesa da fantasia ultrapassa os limites do campo literário para invadir o axiológico, quando reivindica a imaginação como um valor pessoal e coerente com as novas propostas educacionais. Desta posição, sua introdução na narrativa infantil e juvenil resulta num fenômeno inevitável, não de forma defensiva – argumentando sobre sua inocuidade –, mas, ao contrário, proclamando sua virtude educativa, tal como começou-se a fazer, na perspectiva psicanalítica, durante os anos setenta. Neste sentido, é ilustrativo comparar a contribuição teórica de Janer Manila em defesa da imaginação e da literatura de tradição oral (Janer Manila, 1982, 1989) com suas obras de criação, como *Esto que ves es el mar*[3], por exemplo, nos quais a fantasia é a principal via de amadurecimento dos personagens.

A fantasia moderna

Com este ponto de partida, não é estranho constatar que a fantasia moderna é o gênero literário mais utilizado. Inclusive, ao dividir-se o gênero em fantasia moderna estrita e animais humanizados – como foi feito – cada um dos dois tipos de ficção continua agrupando um abundante número de obras.

O desenvolvimento da fantasia moderna supôs a criação de novos imaginários de ficção a partir de diversos caminhos, associados majoritariamente ao humor: a alteração da vida cotidiana dos personagens ao irromperem elementos fantásticos, a exploração especulativa sobre o funcionamento ou consequências de fenômenos e mundos possíveis, a desmitificação dos elementos fantásticos tradicionais e o jogo metaliterário sobre as regras da construção narrativa. E a fantasia é também o instrumento privilegiado, tanto para resolver os conflitos psicológicos dos personagens, como para a denúncia das formas de vida da sociedade pós-industrial.

Para dizer a verdade, a capacidade imaginativa é tão apreciada na narrativa infantil, que constitui a principal virtude de muitos de seus protagonistas e estabelece a distinção entre personagens positivos e negativos. De certa forma, muitas obras chegam, inclusive, a reformular a antiga ideia de uma aliança natural entre a figura do artista e de seu público cúmplice, ante a hostilidade ou ignorância da sociedade produtiva moderna. Podemos notá-lo, por exemplo, em *La guía fantástica**, um clássico desta corrente na narrativa espanhola. A imaginação dos personagens-leitores é o que permite ler as histórias escritas por um unicórnio com seu próprio sangue, enquanto o livro permanece em branco para aqueles que não possuem suficiente fantasia.

Outro título muito representativo entre as obras autóctones é *Datrebill, 7 cuentos y 1 espejo***, em que seis dos sete contos livres são destruídos por gente sem imaginação e o sétimo, que vive oculto e perseguido, é o próprio relato do acontecido. A construção desta obra a partir da explicitação das regras do funcionamento narrativo, com narradores, leitores ou mensagens literárias como personagens, situa em primeiro plano um jogo metaliterário que se liga a aspectos de

---

* De J. Sennell.
** Do autor catalão Miguel Obiols.

que trataremos em outras partes, como o uso da paródia ou da alusão intertextual sobre a tradição literária. A decantação em direção à ficção fantástica foi aparelhada, portanto, para a formulação e consolidação de um novo uso da fantasia nos livros dirigidos às crianças e adolescentes.

Por outro lado, embora algumas obras sobre animais humanizados sigam também estas características, a imensa maioria se separa deste tipo de fantasia, para juntar-se a duas linhas muito tradicionais nos livros infantis. Uma consiste na criação de um mundo cheio de personagens animais a serviço de uma descrição terna e confortável, adequada aos leitores bem pequenos. Outra perpetua as fórmulas folclóricas, nas quais os animais convivem com os humanos.

Desapareceram, ao contrário, outras opções narrativas próprias deste gênero, tais como a adoção do ponto de vista animal em obras realistas ou de aventuras, sua utilização em parábolas morais ou sua relação com o estudo e a reivindicação da natureza. É difícil compreender, por exemplo, que esta última perspectiva não tenha sido assumida pelos livros informativos ou que não se adote um protagonismo humano como ponto de partida para a observação do mundo natural. E provavelmente pareça pouco consistente em nossa época e, principalmente, para os leitores de uma certa idade, manter um pensamento humano colocado na boca de um personagem animal. Deste modo, obras para adolescentes como *Julie y los lobos** ou *Pabluras*** introduzem lobos como autênticos coprotagonistas das histórias, mas esta condição não lhes faz perder em nada sua animalidade específica e não podem considerar-se, pois, dentro deste gênero.

Os modelos da literatura de tradição oral

A reformulação da fantasia realizou-se, em grande parte, a partir da modificação dos modelos literários próprios do

---

* De J. C. George.
** De M. Fernández de Velasco.

folclore. Os contos populares se subverteram ou se converteram em material para construção de variantes mais complexas ou mais próximas das correntes literárias atuais, de acordo com a defesa programática realizada por críticos dos fins dos anos setenta como Soriano (1975) ou Jan (1977) e aludida anteriormente.

A renovação dos modelos folclóricos agrupa especificamente quase 17 por cento das obras analisadas. Seu uso se estende a uma infinidade de temas e absorve, além disso, em seu interior muitos outros gêneros de narrativa atual, de maneira que os novos contos de estilo popular tanto servem para reivindicar valores em alta – como o feminismo, por exemplo –, como para abastecer de elementos tradicionais o jogo desmitificador empreendido pela literatura infantil ou para reformular, em seus parâmetros, uma grande parte da narrativa de aventuras.

A intensa presença dos modelos tradicionais pode responder, em primeiro lugar, à consciência dos autores de que a literatura folclórica supõe um legado de primeira ordem para as novas gerações, já que assim ficou estabelecido pelas polêmicas dos anos setenta. A vontade do traspasso histórico se detecta na grande quantidade de elementos folclóricos de que se utilizam, o que é especialmente visível nas obras de autores catalãos que, em suas histórias, entrelaçam tradições populares, refrões, adivinhações, romances, personagens fantásticos típicos desta tradição ou utilizações simbólicas de elementos da natureza.

Uma acumulação tão elevada de elementos tradicionais só é possível porque se recorre a uma construção complexa e fragmentária da narração. Cada viagem, cada caminho, cada canção ou cada personagem ou elemento natural pode dar lugar à presença de novas referências, enquanto que, se a linha narrativa não se diversificasse, a sensação de "recopilação folclórica" seria absolutamente saturadora. *Los siete enigmas del iris**, por exemplo, chega a explicitar a reivindicação do substrato popular no comentário final agregado à narração,

---

* De M. Canela.

onde se convidam também os leitores a identificar os referentes utilizados consultando a obra de Joan Amades, a mitologia grega relacionada com a astronomia ou um dicionário de nomes próprios.

> (...) pode ser também que descubram que quem escreveu esta história não a inventou inteiramente, mas inspirou-se em costumes, crendices, mitos e símbolos já conhecidos e que nenhum dos elementos que usou responde a algum capricho, nem plantas, nem pedras, nem os nomes dos personagens, nem o cipreste que guarda a entrada do labirinto (já que o cipreste não é uma árvore qualquer), nem o raminho de alfavaca que está no alto do álamo (porque tampouco a alfavaca é uma planta qualquer e tem, é claro, seu significado) (114).

A idoneidade destes modelos para renovar a literatura infantil e juvenil reside também no fato de que eles permitem utilizar personagens, motivos ou esquemas narrativos, que se supõe serem já conhecidos das crianças. Estes são usados, então, como andaimes para que o leitor possa aceder a obras mais complexas, obras que estabelecem ligação com tendências literárias próprias da literatura escrita, como podem ser a mescla de realidade e ficção, a utilização humorística da fantasia ou o jogo experimental e participativo com o leitor. O "bobo" que não entende que sua vida se modifica a partir dos romances ou canções que interpreta (em *Asperú, juglar embrujado**, o mago perdido de *El bosque encantado***, o jogo de pistas para o leitor de *Margot (o un cuento sin ilación)****, as adivinhações com a solução oculta no texto de *Los siete enigmas del iris*, etc., são uns quantos exemplos da introdução destas tendências na nova configuração do gênero.

A alteração mais comum, no entanto, é a priorização da dimensão psicológica do amadurecimento individual em relação à habitual dimensão épico-social dos conflitos externos. Muitos personagens, como o "bobo" Asperú, *Ronja, la hija del bandolero*****, ou o príncipe protagonista de *La alquimia del*

---

* De M. Canela.
** De J. Sennell.
*** In *Datrebill, 7 cuentos y un espejo*, de M. Obiols.
**** De A. Lindgren.

*corazón**, mudam sua personalidade ao longo de suas aventuras, até conseguirem a maturidade que lhes permite obter o prêmio final do amor. Para alcançar este estado adulto, Asperú deverá conhecer e renunciar à magia, Ronja terá que superar sua dependência paterna e o príncipe deverá mudar seu coração cruel. Em *Los siete enigmas del iris*, uma obra mais centrada no jogo com a tradição folclórica do que no amadurecimento dos heróis, adota-se explicitamente esta ótica, ao descrever a consciência final dos dois garotos protagonistas.

> E foi então, quando finalmente se olharam um ao outro, que compreenderam a estranha sensação que os embargava e se deram conta de que sua passagem através dos sete caminhos do arco-íris não tinha sido um sonho. Na realidade havia durado muito mais tempo do que eles pensaram, porque à medida que adentravam em cada novo caminho, à medida que resolviam cada novo enigma e que superavam cada nova aventura, os dois tinham se transformado: tornaram-se mais velhos (106).

Quanto mais centradas nos conflitos psicológicos, mais as obras deixam de se propor a reunião de elementos folclóricos "por extenso" para passarem a usar sua capacidade simbólica "para dentro", a serviço da reflexão introspectiva. A prisão feminina de *El castillo de las tres murallas***, e as crianças encarceradas no palácio afetivamente estéril de *Los hijos del vidriero**** aproveitam o imaginário e o esquema dos contos populares para conseguir uma força narrativa e de criação de novas imagens com uma potência tal, que se tornam um marco importante na renovação da narrativa atual.

O cruzamento entre os antigos modelos folclóricos e os novos usos da fantasia alterou os traços característicos dos contos populares. Às vezes a mudança se produz de forma deliberada, como quando se efetuam jogos de subversão, mas outra vezes são uma simples consequência da ação de sublinhar ou regular uns ou outros traços tradicionais, segundo seu grau de adequação aos novos propósitos narrativos. Pode-se constatar, assim, que se perderam alguns elementos típicos

---

* De E. Rayó.
** De C. Martin Gaite.
*** De M. Gripe.

dos contos populares como o objeto mágico, que a missão de busca circunscreveu-se ao novo gênero da "alta fantasia" ou que os conflitos passaram a interiorizar-se[4], enquanto a mistura voluntária de elementos folclóricos de procedência heterogênea converteu-se numa das constantes da renovação da narrativa tradicional na atualidade.

As mudanças experimentadas nos contos atuais chegaram a afastá-los de muitas das características tradicionais, que a perspectiva psicológica havia definido, precisamente, como as mais adequadas aos leitores infantis. Ferem, por exemplo, as características assinaladas por Buhler (1918), Bettelheim (1975) ou Favat (1977) em aspectos como o desenlace feliz, a moral maniqueísta, o castigo aos maus, as motivações determinadas por fatos externos, as mudanças radicais, o cenário indeterminado, a falta de ações simultâneas, etc.

A construção de uma personalidade própria

A ficção fantástica predomina de tal modo que invadiu também as temáticas anteriormente submetidas a formas realistas de ficção. O único gênero realista com suficiente peso específico no *corpus* é a construção de uma personalidade própria (18,41 por cento), e para obter este resultado ainda é preciso reagrupar os três itens nos quais havia sido dividido. Nem as relações interpessoais, nem o amadurecimento individual alcançaram um percentual destacável, nem tampouco a descrição das relações entre amigos, que se revelou como um tipo de ficção inconsistente como modelo autônomo.

O modelo realista de ficção que descrevia as relações familiares e afetivas só é usado para quando se deseja introduzir temas novos na narrativa infantil e juvenil sobre o assunto, é muito ilustrativo comprovar o efeito de contraste causado pelo escassíssimo reduto de obras de estilo tradicional, que se limitam a narrar travessuras e peripécias dos personagens em um contexto familiar ou amigável (como *Miguel el traviesso**, por

---

* De Astrid Lindgren.

exemplo), enquanto, ao contrário, a grande maioria de obras classificadas neste grupo centra-se em temas de grande consistência psicológica. Nelas predominam a descrição de situações familiares conflituosas, às vezes com uma atitude crítica em relação à atuação dos adultos, assim como o enfrentamento com a dor inerente à condição humana. Estes temas estão frequentemente associados à descrição de uma sociedade moderna cheia de conflituosas sociais, como pano de fundo da narrativa, assim como à descoberta do amor como força positiva para o amadurecimento pessoal dos protagonistas. Apesar da dureza de algumas obras, a mensagem quase sempre é esperançosa e a reflexão sobre o tema se estabelece sobre um calculado equilíbrio de aspectos positivos e negativos.

O grosso da ficção realista no período analisado se dirige, assim, à ampliação temática produzida na narrativa atual – que se avaliará mais detidamente no próximo item – e favorece novos valores morais baseados na compreensão das relações humanas e na superação reflexiva dos conflitos pessoais. Em suas formas mais intensas, este tipo de ficção foi identificado nos estudos de literatura infantil e juvenil como uma corrente específica, "realismo crítico" (Gasol e Lisson, 1989). Em nossa análise manifestaram-se algumas constantes narrativas que configuram dois submodelos desta categoria:

O primeiro consiste na reflexão de um protagonista infantil, especialmente uma menina, sobre suas relações mais próximas, reflexão na qual coexistem a intimidade e o humorismo. Este modelo conta com abundantes precedentes na narrativa anterior. Podemos pensar, por exemplo, em personagens como Célia ou Antoñita a fantástica, na narrativa infantil castelhana. Mas, agora, renovou-se através dos temas tratados e através de uma proposta moral baseada no aprofundamento psicológico e na carga crítica.

As obras que descrevem estes núcleos de vida podem situar-se em uma linha progressista segundo o grau de protagonismo ativo que concedam ao protagonista infantil. Em primeiro lugar, situam-se as obras nas quais o menino é utilizado como mera perspectiva narrativa, como um menino-testemunha que oferece a oportunidade de projetar um "novo olhar" sobre o mundo. Obras como *El pequeño Nicolás**, *Veva*** ou *Mi calle**** adotam este enfoque para realizar um retrato de costumes e para formular mensagem, mais ou menos acentuada, de crítica sobre a realidade.

Em segundo lugar, encontram-se obras nas quais um protagonismo maior do personagem é posto a serviço da descrição costumbrista e da descoberta de relações interpessoais. *Anastasia Krupnick***** pode ser um exemplo representativo, com seu retrato de uma família de classe média, pais profissionais liberais e disposição progressista. As relações da menina com os pais, dos pais entre eles, do pai no trabalho, da avó, do irmãozinho que vai nascer e das relações escolares com a professora e os colegas, configuram os capítulos da obra e oferecem um panorama do mundo social de Anastasia.

Em terceiro lugar podem situar-se as obras nas quais o protagonista criança tornou-se o centro do conflito afetivo e nas quais a descrição do ambiente está a serviço deste conflito. Em *Elvis Karlsson******, por exemplo, descreve-se o mundo de relações de um menino, do mesmo modo que nas obras antes citadas. Conhecemos a vida cotidiana de seus pais, sua segunda casa, a relação com os avós, com alguns vizinhos, etc. Mas a descrição serve aqui, a todo momento, para transmitir ao leitor a vivência de Elvis sobre o desamor de sua mãe e sobre sua busca de autonomia e consolo para uma angústia tão intensa.

O segundo submodelo da ficção realista é o mais generalizado. Refere-se à vivência adolescente da problemática do amadurecimento, embora a narrativa atual inclua aqui o conflito derivado do divórcio dos pais, tema que, em princípio, não teria porque ser especialmente próprio da adolescência. Posto que este modelo situa-se, basicamente, em uma das

---

* De Goscinny.
** De C. Kurtz.
*** De A. de Vries.
**** De L. Lowry.
***** De M. Gripe.

faixas de idade, será tratado mais amplamente quando se comentarem as diferenças do uso dos gêneros narrativos entre os quatro blocos do *corpus*.

Em ambos os submodelos as narrativas adotam a forma de "panorama sincrônico de vida" de um personagem, à base da justaposição de temas e episódios. A descrição intimista da grande maioria destas obras propiciou a experimentação de vozes narrativas verossímeis para um protagonista, que se quer infantil e adolescente, para conseguir a identificação do leitor. Esta constatação coincide com a afirmação de Perrot (1987) segundo a qual a cessão da voz aos protagonistas infantis é, precisamente, um dos traços próprios da narrativa infantil e juvenil atual. Monólogos interiores, diários, cartas, redações escolares, etc. materializam essa voz infantil e não é estranho ver que algumas das obras que tentam incluir como voz narrativa o discurso experiente de personagens adultos resultem em obras fracassadas, embora só se tenham atrevido a fazê-lo de forma parcial.

Os demais gêneros analisados

Além dos três gêneros que acabamos de comentar, nenhum outro dos encontrados alcança um resultado numérico de certa importância. Devemos destacar especialmente a pouca presença de narrativas sobre *forças sobrenaturais*, de obras de *aventura realista* e de *narrativas históricas*.

As causas da primeira ausência parecem claras. A literatura infantil e juvenil atual tem um discurso social enormemente protetor do ponto de vista psicológico. As críticas, das décadas passadas, ao possível temor despertado pelas cenas de violência e crueldade de bruxas e outros seres maléficos dos contos populares, não parecem ter-se produzido em vão, já que a recuperação do imaginário tradicional realizou-se à margem destes aspectos e até meados dos anos noventa não se criou nenhum novo tipo de *conto terrorífico*. Não se trata de que a literatura infantil não aborde os sentimentos de temor (bem ao contrário, o medo noturno é um dos temas mais abundantes nas primeiras leituras), mas é sempre tratado como um conflito para o qual há que oferecer soluções para os pequeninos. Os recursos adotados para isso são a distância humorística e a fantasia, o que propiciou a desmitificação dos personagens aterrorizantes clássicos e provocou uma onda crescente que, quando terminou a desmitificação das encarnações habituais do terror, criou/desmitificou, em um só movimento, novos tipos de personagens, como os animais exóticos perigosos ou os monstros disformes.

Se a atitude protetora e a consequente desmitificação excluíram os contos de terror da literatura infantil, é menos evidente a causa da pouca continuidade da aventura clássica. Piratas, exploradores, bandoleiros, náufragos, etc., e seus costumeiros cenários de selvas, mares, ilhas ou terras por colonizar estão, praticamente, ausentes da narrativa contemporânea. Só aparecem como produtos da imaginação dos personagens que brincam ou se refugiam mentalmente nestes cenários, ou como configuradores de um gênero pronto para ser parodiado. E esta última é, provavelmente, a chave da explicação.

O jogo com a tradição literária, empreendido pela narrativa infantil e juvenil atual, torna muito difícil a possibilidade de narrar aventuras dentro de alguns parâmetros, que estão sendo sistematicamente explicitados e criticados. Existem ainda, sem dúvida, outros fatores que contribuíram para esta situação. Provavelmente, a ideia de um mundo ligado pela televisão até o último rincão, obrigou a redefinir os espaços da aventura. Não por acaso, as poucas obras classificadas como de aventuras – e também as colocadas em outros itens de gênero, mas com um importante componente de aventura –, buscam a salvação da escassa verossimilhança, na utilização de cenários ainda bastante virgens (como a Groenlândia ou a Amazônia) ou projetam estes espaços no futuro e fora do planeta, no passado ou em um mundo paralelo de forças desconhecidas, de maneira que se criaram novos modelos narrativos de ficção científica, de renovação do romance histórico, de romances de fantasia e mistério ou de jogos metaliterários com a tradição.

Também influiu a generalização de uma nova atitude de respeito cultural em relação aos antigos antagonistas clássicos deste tipo de obras (tribos selvagens de "negros" ou índios, etc.). Como consequência, uma boa parte das narrativas de aventuras defendem agora as formas de vida "selvagem" através do desejo dos protagonistas – personagens típicos da nossa sociedade atual –, de ficar para sempre entre as culturas pré-industriais descobertas. Esta atitude não é um fenômeno recente na narrativa infantil e juvenil como discurso ideológico, mas remonta à teoria do bom selvagem, como já assinalou Hurlimann (1959). Provavelmente os índios norte-americanos foram o imaginário por excelência desta tradição, com autores pioneiros como K. May ou F. Cooper, que deram forma a muitos aspectos do gênero, mas tampouco se pode dizer que esta atitude haja sido um valor majoritário dos livros para crianças, como não o era também para a sociedade ocidental, até muito pouco tempo. As polêmicas sobre a possibilidade de censura de muitos aspectos racistas e culturalmente endocêntricos nas reedições de obras clássicas da literatura infantil e juvenil é uma prova evidente disto, e inclusive a existência mesma do debate revela a impossibilidade dos autores de utilizarem as fórmulas clássicas do gênero.

No entanto a escassa representação de obras de aventura mostra que o gênero pretende renovar-se inscrevendo-se em três caminhos próprios das tendências atuais: em primeiro lugar, incorporando conflitos psicológicos dos personagens; em segundo lugar, usando cenários situados entre a realidade e a fantasia ou em uma vida harmônica com a magia e a natureza, e, em terceiro lugar, mesclando com desembaraço personagens e outros elementos procedentes dos diferentes subgêneros da aventura clássica.

A narrativa histórica não pode obter um resultado excessivamente alto em um estudo dirigido a um espectro amplo de idades, já que o pressuposto sobre a inadequação das mudanças de tempo nas narrativas infantis está extraordinariamente enraizado. De toda maneira, um resultado tão exíguo indica diminuição importante deste gênero durante o período estudado. Provavelmente seja necessário buscar a causa deste fenômeno no restabelecimento democrático na Espanha, já que, por um lado, deixou de ter sentido a intencionalidade da narrativa infantil e juvenil catalã de oferecer a história da Catalunha através da ficção e, por outro, a narrativa castelhana optou, em geral, em evitar um tema tido como de difícil reelaboração, por encontrar-se impregnado pela ideologia da ditadura. Além disso, a forma na qual se produziu a transição para a democracia contribuiu para o incômodo de narrar o passado mais imediato, de maneira que, fora honrosas exceções, a Guerra Civil e a ditadura foram temas silenciados na narrativa infantil e juvenil deste período (Colomer, 1992).

Quando se aborda a narrativa histórica, que é produzida, principalmente, na ficção para adolescentes, seguem-se as características adotadas por este gênero juvenil na Europa desde a Segunda Guerra Mundial, e na Catalunha durante a década dos sessenta. Seus traços essenciais são, em primeiro lugar, a opção de centrar-se em alguns personagens praticamente anônimos para mostrar os fatos históricos que se deseja "ensinar" a partir de suas peripécias, e, em segundo lugar, o propósito de educar em valores atuais de tolerância, civilização, democracia, etc.

Em certa medida, a ficção científica e as narrativas policiais compartilham as limitações da narrativa histórica como gênero apropriado a crianças e jovens. Apesar disso, o pequeno número de obras que se situa nestes gêneros, confirma a entrada na narrativa infantil e juvenil de tipos de ficção provenientes da literatura para adultos. Suas características de gênero muito marcado tornam impensável que se convertam numa tendência numericamente considerável no conjunto narrativo e, portanto, é necessário avaliar sua existência no quadro de uma perspectiva necessariamente limitada.

Ora, embora seja certo que as narrativas policiais apareçam configuradas como um gênero em um número escasso de obras, algumas de suas características, como o esquema de investigação/descoberta, cruzam muitos outros gêneros de forma apreciável. Podemos dizer que, desde o aparecimento de *Emilio e os detetives**, em 1928, este tipo de ficção fosse,

---

* N.T.: De E. Kästner.

paulatinamente, se incorporando à narrativa infantil e juvenil através de um processo de absorção das características que pareceram mais adequadas à ficção infantil e que estes traços foram-se combinando com outros modelos literários até formar um substrato enormemente sólido, que permitiu, finalmente, a existência plena do gênero policial como tal. A criação do detetive Felipe Marlot, evocação do clássico Phil Marlowe*, na narrativa infantil catalã é um exemplo evidente, tanto da adaptação a este público de um gênero de adultos, como do impacto das correntes de humor e autorreferência cultural da literatura infantil atual.

Finalmente, cabe destacar a escassa existência do grupo de obras configuradas em torno de temas sociais. Inicialmente parece um resultado muito surpreendente, já que a preocupação social é parte inequívoca da proposta de valores no auge na época aqui contemplada. Mas esta problemática, ou bem foi também assumida pelos gêneros fantásticos, ou bem se encontra tratada como tema secundário – e não definidor do gênero narrativo, portanto – na ficção realista. É revelador observar que as obras de tipo social se justificam frequentemente por um desejo educativo explícito, como se estas narrativas não pudessem surgir da criação literária na mesma proporção que os demais gêneros. Assim, Härtling transcreve as perguntas que as crianças costumam fazer-lhe "quando leio a história de Girbel" (83), como se a obra consistisse, exclusivamente, numa ocasião para debater a incapacidade social de acolher pessoas com problemas psíquicos. Ou na apresentação de *Años difíciles*, uma excelente obra sobre a Guerra Civil, quando nos diz: "Assim, o autor, Juan Farias, tomou a decisão de explicar às crianças que há guerras e morte" (7).

As relações entre iguais resultaram também num modelo sem força para definir uma narrativa. Aparecem muito isoladamente, como tema secundário ou como uma opção narrativa que cruza longitudinalmente os demais modelos, tal como se confirmou no estudo de Bassa (1994).

---

* N.T.: Criação de Raymond Chandler.

A evolução dos gêneros literários segundo a idade do destinatário

Como era de se esperar, a idade dos destinatários é um parâmetro muito importante na distribuição de gêneros ao longo do itinerário de leitura oferecido pela narrativa infantil e juvenil. Quantitativamente, o espectro de gêneros cresce à medida que aumenta a suposta capacidade leitora. No aspecto qualitativo, os gêneros que predominam em um ou outro grupo de idade são muito diferentes.

Seis dos nove gêneros, que foram aqui examinados, são praticamente inexistentes no grupo de leitores mais jovens. O número de ausências diminui à medida que aumenta a idade, até que, nos leitores adolescentes, há só um gênero que quase não é utilizado: o dos animais humanizados, mas, neste caso, deveria dizer-se, mais apropriadamente, que já não se utiliza. Além disso, se se supõe que os leitores são cada vez mais capazes de entender gêneros diferentes, o mesmo vale para as variantes internas de cada um deles. Assim, por exemplo, a fantasia moderna estrita diversifica-se em todas as possibilidades definidas por Huck *et al.* no bloco de leitores de 8-10 anos, enquanto só se utiliza uma delas na ficção destinada à etapa anterior. Produz-se, pois, uma ampliação clara e progressiva dos modelos narrativos dirigidos aos diferentes grupos de idade.

Frequentemente, o auge de um modelo literário em uma faixa etária é precedido pela existência de um pequeno grupo de obras desse tipo na etapa leitora anterior e se prolonga em seguida em outro pequeno grupo de obras da etapa posterior. Por exemplo, o grupo de obras destinada aos leitores de 8-10 anos mantém algumas delas centradas na experiência do bem-estar físico dos pequenos protagonistas, seguindo um dos traços mais abundantes nas obras para primeiros leitores. Algumas obras do mesmo bloco, ao contrário, já introduzem uma reflexão, de caráter amável, sobre o mundo social do protagonista, modelo que surgirá completamente no grupo seguinte, de leitores de 10-12 anos. As linhas de introdução, auge e sobrevivência contribuem, pois, para definir a evolução da proposta literária dirigida às diferentes idades.

Os gêneros para leitores de 5-8 anos

As narrativas destinadas a crianças entre os 5 e os 8 anos utilizam elementos fantásticos na ficção em 87,5 por cento das obras. A constatação de uma maioria tão avassaladora de obras fantásticas não é estranhável, já que corresponde à consciência generalizada de que esta idade é a mais adequada para os contos populares e fantásticos. Applebee (1978) afirma, em seus estudos, que é nesta idade que as crianças começam a estabelecer a diferença entre realidade e ficção e que apenas na metade do período entendem que as histórias não sucederam realmente e que seus elementos não têm existência real. A não distinção entre realidade e ficção e a adequação dos contos populares a esta etapa do desenvolvimento infantil fazem prever, pois, uma presença considerável de ficção fantástica.

Concretamente, a fantasia moderna é o gênero por excelência desta idade. Oferece uma divisão, em partes iguais, entre as obras de animais humanizados e a fantasia moderna estrita. As narrativas de animais pertencem às linhas tradicionais deste gênero que assinalamos, enquanto que a fantasia moderna estrita apresenta surpreendente unanimidade nas variantes utilizadas, já que praticamente se trata sempre de "personagens ou situações extraordinárias", e não se encontram narrativas fantásticas inscritas nas outras variantes, a partir do uso de "personagens minúsculos", "mundos extraordinários", "poderes mágicos" ou "objetos animados".

Embora com frequência muito menor, a fantasia utiliza também o imaginário folclórico. Aparecem cenários indeterminados ou distantes no tempo, com castelos e palácios, reis e lenhadores, camponeses ou bandoleiros, estruturas de lenda mítica sobre a origem das coisas e também alguma sobrevivência de objetos mágicos e de estruturas derivadas das *nursery rhyme**. Diferentemente, não existem imaginários sobre forças sobrenaturais com intenção de aterrorizar, nem tampouco

---

* N.T.: Rimas infantis, versos para crianças.

nenhuma obra de ficção científica, pelos motivos antes expostos. Se à ausência de contos de terror se acrescenta a constatação de que a metade dos contos de fantasia moderna se acha a serviço da superação do medo noturno e da desmitificação de seres aterrorizantes, pode-se ver até que ponto se evita este tipo de imaginário na narrativa atual para leitores iniciantes.

Embora fosse previsível o domínio da fantasia, talvez não seja tão óbvia uma proporção tão exígua de obras realistas (12,50 por cento). Nos livros para não leitores, ou seja, naqueles destinados a uma idade imediatamente anterior, as obras que se situam em um imaginário realista e identificável para as crianças, são abundantes. Esta linha interrompe-se, abruptamente, ao passar-se para a etapa leitora. Talvez o fato de que os livros para leitores iniciantes sejam um tipo de produto editorial desenvolvido nas últimas décadas contribua para este movimento. Com efeito, durante muitos anos as crianças destas idades aprendiam a ler nas "cartilhas" escolares e seu acesso aos contos se mantinha na forma de recepção oral. O desenvolvimento dos álbuns e dos contos com um texto curto e acessível aos aprendizes de leitor produziu-se recentemente e coincidiu, no tempo, com o resgate dos imaginários folclóricos, que foram transformados e renovados com vigor em novos livros, agora destinados à leitura direta dos pequeninos.

Entre as poucas obras realistas não se encontra nenhuma de aventura, de narrativa histórica ou policial. Parece evidente que a inadequação da narrativa histórica à noção de tempo e aos conhecimentos culturais destas idades excluem este gênero, enquanto que a complexidade das tramas policiais na organização da informação e na necessidade de raciocínio dedutivo parecem razões de peso para a dificuldade de sua utilização.

Mais interessante é constatar que os livros de aventura não aparecem como uma forma de ficção possível para estas idades. Provavelmente não se considera um gênero adequado, nem pela amplitude do imaginário que lhe é próprio, nem por sua descrição do processo de amadurecimento do herói que mede suas próprias forças. Efetivamente, os imaginários presentes nesta faixa de idade são de dimensões espaciais reduzidas e limitadas a mundos próximos à experiência infantil, ainda que neles se introduzam elementos fantásticos. Da mesma maneira, o amadurecimento pessoal refere-se ao enfrentamento do protagonista com conflitos igualmente próximos e bem marcados, tais como ciúmes fraternos ou a necessidade de dominar os esfíncteres. Assim, pois, os escassos imaginários de aventura se distanciam da identificação imediata do leitor e ficam situados nas obras fantásticas e em formas literárias conhecidas através da tradição oral. Desta maneira, a aventura integra-se nos gêneros fantásticos e não nos realistas da ficção.

Em verdade, quando se produz a aventura, esta nem sequer é vivida, prioritariamente, pelos protagonistas infantis. O leitor tem que identificar-se, numa primeira instância, com a criança-narradora de *Mi abuela es pirata**, com os meninos que ouvem as aventuras contadas por seu avô em *¡No nos podemos dormir!***, ou com a menina sequestrada de *Os três ladrões****. Piratas e bandoleiros são vistos assim, da mesma maneira, por parte dos meninos protagonistas e por parte dos meninos leitores que se convertem basicamente em espectadores da aventura. Unicamente o ursinho polar de *¿Adónde vas, osito polar?***** é, efetivamente, o protagonista. Mas, neste caso, além do recurso do distanciamento, que supõe a utilização de um personagem animal, o ursinho vive sua viagem com muita preocupação e a única coisa que deseja é voltar para sua casa. Neste sentido, os estudos sobre a narrativa de histórias pelas mesmas crianças destacou que os menores tendem a afastar de si aquelas histórias que contêm perigos e que não são narradas nunca na primeira pessoa (Haas Dyson, 1989). Definitivamente, a aventura parece oferecer-se a estas idades como uma simples antecipação de um gênero futuro, antecipação recebida na segurança do lar e através de personagens interpostos entre o leitor e os personagens aventureiros.

---

* De J. Loöf.
** De J. Stevenson.
*** De T. Ungerer.
**** De H. de Beer.

O cruzamento entre as formas de imaginário utilizadas e os temas tratados denota um grande predomínio da nova temática psicológica, tal como veremos ao comentar os temas. Aqui pode-se ressaltar que esta temática invade todos os gêneros vistos, embora a analogia maior se dê com a fantasia moderna estrita, a qual parece ter alcançado seu auge precisamente a serviço dos novos temas psicológicos. Ao contrário, os livros de animais humanizados são o conjunto de obras que apresentam os temas mais tradicionais da literatura infantil. Trata-se da correlação mais estável da história da literatura infantil quanto a tema e forma. Assim, quando se deseja tratar das relações de socialização no reduzido mundo familiar se escolhe principalmente o modelo dos contos de animais, onde os personagens vivem pequenas aventuras sem importância, em meio a um clima de afeto e ternura, tal como ocorre em *Quan plou de nit**, *Sapo y Sepo son amigos***, *Osito**** ou *Crictor*****.

Além destas duas correlações, o cruzamento entre a classificação temática e o tipo de imaginário não oferece nenhuma outra relação importante. É interessante assinalar que os modelos da literatura oral se revelam como um instrumento flexível a serviço de todo tipo de inovações temáticas (temas psicológicos, sociais e de transgressão de normas). Parece também que o escasso número de obras realistas se dedica a temas especialmente impactantes em seu desejo de denúncia ou de ruptura de tabus temáticos tradicionais, como se a vontade de ir contra a corrente se refletisse, ao mesmo tempo, no tema e no gênero escolhidos. No entanto, esta última conclusão parece excessivamente arriscada dada a escassez de obras realistas.

Os gêneros para leitores de 8-10 anos

A narrativa dirigida aos leitores de 8 a 10 anos pertence, essencialmente, aos mesmos gêneros da etapa anterior. As

---

* De M. Balaguer.
** De A. Lobel.
*** De E. H. Minarik.
**** De T. Ungerer.

obras de fantasia mantêm um predomínio absoluto, já que contam com 86,56 por cento do total, e só destacam o acentuado declínio dos animais humanizados e a tímida aparição de alguns dos gêneros antes inexistentes. Pelo contrário, se bem que os gêneros sejam os mesmos, sua exploração é, agora, muito mais rica e variada.

O imaginário da literatura de tradição oral é absorvido pelo modelo da fantasia moderna e adota suas características de jogo de humor e engenho, em um mundo mais anímico e de escassas dimensões. Mas, ao mesmo tempo, as obras que se inserem nestes modelos folclóricos, o fazem de uma forma muito mais decidida e completa que na etapa de leitura anterior e se diversificam em três linhas distintas: em primeiro lugar encontramos as obras que estabelecem a origem imaginária de elementos da natureza; em segundo lugar, obras que oferecem soluções engenhosas a pequenos conflitos situados no imaginário folclórico e, em terceiro lugar, obras construídas a partir de jogos e novas elaborações modernas dos modelos orais. Vejamos um exemplo de cada uma destas tendências.

Padre Neptuno y las ballenas* seria um caso do primeiro tipo. O modelo das lendas e mitos sobre as origens do mundo – concretamente, o velho tema de por que o mar é salgado –, receberia aqui uma solução divertida na revelação de que o é para evitar que as baleias o bebam. Por outro lado, *El rey perezoso y la araña lista*** trata de dar solução a uma preguiça tão notória que leva um rei a não cumprir seus deveres de governo. Em todos os títulos desta segunda linha predomina o humor e, normalmente, os problemas são decorrentes de mal-entendidos sem malícia. Finalmente, assistimos à renovação dos modelos em contos como *Las aventuras de Vania el forzudo**** que segue muito fielmente os parâmetros do conto popular, mas fazendo uma espécie de recopilação panorâmica de seus motivos literários, ou em *El cuento de Francis***** no

---

* In *Cuentos para engordar un tigre*, de Bisset.
** Idem.
*** De O. Preussler.
**** In *Prohibido llover los sábados*, de M. Carranza.

qual a intenção de narrar um conto popular com todos os seus traços prototípicos sofre as divertidas alterações provocadas pela falta de domínio narrativo do personagem infantil que o conta.

A fantasia moderna também amplia suas variantes em relação à etapa anterior. Não só aparecem "personagens e situações extraordinárias", como um jornal vivo ou a decisão da Terra de tirar férias deixando de girar, mas também contamos agora com "seres minúsculos" como a *Señora Cucharita**, "poderes extraordinários" na voz potente de *Gelsomino en el país de los mentirosos***, "mundos extraordinários completos" no mundo de Dorado de *El cuento de nunca acabar****, e, sobretudo, podemos constatar o aparecimento de uma grande quantidade de "objetos animados", que caracteriza o tipo de fantasia moderna mais explorado.

A conclusão mais óbvia é a de que a fantasia é utilizada como um instrumento especulativo sobre a realidade externa e próxima ao leitor. Com a independência de que se faça através de modelos modernos ou da tradição oral, a maioria das histórias respondem a pergunta "o que aconteceria se...?" As narrações indicam o desenvolvimento das características e consequências da hipótese extraordinária sugerida ou se aplicam em encontrar uma resposta engenhosa ao problema que o fenômeno poderia causar. Assim, muitos destes contos respondem a uma atitude especulativa sobre o que ocorreria se alguém se encolhesse intermitentemente ou de forma definitiva, pudesse mudar a cabeça à vontade, se decidisse a mudar o significado das palavras, se convertesse em animal, ou se os objetos tomassem vida, funcionassem autonomamente, multiplicassem seus efeitos (como no caso da proliferação de automóveis) ou se o mundo estivesse construído sobre leis físicas diferentes das reais (fosse de pedra, de caramelo, etc.).

Este convite à imaginação supõe um jogo em si mesmo, até o ponto em que alguns títulos abandonaram o esquema

---

* De A. Proysen.
** De G. Rodari.
*** In *¡Ay Filomena, Filomena!*, de M. Obiols.

narrativo para adotar diretamente a forma de listas fantásticas de possibilidades. Podem se apresentar como um texto instrutivo (a maneira de construir cometas fantásticos de luz, de bolhas-d'água, etc.), sob a forma de bestiários, ou podem convidar o leitor a continuar inventando possibilidades fantásticas como as que lhe foram enumeradas.

Nesta mesma linha pode-se situar a mudança que se opera nos tipos de elementos aludidos como imaginários positivos. No bloco anterior, o de 5 a 8 anos, havia uma notável referência a condições básicas de segurança e conforto, que se ofereciam como uma síntese simbólica dos desejos e necessidades dos personagens. Por sua vez, neste bloco de obras, esta classe de referências só aparece em uns poucos títulos, os que se aproximam das características da etapa anterior. Por sua vez, a apresentação das coisas conotadas como belas e positivas se desloca além do bem-estar físico dos personagens para abarcar muitos dos tópicos do que se conota culturalmente como belo e positivo. Os elementos mais citados podem agrupar-se em três âmbitos: a natureza (flores, estrelas, cores, pássaros, etc.), a cultura (pinturas, contos, museus, canções, etc.) e as atividades festivas (o circo, as feiras, as brincadeiras, etc.).

Os animais humanizados retrocedem enormemente do ponto de vista quantitativo e mudam de características. Agora já não são uma réplica do mundo humano em um cenário completo, porém trata-se sempre de animais que convivem com os humanos, enquanto que os contos se aproximam das fórmulas tradicionais e das intenções narrativas habituais: peripécias engenhosas, lição de moral para crianças travessas ou parábola sobre temas sociais. A comparação entre o conto ¿*A dónde vas, osito polar?*, do primeiro bloco, e *La princesa Nina y el Tigre**, deste segundo, pode mostrar a diferença. Ambos apresentam uma história de trama quase idêntica; mas, enquanto no primeiro, o modelo atua como transposição identificadora do mundo infantil do leitor, o segundo se situa em um

---

* In *Cuentos para engordar un tigre*, de Bisset.

cenário próprio de um conto popular e adota suas características.

Além destes gêneros predominantes, outros três se iniciam timidamente. Em primeiro lugar a ficção científica o faz com duas de suas linhas mais frequentes: uma de preocupação com o destino da humanidade se se prolongam algumas de suas ações, linha representada concretamente aqui, pela preocupação ecológica onipresente deste período; outra, conformada, simplesmente, por um imaginário tecnológico e cenários do espaço exterior. Em segundo lugar, também se detectam alguns primeiros indícios do gênero de mistérios causados por forças sobrenaturais ou mentais a partir de personagens que adivinham o pensamento ou sofrem de amnésia, ainda que a ambientação aterradora própria deste tipo de imaginário continue totalmente ausente. Em terceiro lugar, entre as escassas obras realistas começa a descrição da vida cotidiana de um personagem, que reflete sobre as relações pessoais que se estabelecem entre as pessoas à sua volta, o que aumenta sua compreensão e capacidade de atuação positiva neste campo. *Querida abuela... tu Susi** é uma das obras deste modelo, que ganhará força na etapa seguinte de leitura.

Apesar de que neste último título a amizade entre iguais constitui um elemento importante, pode constatar-se que não tem praticamente nenhuma incidência na narrativa realista dirigida às crianças até dez anos e apenas aparece em algumas obras fantásticas e de animais humanizados. Por outro lado, a aventura também continua sendo um gênero ausente. Do momento em que as peripécias dos protagonistas se tornaram mais consistentes, parece que se concede aos personagens com os quais o leitor deve se identificar, uma capacidade maior de viver aventuras próprias e que já não seja preciso que se contemplem "por igual", tal como indicávamos na etapa anterior. Esta mesma situação provoca, entretanto, que as aventuras, em si mesmas, não possam ser excessivamente arriscadas ou distantes. A preponderância do imaginário

---

* De C. Nöstlinger.

tradicional oferece, então, uma certa solução para poder utilizar imaginários literários mais amplos, nos quais o protagonista possa exercer sua autonomia.

Diferentemente da ficção para primeiros leitores, o cruzamento entre gêneros e temas não oferece relações significativas. A polarização destas obras, no gênero de fantasia moderna e nos modelos de tradição oral, faz com que estas fórmulas sejam utilizadas para qualquer tema de modo indiscriminado.

Os gêneros para leitores de 10-12 anos

A ficção realista aumenta muito notavelmente nestas idades até abarcar 36,36 por cento das obras, ainda que chame a atenção o fato de que a fantasia mantenha ainda sua preponderância em uma parte tão importante do *corpus*.

Uma novidade importante da ficção fantástica deste bloco de narrativas é que afasta os modelos da literatura de tradição oral, das formas mais típicas dos contos populares. Em alguns casos o faz para recorrer a fórmulas tradicionais, que se consideram mais adequadas para leitores de mais idade, fórmulas mais próximas ao mito e mais centradas na personalidade de um herói, que empreende uma viagem com alguma missão importante. Por exemplo, salvar seu povoado em *Feral y las cigueñas**, na qual um garoto, significativamente batizado com a primeira letra do nome dos cinco homens da família, tem que partir para recuperar as cegonhas do povoado, símbolo da esperança e da primavera, numa viagem que durará grande parte de sua vida e que outorgará um nome novo ao povoado.

Mas na maioria dos casos se produz um desvio claro a respeito do modelo. É nesta etapa, precisamente, onde fica mais evidente que a narrativa infantil e juvenil atual se propôs um jogo deliberado com a tradição oral, que teve como consequência a alteração dos modelos folclóricos. Antes havíamos mencionado os desvios a partir da vontade de recuperação e transferência da bagagem cultural e da exploração de suas

---

* De F. Alonso.

possibilidades para complicar a narrativa, especialmente a partir da utilização dos elementos folclóricos como expressão de conflitos psicológicos. Todos estes desvios se encontram amplamente representados aqui e a esta faixa etária pertencem a maioria dos exemplos citados anteriormente.

Uma vez mais, a fantasia moderna continua sendo o gênero literário mais abundante, apesar de que existe uma diversificação maior de gêneros e apesar do quase desaparecimento das obras de animais humanizados. Se nas primeiras idades a fantasia aparecia a serviço de temas psicológicos e dos 8 aos 10 anos era usada como especulação imaginativa, agora ambos os usos são minoritários e a fantasia se produz a serviço do jogo cultural. A aparição de personagens fantásticos como instrumento terapêutico de superação dos conflitos parece considerar-se já pouco verossímil para leitores desta idade, de maneira que várias obras inclusive mantêm o elemento fantástico em um terreno ambíguo entre a afirmação de sua existência e sua justificação como uma mera invenção do personagem.

As narrativas de terror a partir de fenômenos sobrenaturais e a ficção científica têm pequena representação. De toda forma continua a resistência a estes gêneros, já que, no primeiro caso, o terror se associa ainda em parte ao humor e, no segundo, se desenha um cenário muito pouco distante da sociedade real no qual simplesmente se produz a defesa de uma vida mais livre e prazerosa, em consonância com os valores do imaginário aos quais temos aludido.

A ficção realista parece corresponder à ideia de um leitor interessado em aspectos sociais mais amplos que nas idades anteriores e em uma visão não puramente especulativa sobre o mundo exterior. Esta ideia é a que rege o segundo dos gêneros em ordem de importância numérica nesta idade: a construção da própria personalidade em sua variante de relações interpessoais. Ao mesmo tempo favorece a que a atenção à organização social obtenha uma certa presença.

Desenvolve-se aqui a fórmula aludida antes, e insinuada no bloco anterior, que consiste em situar um protagonista infantil no centro da vida cotidiana de sua família ou bairro e em descrever o que esse protagonista faz, sente e observa em relação aos personagens à sua volta.

Muitas vezes, como pano de fundo da visão infantil aparecem muitos temas sociais. Eles emergem até configurar outro gênero e provocam algumas mudanças nos elementos narrativos. Por exemplo, no protagonismo, já que em consonância com a ampliação da iniciativa que a ação social supõe, o protagonista deva ser um adulto, ou também pode utilizar-se da distância do narrador-testemunha infantil, como no caso antes aludido de *El pequeño Nicolás*. Por outro lado, o tipo de temas abordados é bastante variado e um par de títulos insinua a narração histórica – inexistente como tal nesta etapa –, uma vez que a guerra narrada se identifica como a Guerra Civil espanhola ou a reflexão sobre o poder se ambienta na Catalunha do século XIX.

É curioso constatar que os conflitos centrados no amadurecimento individual são quase inexistentes na ficção para meninos e meninas entre os oito e doze anos, mas, em troca, podem encontrar-se nas leituras para crianças menores e, sobretudo, nas dos adolescentes. Parece que se pensa que ambos os extremos de idade enfrentam crises de amadurecimento individuais, enquanto que o interesse socializador das idades intermediárias lança os conflitos na direção das relações externas. Mas também pode-se pensar que o desenvolvimento da ficção em ambos os extremos é um fenômeno recente e é sua modernidade que tem contribuído para o predomínio de temas psicológicos de uma perspectiva estritamente individual, enquanto que o peso da tradição da narrativa infantil, como relato de peripécias externas, tem ajudado a manter os conflitos no exterior dos protagonistas na parte central do itinerário de leitura.

As narrativas detetivescas aparecem nesta etapa. Fazem-no em dois dos graus mencionados antes para explicar a adaptação deste gênero à literatura infantil e juvenil. No primeiro caso trata-se de obras sobre peripécias infantis a serviço de temas psicológicos ou sociais que simplesmente adotam o esquema de investigação através de pistas até a resolução de um caso. No segundo, trata-se já de obras que seguem mais fielmente os moldes do gênero, com detetives como protagonistas, casos por resolver, acatamento das leis narrativas do gênero ou referências implícitas, ainda que muitas vezes o façam através da paródia, do humor ou do uso inter-relacionado de texto e imagem.

Os gêneros para leitores de 12-15 anos

Os gêneros literários analisados têm uma presença quantitativa muito homogênea entre as narrativas para adolescentes. Se se divide a "construção de uma personalidade própria" em seus diferentes grupos, não há nenhum gênero que alcance 20 por cento das obras, e somente um, o de animais humanizados, não se utiliza. Além da construção de uma personalidade própria, este grupo de ficção incorpora uma presença apreciável da vida em sociedade e da ficção científica. É também o único que contém narrativas históricas, quase o único com aventuras realistas e o que tem mais obras de forças sobrenaturais. Com a incorporação ou aumento de todos estes gêneros e, em troca, com a escassa ou nula presença dos gêneros prioritários nos primeiros blocos de idade, a ficção para adolescentes resulta em um grupo mais singular e mais variado em relação aos modelos literários da narrativa atual.

Esta configuração está favorecida, logicamente, pelo enfraquecimento das limitações derivadas da ideia de que é preciso proteger os meninos e meninas ou de que é impossível usar cenários distantes ou argumentações inferenciais complexas. Assim, pois, o aproveitamento da ficção científica ou do romance policial da literatura de adultos ou a presença do terror e o romance histórico, se produz muito mais facilmente nesta etapa de leitura, enquanto que a consciência de que os interesses dos leitores se ampliaram em direção ao mundo exterior faz aumentar as temáticas sociais.

Pois bem, uma distribuição tão equitativa entre tantos gêneros mascara, na realidade, algumas equivalências de fundo que afloram quando se consideram as obras a partir de agrupamentos mais gerais que as forçam a oferecer um desenho mais fidedigno das tendências, que configuram a ficção para adolescentes.

Em primeiro lugar se destaca a construção de uma personalidade própria. A descrição da vivência individual de um protagonista, normalmente associada ao amadurecimento na etapa adolescente, configura a tendência mais importante da narrativa desta idade. Esta descrição absorve os outros tipos de relações pessoais, já que os temas que se poderiam inserir nesses outros tipos se narram de uma perspectiva absolutamente centrada no personagem adolescente. É o amadurecimento reflexivo do protagonista o que fará que os problemas filiais, por exemplo, vão perdendo dramaticidade à medida que cresce seu interesse pelas novidades da vida e se consolida sua autonomia pessoal. O trecho descrito vai desde a confusão inicial, desde as reprovações da protagonista de *Así es la vida, Carlota** ao divórcio de seus pais: "Alguém havia nos perguntado se estávamos de acordo ou não?"(13), ou de Madde de *Cuando uno se va***: "É preciso ter pais, fazem falta" (22), até a possibilidade de compreender os adultos e assumir, de bom grado, os acontecimentos:

> (...) E naquela noite, aconchegada na minha cama, pensei que, embora às vezes eu ainda sentisse que meu mundo havia se despedaçado, noutras, em troca, me parecia que um mundo novo e diferente começava a nascer à minha volta (*Así es la vida, Carlota*, 154).

As obras nas quais se conjugam as diferentes temáticas adolescentes tendem a organizar-se sob a forma de diários pessoais dos protagonistas. É impressionante observar que quase uma quarta parte do total de obras deste bloco consiste em diários nos quais se integram os temas, que se supõem próprios desta idade. E ainda seria necessário somar aqui algumas obras, que só utilizam fragmentos dos diários de forma intercalada na narrativa ou que focalizam, nitidamente, os protagonistas-narradores de tal maneira que a narração

---

* De G. Lienas.
** De A. G. Windberg.

intimista, que resulta disso, se afasta bem pouco da fórmula do suposto diário.

Resumir em um só parágrafo geral o tema das relações, agrupa já uma terceira parte das obras de todo o bloco. Mas a tendência ainda fica reforçada se levamos em conta que "contamina" também obras classificadas em outro gênero. Por exemplo, *Una mano llena de estrellas** denuncia a repressão no Irã, e foi classificada em "viver em sociedade", mas esta denúncia se realiza através do diário de um adolescente que, como os outros, se enamora, discute com seu pai sobre o futuro profissional, tem amigos na escola, etc.

O prolongamento da etapa adolescente nas sociedades industrializadas tem seu reflexo no tipo de autonomia que os protagonistas hão de conseguir. Nas ficções que se situam na vida rural ou em sociedades mais artesanais, a autonomia dos personagens se relaciona com sua capacidade de sobreviver por seus próprios meios. Em troca, os diários adolescentes de garotos e garotas urbanos, estudantes secundaristas na sua totalidade, se propõem a mostrar a autonomia afetiva e o descobrimento de novos problemas e temas vitais sem que os personagens possam se considerar, em nenhum caso, definitivamente emancipados da família.

A segunda grande tendência da narrativa para adolescentes é a que trata temas sociais e consiste na descrição e denúncia de situações de exploração econômica e de repressão social. Assim, a miséria descrita em *Por tierras de pan llevar*** começa com os trabalhos forçados de um preso, duramente reprimido em seus desejos de fuga e de dignidade, ou em *"El Loco"**** vemos que os índios sul-americanos são tão explorados pela empresa mineradora, como reprimidos pelo exército, a Igreja e os políticos, e inclusive muitas outras obras que se dirigem em princípio a temas sociais um pouco diferentes acabam estabelecendo conexões com estes pontos. É o que

---

* De R. Sahami.
** De J. Farias.
*** De A. Manzi.

ocorre com a mensagem ecológica de *El pájaro burlón**, construído sobre a corrupção de um ministro local em conivência com uma multinacional que pretende converter uma pacífica e próspera ilha em base naval do lugar, e, certamente, não é só o racismo o que se denuncia em uma obra de título tão expressivo como *Cuando Hitler robó el conejo rosa***.

De toda forma, este grupo coeso de obras de temática social lança alguns resultados quantitativos similares aos obtidos pelos gêneros narrativos restantes. O predomínio da denúncia social se evidencia verdadeiramente ao acrescentar a este resultado muitas outras obras que, apesar de se inscreverem prioritariamente em outro gênero, mantêm um componente social muito importante. O cruzamento de gêneros narrativos resulta óbvio se se observa que a exploração e a repressão são elementos fundamentais de uma obra de ficção científica como *Los guardianes****, uma de aventuras como *La casa sobre el gel*****, uma narrativa histórica como *La ciudad sin murallas****** ou uma narrativa policial como *Cómplice*******. Definitivamente, se se contabilizassem conjuntamente, poderia ver-se com toda a nitidez que a problemática social é uma parte essencial de um terço do total de obras.

Em terceiro lugar, a narrativa para adolescentes se insere na fantasia através dos modelos de forças misteriosas, de ficção científica e de fantasia moderna. Este é o único grupo de idade no qual a ficção fantástica é minoritária e no qual a distribuição entre os diferentes gêneros fantásticos é equilibrada, o que significa que foi reduzido o número de obras de fantasia moderna, assim como as variantes deste gênero, em favor da ampliação na direção dos demais gêneros de narrativa fantástica.

---

* De G. Durrel.
** De J. Kerr.
*** De J. Christopher.
**** De J. Carbo.
***** De O. Vergés.
****** De A. de Vries.

Entretanto o que ocorre na realidade é que a maioria de obras de fantasia moderna, forças sobrenaturais e ficção científica tendem a inter-relacionar suas características em um denominador comum, que consiste na criação de um clima de inquietude e ambiguidade entre realidade e fantasia com o qual o protagonista deverá confrontar-se. Em favor deste denominador comum, a fantasia moderna deixa de associar-se com os conflitos psicológicos, com a simples intromissão leviana de um fenômeno insólito na vida cotidiana e com a criação de mundos fantásticos como um jogo de regras, todas elas perspectivas que foram assinaladas como prioritárias nas etapas anteriores de leitura; as forças misteriosas tampouco se propõem a causar terror no leitor (ou fingir não causá-lo), nem a ficção científica segue exatamente as leis do gênero, exceto em *Los guardianes*. Mais que a afirmação de gêneros bem delimitados parece que a ampliação, na direção das distintas possibilidades da narrativa fantástica, se produz a partir do espaço comum que os enlaça, com o uso de elementos que atuam como ondas concêntricas entre as leis dos três gêneros, de maneira que as fronteiras entre ficção científica, fantasia moderna e forças misteriosas se debilitam.

Deste modo, *La tele boja*** consiste em uma obra típica da fantasia moderna, com uma distorção humorística causada por um fenômeno extraordinário, produzida pela alteração do tempo com a consequente possibilidade de intervir no futuro, um elemento clássico da ficção científica. *La selva de los arutams*** introduz a presença de espíritos misteriosos (forças sobrenaturais), mas as forças podem ser capturadas com o emprego de novas tecnologias e sua invocação serve para questionar os valores da civilização atual (ficção científica). *História sem fim* se constrói a partir de uma luta entre fantasia e realidade, através do contato de ambos os mundos produzidos na leitura, que o protagonista faz. Este início, alinhado com as obras de fantasia moderna, deriva em uma ameaça

---

* De M. Rodgers.
** De M. Carranza.

social em nada diferente da que propõe a invasão dos "homens cinzas" de *Momo e o senhor do tempo** ou – em um passo mais na direção das leis da ficção científica – dos vigilantes de *Los guardianes*, em prol da alienação social. Que se perca a capacidade de imaginar, se roube o tempo livre ou se opere o cérebro da população, como narra cada uma destas três obras, são definitivamente questões apresentadas em graus distintos, mais que características diferenciadas entre gêneros narrativos.

Finalmente, a aventura, considerada em sentido estrito, adota decididamente a variante de aventura de sobrevivência. A sobrevivência robinsoniana recriada em *Viernes o la vida salvaje***, pode encontrar-se também na aventura no gelo de *Julie y los lobos* ou na das montanhas do Himalaia de *Las voces del Everest****. Se a consideramos em relação às obras classificadas em outros gêneros, a aventura enlaça claramente o modelo da literatura épica, uma vez que todas as obras, que foram classificadas nos modelos da tradição oral, consistem em aventuras míticas ou cavalheirescas de heróis. Por outro lado, o esquema de aventura impregna quase todas as obras sobre forças misteriosas e algumas de ficção científica ou de narração histórica.

Certamente, não é nada estranho que a novela juvenil inclua o gênero narrativo de aventuras mais que em nenhuma outra etapa de leitura. O herói enfrentando as forças adversas, que alcança a afirmação de sua personalidade ou a ampliação temporal e espacial do cenário são características que conduziram a considerar a adolescência como uma etapa privilegiada para o desfrute deste tipo de ficção. Na realidade, mais que destacar o fato de nos encontrarmos, finalmente, ante um certo *corpus* de obras de aventuras na narrativa infantil e juvenil, a novidade que oferece a análise das obras consiste em revelar a grande limitação com que elas se produzem também nestas idades.

Efetivamente, as três grandes tendências assinaladas – a introspecção psicológica, a denúncia social e os jogos de

---

* De M. Ende.
** De M. Tournier.
*** De J. F. Delgado.

ambiguidade sobre a realidade – ganham a partida de um gênero que se poderia supor onipresente. Os cenários clássicos da novela de aventura – as ambientações históricas, a pirataria e o banditismo, o descobrimento e conquista de novas terras, etc. – são inexistentes e, portanto, a presença da aventura, igualmente no caso dos modelos de tradição oral, se produz sob as formas renovadas que foram citadas anteriormente.

Em primeiro lugar, se utiliza a fórmula habitual de um herói enfrentando o mundo exterior, mas trata-se de uma aventura de amadurecimento pessoal muito próxima das fórmulas de introspecção psicológica dos adolescentes de outras obras, inclusive no emprego da primeira pessoa por parte do "narrador-aventureiro". Por exemplo, em *Julie y los lobos*, a luta pela sobrevivência se funde com o conflito afetivo paterno--filial entre Julie e um pai, que perde o caráter carismático mantido durante a infância da menina. Tudo conflui para mostrar o final doloroso de uma etapa de inocência feliz e o caminho até outra etapa mais complexa. Julie, que foge da frieza de sua vida anterior para não ser forçada a consumar seu matrimônio, terá que aceitar que as formas de vida tradicionais dos inuits* e o estado de harmonia com a natureza foram vencidos – igual aos lobos – por uma nova sociedade, e deverá assumir, ao mesmo tempo, que seu pai faz parte da mesma paisagem e que inclusive pode ser ele quem tenha matado os lobos quebrando assim, definitivamente, a imagem do paraíso perdido.

Em segundo lugar, os cenários da ação se ampliam de tal forma que o aventureiro, em lugar de ir "longe", irá "para dentro", para cenários ambíguos entre a realidade e a ficção, ou para a reivindicação da magia e da natureza perdida. Bastián, o herói-leitor de *História sem fim*, caracteriza um caso evidente da viagem ambígua até as forças da imaginação. A preocupação com uma sociedade na qual se perde a capacidade mágica e imaginativa, se superpõe à nostalgia pelas civilizações não industrializadas e esta visão condiciona a seleção dos

---

* N.T.: Povo nativo das regiões glaciais do Canadá.

cenários de aventura e a intenção reflexiva de todas as obras que adotam este gênero. Pensemos, por exemplo, na rejeição de Robinson em abandonar sua ilha, na decisão da heroína de *Las voces del Everest* de viver entre os lamas, na vitória dos espíritos indígenas e esquimós sobre a tecnologia do antropologo branco em *La selva de los arutams* e na decisão de um casal de jovens antropologos de ficarem vivendo com os jíbaros*, na negativa dos africanos a colonizar-se industrialmente em *La casa sobre el gel*, no esforço por manter vivo o povoado abandonado de *El amigo oculto y los espíritus de la tarde***, na evocação de uma sabedoria mágica de *El museo de los sueños****, etc.

Em terceiro lugar, produz-se uma grande superposição de elementos e tipos de cenários característicos de gêneros diversos, inter-relação própria da literatura atual, consciente dos elementos da tradição sobre os quais se constrói a literatura. Este último aspecto pode observar-se, especialmente, nas obras que adaptam mitos, lendas e personagens históricos ou tradicionais, como ocorre nos compêndios de mitologia grega, que compreendem obras como *Atalanta***** e *El hijo de la lluvia de oro******, o panorama de cenários medievais (o amor no castelo, a sabedoria na universidade, as cruzadas contra os turcos, o comércio veneziano, etc.) e de personagens famosos (Joana D'Arc, Lucrécia Borgia, Leonardo da Vinci, Cristóvão Colombo, etc.) em *Juanón de Rocacorba*******, o jogo de referências de *História sem fim*, etc., e também se pode ver naquelas obras que deslocam vertiginosamente de um cenário a outro seus heróis para aproveitar as possibilidades de diferentes tipos de aventuras, desde a guerra de guerrilhas à abordagem de barcos em *El superfenomen******** ou *La selva de los arutams*.

---

* N.T.: Tribo nativa da Amazônia equatoriana.
** De C. López Narváez.
*** De J. M. Gisbert.
**** De G. Rodari.
***** De J. Vallverdu.
****** De T. Duran.
******* De O. Vergés.

Em resumo, do trecho sobre a ficção destinada às diferentes faixas etárias, se pode depreender uma ampliação progressiva dos gêneros narrativos com algumas fortes linhas comuns de fundo. Podemos representar a mudança no predomínio de uns ou outros modelos narrativos nas distintas etapas no seguinte quadro.

	5-8	8-10	10-12	12-15
Literatura tradicional	+	+	+	-
Fantasia moderna	+	+	+	-
Animais humanizados	-	-	-	-
Forças sobrenaturais	-	-	-	-
Ficção científica	-	-	-	-
Interpessoal	-	-	+	+
Amadurecimento	-	-	-	+
Viver em sociedade	-	-	-	+
Aventuras	-	-	-	+
Narrativa histórica	-	-	-	-
Narrativa policial	-	-	-	-

(Sinal a partir de 10 por cento das obras analisadas em cada um dos blocos)[5]

A novidade temática

Novidade temática[6]			
Ausência		32,83	
Presença		67,17	Proporção interna
Psicológicos	12,44		22,42
Inadequados	8,45		14,95
Sociais	21,40		28,73
Familiares	5,48		10,34
Jogos	19,40		23,56
Total	**100**		**100**

Uma característica importantíssima da narrativa infantil e juvenil atual é a incorporação de novas áreas temáticas, no sentido aqui definido. Nada menos que 67,17 por cento da obras do *corpus* abordam temas pouco habituais na narrativa anterior, o que torna evidente que este é um dos eixos mais claros de renovação desta literatura.

Durante os anos sessenta e setenta as sociedades ocidentais experimentaram importantes mudanças, tanto nas formas de vida, como nos valores ideológicos que sustentam a concepção social sobre a educação da infância. Os livros dirigidos às crianças tiveram que variar seus temas, tanto para refletir os problemas e formas de vida próprios da realidade dos leitores, como para responder à preocupação educativa que, fruto de novas atitudes morais, debilitava o consenso sobre a preservação da infância como uma etapa inocente e incontaminada, própria da narrativa das décadas anteriores.

Talvez este fenômeno devesse ser relacionado com a multiplicação das formas de ficção e com as possibilidades de informação sobre qualquer tipo de tema, presentes na sociedade atual através de meios de acesso que, como no caso da televisão, tendem a esfumaçar as fronteiras entre o que se dirige às crianças e o que se dirige aos adultos. A partir desta situação a prudência temática na narrativa infantil e juvenil teria passado a ser vista como um absurdo e essa percepção confluiria com uma proposta educativa mais centrada em encarar os problemas, do que em ocultá-los. Assim, os temas e gêneros das obras atuais mostram claramente a intenção de dirigir-se a um menino visto quase como "um adulto em miniatura", segundo a formulação de Goldstone (1986) e a de exercer sua função educativa através da imersão da infância no conhecimento de todo tipo de conflitos, ao mesmo tempo que se tenta oferecer-lhe instrumentos capazes de superá-los. Este processo, como veremos em seguida, não carece de contradições e gera seus próprios limites, de maneira que as soluções adotadas parecem mais ou menos felizes e consolidadas, segundo a idade a que se dirigem e segundo os temas que abordem.

Os resultados quantitativos do conjunto de entradas temáticas das obras mostram um notável equilíbrio entre as áreas de novidade que foram definidas, de modo que se pode afirmar que todas as linhas de renovação assinaladas foram incorporadas à narrativa infantil e juvenil de um modo similar. As pequenas variações de sua extensão marcam a ordem expositiva que segue este trecho.

Os novos temas sociais

Os temas sociais escolhidos e a maneira de tratá-los respondem a uma constelação de valores formada pela liberdade, o respeito e a tolerância, assim como pela defesa de uma vida prazerosa para o indivíduo. Em muitas obras se aborda o tema do poder autoritário, se denunciam as formas de alienação e exploração geradas pela sociedade industrial moderna, se reivindicam maneiras de viver em harmonia com a natureza e se defendem os leitores socialmente débeis ou diferentes da maioria (imigrantes, pessoas exploradas ou de outras raças). Os valores propostos se contrapõem àqueles próprios da sociedade pós-industrial, que é amplamente rejeitada, especialmente pelos problemas de agressão que geram uma tripla direção: na direção de seus próprios cidadãos alienados, explorados ou reprimidos, na direção da natureza depredada e na direção das outras raças ou culturas aniquiladas.

Pode-se ver, pois, que, por um lado, nos encontramos ante uma denúncia pela destruição do que já existe e deve ser preservado, quer dizer, de uma denúncia "conservacionista" a respeito do desenvolvimento devastador da sociedade industrial. A contraposição não passa estritamente por uma dicotomia entre natureza e civilização, já que a narrativa infantil e juvenil atual se mostra particularmente sensível aos valores culturais e artísticos, tal como evidencia seu interesse pela transferência deste legado ou pela construção de uma obra literária a partir do jogo com estes elementos. O que se oferece como positivo não é, pois, ou não é só, a natureza, mas a própria obra de construção humana sempre que respeite o mundo circundante, mundo que compreende tanto a paisagem virgem como as demais culturas, a possibilidade de uma cidade habitável ou o direito dos indivíduos a seu tempo de ócio.

Por outro lado, na maioria das obras se procede a uma denúncia "de mínimos" em termos da ciência política. É uma crítica realizada do exterior da esfera pública, basicamente do desfrute passivo do Estado de bem-estar, que se limita a reivindicar tempo livre, relações pessoais e formas de vida imaginativas e que só apela à mobilização social para denunciar a violação democrática quando esta se produz. Inclusive pode-se apreciar uma certa apreensão com relação a qualquer forma de poder, uma vez que a democracia é defendida de forma genérica, mas os políticos ou outros responsáveis sociais são amplamente insultados, da mesma forma que o mundo do trabalho ou da intervenção social só se conotam positivamente, quando é preciso recorrer a eles como instrumento de defesa ante os excessos do poder político ou econômico.

A mesma atitude, entre marginal e de defesa de valores genéricos, conduz a que se abordem em medida muito escassa os problemas surgidos no interior das sociedades atuais ou aqueles conflitos aos quais não se sabe encontrar solução. Apenas se apontam, de forma muito secundária, temas como a delinquência urbana, a burocracia, a vida nos subúrbios, o uso de drogas, o abandono social, etc. É certo, no entanto, que muitos destes aspectos emergiram socialmente durante a década dos oitenta e talvez ainda não tenham tido tempo de penetrar na narrativa infantil e juvenil do período analisado.

Definitivamente, pois, a militância social destas obras parece responder em grandes traços às demandas contestatórias mais difundidas nos anos setenta. Mas, a evolução na direção da ênfase nos valores individuais produzida posteriormente, faz com que muito poucas obras se insiram na intervenção social combativa, própria também da década anterior, e o que se mantém, em definitivo, dos valores de "sessenta e oito" é a rejeição externa da sociedade industrial a partir da distância outorgada pelo refúgio na cultura, na natureza e no desfrute das relações humanas como formas de vida.

Não deixa de ser curioso que os livros dirigidos às crianças e adolescentes contenham uns valores tão distantes da prática social. Neste sentido, a narrativa infantil e juvenil é um fenômeno absolutamente paralelo ao da instituição escolar. Não é preciso ler mais que o preâmbulo da atual lei de reforma do sistema educativo para ver que ambos os instrumentos educativos oferecem explicitamente uma concepção social sobre a infância e sobre os valores, mais de acordo com a teoria do que com prática social. A distância existente entre os valores preconizados e a realidade pode-se contemplar de um ponto de vista positivo, quer dizer, pode-se ver como um oferecimento à infância do discurso "ideal" gerado por uma sociedade, que desejaria superar as contradições de seu funcionamento real. Mas, ainda aceitando esta visão, parece evidente a debilidade de um discurso ideológico tão carente de implicação e de defesa dos progressos sociais e produtivos concretos.

O jogo de transgressão das normas sociais e literárias

O jogo de transgressão das normas sociais e literárias é a segunda inovação temática do ponto de vista quantitativo e a característica qualitativamente mais inovadora em relação à tradição da narrativa infantil e juvenil. Até esta época, os livros para crianças não se haviam permitido brincar com as normas sociais, exceto nos casos em que a norma se restaurava finalmente no interior da própria narrativa, nem haviam aceitado cotas tão elevadas de descontrole, desordem, mau gosto e crueldade, exceto no caso da literatura de tradição oral, não destinada originalmente ao público infantil. Tampouco se havia produzido até estes anos tal elevação dos pressupostos de compreensão dos textos, nem a aceitação generalizada de uma extensa gama de formas literárias experimentais, que invertem deliberadamente as possibilidades tradicionais da enunciação com um propósito essencial de jogo formal e humorístico. São, pois, os dois critérios básicos da literatura infantil e juvenil – a adequação moral e a compreensibilidade dos textos – que se veem questionados por esta linha de inovação.

Em muitas das obras, se fundem os dois tipos de transgressão em um só propósito de ruptura num jogo imaginativo e desinibido. Outras narrativas, ao contrário, se inserem em uma só das vertentes de inovação. Em estudos futuros seria necessário deslindar os dois campos, para proceder a uma descrição mais detalhada do tipo de violações produzidas em cada um deles, assim como no tipo e grau de interferências. Aqui nos limitaremos a assinalar o sentido geral das mudanças em ambas as linhas.

O primeiro tipo de transgressão, o das normas de ordem e conduta, obedece a uma flexibilização destas regras na concepção social atual e a uma decidida vontade da narrativa atual de incorporar o reflexo dos sentimentos antissociais das crianças, atitude promovida, em parte, pelas correntes psicanalíticas que defenderam a não negação das fantasias e impulsos do indivíduo, como foi indicado antes. A crise de um modelo moral único e bem delimitado contribuiu para a promoção de uma atitude vitalista, que põe ênfase no direito individual à liberdade e ao prazer, frente à submissão à hierarquia e ao cumprimento de normas prefixadas. Trata-se, definitivamente, do mesmo substrato assinalado a respeito da vertente social destes valores. Desta forma, o modelo de conduta correta se debilitou e os personagens destes livros podem ser muito mais desordenados, descarados, glutões ou preguiçosos do que as normas sociais ditam como bom comportamento. Certamente, no mercado podem-se encontrar livros que apresentem ruptura maior neste campo, que os da seleção aqui analisada, com batalhas de insultos, animais que devoram humanos ou fazem cair excrementos sobre eles, etc.[7] Mas, ainda assim, é preciso reconhecer que o acordo da crítica sobre os "melhores livros" inclui uma notável permissividade nas cotas de desordem e violência, que se admitem na conduta dos personagens sem que sejam realmente censurados.

A incorporação destas atitudes se produz recalcando também seus limites, já que se trata, definitivamente, de que o leitor descubra e assuma algumas normas internas através do modelo da "pedagogia invisível". Às vezes os limites são explícitos para os mesmos personagens da obra, ainda que esta opção quase nunca implique um castigo ou qualquer outra sanção externa, mas é o próprio personagem quem comprova que a violação da norma comporta consequências não desejadas. Outra vezes os limites procedem de uma clara consciência, compartilhada pelo narrador e por um leitor suficientemente crescido para haver assimilado as normas, de encontrar-se em um parênteses de deleite terapêutico a partir do poder dos personagens de pular momentaneamente as regras.

O segundo tipo de transgressão, o das normas narrativas tradicionais, obedece à mesma atitude de jogo através da ficção, mas se acrescenta aqui a influência das tendências culturais do presente e, concretamente, a experimentação com as regras de construção literária realizada pela literatura de nosso século. Nas obras que apresentam este tipo de inovação pode-se encontrar, em primeiro lugar, jogos referenciais, com a apelação explícita a autores, obras e elementos concretos da tradição literária e artística; em segundo lugar, formas de dissolução do esquema narrativo em favor de catálogos imaginários, variantes da própria história ou sucessivas experimentações de tipos de linguagem; e, em terceiro lugar, jogos baseados na explicitação das relações entre leitor, narrador e mensagem para a construção da história.

Nestas formas de experimentação literária se solicita a participação do leitor na construção do relato através de estímulos muito variados, desde pintar em uma folha do livro até resolver adivinhações, ou dá-se instruções para a leitura, desloca-se constantemente de um a outro nível narrativo em um movimento interior-exterior, que não permite esquecer o objeto literário ou desafia-se a descobrir/estabelecer a interpretação possível do que se está contando. A participação explícita do leitor resulta, pois, no efeito buscado por estas obras, intensificando a concepção da literatura como um tipo de jogo imaginativo, que se constrói a partir das características próprias de uma literatura escrita.

O enfoque nos conflitos psicológicos

A psicologização da narrativa infantil e juvenil é um fenômeno apreciável nos resultados da análise. A constatação de que quase uma quarta parte da inovação temática se refere, de forma mais ou menos central, a conflitos psicológicos dos protagonistas é um traço notável para a tradição que provém da aventura externa, da norma sobre as condutas e da falta de caracterização psicológica dos personagens.

Mas aprender a encarar os conflitos internos e refletir sobre as relações humanas passou a ser considerado aquisição essencial em uma sociedade na qual a adversidade já não provém da luta contra a natureza. Agora se espera que as pessoas aprendam a desenvolver-se através da avaliação dos problemas, de sua verbalização e que assumam que o êxito consiste unicamente em encontrar a melhor das saídas possíveis. A problematização de qualquer sistema moral, que pretenda separar nitidamente o bem e o mal, tornou mais urgente a tarefa de facilitar instrumentos de atuação que deleguem ao indivíduo a responsabilidade moral de decidir sua conduta a partir dos valores de aceitação de si mesmo, de tolerância em relação aos demais e de busca da felicidade. A imagem da substituição de uma bússola moral pela de um radar de atuação pode oferecer uma representação gráfica da mudança de valores educativos constatados.

Também no tema da reflexão psicológica produziu-se uma convergência entre as mudanças educativas e literárias, que impulsionou a ampliação desta temática. Já faz muito tempo que a literatura para adultos se centrou na introspecção pessoal e criou modelos literários adequados para expressá-la, e de sua parte, a narrativa infantil e juvenil, ao consolidar-se como literatura escrita, assumiu elementos da ficção psicológica e técnicas narrativas da literatura para adultos.

Os conflitos psicológicos tratados são todos os que se supõem relacionados com cada uma das etapas da infância e adolescência, tal como veremos ao comentar as especificidades de cada idade. Uma ligeira revisão nas coleções editoriais torna evidente o propósito de contemplar o panorama quase exaustivo de conflitos denunciados por Patte (1988):

Toda uma corrente pedagógica empurra os escritores para crianças a escrever para demonstrar, para que o livro tenha uma finalidade educativa. Isto acontece inclusive até um desejo abusivo de biblioterapia: o livro para a criança que chupa o dedo polegar, o livro para aquele que tem medo de escuro, etc., o livro para a criança cujos pais estão divorciados. (118)

As obras aqui analisadas estão distantes deste perigo da subliteratura moderna, uma vez que se trata de uma seleção de qualidade, mas, precisamente, era de se esperar que estes temas aparecessem de forma representativa, como tem ocorrido.

As soluções que se oferecem com maior frequência para os conflitos psicológicos descritos são a fantasia, tal como indicamos ao falar dos gêneros narrativos, e o distanciamento humorístico. As relações pessoais positivas constroem uma terceira via, quase sempre subjacente às duas primeiras, e que se dirige também a ressaltar a necessidade de amadurecimento pessoal. As combinações entre estes recursos não se produzem ao acaso. Por exemplo, a fantasia se dissocia do humor se o tema psicológico resulta inapropriado para ser tratado dessa perspectiva; em certas idades, e em relação a determinados temas, a fantasia se vê como um recurso totalmente insuficiente para solucionar o conflito, de maneira que a reflexão pessoal e a ajuda dos demais passam a constituir o instrumento essencial para solucioná-lo.

Esta última opção é a adotada, por exemplo, no caso dos conflitos familiares das obras dirigidas aos leitores de 10 a 12 anos. Se a confiança em uma suposta pirueta mágica, a transformação em monstro ou a amizade com um fantasma ainda valem para os protagonistas de algumas das obras deste grupo de idade, quando se trata de enfrentar a relação familiar os recursos fantásticos se revelam insuficientes. Transformar a televisão em um irmão mais velho com quem conversar ou personificar uma mancha do teto, como tentam alguns protagonistas infantis, são recursos apresentados já como tentativas fracassadas de solucionar os problemas, becos sem saída que obrigam os personagens a adotarem medidas mais corajosas ou mais desesperadas. A fuga de casa ou a necessidade de fazer parte em uma banda juvenil, são claros exemplos de uma maneira diferente de tentar salvar-se. Em todos os casos, entretanto, os protagonistas não terão outro remédio a não ser terminar enfrentando "de cara" os conflitos familiares. Tal como dissemos, as novas possibilidades de solução virão agora da presença de personagens positivos que os compreendam e ajudem, da existência de um último afeto familiar e do aumento da capacidade de compreensão e autoafirmação dos protagonistas infantis. Vejamos um exemplo disso em *Mi hermano mayor**, no qual a menina protagonista não sairá de seu isolamento até que tenha obtido a força necessária para desobedecer sua mãe superprotetora:

> A magia se rompeu bruscamente. Adela se solta das mãos do menino e suspira:
> – Não posso, mamãe não deixaria.
> (...) Todos os temores, que como as bonecas das estantes de seu quarto tinham-lhe sempre feito companhia, vêm em cima dela..., absorventes, pesados...
> ... Faz um esforço, move a cabeça para afugentá-los. Levanta-a e olha para o menino. Sorri, como adivinhando o que há atrás do véu que está a ponto de rasgar.
> – Voltaremos, não é? Estaremos aqui na hora do jantar... (118).

Os temas considerados inadequados para a infância

A incorporação de temas excluídos até agora dos livros infantis por sua inadequação à etapa da infância se produziu, em parte, como uma derivação das premissas anteriores. Já os conflitos internos que os personagens devem enfrentar são, na maioria dos casos, aspectos inerentes à condição humana, tais como a doença, a morte, a invalidez ou o desamor dos outros. A dor pessoal que estes conflitos causam é sempre apresentada a partir da dupla mensagem de sua inevitabilidade e de sua possibilidade de ser assumida, de forma efetiva, durante o processo de construção da personalidade.

A chave para introduzir esta problemática é o uso de recursos que graduam a angústia. Em um extremo do espectro

---

* De M. Company.

pode-se produzir um distanciamento total através do humor. É o caso, por exemplo, de ¡*Ahora no, Fernando!** Neste conto se apela à situação, bastante experimentada pelas crianças, de que seus pais, envolvidos com outros assuntos, as ignoram. Esta situação se leva ao extremo e um monstro devora a criança protagonista, apesar dele ter avisado seus pais do perigo, ocupando seu lugar na família, sem que os adultos percebam, que já não é o pequeno Fernando quem brinca, come e dorme com eles. Em uma leitura mais complexa, pode-se pensar que se trata de uma fantasia de criança, já que ele adverte seus pais sobre a situação antes que nos conste que tenha visto o monstro. Mas isso não minimiza a denúncia realizada, uma vez que se trataria de um último recurso frustrado do personagem para chamar a atenção paterna. Tampouco a muda se se vê o conto como uma ficção dirigida aos adultos, que veem as crianças, realmente, como pequenos monstros chatos, porque a leitura infantil será igualmente decepcionante. O humor do conto permite encontrar aqui traços absolutamente incomuns nos contos infantis, como o desaparecimento do protagonista na metade da narração ou um final negativo do ponto de vista do conflito da criança.

No centro do espectro se situa *Yo las quería***, um conto representativo da forma mais generalizada de apresentar estes temas. Trata-se de relatar a morte da mãe de uma perspectiva realista, oferecida à vivência distanciada do leitor através da recriação de um entorno repleto de detalhes próximos da experiência infantil. A fantasia pode ser uma ajuda, ainda que neste conto concreto se mantenha como uma ajuda lateral, já que é a menina protagonista quem deseja crer que a mãe se revela no sorriso de uma estrela brilhante. A intimidade da dor encontrará consolo na autoconsciência e no amadurecimento – simbolizado nas tranças que a menina já não precisa para sentir-se bem – e na sua semelhança com a mãe morta. Definitivamente: é, pois, a assunção da dor o que oferece à história um final de esperança.

---

* De D. Mckee.
** De M. Martinez i Vendrell.

Por outro lado, precisamente a adoção da perspectiva infantil é o que pode causar o grau mais elevado de angústia na introdução destes temas. São-nos apresentados, então, pequenos protagonistas que não possuem a chave explicativa do conflito, que não são capazes de analisá-lo, etiquetá-lo nem agir em consequência. Convida-se, pois, o leitor, a experimentar a desproteção do personagem, e é ele mesmo, em grande parte, quem deve esclarecer o problema a partir da descrição do que ocorre e do que o protagonista sente.

O uso desta perspectiva é o que converte *Elvis Karlsson* em uma das obras mais impactantes entre as que tratam de problemas psicológicos provocados pelas relações familiares. Em parte, porque se refere ao próprio núcleo do amor paterno-filial, à nula aceitação de Elvis por parte de sua mãe, e não a outros aspectos mais laterais, como podem ser, ou uma má tradução do amor paterno na conduta adotada (nos casos de superproteção materna, por exemplo), ou o efeito indireto dos problemas dos adultos sobre os filhos (no impacto do alcoolismo e o maltrato familiar de *Theo se larga**, por exemplo). Mas, sobretudo, o grau de angústia de *Elvis Karlsson* é maior porque o problema jamais se enuncia explicitamente. É através da consciência de Elvis, que o leitor segue a narração e Elvis é incapaz de precisar o conflito; só pode experimentar sua sensação de fracasso e esforçar-se, sempre inutilmente, para agradar sua mãe. Quase qualquer fragmento do livro pode servir de exemplo desta forma indireta de abordar o tema através da vivência infantil:

> As piores são as amigas do telefone. São as que falam sobre ele, e sempre sabem de tudo.
> Mamãe tem tantas preocupações que necessita de alguém em quem "confiar".
> Elvis sabe que ele é a origem de todas as preocupações de mamãe.
> Ele não saiu como ela esperava.
> Na sala, sobre o toca-discos, há uma fotografia de um cantor (...)
> O ídolo se chama Elvis, e por essa razão ele também se chama Elvis, para que se parecesse ao autêntico Elvis da fotografia. Mas não aconteceu assim. Seu cabelo é castanho e duro como uma escova. Além

---

* De P. Härtling.

disso tem a voz rouca e não canta nunca. Ou seja, é lógico que mamãe tenha preocupações.

Outro dos problemas é que não tenha nascido menina, as meninas são mais tranquilas e pode-se fazer-lhes vestidos, mas para os meninos não vale a pena fazer nada. E como além disso mamãe não vai ter mais filhos, não vai conseguir uma menina, já tem Elvis. Outra coisa boa das meninas é que são mais amáveis e mais fáceis de educar. Pelo menos isso é o que dizem as amigas do telefone.

Muitas pessoas têm telefones brancos, mas o deles é preto, deve ser porque mamãe lhe conta tantas preocupações e problemas. É um aparelho de tristezas.

Elvis também sabe que é desobediente, terrível e muitas coisas mais. Ser assim também é uma desgraça para ele, mas parece que ninguém pára para pensar sobre isso (23-24).

A introdução de temas inadequados se produz, em segundo lugar, pela descrição de situações de agressão e violência, especialmente através do conhecimento da repressão social, com ações de perseguição e tortura. As vias de saída para este tipo de conflitos são muito distintas das anteriores, já que o que se busca aqui é um impacto emocional que promova uma consciência social ativa por parte dos leitores. Muitas vezes, portanto, estas obras deslocam a esperança de solução para o futuro ou desembocam em finais negativos para contribuir em deixar marcas no leitor.

Finalmente, o terceiro eixo de ampliação neste campo, não se produz à custa dos pressupostos de proteção às crianças em relação à crueldade da vida ou da organização social, mas implica a ruptura de um tabu social: o da existência do amor e da sexualidade infantil e adolescente.

O motor desta terceira ampliação a temas inadequados tem sido, sem dúvida, o desenvolvimento do romance juvenil, que tem tentado abordar as preocupações habituais dos adolescentes, sem excessivos preconceitos morais. Provavelmente, a grande presença do sexo em nossa sociedade através da infinidade de produtos culturais tem tornado ainda mais evidente a artificialidade de uma literatura asséptica neste campo. A vontade dos autores da narrativa infantil e juvenil de afastarem-se do didatismo imperante, tem contribuído também para a reivindicação de poder tratar qualquer tema presente na infância, tal como declara Härtling no prólogo de *Ben quiere a Anna**, onde nos diz:

> Às vezes os adultos dizem às crianças: vocês não têm idade para saber o que é o amor. É preciso ser mais velho para saber.
> Isso significa que esqueceram muitas coisas, não têm vontade de falar com vocês ou se fazem de tontos.
> Eu me lembro perfeitamente de como me apaixonei pela primeira vez, aos sete anos. Ela se chamava Úrsula. Não é a Anna deste livro. Mas ao falar de Anna penso também em Úrsula (5).

O tabu anterior foi violado a tal ponto, que a menção do amor nas narrativas para adolescentes parece agora quase inevitável. Tanta presença amorosa chega até à descrição de um certo grau de expressão sexual dos personagens. Parece que as obras, inclusive, buscam ativamente a alusão leviana a este tema e que o fazem em um equilíbrio deliberado na caracterização entre garotos e garotas, outorgando iniciativa às garotas e sensibilidades aos garotos.

Mas as reticências morais estão longe de desaparecer e se fazem evidentes ao observar-se a grande quantidade de condicionantes com que o sexo aparece tratado. Efetivamente, o tema se circunscreve às obras que têm protagonistas adolescentes, aparece sempre ao final da obra – depois que o leitor assistiu a um longo namoro – e, normalmente, se limita à descrição do primeiro beijo. Evita-se, além do mais, conceder-lhe uma importância prioritária, uma vez que se vê misturado às outras preocupações dos protagonistas adolescentes. Só em *El último pasmarote*** a vontade de conquistar o amor de uma garota se torna o motor da ação, enquanto que em todas as demais obras a iniciação sexual representa simplesmente "um recurso a mais" para transmitir a ideia de superação dos conflitos familiares e pessoais dos adolescentes ante os novos interesses que a vida lhes oferece.

Esta timidez de trato se quebra um pouco nas obras que narram a consumação sexual. Quer dizer, literalmente "narram",

---

* De P. Härtling.
** De R. Plante.

mas não descrevem, exceto em *La selva de los arutams*, em que a explicação de uma cena sexual, em meio a uma aventura rocambolesca, resulta tão estereotipada e distanciada da experiência cotidiana dos adolescentes, que perde a carga transgressora. Em todos os casos, além do mais, a realização do ato sexual se situa em personagens ligeiramente mais velhos e mais autônomos, enquanto que os garotos e garotas secundaristas se limitam a emocionar-se por um beijo ou a aludir à menstruação. Em consonância com esta timidez, a masturbação, provavelmente um tema muito presente para os adolescentes, e que poderia estar no catálogo de "preocupações próprias de" que configuram estas obras, se mantém na mais absoluta inexistência.

Os novos problemas familiares

A narrativa infantil e juvenil analisada aborda as mudanças sofridas pela organização familiar em uma proporção bastante menor que as demais novidades temáticas. Entretanto, trata-se de uma área definida de forma muito mais restritiva do que as outras e por isso pode-se considerar que é um tema bastante presente, apesar dos resultados numéricos. Mas deixando de lado sua frequência, a primeira coisa que salta à vista ao analisar esta problemática é que sua introdução se encontra claramente restrita aos leitores de mais de dez anos e que, antes desta idade, a estrutura familiar permanece absolutamente inquestionada.

Os temas familiares introduzidos se agrupam em duas subdivisões. A primeira tenta refletir as situações familiares que se afastam da família prototípica e, ao mesmo tempo, ajudar psicologicamente os leitores a aceitar o desvio. Esta linha inclui os temas de adoção filial, famílias monoparentais (sempre mães solteiras ou abandonadas pelo marido) e, sobretudo, o processo de divórcio dos pais.

A segunda se dirige à crítica das atitudes paternas. A crítica se exerce, especialmente, em relação ao grau de proteção dos pais com respeito aos filhos, tanto pelo seu excesso, no caso da superproteção, como por sua falta, no caso de uma irresponsabilidade manifesta. A denúncia da superproteção se centra na figura materna e faz parte da revisão feminista dos papéis tradicionais de homens e mulheres. A caracterização da irresponsabilidade responde a uma situação paterno-filial de cunho novo: a da figura de pais mais irresponsáveis e fantasiosos do que suas crianças necessitam ou podem suportar.

Assim, pode-se dizer que a mãe de Paula de *Ala de mosca** é irresponsável "no velho estilo" de mãe rica e preocupada com sua beleza, de maneira que suas filhas podem apelidá-la de "Barbie". Mas o pai de Terry, de *Querido Bruce Springsteen*,** abandona o lar para ser cantor de rock, e a mãe de Morris, de *La tele boja****, aflige e torna realmente histérico seu filho por sua falta de ordem e previsão econômica. Estes personagens e estas situações só parecem possíveis depois das mudanças operadas nas três últimas décadas sobre o que é esperado – e desejado – na conduta de crianças e adultos, assim como depois da debilitação da estrutura familiar como forma de organização estável nas grandes cidades.

Além do desajuste no grau de proteção, também se critica a incapacidade paterna de oferecer uma relação que corresponda aos modelos preconizados pelos novos valores: a hierarquia legitimada por uma autoridade moralmente adquirida e não por uma simples posição familiar, assim como a defesa da comunicação e da proximidade entre crianças e adultos nas atitudes e valores adotados ante a vida. Na realidade, mais que moldar a conduta dos filhos, as obras da narrativa infantil e juvenil atual parecem empenhadas, neste ponto, em fazer-lhes saber como deveriam ser seus pais.

Mi calle**** resulta em um bom compêndio da descrição exemplar dos novos valores familiares. A família da protagonista se reduz à sua mãe, já que é filha de mãe solteira. A mãe tem um namorado com quem não está casada, mantém uma boa relação afetiva com a menina e compartilha com ela

---

* De A. Balzola.
** De K. Major.
*** De A. Balzola.
**** De A. de Vries.

brincadeiras imaginativas, como os bordados da colcha. Quando a menina conhece as famílias vizinhas, são-nos apresentados dois modelos opostos: uma família rígida e meticulosa que critica a situação familiar da protagonista e uma família tranquila e desordenada na qual os numerosos filhos são tratados com muito mais permissividade que na anterior.

A evolução da novidade temática segundo a idade do destinatário

A divisão da inovação temática por faixas etárias põe em evidência a grande diferença existente entre as obras dirigidas aos leitores de 8 a 10 anos, que se afastam muito pouco dos temas tradicionais, e os demais. Talvez a razão desta distância tão marcante radique no predomínio dos modelos literários da fantasia moderna e da literatura de tradição oral nestas idades. Tal como se indicou ao falar dos gêneros narrativos, a especulação imaginativa é o eixo principal da ficção que lhes é dirigida e os modelos literários não estão a serviço de outro propósito, que o de ver imaginativamente a realidade, intenção que não traz nenhuma novidade, como tal, aos temas já habituais nos livros para meninos e meninas.

A introdução de novos temas se produz, principalmente, na literatura dirigida aos leitores maiores de dez anos. Este resultado poderia levar a pensar que não resulta estranho que a narrativa infantil e juvenil siga a tradição temática nas primeiras idades e se aventure mais tarde na introdução de novidades, especialmente pressionada pela necessidade de configurar a ficção para a adolescência. No entanto, este raciocínio não se cumpre na prática, já que o grupo de primeiros leitores apresenta um índice de novidades muito maior que o grupo de 8 a 10 anos. A explicação se deve buscar, então, no desenvolvimento recente da ficção para primeiros leitores. A criação de um produto sem tradição literária moderna tem que haver favorecido, necessariamente, a novidade dos temas abordados.

Além das diferenças numéricas se destaca também a evolução seguida na forma de tratar algumas destas temáticas. A moderação da angústia, a sutileza psicológica ou a contextualização dos temas sociais, por exemplo, são aspectos que apresentam diferenças claras, segundo a capacidade de compreensão que se pressupõe dos leitores e o grau de proteção, que se deseja manter.

Um exemplo muito claro de tratamento diferenciado é o que recebe o autoritarismo. Trata-se de um dos temas sociais mais frequentes do *corpus*, já que, tal como temos assinalado, estes temas quase limitam a intervenção social ao estabelecimento de relações democráticas. A temática ganha força no grupo de 8 a 10 anos, quando parece aceitar-se que os interesses sociais das crianças já podem abarcar uma dimensão cidadã, que inclui a forma de organizar-se socialmente. A maioria das obras deste grupo narra o enfrentamento genérico dos personagens com um "rei" despótico ou com outro personagem similar, que dá ordens incongruentes ou exige obediência. Assim, por exemplo, o rei de *El sabio rey loco** age mal, para descobrir o súdito digno de suceder-lhe, na pessoa que se oponha a suas ordens, situação muito na linha das astúcias relatadas nos contos tradicionais.

Já situados na etapa de 10 a 12 anos, acrescentam-se reflexões sobre o poder a partir da descrição de situações mais concretas. Por exemplo, de defesa de um povoado abandonado em plena guerra por parte do protagonista de *El alcalde Chatarra***, que decide que o importante não é só mandar bem, mas ter sido eleito pelos demais; ou também da atitude do rei fantástico de *Me importa un comino el rey Pepino****, que revela o autoritarismo pessoal latente no pai da família protagonista.

Finalmente, na etapa de 12 a 15 anos, o confronto com o poder se encarna em conflitos muito mais contextualizados no espaço e no tempo. As situações de opressão se localizam com detalhe nas comunidades indígenas da América do Sul, Irã, um povoado francês no pós-guerra europeu, a Alemanha nazista, a construção do canal de Castela, o fim da civilização

---

* De E. Lanuza.
** De J. Vallverdú.
*** De Ch. Nöstlinger.

dos inuits, os povoados montanheses de Lleida ou Castela, etc. Ao longo deste processo de contextualização diminui a possibilidade de tratar o tema de forma humorística ou fantástica, associada com a crítica social mais genérica. Não é por acaso que o fantástico confronto de *Momo e o senhor do tempo* o único que perpetua o modelo do grupo de idade anterior no bloco adolescente, enquanto que só incluem traços de humor *El pájaro burlón* e *El superfenomen*, justamente as obras mais descontextualizadas e artificiais do grupo, no sentido de que se inventa uma trama completa "exemplificadora" de problemas sociais inter-relacionados.

Também pode-se apreciar facilmente a mudança através das idades em outro tema social típico deste período: a ecologia. Se na faixa de 8 a 10 anos a preocupação ecológica pode constituir-se em buscar uma solução imaginativa à proliferação de automóveis, afundando-os em uma espessa camada de alcatrão (*Miranío y Miranía**), na de 10 a 12 se tratará de impedir a destruição concreta de alguns manguezais vitais para as aves em mãos de especuladores e políticos corruptos (*Las alas rojas***), enquanto que na de 12 a 15, um tema bem parecido ao anterior – a inundação de vales para poder instalar uma base militar, em *El pájaro burlón* – incluirá uma detalhada lição de equilíbrio ecológico e de política internacional, enquanto que em *Julie y los lobos* se abordará com crueza a dificuldade de preservar o espaço natural com todas suas consequências.

Outro tipo de diferença se refere especificamente aos temas que se supõem mais relacionados a uma ou outra etapa de vida, tal como veremos em seguida.

Temas para leitores de 5-8 anos

Já observamos que as obras para primeiros leitores são muito mais inovadoras do ponto de vista temático. Somente

---

* In *¡Ay Filomena, Filomena!*, de M. Obiols.
** De M. Rayó i Ferrer.

uma quarta parte das narrativas se situam em uma linha que se pode inscrever nos temas habituais da literatura infantil. Quando isto ocorre, as narrativas se dirigem quase unanimemente a descrever as relações afetivas entre os personagens, através da explicação de pequenas anedotas da vida cotidiana. Todas as obras de temática tradicional pertencem ao grupo de obras fantásticas e, muito especialmente, aos contos de animais humanizados.

A novidade nos temas consiste, de forma esmagadoramente preponderante, no enfoque de conflitos psicológicos (quase um terço do conjunto total das obras deste grupo), seguida, a muita distância, pelo jogo com as normas literárias e de conduta. Se a experiência de vida dos leitores é considerada muito limitada, é lógico que a narrativa infantil amplie as pequenas peripécias tradicionais com a introdução de temas atuais, que possam ser abordados a partir de um cenário social muito reduzido. A ênfase atual na importância psicológica da primeira etapa da infância pode haver contribuído também para o auge do primeiro tipo de novidade, enquanto que o suposto prazer do leitor pela violação das normas, que ele apenas acaba de aprender, assim como a tendência geral ao jogo literário e ao humor, outorgam muitos pontos à "transgressão de normas" para que seja a segunda novidade incorporada.

Como é natural, os conflitos psicológicos eleitos são os que se consideram predominantes nesta idade. O tema principal é a conjuração do terror noturno infantil, especialmente o temor aos pesadelos, mas também o temor do desconhecido, como no caso da protagonista de *Munia y el cocolilo naranja* que teme que os dentes caídos não voltem a nascer. A ajuda para enfrentar o medo chegou a criar novos seres fantásticos que têm por missão proteger os meninos e meninas de seus pesadelos, como a *Nana Bunilda** ou *Tragasueños***. Esta criação completa o círculo de proteção dos pequenos, iniciado com o desaparecimento dos personagens terríveis através da desmitificação. Não se trata somente de que não se deva ter

---

* De M. Company.
** De M. Ende.

medo porque o perigo é inexistente, mas de que se este sentimento continua a ser experimentado, as crianças podem chamar (é a fórmula literal dos dois contos) seres benéficos, que também coincidem na maneira de eliminar os pesadelos: comendo-os.

Esta curiosa forma de eliminar os pesadelos não é irrelevante. A comida se encontra extraordinariamente presente nestes contos como elemento positivo e simbólico da proteção e do bem-estar infantil e sempre são os adultos aqueles que o proporcionam. Comer é acompanhado, muitas vezes, da possibilidade de calor e de um sonho agradável, de maneira que as necessidades básicas se revelam como a principal imagem da segurança e do bem-estar e, tal como dissemos antes, constituem um imaginário de prazer muito acima da utilização de repertórios convencionais de elementos estéticos como os próprios da natureza. Curiosamente, comer não é nunca desagradável ou obrigatório, mas está sempre "a favor das crianças" como uma representação da fruição da vida preconizada por estas narrativas e em consonância ideal com a experiência própria dos pequenos leitores. Inclusive nos jogos paródicos, como os doces repugnantes que prepara a mãe-bruxa de *Lo malo de mamã**, estes o são somente para escândalo dos adultos, mas os personagens infantis os recebem encantados e se entregam ao deleite cúmplice dos leitores implícitos.

O ciúme fraterno é o segundo tema mais tratado, ainda que já a muita distância do medo. Nos títulos que o abordam, o protagonista exterioriza sua infelicidade com um mau comportamento que se resolverá, ou a partir da explicitação dos sentimentos de afeto do resto da família (em *¡Julieta, estáte quieta!***), ou da assunção de uma conduta "adulta" de colaboração com os pais no cuidado dos irmãos menores (*¡Yo también quiero tener un hermanito!****).

A conduta agressiva das crianças e sua raiva pela imposição de normas que tentam reprimi-la é outro tema

---

* De B. Cole.
** De R. Wells.
*** De A. Lindgren.

bastante tratado. O é, por exemplo, em *Donde viven los monstruos**, um título que se converteu em um clássico dos álbuns infantis. O protagonista poderá esquecer sua fúria em uma viagem através da fantasia até um mundo de monstros, similar à própria autoimagem da criança que ouviu sua mãe qualificá-lo de "monstro". Também aqui é a chamada da comida, o odor de um jantar que chega, conciliador, até "o outro lado do mundo" o que provocará que o pequeno Max sinta desejos de estar em um lugar "onde alguém o queira mais que a ninguém".

Em todos estes exemplos pode-se ver que o apelo à experiência é um recurso deliberado para tratar os temas psicológicos. Não por acaso, apesar da notável presença de animais humanizados, os protagonistas dos contos psicológicos são sempre meninos e meninas reais. Parece, pois, que a problemática psicológica propicia a identificação do leitor através do uso de personagens humanos, de situações bem conhecidas e da representação de formas de bem-estar próprias da satisfação das necessidades básicas. Por outro lado, as relações de afeto são uma constante destas obras. Que sejam seres fantásticos como os come-sonhos, ou humanos como os diferentes membros da família, todos os personagens que rodeiam os protagonistas são positivos e oferecem possibilidades de reconciliação necessárias para a resolução dos conflitos internos dos pequenos.

Apesar de tanta bonança, é interessante constatar que temas que tradicionalmente se consideravam inadequados para crianças por sua dureza ou complexidade moral, encontram-se presentes já neste primeiro bloco de leituras através de temas como a morte ou a falta de comunicação, dado que resulta muito revelador da decisão de não ocultar a dor das crianças na narrativa infantil atual. Diferentemente do predomínio de alguns recursos para abordar os conflitos psicológicos, os temas inadequados não apresentam fórmulas unitárias, mas pode-se detectar orientações distintas: *Un gato*

---

* De M. Sendak.

viejo y triste* recorre à lição didática para explicar a morte como um fato natural no ciclo da vida, enquanto que vimos que *Yo las quería* suprime a distância emocional para preconizar o próprio amadurecimento pessoal, e também se constatou que o humor é o recurso que permite incluir um tema como a indiferença dos pais nesta faixa de idade em *¡Ahora no, Fernando!*, mas, em troca, é o imaginário onírico que oferece uma saída fantástica bastante problemática à pressão vital de *La ciudad de la lluvia***. Parece, pois, que a vontade de abordar temáticas mais conflituosas se encontrava em fase de experimentação em relação aos melhores recursos para fazê-lo.

A proteção, no entanto, continua exercendo-se na inviolabilidade da segurança familiar, que se mantém em todas as obras deste bloco. A inibição sobre alguns problemas familiares é detectável, já que o reflexo da situação social poderia levar a uma presença significativa de temas que, como o divórcio, são mais habituais e por isso necessitam de maior incidência educativa que outros que são tratados abundantemente.

Pelo contrário, a escassa aparição de temas sociais é coerente com os pressupostos de uma socialização restrita nestas idades, e os que aparecem se referem a temáticas sociais mais habituais nos livros infantis. A militância contra a discriminação em função do sexo e a denúncia da exploração foram temas que irromperam de forma bem consciente e explícita na narrativa infantil e juvenil da década dos setenta, enquanto a crítica à vida urbana, relacionada com a reivindicação ecológica e com o louvor da natureza, foi o grande tema social da década dos oitenta. Não é estranho, pois, que a força destas temáticas tenha invadido inclusive alguns contos que não parecem contemplar as relações sociais amplas.

Já assinalamos que a transgressão das normas de conduta é a segunda inovação em termos quantitativos dos contos para primeiros leitores. Por um lado, respondem à presunção de que existe um público de pouca idade, que desfruta a

---

* De J. Zaton.
** De J. C. Equillor.

ruptura das primeiras normas, do mesmo modo que se compraz com imaginários de bem-estar físicos. Assim, ¡Adiós, buen viaje!*, se baseia na descrição das travessuras de alguns camundongos em cada uma das barracas de um mercado, Historia de conejos** está repleta de cenas de uma certa violência, como a de um coelho golpeando enfurecidamente uma raposa, ou El sombrero***, que contém detalhes tão pouco edificantes como a cinza de um cigarro caindo sobre o berço de uma criança e incendiando-o. Também o controle do esfíncter de ¡Quiero hacer pis!**** se considerava um tema pouco adequado para a letra impressa. A ruptura do tabu sobre o mau gosto pode-se ver igualmente no rato de Historias de ratones*****, de quem se rompem os suspensórios das calças, na presença de animais considerados repugnantes (crocodilos, serpentes ou sapos).

Por outro lado, as limitações que os jogos imaginativos, paródicos e absurdos têm correspondem tanto à pouca experiência cultural dos leitores implícitos, como à ideia de um leitor que tenha tido acesso recentemente ao esquema narrativo, para quem as alterações se circunscrevem a questões de detalhe e não afetam os aspectos estruturais.

Temas para leitores de 8-10 anos

Ao comentar os gêneros utilizados, vimos que a ficção para esta idade dá entrada a uma certa dimensão social e realiza uma esmagadora defesa da fantasia. De acordo com estas opções, a escassa inovação temática que se produz aqui se divide entre estes dois campos: os temas sociais e os jogos imaginativos e paródicos.

Os temas sociais se centram na denúncia da vida industrial e urbana, assim como das formas ditatoriais de poder,

---

* De M. Balaguer.
** De Janosh.
*** De T. Ungerer.
**** De R. Munchs.
***** De A. Lobel.

muitas vezes através de parábolas morais. As transgressões se situam no jogo literário e se centram em aspectos gerais de construção da obra, que conduzem, ou à paródia global do gênero, ou à alteração do esquema narrativo, que se dilui na enumeração de possibilidades imaginativas. Em troca, praticamente desapareceu a violação das normas de bom gosto e de boa conduta, em clara correspondência com a substituição dos imaginários de bem-estar físico pelos referentes a realidades conotadas culturalmente, como a natureza e as atividades artísticas e festivas.

Temas para leitores de 10-12 anos

A possibilidade de oferecer obras mais complexas às crianças, neste caso obras com mais de um tema principal, faz com que muitas delas, nesta faixa de idade, superponham diversos tipos de inovações temáticas.

A principal novidade se situa nas múltiplas transgressões às normas literárias, de maneira que a ficção dirigida a este grupo de idade é a mais inovadora na perspectiva da ficção entendida como jogo literário. A segunda inovação temática, do ponto de vista estritamente numérico, é o tratamento de temas sociais. No entanto, o traço mais específico deste bloco é a grande atenção que se concede à família. Esta consideração preferencial se revela pela extensão com que o tema familiar é tratado em dois dos extratos temáticos: as obras já classificadas como "conflitos familiares" aumentam notavelmente e os "conflitos psicológicos" referem-se majoritariamen-te a tensões originadas pelas relações paterno-filiais.

A descrição de problemas relativos à estrutura familiar também é importante qualitativamente, já que é a primeira vez que se abordam temas como o dos lares monoparentais e a primeira na qual se julgam e reprovam as condutas paternas, no sentido antes assinalado. Em contrapartida se destaca a ausência do divórcio como conflito central, uma vez que quando se alude à ruptura de um matrimônio, ou faz tempo que esta ocorreu ou ela é vista como um simples dado que melhora as tensões familiares, objeto da descrição.

No segundo caso, as tensões psicológicas provocadas pela conduta paterna constituem o conflito psicológico por excelência. Uma exceção notável deste extrato é a obra *Los hijos del vidriero*, porque os temas psicológicos enfrentados (o temor de depender afetivamente dos outros, a introspecção produzida pelo desaparecimento da capacidade de desejar, etc.) são de complexidade inusual, como também é singular que a fantasia constitua todo o cenário narrativo e não se limite a ser um elemento que interfere na vida cotidiana.

Os conflitos provocados pela relação com os pais se afastam, além do mais, radicalmente da disposição amável da descrição familiar presente na ficção para leitores até os dez anos. Agora o tema é tratado, principalmente, em narrações realistas e a descrição da vivência do protagonista pode conter um grau notável de insipidez. Os problemas familiares são a ausência ou o abuso de poder por parte do pai e a superproteção, falta de rebeldia ou desamor por parte da mãe. Os matizes com que estão tratados estes temas impedem que, em algum caso, se reduzam a um problema de "bons e maus", mas se descreve uma inter-relação de agressões mútuas por parte de homens e mulheres, que se traduz no sofrimento dos filhos que os amam. Em *El castillo de las tres murallas*, por exemplo, é o homem quem prende a mulher sem ser muito consciente do fato, mas é ela quem, com passiva lucidez, cede a ele tanto sua vida como a sua própria filha.

A dureza do tratamento incorporada aos conflitos psicológicos é bem patente, também, nos temas considerados inadequados para a leitura infantil, apesar de que estes são em número muito escasso. Alguns dos conflitos psicológicos aludidos, como o desamor ou o maltrato físico por parte dos pais, podem-se situar ainda neste tipo de inovação temática. Mas também ocorrem outros temas, como a incapacidade psíquica ou a velhice, que definimos como problemas "da condição humana" e somente em um caso, o da guerra, a origem do conflito se situa inteiramente no mundo social. Também é nesta idade que o tema do amor infantil faz sua tímida aparição na narrativa infantil e juvenil.

Finalmente, pode-se observar que continua o aumento progressivo dos temas sociais, ocorrido através de todas as idades. Muitas vezes o aumento se produz a partir dos temas secundários, talvez porque ao incluir temas intimistas em um contexto narrativo realista, pareça natural referir-se a problemas sociais apenas entrevistos como pano de fundo. Ou pode-se dever, também, a uma certa tendência didática da narrativa infantil que, às vezes, dá a sensação de querer incluir quanto mais temas melhor nas obras infantis, com o perigo óbvio de cair na artificialidade. Os temas sociais tratados não divergem da narrativa dos demais grupos, ainda que produzam, já de forma mais contextualizada, ou mais corrosiva que nas etapas anteriores, como ocorre, por exemplo, no olhar irônico sobre as contradições humanas de *El pequeño Nicolás*.

Temas para leitores de 12-15 anos

A narrativa para adolescentes é a mais inovadora como resultado global. Também o é especificamente nos temas sociais, que alcançam aqui o máximo da progressão quantitativa nos temas inadequados, graças ao peso outorgado ao tema do amor e do sexo; e nos temas familiares, graças à introdução do divórcio. O salto numérico, em algumas destas áreas temáticas, resulta especialmente evidente se se contabilizam os temas secundários, já que as narrações continuam sobrepondo temas diversos tal como já ocorria na etapa anterior. Como no caso dos primeiros leitores, o desenvolvimento recente da literatura juvenil, assim como seu propósito de atrair a atenção de um público adolescente, conduziu, sem dúvida, à introdução de temas com pouca ou nenhuma tradição na ficção infantil e juvenil.

A decidida ampliação para novos temas deste bloco contrasta com a escassa tendência ao jogo formal considerado como tema em si mesmo. Efetivamente, a narrativa para adolescentes é a que menos se oferece como jogo cultural. Parece, assim, que a incorporação de novos temas resulta mais simples a partir de uma narrativa menos experimental, enquanto, ao contrário, quando se produz o jogo literário não se escolhem conteúdos temáticos especialmente inovadores.

A inovação temática mais numerosa nas obras desta faixa de idade é a abordagem de temas sociais próprios da sociedade moderna. As duas características mais destacáveis na forma de tratá-los resultam, de certa maneira, paradoxais. Por um lado, tal como assinalamos, os problemas têm maior determinação espacial e temporal. Mas, por outro, os problemas se afastam da sociedade imediata e familiar ao leitor. O distanciamento pode ser temporal e abraça, então, a narrativa histórica quando esta resgata temas da atualidade, como o racismo ou a tolerância entre culturas. Também pode ser espacial, e, neste caso, a ficção se traslada a lugares muito distantes do planeta, sempre na busca de cenários menos industrializados e também, não há que negá-lo, a serviço de um exotismo narrativo que se adapte à necessidade de ampliação dos cenários e ao apetite de fantasia aventureira dos leitores adolescentes.

Assim, pois, a denúncia da alienação das sociedades modernas, tão presente em outros grupos de ficção, se torna aqui mais real, no sentido de mais encarnada em situações concretas de exploração econômica e repressão política, mais internacional, no sentido de que os problemas se deslocam para sua interconexão mundial e, muitas vezes, mais dura, já que nestas obras raramente se utilizam o humor e a fantasia.

A descrição de conflitos psicológicos, com bastante frequência sem elementos distanciadores que a suavizem, é o segundo elemento quantitativo de inovação temática se se agrupam também os temas secundários. O protótipo de uma narrativa centrada no amadurecimento individual de um protagonista adolescente já foi aludida ao se comentarem os gêneros narrativos predominantes e ressaltar o uso de diários pessoais como forma habitual de narrar. Esta caracterização se completa agora com a constatação de que muitos dos temas abordados – o amor, a atividade sexual, a repercussão afetiva da conduta dos pais ou o enfrentamento da enfermidade e da morte – são conflitos que implicam a descrição do mundo interior dos personagens. Os protagonistas adolescentes aqui descritos, não embarcam em aventuras arriscadas onde devam crescer em sua capacidade de decisão, esforço ou valentia, nem se propõem a desvendar mistérios ou confrontar-se com a injustiça, mas simplesmente nos relatam como sentem os conflitos afetivos ou os inerentes à condição humana, que acabam de surgir diante deles, e como variam suas opiniões diante destes temas, à medida que aumenta sua capacidade de reflexão, compreensão e confiança em suas próprias qualidades, para obter afeto e felicidade.

As obras que contêm temas considerados impróprios constituem outro tipo de inovação temática bastante extensa. Quase que na metade das obras alguém se enamora, e, obviamente, este número tão elevado não se circunscreve somente às obras baseadas nas relações pessoais, mas se estende a quase todos os gêneros. A inovação compreende também os conflitos considerados inadequados por sua dureza. São tratados sempre em uma perspectiva realista, sem atenuantes fantásticas e se referem tanto à dor individual (a cegueira, a depressão, a morte ou a anorexia) como à violência social.

Os problemas familiares, ainda que menos frequentes que as temáticas até agora citadas, parecem um tema importante porque o divórcio é constantemente citado na descrição familiar. No entanto, a crítica à instituição familiar era muito mais profunda no bloco anterior de ficção, já que ao deslocar o centro narrativo para o amadurecimento do protagonista a problemática familiar passa a ser somente "um" dos temas tratados. Esta relativização numérica se completa com a redução do divórcio ao ato nu e cru da separação dos pais. A tensão prévia, refletida na etapa de leitura anterior, nos é completamente omitida; e, uma vez encaixado o golpe, reorganizada a vida nos novos parâmetros solicitados pela vida que continua, os jovens protagonistas mostram ao leitor que o divórcio deixa de ser "uma catástrofe", nas palavras de Madd em *Cuando uno se va*, para passar a ser uma simples realidade com a qual contar. A inovação temática quase se reduz, pois, à vontade de levar em conta um dado sociológico, curiosamente situado nesta faixa de idade, como se em nossa sociedade o divórcio afetasse sobretudo os casais com filhos adolescentes. A maneira asséptica e a mensagem esperançosa com que se trata o tema fornecem, assim, paliativos à ruptura provocada por sua presença na narrativa infantil e juvenil; que em nenhum caso, por outro lado, mostra algum tipo de reprovação moral a respeito.

Temos afirmado que a transgressão das normas literárias é o aspecto menos inovador da ficção desta faixa de idade e que este traço pode ser coerente com o interesse por renovar os temas tratados. Mas é menos explicável constatar a escassa desordem das normas de convivência, em uma ficção dirigida aos leitores adolescentes. Em geral pode-se afirmar que a sensatez dos jovens protagonistas é muito elevada, apesar de sua desorientação vital momentânea. Para falar a verdade, os personagens que adotam condutas pouco formais ou pouco consoantes com as expectativas da sociedade tradicional, pertencem, surpreendentemente, à categoria dos adultos e a descrição do não convencional parece referir-se à própria geração dos autores, enquanto os personagens adolescentes pertenceriam à geração de seus irmãos caçulas ou filhos, que os contemplariam com admiração, como em *Un verano para morir**; ou com desespero, como em *La tele boja*.

Quanto ao desvio em relação à normas da sociedade produtiva, esta é vista sempre como um elemento positivo, tal como podia-se esperar de obras que respondem aos valores gerados nos anos setenta e que destacam a imaginação e a vida prazerosa, ou em seu sentido individual, como em *Momo e o senhor do tempo*, ou em um sentido revolucionário, como em *"El Loco"*. De maneira muito diferente, a transgressão de normas sociais pode-se fazer a partir da descrição de condutas agressivas. Esta opção poderia parecer adequada para a descrição de uma atitude de desafio própria das novas gerações, mas tampouco é assim, uma vez que este tipo de comportamento é praticamente inexistente, talvez pela pouca abundância de descrição urbana. Só temos algumas mostras disso na conduta de grupos juvenis que aparecem lateralmente em alguns títulos.

---

* De L. Lowry.

Em resumo, pois, o predomínio de um ou outro tipo de novidade temática em cada grupo de ficção pode ser representado no seguinte quadro:

	5-8	8-10	10-12	12-15
Conflitos psicológicos	+	-	-	-
Temas inadequados	-	-	-	-
Temas sociais	-	-	+	+
Conflitos familiares	-	-	-	-
Jogos de transgressão	+	-	+	-

(Sinal a partir de 20 por cento das obras analisadas em cada um dos blocos.)

O desenlace

Desenlace[8]	5-8	8-10	10-12	13-15	Global
Desaparecimento	71,88	79,10	60,00	40,43	63,68
Assunção	6,25	8,95	18,18	25,53	14,92
Negativo	6,25	1,50	1,82	8,51	3,98
Aberto	15,62	10,45	20,00	25,53	17,42
Total	**100**	**100**	**100**	**100**	**100**

O desenlace tradicional da narrativa infantil e juvenil é o desaparecimento positivo do problema proposto. Mas as obras atuais só cumprem esta norma em 63,68 por cento dos casos. O espetacular desvio ocorrido em mais de um terço das narrativas resulta enormemente revelador das mudanças nesta literatura, já que o tipo de final parecia uma das características mais estáveis dos pressupostos de adequação dos livros infantis a seus destinatários. Recordemos que este tipo de desfecho é o mesmo dos contos populares e que foi valorizado pela psicanálise como um traço imprescindível para a função educativa da literatura infantil.

A adoção de outros tipos de final pode haver sido provocada, por um lado, pela vontade educativa de oferecer uma visão mais complexa da realidade e, por outro, pela tendência literária de brincar com as expectativas do leitor.

No primeiro caso, a ruptura da proteção temática e o propósito moral de incentivar a capacidade das crianças para enfrentar os problemas, incrementaram, enormemente, a simples aceitação do conflito como uma nova versão de final feliz. Efetivamente, se os conflitos surgem no interior dos personagens ou provêm de seu encontro com as adversidades insolúveis da vida, dificilmente se pode pensar que o desenlace apagará as causas de sua aparição.

O tema da morte, por exemplo, já havia sido tomado como desenlace nos livros infantis quando era o único modo de solucionar a contradição do conflito oferecendo uma via de libertação e de encontro com as pessoas queridas, tal como ocorre em *A vendedora de fósforos*, de Andersen ou em *Marcelino, pão e vinho*, de Sánchez Silva. Também Alonso utiliza este recurso na morte do espantalho de *Feral y las cigueñas*, morte que permite ao personagem realizar seu sonho, dançando no céu. Mas agora os protagonistas, como a menina de *Yo las quería* ou de *Un verano para morir*, têm que assimilar realmente a presença da morte a partir de seu próprio amadurecimento. Em um passo mais adiante, ainda que muito insólito, a morte volta a ser vista como uma libertação, se a possibilidade anterior de superação do conflito é negada pela obra, tal como acontece em narrativas especialmente duras, como *Canto rodado**, no qual a narradora protagonista finaliza seu relato dizendo: "Barcelona, para mim, também é um pouco agradável. É o último degrau antes do cemitério" (118).

Também a vontade de mostrar uma realidade mais complexa, na qual quase nada se soluciona de todo ou para sempre, causou um aumento dos finais abertos. Ainda que não hajam sido contabilizados desta forma, é preciso reconhecer que muitas obras psicológicas possuem verdadeiramente um certo grau de abertura, já que o leitor não sabe como resultará para o personagem a via de assunção que acaba de iniciar.

---

* De M. Barbal.

Os finais abertos, e também os negativos, surgidos a partir deste propósito de complexidade moral, se produzem com maior frequência nas obras de temas sociais por duas razões diferentes: uma, a necessidade de manter a verossimilhança narrativa de um conflito, que não pode ter uma solução eternamente positiva, como bem sabe o leitor a partir de seu conhecimento social; outra, o intento educativo de incentivar a tomada de consciência do leitor impactando-o com a falta de solução ou fazendo-o refletir através da insegurança do resultado.

Pois bem, os finais abertos são cada vez mais numerosos porque somam, aos anteriores, um segundo propósito: o de ceder a última palavra ao leitor no jogo literário empreendido. Assim, muitas obras baseadas no humor e na imaginação pretendem deixar o leitor sorridente ou sonhador, sem poder precisar o que aconteceu e o que não aconteceu na história que acaba de ler. A falta de cumprimento efetivo das expectativas obriga assim o leitor a conceder uma atenção prioritária ao desfrute de outros aspectos e níveis de significado do desenvolvimento da narrativa, além da simples curiosidade em relação à trama. O leitor de *Margot (o un cuento sin ilación)* não saberá se o marinheiro, que a anciã esperava tão confiante, voltará algum dia, mas que as crianças, meninos-narradores, prolonguem esta espera se converte em um recurso "literário", que se afasta dos mecanismos da narrativa natural, para destacar sua coerência como elemento da construção artística. Ou em uma fusão de recursos literários e morais, o narrador de *Filo entra en acción** nos diz no título do capítulo final:

> No qual não se chega a nenhum final feliz, porque uma história policial como esta, não pode ter final feliz. A não ser que haja leitores tão duros e insensíveis, que só lhes interesse saber quem era o ladrão (204).

Se os finais abertos se relacionam com a aprendizagem da ambiguidade, do jogo literário ou da consideração reflexiva sobre o mundo, os finais negativos proporcionam uma

---

* De Ch. Nöstlinger.

frustração impactante da identificação e das expectativas criadas no leitor. Uma violação tão acentuada só se utiliza quando se deseja produzir um efeito intenso, seja humorístico, ou dramático. A consciência dos autores de encontrarem-se no limite do que se considera adequado para a leitura infantil é tão elevada que alguns deles chegam a torná-lo explícito. Em *El hombrecito vestido de gris** são oferecidos dois finais possíveis para que o leitor escolha o que preferir. Na realidade, o conto se apresenta com um desenlace negativo, mas de acordo com o tema e o tom da narrativa. Mas o narrador torna explícita a rejeição por finais tristes, que supõe preside as expectativas dos leitores e lhes oferece, então, um final feliz alternativo. Ao fazê-lo, no entanto, estabelece uma distinção entre os finais negativos próprios da realidade e os que oferecem o consolo da ficção, de maneira que o segundo final só serve, na verdade, como uma atenuante, que permite abordar o triunfo real do mal em uma obra destinada ao público infantil:

> A história termina assim. Mal assim. Triste assim. A vida põe às vezes finais tristes nas histórias. Mas muitas pessoas não gostam de ler finais tristes; para elas inventamos um final feliz.

A complicação moral ou estrutural das narrativas, com a aparição de temas secundários, por exemplo, abre a possibilidade de que apareçam diferentes tipos de finais misturados em muitas obras. Por exemplo, em *Las brujas*** os protagonistas conseguem vencer a convenção de bruxas inglesas e evitar suas maquinações contra a infância (final positivo). Mas esta vitória tem como contrapartida a conversão em rato do menino protagonista a quem, como rato, restam poucos anos de vida (final negativo). Dedicará esses anos, esperançosamente, a continuar o combate contra as bruxas de outros países, mas não saberemos com que resultado (final aberto). Em qualquer caso, este futuro aberto, repleto de aventuras, não pode ocultar que nos encontramos diante da experimentação atual de

---

* De F. Alonso.
** De R. Dahl.

novas formas de desenlace. Tanto é assim, que a versão cinematográfica da obra não se atreveu a assumir este final e suavizou-o com fórmulas mais tradicionais, fazendo com que o menino recuperasse sua forma humana.

Outra vezes é a busca de cumplicidade com o leitor o que provoca um duplo final: o explicitado pelo narrador e o interpretado pelo leitor, contrastados ambos em um recurso de humor. É o que acontece em *El pequeño Nicolás* quando diz:

> – Já basta! Aos seus lugares! Não representarão esta obra na festa! Não quero que o diretor veja isto!
> Todos ficamos com a boca aberta.
> Era a primeira vez que ouvíamos a mestra castigar o diretor! (97).

A presença de novos finais tem gerado polêmicas sobre sua idoneidade. A primeira se situa na linha tradicional de questionar até que ponto as crianças podem entender ou assimilar psicologicamente os finais abertos e negativos. A segunda denuncia que os finais das obras realistas, que acabam com a aceitação psicológica do problema, oferecem uma proposta moral como se tivesse que ser "transferida diretamente" à realidade e o leitor tivesse que tomar nota literalmente de como deve se comportar. Pareceria, assim, que a capacidade de assumir os conflitos na vida real poderia derivar da imitação das atitudes dos personagens, da percepção de sua "exemplaridade", quando, pelo contrário, os finais positivos podem ser educativos; não em virtude de sua verossimilhança em relação à realidade, mas pela mensagem indireta da vivência positiva experimentada pelo leitor através da literatura. Neste sentido as tendências da descrição realista atual podem parecer tão "didáticas" como as antigas práticas educativas da literatura infantil e juvenil, que assinalavam diretamente o caminho a seguir a partir da conduta do protagonista, enquanto outras tendências atuais centradas na fantasia, o humor ou a experimentação literária, parecem haver encontrado caminhos mais elaborados para a transmissão de novos valores.

Um terceiro tipo de crítica objeta que o debilitamento do final, em favor de uma narração psicológica panorâmica ou de simples jogo literário, pode causar problemas no interesse do leitor em sua aprendizagem narrativa. Trata-se da polêmica já citada ao expor-se as objeções de Simone (1992) às histórias "em forma de cone truncado" frente às histórias construídas a partir de uma tensão narrativa, que conduz a um final específico.

A evolução do desenlace segundo a idade do destinatário

Como era de esperar, o desvio em relação ao tipo de final positivo tradicional aumenta através das faixas de idade, de maneira que a ficção para adolescentes é a que mais se afasta dele, tanto quantitativamente, como na variedade de finais utilizados.

A exceção desta evolução linear é a maior presença de finais abertos e negativos nas obras dirigidas aos primeiros leitores, que nas destinadas aos da etapa seguinte. Este resultado confirma, uma vez mais, o pouco experimentalismo das narrativas dirigidas aos 8 a 10 anos e está em consonância com sua escassa novidade temática. E se a imaginação é o grande tema destas últimas obras, também será sua perda o que domine o desenlace caracterizado pela assunção da dor ou da carência. Por isso, em ¿Quién quiere cambiar de cabeza?*, o menino protagonista descobre o esgotamento do jogo imaginativo e a existência da lembrança como único consolo:

> Pode ser que já tivéssemos experimentado todas as cabeças que havíamos imaginado, ou talvez que nesse tempo tivéssemos crescido demais e já não nos divertíamos tanto com aquele jogo. Não sei bem o que seria (38).

Os finais negativos ocorrem quase que exclusivamente nos dois extremos da narrativa infantil e juvenil. No caso da leitura adolescente são finais dramáticos, que se colocam a serviço da conscientização social. No caso das primeiras leituras se trata de saídas de tom fantástico ou divertido, inclusive quando servem para introduzir temas especialmente conflituosos, como o citado anteriormente de ¡Ahora no, Fernando!

---

* In ¡Ay Filomena, Filomena!, de M. Obiols.

Contra o que poderia se esperar de uma narrativa que se revelou tão centrada no jogo literário, a ficção para os leitores de 10 a 12 anos não se destaca especialmente pela violação do desenlace tradicional. Visto, pois, todo o conjunto evolutivo, o dado realmente surpreendente é que aos leitores menores se dirijam um número tão elevado de obras com finais negativos e abertos. Aqui a tendência inovadora fica confirmada pelo tipo de desenlace eleito e reforça a visão de álbum para as primeiras idades como um objeto literário de vanguarda.

Os personagens

Protagonistas					
Tipo		Idade		Gênero	
Humanos	79,60	Infantis	56,71	Masculino	58,20
		Adultos	30,85	Feminino	24,38
Animais	8,46	Ambos ou sem determinar	12,44	Ambos ou sem determinar	17,42
Não tradicionais	2,48				
Tradicionais	7,96				
Fantásticos	11,94				
Não tradicionais	6,97				
Tradicionais	4,97				
Total	**100**		**100**		**100**

Antagonistas			
Conotação		Tipo	
Presença	48,25	Humanos	37,81
Negativos	28,35	Homens	26,87
Reconvertidos	8,45	Sociedade	8,46
Desmitificados	1,50	Outros	2,48
Funcionais	9,95	Animais	2,48
		Fantásticos	7,96
Ausência	51,75		
Total	**100**		

Antagonistas: agrupamento de categorias[9]	
Ausência de antagonistas	51,75
Antagonistas não malvados	19,90
Antagonistas malvados	28,35
Total	**100**

Em linhas gerais, pode-se afirmar que os protagonistas da narrativa infantil e juvenil atual são personagens humanos (79,6 por cento), masculinos (58,2 por cento) e têm a idade que se supõe ter o leitor (56,71 por cento). Não há grandes mudanças, pois, em relação à tendência de assumir uma ficção protagonizada por personagens em correspondência direta com as características emocionais e psicológicas de seus destinatários, nem tampouco se variou muito em relação ao peso de uma tradição discriminadora, que outorga o predomínio ao gênero masculino. Se bem que esta seja a definição geral do protagonismo vigente, é preciso destacar, em seguida, o sentido dos desvios produzidos.

Em primeiro lugar, e apesar do protagonismo humano, cerca da metade das obras misturam personagens humanos, fantásticos e animais humanizados, de forma que, ainda que o ponto de partida seja a identificação realista, uma boa parte da ficção para crianças e jovens apresenta um mundo povoado por personagens fantásticos. Logicamente, as misturas mais numerosas são as de seres humanos e fantásticos, seguidas a distância das de seres humanos e animais, enquanto que outros tipos de misturas possíveis, como a de alguns animais e algumas montanhas humanizadas em *El catálogo**, são sumamente escassas.

O protagonismo animal e o protagonismo fantástico apresentam resultados numéricos bastante apreciáveis e similares entre eles. Os animais continuam sendo, majoritariamente, os mesmos da tradição folclórica (galos, leões, pássaros, etc.) ou dos contos para crianças pequenas, animais próximos a seu

---

* De J. Tomkins.

entorno físico ou próximos por pertencerem tradicionalmente ao imaginário literário destas idades: ursos, ratos, coelhos, sapos, gatos, etc. Os animais pequenos, especialmente os roedores, mantêm sua boa identificação com as crianças, da mesma maneira que o fazem os ursos, com sua dupla conotação de grandes e lentos, e que os torna aptos tanto para a representação de adultos como de crianças.

Apesar desta continuidade pode-se apreciar uma certa tendência a introduzir novos tipos de animais. Trata-se de animais que respondem a um desejo de exotismo ou que se prestam à desmitificação. Serpentes, crocodilos ou girafas têm começado a entrar na narrativa infantil, apesar das conotações de perigo ou asco que alguns deles têm carregado até agora, ou precisamente por causa disso.

Se a mudança ainda é muito tímida no caso dos animais, a renovação dos seres fantásticos tem sido acentuada como consequência do auge da fantasia moderna. Ainda que não possuamos dados comparativos, parece claro que na literatura infantil e juvenil têm predominado os seres fantásticos como categoria (duendes, gênios, etc.) ou como personagens humanos com poderes. Em compensação, agora é massacrante a preponderância de objetos e encarnações de entidades abstratas, como resultado da tendência à especulação imaginativa sobre qualquer tipo de realidade. Exploram-se, assim, as personificações dos objetos ou situações mais insólitas (as horas do relógio, um jornal, o planeta Terra, uma nave espacial enamorada ou os estranhíssimos habitantes do *Libro de voliches, laquidambrios y otras especies**), assim como as características e leis do funcionamento real destes objetos (a violação da lei de rotação da Terra ou os ofícios mais "adequados" para cada número das horas do relógio).

Em segundo lugar, o protagonismo infantil se matiza através da presença de figuras adultas coprotagonistas. Isto ocorre muito frequentemente nos contos dos primeiros leitores, nos quais os adultos não desaparecem, mas simplesmente se mantêm em um segundo plano, de maneira que se se contabilizassem

---

* De D. Cirici.

os personagens que se podem definir como coprotagonistas, a mistura de crianças e adultos apareceria na metade das obras deste bloco. O equilíbrio entre personagens adultos e infantis parece responder à fórmula que Soriano definiu como "casal educativo" e que considera clássica na história da narrativa infantil e juvenil. O adulto protege e mostra o mundo para a criança coprotagonista e esta simplesmente observa (na maioria dos casos) ou toma progressivamente a iniciativa. Um caso muito claro desta última opção é *¿A dónde vas, osito polar?*, onde o cachorro, a quem o pai ensina a caçar, termina por explicar-lhe todas as coisas que descobriu em sua viagem. Os avós se situam muito comodamente nesta fórmula, configurando seu tópico habitual de figuras cúmplices e sábias, e no mesmo sentido agem as figuras maternais.

No entanto, além da simples constatação de que se mantém o "casal educativo" entre os protagonistas, pode-se assinalar que nestas obras é frequente que a própria construção narrativa pareça oscilar entre o adulto e a criança no enfoque da narração. Assim, naquelas obras nas quais o protagonista não se encontra em cena durante toda a narrativa ou nos contos em que se intercalam duas linhas argumentais, esta alternância se refere sempre à variação do enfoque nos adultos e nas crianças. Ocorre, por exemplo, em *El tragasueños*, onde o que começa como a história de uma menina cede o protagonismo ao rei, que parte para buscar-lhe um remédio. Ou narrativas como *¡Quiero hacer pis!*, *Carlos, Emma y Alberico** ou tantas outras, baseiam seu humor na possibilidade de que o leitor se identifique simultaneamente tanto com a posição adulta como com a infantil. O leitor pode rir com *¡Quiero hacer pis!* porque entende o desespero dos pais ante a inoportunidade da criança. A situação dos leitores, que já superaram essa conduta e que podem se identificar com os personagens, é um recurso humorístico muito frequente nos contos para crianças. Huck *et al.* (1987) destacam sua importância para o prazer dos

---

* De M. Greaves.

menores, que se divertem na incapacidade dos personagens para realizar determinadas tarefas, que eles mesmos apenas acabam de aprender. Ao mesmo tempo, no entanto, o leitor de ¡Quiero hacer pis! pode se sentir atraído pela possibilidade de importunar os adultos com um tema que ele viveu intensamente na sua aprendizagem das normas sociais.

A oscilação entre o ponto de vista de uns e outros pode ser importante para a socialização e o amadurecimento das crianças que através dos contos aprendem a adotar, alternadamente, pontos de vista inversos nos conflitos ou relações humanas que são descritas. Também parece relevante para a aprendizagem da recepção literária, que habitualmente propõe ao leitor possibilidades de identificação múltiplas e variáveis.

Em terceiro lugar, pode-se ressaltar o esforço que parece haver sido produzido em relação ao protagonismo feminino. Os valores ideológicos difundidos durante os anos setenta propiciaram uma intervenção decididamente feminista nos livros dirigidos às crianças, tal como assinala Orquín (1989). Os critérios editoriais de publicação, os estudos especializados a respeito e a intervenção militante no campo da criação deveriam mostrar seus frutos precisamente em uma narrativa de qualidade, como a que aqui se analisa. Mas os resultados da incorporação feminina à função protagonista são ainda bastante pobres, já que só abarca um quarta parte das obras, quase na linha da "cota para as mulheres".

Apesar disso não se pode afirmar que não se tenha progredido na tentativa de não discriminar. A mudança pode ser detectada, por um lado, nesse mesmo, ainda que débil, aumento do protagonismo feminino entre os personagens infantis e adolescentes; por outro, na aproximação das características atribuídas aos dois sexos, apresentando meninas com iniciativa e meninos sensíveis; e, finalmente, na denúncia, tanto do papel passivo e superprotetor das mulheres adultas, como da agressividade e competitividade masculina.

Em contrapartida, pode-se assinalar também as seguintes insuficiências: a primeira é que o conjunto do mundo descrito ainda resultaria mais masculino se, além do protagonista, se contemplassem também os personagens secundários, especialmente nos gêneros literários mais marcados pela tradição. Em alguns dos títulos absolutamente todos os personagens que aparecem são masculinos, enquanto que a situação contrária jamais se produz. A segunda é que não existe praticamente nenhum protagonismo de mulheres adultas, de maneira que não se oferecem modelos positivos de novos tipos femininos (Colomer, 1994a).

A terceira insuficiência é que as meninas se configuram como um certo protótipo de meninos de segunda categoria. Como acabamos de indicar, os livros infantis têm tentado limar as diferenças entre os papéis atribuídos a ambos os sexos retratando meninas com qualidades tradicionalmente masculinas (ativas, valentes, etc.) e sem traços que pudessem evocar uma caracterização "demasiadamente" feminina, como, por exemplo, a descrição de amizades íntimas entre meninas, baseadas no intercâmbio verbal. Mas despojar as meninas de características tradicionalmente femininas não lhes tem outorgado, na realidade, o mesmo tratamento que os meninos recebem. As meninas, por exemplo, se mantêm nos lugares secundários quando os livros são coprotagonizados pelos dois sexos e se continua concedendo a elas a primazia nos temas intimistas. As conclusões das análises do *corpus* coincidem exatamente com as assinaladas por Subirats e Brullet (1988) ao analisar o tratamento dispensado às meninas por parte de seus professores e professoras, o que confirma, uma vez mais, o paralelo existente entre as mudanças ideológicas na escola e na literatura infantil e juvenil.

Se a situação dos protagonistas é a que se acaba de descrever, a presença tradicional dos antagonistas também tem sofrido mudanças. O desvio principal é a inexistência de antagonistas concretos, quer dizer, de personagens que encarnem os problemas ou os obstáculos dos protagonistas em mais da metade das narrativas. Efetivamente, a psicologização, a especulação imaginativa e o jogo literário que predominam atualmente, assim como os valores de compreensão, tolerância e comunicação preconizados, dificultam a criação de personagens malvados ou a aparição dos antagonistas clássicos. Neste sentido resulta muito revelador que um dos personagens fantásticos mais abundantes seja o dos monstros, já que as características disformes da "monstruosidade" o tornam muito apto para representar os novos conflitos psicológicos, próximos aos pesadelos e às angústias indefinidas.

Pelas mesmas razões de fundo, quando aparecem antagonistas, quase a metade deles não apresenta nenhuma conotação negativa estável. Ou são oponentes meramente funcionais, ou se reconvertem – já que a origem de sua maldade resulta ser social e não individual –, ou são desmitificados ao se colocarem a serviço do humor e da superação de problemas psicológicos. Estas três categorias são protagonizadas pelos escassos antagonistas que pertencem às categorias de animais humanizados, seres fantásticos e homens próprios do imaginário folclórico e de outros gêneros específicos (piratas, bandidos, etc.).

Se descontamos, pois, todas estas situações, podemos observar que só 28,35 por cento das obras analisadas contêm antagonistas moralmente reprováveis e irredutíveis em sua atitude. Estes malvados atingem 58,76 por cento do conjunto de obras que têm algum personagem desse tipo de antagonista. Em todos os casos, os antagonistas definitivamente reprovados, são personagens humanos e, mais concretamente, pessoas masculinas associadas às características da sociedade pós-industrial moderna. O poder do mal se converteu exclusivamente em masculino, a partir do desaparecimento de antigas figuras femininas malvadas, como as madrastas, ou da desmitificação de figuras fantásticas clássicas, como as bruxas. A representação do poder maléfico perdeu, também, formas imaginativas ou atributos externos – como os adotados pelos terríveis personagens fantásticos ou os reis e generais tradicionais –, para encarnar-se em diluídas figuras de executivos, entre as quais o achado mais emblemático são os "homens cinzentos" de *Momo e o senhor do tempo*. Esta é, pois, exatamente, a imagem do malvado na narrativa deste período, imagem que se encontra em clara consonância com a mensagem descrita anteriormente.

A evolução dos personagens segundo a idade do destinatário

Os protagonistas humanos e próprios da sociedade atual aumentam progressivamente à medida que se acrescentam os gêneros literários realistas, de maneira que a partir dos dez anos o protagonismo humano é quase total. Na ficção anterior a esta idade se destaca a diferença de tratamento que os animais e os seres fantásticos recebem.

Nas obras para primeiros leitores, quase uma terça parte dos protagonistas são animais humanizados. A maioria perpetua sua utilização tradicional na narrativa infantil, mas também é nestas obras que ocorre a entrada de animais de novo tipo, assinalada anteriormente. Em contrapartida, a aparição de personagens fantásticos é minoritária (só 9,38 por cento) e se trata de figuras tradicionais desmitificadas.

Na faixa etária seguinte a divisão se inverte. O número de animais decresce e seu espaço é ocupado por seres fantásticos, como protagonistas lógicos da fantasia moderna ou dos modelos folclóricos. Os animais que se mantêm são os correspondentes da literatura de tradição oral, de maneira que se torna evidente que a renovação dos personagens animais produziu-se, exclusivamente, na ficção para leitores mais novos, enquanto que a criação de novos seres fantásticos foi muito ativa e se realizou a partir das leis da fantasia moderna enumeradas anteriormente.

Por outro lado, nas narrativas varia apenas a proporção entre protagonistas infantis e adultos, ainda que se possa apreciar um ligeiro e progressivo aumento de protagonistas adultos. As diferenças entre as idades se situam no extrato de "protagonismo dividido" ou "indeterminado" da classificação, uma vez que, apesar da semelhança numérica, o sentido dos dados em um ou outro grupo de idade é distinto. Na ficção para primeiros leitores provém da grande quantidade de coprotagonismo adulto-infantil, que se produz. Naquela dirigida aos 8 a 10 anos é o protagonismo fantástico o que determina, que quase uma quarta parte dos protagonistas das obras tenha sido qualificada de "indeterminado". Nas narrativas para os 10 a 12 anos encontra-se um certo grupo de obras com protagonismo grupal, sobrevida do protagonismo de grupos de amigos, presente nas décadas anteriores. Ao contrário, o descenso numérico, produzido na narrativa para adolescentes, destaca o protagonista sempre individual e sempre identificável em seu modo de ser adulto ou adolescente.

O protagonismo masculino tampouco apresenta fissuras em nenhuma etapa leitora, ainda que seja possível destacar uma presença feminina mais acentuada nos dois extremos da ficção, especialmente de garotas protagonistas na novela juvenil. No entanto, a presença de mulheres aumenta notavelmente se se incorporam à descrição as figuras secundárias ou coprotagonistas.

Concretamente, nada menos que em dois terços dos contos para leitores menores aparecem figuras maternais dedicadas a assegurar o bem-estar físico e afetivo dos protagonistas. De certa forma, pode-se dizer que são figuras de novo tipo, cheias de imaginação e de senso de humor, mas também é certo que se encontram restritas a situações tranquilas e cotidianas (explicar contos, consolar, assegurar a satisfação das necessidades físicas, etc.), enquanto que o escasso coprotagonismo masculino se exerce sempre em ações de aventura, como no caso do rei que vai em busca do Come-sonhos enquanto a rainha passa roupa, ou dos homens que acabam cuidando de órfãos, mas que antes eram bandidos ferozes, em *Os três ladrões*.

Se nos primeiros contos, pois, cria-se uma figura tradicionalmente maternal, mas muito mais imaginativa, na novela juvenil aparece a figura secundária de um tipo de mulher admirada pelos protagonistas adolescentes. Trata-se muitas vezes de tias ou antigas professoras, mulheres com estudo e vida independente, que constituem quase o único modelo positivo de mulher adulta, talvez uma espécie de *alter ego* das autoras, ainda que sem força para ocupar o espaço central. Este tipo de personagem já existia na história da narrativa juvenil. Só faz falta pensar no personagem de Jo de *Mulherzinhas*, convertida na tia de todos os sobrinhos e alunos da escola de seu marido. E agora o modelo parece estar ampliando-se até algumas mães, também com profissão própria, que adquirem um certo protagonismo em algumas obras nas quais aparecem, precisamente, divorciando-se.

De novo a criação recente destes dois tipos de narrativas permitiu um tratamento mais igualitário entre os gêneros, enquanto que a narrativa da faixa entre os oito e os doze anos oferece modelos mais marcados pela discriminação. A necessidade de violar as leis de gênero da literatura infantil tradicional acrescentaria, pois, mais uma dificuldade para a presença feminina nas obras dirigidas a estes últimos leitores. Pois bem, esta afirmação parece mais razoável em relação aos livros para 5 a 8 anos, do que aos destinados à faixa de 12 a 15, já que a narrativa juvenil inclui gêneros consolidados durante o século XIX, e, justamente, este bloco de idade poderia ter maiores dificuldades que nenhum outro, para outorgar o protagonismo da aventura ou das narrativas históricas às garotas, se não se acentua a ideia de que se criou uma novela juvenil de novo tipo.

É preciso, pois, manter uma certa prudência sobre as causas de um protagonismo mais igualitário. Poderia ser, por exemplo, que a marcada feminização leitora nestas idades estivesse exercendo pressão no mercado ou que seja a feminização da autoria dos livros que contribua para isso. Esta última hipótese teria a seu favor o fato de que 38,21 por cento das obras juvenis analisadas tenham sido escritas por mulheres e que sejam elas, precisamente, que tenham utilizado o protagonismo feminino em 84,21 por cento dos casos nos quais se produz. Ao mesmo tempo, a maior contextualização desta ficção facilita o retrato da sociedade atual, de maneira que a incorporação ativa da mulher ao espaço público pode fazer parte natural da descrição narrativa.

Quanto à presença de antagonistas concretos, estes aparecem de forma muito predominante, a partir da etapa de dez anos, já que então se utilizam gêneros que os requerem. É evidente, por exemplo, que a novela policial ou a narrativa de aventuras necessitam antagonistas concretos aos quais se possa descobrir ou dos quais se possa fugir. Os personagens malvados desta segunda parte do itinerário continuam identificando-se com a sociedade industrial, como faziam os escassos antagonistas anteriores, mas agora se converterão em delinquentes de colarinho branco que, de acordo com o novo sentido da maldade, fraudam, especulam ou corrompem seus cargos em muito maior medida que assassinam, sequestram ou roubam, como faziam os antigos malvados. O maior número de antagonistas se situa concretamente na ficção para leitores de 10 a 12 anos, já que na narrativa juvenil aumentam as obras centradas em problemas pessoais, sem inimigo externo.

Na leitura a partir dos dez anos também é muito maior a conotação negativa dos antagonistas, enquanto que os malvados reconvertidos ou desmitificados se circunscrevem aos dois primeiros blocos de ficção. Esta constatação é coerente com uma intenção de maior proteção para os leitores de menos idade, que iria diminuindo paulatinamente. É sintomático, por exemplo, que a desmitificação sofrida pelos personagens terríveis clássicos, mostre-se como um processo incompleto nas narrativas para 10 a 12 anos, já que as bruxas ou vampiros têm que manter alguns traços aterradores, se se deseja utilizá-los na tímida introdução do gênero de terror para esta idade.

Pode-se apreciar também o ponto de inflexão do tema dos antagonistas na ficção para 10 a 12 anos, em como se aplica à crítica familiar própria deste grupo de obras. A qualidade de antagonista pode ser atribuída aqui a pais ou maridos, que exercem o poder de causar dor aos protagonistas pelo mau uso de sua autoridade ou pelo abandono, o qual implica sempre a possibilidade de reconversão. Um exemplo paradigmático do paralelismo entre os valores sociais condenados e sua encarnação nas figuras paternas é o de *Me importa un comino el rey Pepino*. O pai desta família se alia a um gnomo tirânico expulso de seu reino pelos gnomos democráticos. O gnomo lhe promete ascensão profissional e riqueza e o pai se sente plenamente identificado com o afã de possessão deste ser fantástico. A falta de comunicação pessoal e a deterioração das relações familiares, que implicam estes valores, provocam a luta feroz do resto da família contra os propósitos do pai e do rei gnomo, ajudados pelos gnomos restantes. Finalmente, e de forma muito representativa do que ocorre na narrativa infantil e juvenil, enquanto o personagem fantástico manterá sua maldade até o final, o pai obterá uma segunda oportunidade para recomeçar.

O cenário narrativo

Contexto de relações				
Família	Assimilável	Viver só	Comunal	Não especificado
39,30	21,89	23,38	3,98	11,45
Quadro espacial				
Habitação	Núcleo urbano	Paisagem aberta	Lugar fantástico	
16,92	50,25	28,85	3,98	
Quadro temporal				
Antigo	Atual	Futuro	Indeterminado	
7,96	68,16	3,98	19,90	

O principal resultado da análise do contexto de relações é que a família é o cenário por excelência da narrativa infantil e juvenil atual. Em 39,3 por cento das obras aparece a família nuclear com todos seus componentes – ainda que quase sempre com somente um ou dois filhos –, e em outros 21,89 por cento a narração se situa em formas familiares afins, ou simplesmente em famílias nas quais não se explicita qualquer de seus componentes.

A possibilidade de que os componentes da família possam existir sem se tornarem explícitos não permite comprovar o grau em que esta narrativa reflete as formas familiares monoparentais. Mas não há dúvida de que uma parte desses 21,89 por cento se refere a famílias deste tipo e também deve-se reconhecer que as obras, que não oferecem o retrato completo, contribuem para não insistir em uma situação prototípica de família completa. Pelo contrário, pode-se destacar que as formas familiares afins se referem sempre a reduções do núcleo parental e, nunca, a outras formas de organização familiar atual mais amplas, como a incorporação de relações fraternais provenientes de novos matrimônios dos pais.

Além do matiz que a redução familiar indica, só 38,41 por cento das obras se situa fora deste contexto, o que não deixa de resultar em um monolitismo surpreendente para uma ficção que pode adotar gêneros literários tão diversos. O destinatário funciona aqui como uma forte ancoragem, que pesa mais que a possibilidade de situar a ficção em um ambiente de aventura ou em um cenário fantástico. Assim, por exemplo, ainda que na narrativa infantil e juvenil possa acontecer qualquer coisa extraordinária, inclusive que o mundo inteiro e seus habitantes sejam feitos de pedra, tal como sucede em *El bosque de piedra**, o que parece impossível é que até essas pedras não vivam em família.

O retrato do mundo cotidiano das crianças em nossa sociedade tem provocado um novo aumento da descrição de ambientes escolares, há algumas décadas tão abundante e depois quase desaparecida. A ampliação da escolarização à população adolescente e a criação de uma novela juvenil na sua medida, propiciou o regresso deste cenário narrativo. Mas, uma diferença clara em seu retorno, é que antes este cenário não incluía a intervenção dos adultos, enquanto que, na atualidade, a escola aparece quase sempre combinada com a família, tanto porque está incluída nas "biografias" dos protagonistas, como por causa da anulação de fronteiras entre o mundo adulto e o infantil.

Quanto ao cenário temporal e espacial, predomina a vida urbana e atual, também como consequência da vontade de proximidade às formas predominantes de vida dos destinatários. De outra perspectiva, o cenário deve se adequar, logicamente, ao gênero e à temática da obra. Por isso, por exemplo, se acentua a limitação à casa ou, inclusive, a um só quarto,

---

* De F. Alonso.

quando se tratam temas intimistas. A limitação pode constituir, então, um recurso de angústia opressiva em casos como a prisão de *El castillo de las tres murallas* ou *Mi hermano mayor*, no qual uma menina é proibida de sair de casa quando regressa da escola e passa as tardes sozinha falando com uma televisão. O cenário aberto funciona como um elemento de contraste que oferece o imaginário de escape.

O contexto moderno poderia levar a pensar que as profissões citadas no caso dos personagens adultos deveriam corresponder às profissões atuais. A observação realizada não oferece este resultado porque os adultos só são protagonistas de determinados gêneros literários, por exemplo da novela policial, o que condiciona os ofícios adotados. Assim pois, se se quer constatar o tipo de sociedade refletida através deste dado, é preciso recorrer às narrativas de protagonismo infantil e observar que ofícios seus pais exercem.

As profissões modernas aparecem, logicamente, na ficção realista. A primeira conclusão é que são mais frequentes os ofícios qualificados e artísticos, do que os ofícios não qualificados. A segunda conclusão surge da comparação entre homens e mulheres e consiste na constatação de uma forte discriminação feminina, inclusive além do que a incorporação atual da mulher, no mundo do trabalho, poderia fazer esperar numa literatura explicitamente preocupada com o retrato social que oferece às crianças. Efetivamente, os homens exercem um leque muito mais amplo de profissões, ocupam cargos superiores em hierarquia e têm profissões qualificadas em uma proporção muito superior às mulheres. Muitas vezes, aliás, a incorporação da mulher ao trabalho se justifica explicitamente pela falta de marido e, de qualquer maneira, trabalhem ou não, as mulheres não abandonam jamais as tarefas domésticas.

O discurso do narrador ou dos personagens questiona explicitamente esta situação em algumas obras, o que não faz mais que traduzir o estado de denúncia no qual se encontra o tema. Em *Los pájaros de la noche**, por exemplo, a mãe

---

* De T. Haugen.

renunciou a seu desejo de trabalhar para ceder a iniciativa ao marido, mas reivindica seu direito de inverter novamente os papéis, ou em *Así es la vida, Carlota**, a mãe trabalha e, quando abandona a casa, se descrevem os problemas do pai para assumir a organização do lar.

Curiosamente, a situação discriminadora fica circunscrita à descrição dos adultos. Nas mesmas obras nas quais os pais adotam papéis tradicionais, os filhos parecem abertos a todo tipo de possibilidades futuras com a independência de seu gênero. É o que ocorre em *Un verano para morir*, com uma mãe dedicada a confeccionar colchas e a cuidar de seu marido intelectual, enquanto que a filha pensa na possibilidade de seguir qualquer dos dois modelos paternos. Vê-se claramente assim o salto de valores que se produziu realmente em uma literatura dividida até há pouco tempo em uma ficção para meninos e outra para meninas. A intenção educativa da literatura infantil e juvenil se unificou, na medida em que o fez o discurso social, mas a dificuldade recai agora na tensão entre a descrição de um mundo reconhecível para os leitores e a vontade ideológica de promover valores não discriminadores. A solução adotada parece ser a de oferecer uma reflexão sem repercussões imediatas na ação, como se se tratasse de uma mensagem destinada a frutificar nos leitores em um tempo futuro:

> Não é que a mãe de Filo o houvesse impedido de escrever o diário para que lhe desse uma mão na limpeza. Deus nos livre! Para a mãe de Filo os trabalhos de casa eram, exclusivamente, algo próprio de mulheres. Jamais teria pedido ao seu Daniel para mover um dedo com essas coisas. Mas nos dias de limpeza geral o Filo não se sentia à vontade em casa. (*Filo entra en acción***, 67-68).

Definitivamente, o tema do gênero, tanto no aspecto dos personagens que vimos antes como no do retrato social agora citado, nos dá um bom exemplo da maneira como a narrativa infantil e juvenil reflete as mudanças sociológicas e de valores

---

* De G. Lienas.
** De Ch. Nöstlinger.

sociais, e da forma com que tenta resolver as tensões que isso produz entre sua função educativa e os modelos literários de que dispõe.

A evolução do cenário narrativo segundo a idade do destinatário

À medida que as obras se dirigem a leitores de idade mais avançada aumentam os protagonistas que vivem sós e diminui a vida em família, se incrementa a ação em paisagens abertas e se reduz a limitação à casa, e também se produz uma determinação progressiva do tempo. Nos três aspectos, pois, se opera a evolução esperada a partir da ideia de um leitor que amplia sua autonomia, seu raio de ação e sua capacidade de contextualização.

Neste campo se destaca a especial limitação do contexto de relações na ficção para primeiros leitores. Normalmente não há mais de dois ou três personagens secundários e sempre estabelecem uma relação explícita e bem definida com o protagonista. O leitor pode seguir a narrativa "colado" a um ou dois protagonistas de quem descobre que tem uma mãe, avós, um amigo fantástico, etc. É certo que podem aparecer muitos personagens de fundo, como os numerosos familiares dos ratos de ¡Adiós, buen viaje!*, mas então são tratados como um coletivo indeterminado e, definitivamente, portanto, como uma unidade. Uma situação intermediária seria a dos contos onde vão aparecendo sucessivamente vários personagens, como os quatro animais, que batem à porta da protagonista de Quan plou de nit**. Mas não é necessário que o leitor os diferencie para poder seguir a história, pois eles correspondem a recursos narrativos de repetição e graduação, e identificá-los individualmente se apresenta como um prazer acrescentado, mais do que um requisito para a compreensão do conto. Deve-se pensar, pois, que uma constante tão clara atende ao pressuposto sobre a quantidade de informação que os leitores infantis são

---

* De M. Balaguer.
** Idem.

capazes de dominar a partir de sua escassa capacidade para relacionar muitos dados.

Também se mantém a ideia da incapacidade infantil para dominar a dimensão temporal até idades avançadas, tal como pode-se ver ao constatar que o maior número de obras situadas no passado correspondem à ficção para adolescentes, enquanto que não há nenhuma obra que transcorra no passado nem no futuro no primeiro grupo de ficção. Inclusive, neste grupo de leitores menores, a "atualidade" do cenário remete a uma forma genérica, um mero situar-se em "uma casa" ou "uma cidade" sem especificações de espaço, nem de tempo concretos. Também é lógico encontrar um número algo mais elevado de tempo "indeterminado" e de "não especificação" nas formas de vida das narrativas dirigidas aos 8 a 10 anos, por causa do predomínio de protagonistas e gêneros literários que foram assinalados em outros trechos.

Um resultado mais curioso é o que oferecem as formas familiares incompletas, já que voltam a destacar-se no primeiro e no último blocos de narrativas. As famílias monoparentais são algo mais numerosas em ambos os grupo e constam prioritariamente de mulheres e crianças. No caso dos leitores pequenos a situação não apresenta conotações problemáticas, já que reflete o mundo real, no qual as mulheres costumam ter um papel mais acentuado no cuidado dos filhos. Já no caso dos adolescentes, a descrição é uma consequência dos problemas derivados do divórcio ou do abandono familiar por parte do pai e a situação monoparental faz parte dos conflitos tratados. Entre ambos os extremos, a ficção da etapa dos 8 a 10 anos abandona o centralismo da família para relegá-la a um simples pano de fundo narrativo, enquanto que na ficção para os 10 a 12 anos a estrutura familiar completa é precisamente a geradora do conflito central.

A conotação negativa da cidade moderna, no sentido antes descrito, aparece até a metade do itinerário de leitura e perdura no bloco seguinte, o de 10 a 12 anos, mas convivendo aqui com uma descrição neutra da cidade como cenário da ficção realista e com a aparição de cenários artísticos (o mundo da pintura, do folclore, etc.) em função da intencionalidade do jogo cultural da ficção fantástica para esta idade. A evolução se completa na ficção para os 12 a 15 anos, na qual predomina a neutralidade da cidade como simples cenário da ficção. Neste último bloco, a cidade não se conota negativamente porque a crítica à sociedade industrial se deslocou a terras distantes para denunciar seu impacto.

O reflexo do mundo atual através dos ofícios dos personagens segue uma evolução similar. Nos reduzidos cenários familiares das primeiras narrativas, o que fazem os adultos além da casa não tem, na realidade, a mínima importância. A partir deste "ponto zero" vão aumentando tanto o número de profissões como sua modernidade e, ao contrário, diminuem os ofícios próprios do conto popular. Em troca, a representação quase simbólica de protagonistas próprios da aventura se situa nos blocos extremos por razões aduzidas ao avaliar os gêneros utilizados: nos adolescentes pela ampliação dos modelos literários e nos pequenos pelo uso da aventura como imaginário fantástico.

Até a leitura para os dez anos, os escassos ofícios modernos somente são mencionados para caracterizar os antagonistas. A partir desta idade a menção se torna muito numerosa e já se refere tanto aos protagonistas (ou melhor, a seus pais) como aos antagonistas. No mesmo sentido crescente evolui a presença de mulheres trabalhadoras, e na ficção para os mais velhos é onde se questiona, às vezes explicitamente, a divisão de funções tradicionais à qual nos referimos anteriormente.

A fragmentação narrativa

Fragmentação narrativa			
Grau elevado de autonomia entre as unidades	Inclusão de textos não narrativos	Mescla de gêneros literários	Uso de recursos não verbais
Presença 40,80	40,80	28,85	25,37
Ausência 59,20	59,20	71,15	74,63
Total 100	**100**	**100**	**100**

Todos os índices de fragmentação narrativa que foram definidos lançaram resultados bastante apreciáveis, que vão desde 25,37 por cento de obras que utilizam recursos não verbais, a 40,8 por cento de obras que incluem textos não narrativos. Pode-se afirmar, portanto, que existe uma certa tendência à desagregação do discurso narrativo nos livros infantis e juvenis atuais, tendência que concorda com os hábitos da narração através dos meios audiovisuais, as tendências atuais do pós-modernismo e a familiarização social com uma grande variedade de formas escritas. Pois bem, a função que se outorga aos aspectos aqui analisados leva à conclusão de que a fragmentação não só responde a uma nova configuração literária, mas cumpre um duplo papel, que inclui também a ajuda ao leitor para a compreensão de textos progressivamente mais complexos.

Tal como se pode apreciar no quadro anterior, a violação da integridade do texto se produz na seguinte ordem, decrescente: pelo grau elevado da autonomia das unidades narrativas e pela inclusão de outras formas textuais, pela mistura de elementos próprios de diversos gêneros literários e pelo uso de recursos não verbais.

O grau de autonomia das unidades narrativas

A divisão do texto em partes com um grau elevado de autonomia é um recurso que revela especialmente a dupla finalidade que acabamos de assinalar: a desagregação do texto e a ajuda ao leitor, e provavelmente, no futuro, requereria uma definição mais precisa e um estudo mais detalhado do que o recebido aqui.

Quanto ao primeiro aspecto, é evidente a tendência de muitas obras do *corpus* a fragmentarem-se em pequenas unidades pouco ou nada ligadas por relações de causa e efeito. Em ¡*Adiós, buen viaje!*, por exemplo, os ratos se divertem em cada uma das paradas do mercado, mas nenhuma destas cenas é imprescindível para chegar ao final do relato, mas o são como ação em seu conjunto. O leitor pode entreter-se no desfrute de cada uma delas como travessuras isoladas, ou pode seguir o fio condutor básico para progredir até o desenlace. A grande abundância de obras caracterizadas pela autonomia de suas sequências parece responder a pressupostos sobre as limitações da memória dos leitores implícitos e sobre sua necessidade de previsibilidade narrativa, oferecendo-lhes, como solução, fragmentos narrativos suficientemente breves e enlaces entre as cenas à base de graduações, repetições, através do modelo das três provas ou três tentativas do herói dos contos populares, etc.

O caso de *Osito* é paradigmático em relação à forma na qual o texto ajuda o leitor a aumentar sua competência narrativa. A fragmentação em cenas oferece uma quantidade de informações fixadas, inclusive, em nível formal. Cada cena está cheia de ações repetidas e gradativas. Por exemplo, no capítulo em que o ursinho tem frio, a mãe vai-lhe acrescentando peças de roupa. Quando o ursinho reclama ainda mais roupas, oferece-lhe um abrigo de peles e se inicia uma ação inversa de despi-lo. Quando o ursinho fica nu, vai embora muito contente com seu próprio "abrigo" de pele. O leitor, hábil bastante para guiar-se por estas pistas para antecipar a leitura, é levado mais além no último capítulo, no qual a mãe ursa explica a seu filho um conto que alinhava a fragmentação anterior em aventuras separadas. O último capítulo constitui, pois, um verdadeiro resumo inteligente de todas as aventuras relatadas nos capítulos anteriores. O enlace entre as unidades e a evocação de cada uma delas pode ajudar assim o domínio de uma narrativa maior e mais complexa.

Este fenômeno se produz tanto nas obras baseadas nos acontecimentos do enredo como nas que se centram no amadurecimento afetivo do personagem. Neste último caso a autonomia entre as sequências corresponde à vontade de oferecer um panorama de fatos significativos que construam a interpretação do problema do personagem. Relacionada com as temáticas intimistas, esta é a fragmentação que se encontra em obras como *Elvis Karlsson*. A perda de seu gato, a briga com as crianças da rua, a ação de plantar flores na frente da casa das pessoas que ama, etc., constituem um mosaico sem relações explícitas de causa e efeito, mas no qual o leitor encontra suficientes pistas para estabelecer uma relação profunda entre acontecimentos díspares, que acabam desenhando a situação do protagonista.

A fórmula é especialmente evidente nas obras que têm sido configuradas como um jogo imaginativo, que deriva facilmente para a forma de inventários fantásticos. Estes se referem à descrição desse tipo de elementos presentes na narração, mas vão além de uma simples inclusão momentânea para passar a constituir, em grande parte, a trama da estrutura narrativa. Assim, *Escenarios fantásticos** é, mais que nenhuma outra, a descrição sucessiva de miragens maravilhosas e repletas de referências culturais, que foram capturadas pelo mundo todo e que são colecionados em uma cratera enquanto se prepara sua exibição. Ou, *Charlie y la fábrica de chocolate*** constrói sua parábola moral através da descrição das diferentes salas onde se produzem todo tipo de guloseimas através de máquinas extraordinárias. Ou também é cada uma das estátuas da coleção de *El bosque de piedra* o que faz progredir a estrutura da obra, dando lugar a uma nova história.

Por outro lado, a divisão em pequenas aventuras e acontecimentos pouco conectados é um recurso que contribui claramente para a possibilidade de leitura de narrativas maiores e mais complexas do que se poderia esperar da competência dos leitores. Desta perspectiva é uma opção narrativa coincidente com a proliferação de livros formados por contos curtos ou por aventuras autônomas de um personagem, situação que se produz na etapa dos 8 a 10 anos, quando os leitores se acham a meio caminho entre os álbuns anteriores e as longas narrativas posteriores. Esta opção, pois, não resulta especialmente nova na narrativa infantil e juvenil e a suposição de que as narrações episódicas facilitam a compreensão do leitor tem sido confirmada pela pesquisa sobre leitura (Black e Bower, 1979).

---

* De J. M. Gisbert.
** De R. Dahl.

As duas funções da autonomia narrativa coincidem especialmente naquelas histórias que foram construídas a partir de uma ruptura frequente do fio argumental, mas com uma forte inter-relação entre os fragmentos resultantes. Por exemplo, em uma rápida intermitência entre diferentes cenários para a explicação de ações simultâneas (como em *El único rebelde**) ou na narração intercalada de vários pontos de vista por parte dos personagens (como em *Guillermina GGGRRR...***). Não há dúvida de que o uso deste tipo de técnicas caracteriza uma certa desagregação do discurso em prol da busca de novos propósitos literários ou como consequência de técnicas muito utilizadas nos meios audiovisuais, mas, ao mesmo tempo, significa uma ajuda ao leitor para a interpretação de histórias mais complexas e dificilmente abordáveis a partir de uma narração mais unitária.

A inclusão de outras formas textuais

A inclusão de formas textuais que definimos como alheias à narrativa oferece também um grau variável de experimentação. Às vezes aparece simplesmente na ação do personagem que lê uma carta ou que canta uma canção. Outras configura um jogo literário deliberado no qual se acumulam fórmulas e se imitam tipos de textos, muitas vezes de maneira humorística, como acontece em *El tigre de Mari Plexiglás****. A grande variedade de textos utilizados (canções, poesias, textos jornalísticos, cartas, anúncios, cartazes, adivinhações, refrões, diários pessoais, fórmulas mágicas, discursos políticos, instruções, fichas informativas, inscrições, artigos de revistas, listas, definições de dicionário, conferências, certificados, fragmentos teatrais, lendas, romances, profecias, receitas, notas de pé de página, pós-escritos, contratos, telegramas, leis, guias turísticos, etc.) remete à consciência de uma sociedade altamente

---

* De P. Pelot.
** De M. Obiols.
*** De M. Obiols.

alfabetizada, na qual as crianças estão familiarizadas com uma ampla gama de formas e usos textuais.

Quando os textos são introduzidos de forma significativa – como acontece às vezes nas histórias intercaladas –, podem servir para destacar um elemento narrativo especialmente importante: a sanção moral, a chave da ação, uma parábola ou uma profecia, etc., como em *Asperú, juglar embrujado** onde as canções intercaladas indicam o desencadeamento da cena seguinte. Na maioria dos casos a intercalação pode ser vista também como uma consequência da cessação da voz do narrador produzida na narrativa atual. A cessação da voz narrativa em momentos determinados da narração – em favor, por exemplo, do diário do protagonista adolescente, do meio de comunicação que publica uma parte da informação, do personagem fantástico que propõe uma adivinhação diretamente ao leitor, eclipsando momentaneamente o narrador, etc. – constituem alternativas ao eco constante da voz de um narrador oral e onisciente, que conta uma história às crianças.

A mescla de gêneros literários

A intenção principal da mistura de gêneros literários é utilizar os conhecimentos do leitor sobre formas literárias para todo tipo de jogos referenciais, de desmitificação e de renovação dos moldes literários tradicionais. Daí que a mistura de gêneros se produz basicamente a partir da inclusão, em um cenário realista, de elementos fantásticos tradicionais ou do imaginário clássico do gênero. O jogo entre dois âmbitos narrativos abre a possibilidade de complicar a narração a partir da coexistência dos dois imaginários em níveis narrativos distintos, e, mais concretamente, a partir da inter-relação entre realidade e fantasia, muito abundante nas obras classificadas aqui. Ou também como uma espécie de "amostra" para as primeiras idades de gêneros – de aventuras, de ficção científica, etc. – que ainda não se consideram apropriados senão

---

* De M. Canela.

como um jogo tangencial. Mas, na realidade, em muitos casos a inter-relação de elementos é muito acentuada e a impressão resultante tende a ser a de um jogo deliberado com todo tipo de elementos literários, desde os da tradição oral até os policiais, de terror ou de aventura, cruzados por um uso abundante do humor e da fantasia moderna.

Para dar alguns exemplos ao acaso podemos ver que *Charlie y la fábrica de chocolate* utiliza uma descrição dickensiana da fome e da pobreza familiar de Charlie, para reconverter posteriormente a obra em uma explosão de humor provocador e de fantasia moderna, sempre a serviço de um aliciamento moral próprio da literatura infantil mais tradicional. Ou *El misterio de la isla de Tokland**, que começa como um desafio aventureiro, que se mantém nas provas e no confronto solitário do herói com o risco de morrer, enlaça-se com as narrações de gênero fantástico e de ficção científica na montagem da ilha, acrescenta um desenvolvimento detetivesco na tentativa do protagonista de descobrir o que se esconde ali e acaba com uma estranha teoria sobre a salvação da humanidade, que pode ser relacionada com as lendas míticas. Ou, em um conto tão curto como *El hombre del saco*** onde há um início realista de crônica negra, de conto de terror, enquanto o protagonista evoca seus sequestros e assassinatos de crianças, para se converter a seguir em um conto cotidiano de descrição familiar com a cena de uma menina que se nega a jantar. A fusão se arredonda com detalhes absurdos, típicos da fantasia atual, como o do canguru da menina que é "literalmente" um canguru que vai saltando pela sala.

Mas a mescla de gêneros obedece também aos pressupostos educativos da literatura infantil e juvenil quando se introduzem temas sociais em gêneros literários habitualmente usados para outras problemáticas, com o propósito de sensibilizar "de passagem" o leitor sobre o tema apresentado. Deve-se reconhecer que, muitas vezes, esta mistura de gêneros fica artificial e os resultados de sua intenção educativa são bastante

---

* De J. M. Gisbert.
** In *Datrebill, 7 cuentos y 1 espejo*, de M. Obiols.

duvidosos, já que se corre o risco de cair em uma espécie de "ensinar divertindo", ou de ir amontoando problemas que não vêm ao caso, como se se tivesse que aproveitar a obra para incluir o máximo de temas possíveis.

Em alguns casos a mescla faz parte da própria tradição do gênero. É o caso da inclusão da descrição social na novela policial, por exemplo. O que se pode observar, então, é uma adaptação das regras de gênero às características da narrativa infantil e juvenil, como acontece em *No pidas sardina fuera de temporada**.

O uso de recursos não verbais

Os recursos não verbais têm sido um dos motores de mudança da literatura infantil moderna. A utilização da imagem foi especialmente rentável para abrir caminhos à introdução de técnicas narrativas difíceis de incluir em textos que necessariamente tinham que manter uma certa simplicidade se quisessem se adequar aos pressupostos de acessibilidade compreensiva que presidem esta literatura. Muitas das funções próprias da imagem também passaram a ser cumpridas através de outros recursos. Em alguns casos foram usados recursos materiais, mas esta via se encontra logicamente limitada na mostra analisada aqui (ainda que também se dê, por exemplo, na presença de um espelho que se deve usar para ler o texto em *Datrebill, 7 cuentos y 1 espejo***), porque se desenvolveu principalmente nos livros informativos e para não leitores, livros que não foram contemplados. Em outros casos, os recursos alternativos à imagem procedem das características da apresentação do texto escrito e consistem na busca de efeitos determinados na distribuição do texto na página, na variação tipográfica, em alternâncias significativas da cor da tinta, como em *La historia interminable*, ou das páginas, como em *El tigre de Mari Plexiglás*, etc.

---

* De A. Martin.
** De M. Obiols.

Como nos outros aspectos deste extrato, os recursos não verbais das obras analisadas revelam uma dualidade de funções entre a ajuda à leitura e à experimentação. No primeiro caso podem-se utilizar como uma marca gráfica que ajuda o leitor a distinguir as diferentes formas textuais, ou liberam o texto de aspectos descritivos ou de informações colaterais, como em *La rebelión de las lavanderas**, por exemplo, no qual a imagem poupa a pormenorização das ações realizadas pelos personagens, ações que permitem afirmar no texto: "Todos aqueles que tentaram detê-las acabaram muito mal". A imagem se encarrega de mostrar a significação exata deste "muito mal" em diferentes ações. Ou também ajuda a identificar os elementos de construção do relato quando estes parecem especialmente complicados (as diferentes vozes narrativas, o desdobramento de linhas de argumentação, a inter-relação entre fantasia e realidade, as mudanças no marco espaço-temporal, etc.). Assim, em *Donde viven los monstruos*** a simplificação se dirige à mistura de fantasia e realidade. É na imagem onde vemos desvanecer-se o papel de parede do quarto do menino protagonista, até converter-se em bosque dos monstros e também é a imagem a que oferece um desenho do menino caracterizado como monstro. Estes dados dão pistas ao leitor para entender a viagem de Max como uma viagem através de sua imaginação.

No outro extremo, os recursos não verbais são usados para estabelecer um discurso complementar ou aparentemente contraditório com o do texto e para incluir a participação do leitor na construção da obra ou nos jogos que dela se derivam. Por exemplo, em *Lo malo de mamá* a voz do narrador infantil inicia a história informando-nos que "o ruim de mamãe são os chapéus que ela usa". Mas a ilustração comunica ao leitor que o mais estranho da senhora não é precisamente seu chapéu, mas sua qualidade de bruxa, e é este conhecimento que permite seguir a história de forma distanciada a respeito de um narrador que não parece notar nunca qual é o problema.

---

* De J. Yeoman.
** De M. Sendak.

Definitivamente, pois, os distintos fenômenos de fragmentação narrativa – tanto estão a serviço da ajuda à leitura, como buscam a experimentação narrativa, ou ainda compartilham ambas as finalidades – são muito frequentes na narrativa atual e causam um certo grau de desagregação contra os pressupostos de forte integração narrativa definidos por Shavit (1986). A fragmentação corresponde, necessariamente, a uma literatura pensada para a leitura e o olhar que, como tal, pode acolher em grande medida características técnicas da literatura de adultos ou da inter-relação entre narrativa escrita e audiovisual.

Desta última perspectiva, provavelmente, pode-se pensar também que a extensão destes recursos responde à suposição de alguns destinatários com hábitos sociais de recepção narrativa audiovisual. Esta aprendizagem teria acostumado as crianças a um esforço de atenção pouco sustentado, ao mesmo tempo que os teria familiarizado com a tendência cultural atual de inter-relacionar profusamente elementos de distintas origens. A acumulação de elementos literários, recursos não verbais e diferentes tipos textuais constituiu, assim, uma via experimental de renovação das propostas imaginativas da narrativa infantil e juvenil de hoje em dia.

A evolução da fragmentação narrativa segundo a idade do destinatário

Nos resultados por idade, os quatro aspectos de fragmentação narrativa que foram definidos têm seu ponto máximo de utilização nas obras destinadas aos leitores de 10 a 12 anos. A presença da imagem nos livros de primeiros leitores supõe uma exceção a esta conclusão, mas é lógico que a imagem seja mais frequente ali, de acordo com as características dos leitores e da configuração habitual da edição infantil. Apesar disso, se dividimos os recursos verbais em diferentes tipos, os livros para os 10 a 12 anos continuam ostentando a primazia dos recursos gráficos baseados no texto e são também os únicos a apresentarem recursos materiais.

A partir dos dez anos aumentam a autonomia entre as unidades narrativas e a inclusão de diferentes formas textuais, questões favorecidas pela maior extensão das narrativas e a premissa de que os leitores têm um conhecimento textual mais diversificado, o que se traduz em um aumento dos tipos de textos incluídos, desde apenas quatro tipos nas obras para primeiros leitores, até mais de vinte e cinco tipos no grupo de 10 a 12 anos. A grande diversidade de textos incorporados chega a produzir a sensação de se estar lendo um rosário de textos enlaçados por uma construção narrativa. A impressão cresce pela utilização dos títulos, observações e notas com que o narrador se dirige ao leitor interrompendo a explicação da história com instruções ou esclarecimentos.

A fusão de elementos narrativos se intensifica também na ficção dirigida aos 10 a 12 anos a tal ponto que chega a converter-se em um de seus traços mais característicos. Uma acentuação tão elevada da fragmentação na narrativa desta idade pode dever-se a que neste ponto do itinerário de leitura confluem tanto a função de ajuda à condução das histórias, como a vontade de inovação. Por um lado, nos livros para esta idade se produz um salto evidente na extensão e na complexidade narrativa das obras, que pode torná-los mais sensíveis à conveniência de ajudar o leitor. Por outro lado, a ficção desta etapa se mostrou como a mais inovadora em muitos dos itens analisados.

Além do grupo de 10 a 12 anos, o uso da autonomia narrativa sobressai nos contos para primeiros leitores, onde está claramente a serviço da legibilidade e não obedece a nenhuma vontade de dissolução e jogo com o esquema narrativo. Algumas obras iniciam uma certa divisão em capítulos muito tênue que enlaça com o grupo de contos curtos, no interior ou não de uma história moldura, modelo que abundará no grupo de idade seguinte, tal como se indicou anteriormente. As obras para 8 a 10 anos e para os adolescentes são mais coesas. Cabe advertir, no entanto, que ao contabilizarem-se como obras separadas os contos de três livros da seleção para 8 a 10 anos aumentou, logicamente, o resultado obtido sobre o grau de coesão. Finalmente, as narrativas para adolescentes elevam novamente o índice de coesão, apesar de serem as obras mais compridas e complexas, porque pressupõem maior competência leitora, que permite assimilar uma grande quantidade de informações inter-relacionadas, de maneira que todos os elementos confluem em uma só linha de argumento que conduz até o desenlace.

Quanto aos recursos não verbais, o uso narrativo da imagem quase desaparece depois da primeira etapa leitora, mas o texto tenta o mais possível reter elementos visuais nas narrativas dirigidas aos leitores até os 12 anos. Na ficção para adolescentes estes recursos são usados raramente. Mas o fato de que ainda se recorra a eles e de que a imagem, e não somente os outros tipos de recursos gráficos, apareça em todos os grupos de idade, revela a consistência da incorporação deste traço à narrativa infantil e juvenil, quando a opinião generalizada é de que a imagem e os recursos não verbais são abundantes nos contos para crianças menores e depois desaparecem, ao menos como elemento significativo da narração.

No seguinte quadro podemos representar as características de fragmentação mais encontradas em cada um dos grupos de idade:

	5-8	8-10	10-12	12-15
Grau elevado de autonomia entre as unidades	+	-	+	+
Inclusão de textos não narrativos	-	-	+	+
Mescla de gêneros literários	+	-	+	+
Uso de recursos não verbais	+	-	+	-

(Sinal a partir de 25 por cento das obras analisadas em cada um dos blocos.)

A complexidade narrativa

Complexidade narrativa 1			
Estrutura		**Perspectiva**	
Complexa	46,76	Focalizada	38,30
		No protagonista	29,85
		Outras	9,45
Simples	53,24	Não focalizada	61,70
Total	**100**		**100**

Complexidade narrativa 2					
Voz				**Ordem temporal**	
Não ulterior	14,93	Interior	23,88	Anacronismos	25,37
Ulterior	85,07	Exterior	76,12	Linearidade	74,63
Total	**100**		**100**		**100**

A análise das condições de enunciação do discurso das obras revela os pontos nos quais a narrativa atual tem tendido a afastar-se da simplicidade, definida como a utilização de uma estrutura simples, uma perspectiva não focalizada, uma voz narrativa ulterior e externa à história e um tempo linear. O princípio de compreensibilidade, que rege a literatura infantil e juvenil, provocou que a tendência a complicar o discurso tenha-se produzido em medida muito menor que a tendência a fragmentá-lo vista anteriormente. Também este princípio condiciona que as mudanças observadas se relacionem de forma mais unívoca com os pressupostos sobre a capacidade leitora dos destinatários segundo a idade.

As complicações das condições do discurso, que a narrativa infantil e juvenil parece admitir com maior facilidade, são as que correspondem à estrutura e à perspectiva, uma vez que admitem uma presença elevada de estruturas complexas e perspectivas focalizadas. Em troca, a voz narrativa continua sendo essencialmente ulterior e exterior à história, e a ordem temporal mantém também a cronologia linear na grande maioria das obras.

Se notamos as duas principais mudanças produzidas, podemos pensar, em primeiro lugar, que as estruturas complexas foram favorecidas pela passagem da literatura infantil e juvenil para a literatura escrita e, mais especificamente ainda, por sua conversão em um produto editorial orientado para determinadas dimensões das obras segundo as idades, o que contribui para a necessidade, e para a possibilidade, de criar histórias cada vez mais longas a partir do desdobramento e da inter-relação de diferentes linhas argumentais.

Em segundo lugar o notável abandono da perspectiva não focalizada, que era majoritária na tradição de livros infantis, pode ser relacionado com a inflexão para temáticas psicológicas, para valores de reflexão moral e para a busca de identificação imediata do leitor com os protagonistas. Estas inovações têm tido consequências no uso de novos recursos, que favoreceram a identificação do leitor sem trair a verossimilhança narrativa da obra. A partir daí é evidente que focalizar no protagonista ou ceder-lhe a voz narrativa têm que ser fenômenos no auge em um discurso preocupado por transmitir os pensamentos dos personagens e oferecer sua visão dos fatos narrados.

A estrutura

A estrutura narrativa apresenta complicações dos três tipos definidos por Todorov (1966) e levantados na pauta de análise. Concretamente, as complicações mais frequentes são as mais básicas de um relato: a explicação de histórias ao longo da narrativa por parte de algum personagem (*encastamiento*) e a narração sucessiva de histórias, episódios ou aventuras dos protagonistas (encadeamentos). Também se produz outro tipo de encastamento na criação de uma história moldura na qual um personagem explica várias histórias a outros, complicação especialmente devedora da facilidade de leitura, já que permite abranger diferentes narrativas autônomas.

São menos frequentes, no entanto, os saltos alternativos entre linhas argumentais relacionadas e ainda menos as técnicas de reconstrução dos acontecimentos a partir de fragmentos informativos, a inter-relação e confluência de diferentes conflitos, ou outras estruturas já muito distantes do relato simples. Logicamente, as complicações estruturais acarretam a fragmentação da narrativa em unidades mais ou menos autônomas e, portanto, já foram mencionadas no trecho anterior. A consciência dos autores de estar complicando a leitura da história leva à busca de recursos (títulos dos capítulos, comentários acrescentados, etc.) que ajudem o leitor a lidar com a informação.

A focalização

A limitação do que o narrador sabe sobre a história se dá, principalmente, em relação ao que pode saber e sentir o protagonista para estimular assim a proximidade e a identificação do leitor, tal como acabamos de assinalar. Os outros enfoques são porém muito pouco abundantes.

Dentre estas outras possibilidades a que mais se produz é a focalização externa, quer dizer, a limitação do que sabe o narrador ao que dizem ou fazem os personagens da história. A limitação aos aspectos externos se encontra a serviço de dois propósitos distintos: por um lado constitui um tipo especial de ajuda ao leitor, uma vez que o discurso fica liberado da informação sobre os pensamentos e sentimentos dos personagens, privilegia a ação e se aproxima da recepção das narrativas audiovisuais nas quais o receptor se situa como um espectador da história, que se representa teatralmente diante dele. Por outro, contribui para estabelecer uma distância entre o leitor e a história, distância pertinente tanto para as obras que se oferecem como um jogo, como para as que tratam temas especialmente duros do ponto de vista afetivo.

Pode-se observar também que existe um pequeno número de obras nas quais se experimenta a focalização múltipla ou o enfoque de personagens secundários.

A voz

A voz narrativa ulterior é a condição mais estável de todo o discurso narrativo. Quer dizer, como é habitual na narração, explica-se uma história situada no passado e somente em uma porcentagem mínima de obras explicam-se fatos ocorridos no mesmo momento em que se supõe que se sucedem. Esta voz simultânea é utilizada por motivos tão variados, que não configuram uma linha determinada de mudança. Em todos os casos, no entanto, trata-se de fenômenos associados à introdução de novas tendências na narrativa infantil e juvenil.

Assim, a voz simultânea aparece em obras que simulam a reprodução imediata dos pensamentos do protagonista-narrador, como em *Abracadabra**, onde nos encontramos diante da reprodução do monólogo febril de um menino enfermo; em obras que pretendem produzir a sensação de representação teatral em prol de maior simplicidade narrativa, como *Osito*; nas quais se dialoga diretamente com o leitor em favor de um jogo construtivo compartilhado, como as obras nas quais se lhes propõe pintar, adivinhar, etc.; e, finalmente, nas obras que adotam formas textuais não narrativas para sua construção, por exemplo, obras prescritivas sobre a construção de objetos imaginários como em *Cometas fantásticas***, ou formas expositivas com a descrição de seres fantásticos, como em *Libro de voliches, laquidambrios y otras especies*, por exemplo.

A situação do narrador fora da história mantém também seu predomínio tradicional, ainda que seja em uma proporção algo inferior à conservação de sua voz ulterior. Um narrador tão majoritariamente externo parece uma característica contraditória com as explicações apontadas para as mudanças anteriores, já que se se focaliza os personagens, explicando-nos somente o que eles sentem e sabem da história, ceder-lhes a voz teria que ser um recurso habitual.

---

* In *Abracadabra*, de M. Obiols.
** De J. Sennell.

A análise da relação entre focalização e uso da primeira ou da terceira pessoa pode esclarecer esta questão. Se se relacionam os dois tipos de dados na ficção para adolescentes – a única que utiliza com muita frequência um narrador interno à história –, vê-se que o enfoque no protagonista coincide com um narrador interno e em primeira pessoa nas obras de temática psicológica – por exemplo em *El último pasmarote*, no qual o narrador é o mesmo garoto protagonista da história amorosa –, enquanto que a focalização se associa a um narrador externo e em terceira pessoa nas obras em que os conflitos dos personagens são exteriores a eles. Por exemplo em *El amigo oculto y los espíritus de la tarde** um narrador nos conta a história de sobrevivência de um garoto em um povoado abandonado, mas somente através dos dados que este protagonista pode possuir. Pareceria, pois, que ao menos a temática psicológica se comporta com a "normalidade" esperada e promove realmente a confluência dos dois fenômenos, quer dizer, a focalização através de uma voz interna.

Mas a conclusão não é tão simples se pensarmos que a temática psicológica também é muito abundante, tal como se viu na ficção para as primeiras idades, e aqui a defasagem entre as duas condições de enunciação é muito ampla. Certamente o narrador só sabe o mesmo que o protagonista, mas, como na aventura externa, explica-nos de fora da história e em terceira pessoa. A conclusão, pois, é que a tendência de situar o narrador no interior da história, apesar de ser previsível em uma parte da narrativa atual por causa de seu processo de psicologização, se encontra limitada pelos pressupostos de proteção aos destinatários. Quer dizer, se encontra limitada porque se pretende evitar que os leitores mais novos se "percam" durante uma leitura mediada por um narrador que deve ser infantil mas, ao mesmo tempo, capaz de contar coerentemente a história, ou porque se busca que os leitores não se angustiem, como poderia acontecer, se compartilhassem os conflitos do narrador-protagonista com excessiva proximidade.

---

* De C. López Narváez.

Estas intenções protetoras mantêm, pois, o narrador fora da história.

Em uma conclusão mais geral, pode-se pensar que a defasagem entre os dois fenômenos revela, justamente, uma forte resistência da narrativa infantil e juvenil a perder o controle da interpretação narrativa, controle assinalado por diversos autores como a chave da definição e evolução deste tipo de literatura. Com efeito, se, apesar das mudanças ocorridas, o narrador mantém a posição externa, conserva sua liberdade de interpor-se entre o leitor e a história, o que pode querer fazer, ou pelos tradicionais propósitos de ajudá-lo a entendê-la ou de assegurar-se que a interpreta de forma moralmente conveniente, ou por outros propósitos novos, como o de tentar protegê-lo, já que aumentou a dureza das situações, ou o de situar-se em um espaço de jogo literário no qual também participa o leitor.

A ordem temporal

A ordem temporal linear também é uma condição enunciativa que continua sendo muito respeitada na narrativa atual. As obras só incluem anacronismos quando derivam da gestão das complicações estruturais mais comuns, como quando se necessita retroceder para explicar cenas transcorridas em um tempo simultâneo ao que se acaba de contar. É um recurso frequente, por exemplo, em *El único rebelde**. A obra foi construída como uma perseguição na qual o leitor passa constantemente de ver o que fazem os perseguidos, ao que fazem os perseguidores, para criar uma sensação de "suspense" e perigo imediato. Ou também se produzem anacronismos quando é preciso explicar os antecedentes de determinados acontecimentos ou a origem de novos personagens. Assim, o encontro do príncipe com o anão em *La alquimia del corazón*** inclui a narração, por parte do anão, da história que o conduziu a ter que percorrer o mundo.

---

* De E. Rayó.
** Idem.

Alguns retrocessos são provocados pelo estabelecimento da verossimilhança narrativa no início da história. Neste caso, em um recurso muito tradicional na literatura, o narrador começa seu relato anunciando que a seguir se transportará ao passado para contar os fatos acontecidos. É o caso de ¿*Qué fue del Girbel?**, onde o narrador interrompe a explicação sobre os personagens e o cenário para dizer:

> Mas isto ainda não é uma verdadeira história. A primeira história do Girbel narra como a senhorita López, que nunca antes havia trabalhado com crianças difíceis como as da casa, o conheceu. Conheceu-o tanto que teria preferido sair correndo (11).

Tanta fidelidade à ordem temporal linear obedece à ideia de que as mudanças temporais são difíceis de seguir, pressuposto muito assumido pela narrativa infantil e juvenil, tal como se viu em sua resistência a usar cenários narrativos próprios do tempo passado ou futuro.

Alguns outros anacronismos são um pouco mais inovadores ao estarem associados a uma reconstrução fragmentada da história, que obriga a um certo movimento de antecipação e retrocesso. É o que ocorre em algumas narrativas policiais, ou na explicação dos mesmos acontecimentos de diferentes perspectivas. Podemos vê-lo em *Las voces del Everest*** quando se constrói uma história a partir da informação fragmentada que os diferentes personagens conhecem. Mas as relações deliberadas entre anacronismos e estrutura narrativa são sumamente escassas. Se bem que os acontecimentos possam não haver ocorrido na mesma ordem em que se enunciam, quase sempre existe uma ordem linear, solidamente estabelecida no nível do discurso, na maneira de inteirar-se o leitor. Por exemplo, a partir da mesma ordem na qual o protagonista fica sabendo dos fatos nas novelas policiais. Deste modo, as obras que alteram realmente a relação entre a história e o discurso são extraordinariamente minoritárias. Acontece com *Julie y los lobos*, por exemplo, com

---

* De P. Hartling.
** De J. Delgado.

um início *in media res**. Na primeira parte se narra a sobrevivência da garota no gelo da Groenlândia sem que o leitor saiba por que se encontra ali; na segunda parte se retrocede para explicar os antecedentes da situação e na terceira se continua a história onde se havia interrompido na primeira parte.

A evolução da complexidade narrativa segundo a idade do destinatário

Muitos dos aspectos analisados mostram uma divisão muito clara entre a presunção de capacidade leitora nas primeiras faixas de idade e as duas posteriores. Além da voz narrativa ulterior, que se respeita de forma similar nos quatro blocos de idade, outras condições enunciativas, como a complicação na estrutura narrativa ou a alteração da ordem temporal, por exemplo, só aparecem de forma significativa nas obras dirigidas a leitores de mais de dez anos. A partir da constatação desta divisão geral, vejamos, a seguir, a evolução da complexidade narrativa nos diferentes grupos de idade.

A complexidade narrativa nas narrativas para 5-8 anos

Como é lógico em uma narração que inicia o itinerário de leitura autônoma das crianças, as condições de enunciação correspondem majoritariamente com os pressupostos de simplicidade narrativa. O ponto de vista é o único componente que se afasta desta definição para adotar uma perspectiva focalizada.

Esta perspectiva se utiliza, em primeiro lugar, como enfoque em um personagem. Quase todos os contos o fazem no protagonista e se adota, para tratar temas psicológicos, um tom intimista, que tende a prescindir também da distância humorística. A focalização em um personagem secundário é muito

---

* N. T.: Do latim. Literalmente "no meio da coisa".

minoritária, mas sua observação resulta ser muito interessante já que se situa no conjunto de recursos encaminhados a ajudar o leitor a negociar o significado através de um forte embasamento na identificação com os personagens infantis. Muitos elementos que poderiam trazer problemas de compreensão, tais como referências culturais ou imaginários fantásticos, se resolvem interpondo estes personagens entre o leitor e a possível dificuldade para que os resolva em seu nome.

Em segundo lugar, na narrativa para estas idades é onde mais se utiliza uma perspectiva externa, muitas vezes associada a uma voz narrativa simultânea. A princípio parece estranha a proliferação de uma perspectiva tão afastada do controle onisciente da informação tradicional na narrativa infantil. As causas da utilização deste ponto de vista se encontram em algumas explicações já apontadas no comentário geral. Por uma lado a focalização externa se adequa à vontade de distanciamento humorístico associada, ou não, ao tratamento de temas de especial dureza para evitar o impacto emocional no leitor. Por outro, e esta é a causa mais generalizada, no meu entender, a focalização externa é um dos caminhos usados para tornar acessível o texto aos leitores que começam a ler sozinhos. Um caminho novo em relação às condições tradicionais de enunciação, já que a passagem à literatura escrita é o que facilitou a presença deste recurso, mas não contraditório ao itinerário do mais simples ao mais complexo na narrativa infantil e juvenil. A explicação de por que estas obras para primeiros leitores recorrem à perspectiva externa não deve ser buscada, pois, em uma complicação "fora de lugar", em um itinerário progressivo de complicações, mas, precisamente, na busca de caminhos de acessibilidade inicial ao texto escrito.

Já se assinalou que uma simples descrição das ações e a reprodução dos diálogos supõem uma certa representação cênica, diante dos olhos do leitor que, muitas vezes com a ajuda da imagem, assiste aos acontecimentos. *Osito, ¡No nos podemos dormir!**, *Sapo y Sepo son amigos*, *¡Quiero hacer pis!*

---

* De J. Stevenson.

ou *¡Qué risa de huesos!** se situam neste grupo e são algumas das obras mais cuidadas do ponto de vista da simplicidade léxica e sintática, da utilização de repetições, da divisão em pequenas sequências controláveis, etc. Assim, por exemplo, *Sapo y Sepo son amigos* é mencionada muitas vezes nos estudos da literatura infantil anglo-saxã para ressaltar que a confecção de obras com léxico limitado abordada a partir dos estudos sobre legibilidade, não teria por que produzir, necessariamente, obras sem substância. Por outro lado, Tucker (1981) e outros autores atribuem mais facilidade de leitura a uma alta porcentagem de estilo direto, tal como acontece nestes contos, que cedem sempre a palavra aos personagens.

A focalização externa pode comportar, no entanto, maior dificuldade de interpretação, uma vez que os sentimentos e estados de ânimo dos personagens têm que inferir-se a partir de suas palavras e ações. A dificuldade se resolve na medida em que a maioria das obras que adotam esta perspectiva são álbuns ilustrados e a imagem pode encarregar-se de oferecer este tipo de informação ao leitor. Estudos a respeito (Geber, 1977) demonstram que os meninos e meninas são muito mais hábeis em inferir sentimentos e retê-los como informação se podem extraí-los da imagem, enquanto que se vão interpretá-los somente a partir do texto verbal tendem a concentrar sua atenção no argumento e, ou ignoram estes aspectos, ou, ao menos, não os retêm em seus resumos da história.

Tal como dissemos, a narrativa se produz majoritariamente em terceira pessoa, ainda que focalize os protagonistas. É o narrador quem explica seus pensamentos e sentimentos, como se os personagens fossem ainda demasiado pequenos para pôr em ordem suas ideias ou expressar o que sentem e seria necessário, portanto, que existisse uma figura interposta entre os personagens e o leitor. A primeira pessoa não se relaciona, pois, com os temas psicológicos, mas aparece a serviço de questões técnicas de construção estrutural, como nos casos dos personagens que contam uma história dentro da história

---

* De A. e J. Ahlberg.

inicial – o caso mais evidente de complicação da estrutura nesta idade – ou no caso de jogos literários propostos pelo narrador, como o jogo de hipóteses *¿Qué hay detrás del árbol?**

Outra das condições de enunciação, que se destaca justamente por seu elevado grau de simplicidade, é a ordem temporal linear, que aparece como uma condição praticamente sagrada. Inclusive quando um personagem relata sua história, em contos como *¡No nos podemos dormir!*, se recorre a ajudas extras através da imagem para facilitar a compreensão dos dois tempos narrativos. Aliás, a ordem temporal linear vai além da ordem cronológica do discurso para incluir um grande cuidado no tratamento que recebe o tempo da história. A narração abarca períodos muito breves da vida dos personagens e a evocação do passado se fia em comentários muito limitados e circunscritos à memória familiar dos personagens-avós que lembram e são lembrados. A evocação do passado ligada à memória familiar parece refletir a maneira com a qual os meninos e meninas adquirem a noção de temporalidade em sua experiência de vida. Por isso resulta interessante também a recapitulação do passado imediato, que se faz no último capítulo de *Osito*, citado anteriormente.

A complexidade narrativa nos textos para 8-10 anos

A simplicidade narrativa continua nas narrações deste bloco de idade e, para dizer a verdade, ainda aumenta ao desaparecerem as alterações usadas para facilitar a leitura na etapa anterior. Mas, diferentemente daquelas obras, a voz narrativa simultânea é utilizada para novos propósitos, como o de simular o tempo real. A única complicação destacável é uma certa presença de anacronismos que começam a quebrar a ordem linear. Para facilitar esta complicação, os saltos temporais costumam coincidir com mudanças na voz narrativa, o que ajuda o leitor a identificá-los como tais.

---

* De L. Williams.

A complexidade narrativa nos textos para 10-12 anos

A estrutura narrativa da maioria das obras para esta idade que foram estudadas apresenta mais de uma linha narrativa e podem ser classificadas, portanto, como narrações de estrutura complexa. A complicação a partir de personagens, que explicam sua história, já não é demasiado frequente, e a relação entre as diferentes histórias se produz agora a partir de outros tipos de construções mais sofisticadas, tais como a inter-relação de planos ou de histórias alternadas, a sucessão de episódios ou a de histórias que acabam confluindo.

A perspectiva focalizada é notável. Com a exceção de alguns enfoques diversos, como a dos típicos narradores-personagens secundários de Joles Sennell, ou como a alternância experimental entre uma narração não focalizada e um monólogo interior em *La abuela**, a grande maioria das obras focaliza o protagonista do relato. Pois bem, somente na metade destes casos a focalização implica lhes ceder a voz narrativa, de maneira que grande parte das obras continua sendo em terceira pessoa, como nas idades anteriores.

A voz narrativa simultânea já não é utilizada em favor da compreensão do texto. Não aparece nem para teatralizar a história nem para simular o tempo real, recursos que vimos serem empregados nas etapas anteriores. A partir desta idade é utilizada a serviço da reprodução dos pensamentos dos protagonistas. É um recurso que contribui para dar ao leitor a sensação de proximidade à consciência do personagem, ainda que a busca deste efeito apresente graus variáveis de intensidade, desde a simulação de um monólogo interior à sua combinação com o uso da terceira pessoa para interpor um narrador.

As narrativas se constroem sobre uma ordem cronológica que, de forma geral, pode ser classificada de linear, mas quase a metade das obras analisadas inclui diferentes tipos de anacronismos, alguns já presentes nas narrativas das etapas anteriores de leitura, mas que aqui aumentam em número e variedade. As principais distorções se produzem porque as histórias

---

* De P. Hartling.

já se tornaram bastante complexas e se necessita que o narrador ou os personagens que aparecem, expliquem os antecedentes de determinados acontecimentos. Também existem retrocessos parciais por parte do narrador para explicar episódios, que se produziram em um tempo simultâneo e aumentam os anacronismos estabelecidos no início da história para justificar sua narração.

De forma ocasional se produz alguma antecipação narrativa sobre o futuro dos personagens além dos limites da história ou se apresenta um jogo narrativo baseado justamente no desenvolvimento temporal da história. *El pequeño roble** se baseia no desejo de crescer do menino protagonista e tenta confundir deliberadamente o leitor através da figura de um narrador, que parece um menino, para descobrir ao final que se trata do menino quando já é velho.

Finalmente, apesar de que não se trata de nenhuma distorção da ordem temporal, cabe destacar também a duração do tempo da ficção que, em algumas narrativas, abarca períodos muito mais prolongados que nas etapas anteriores, inclusive até chegar a conter toda a vida dos personagens. A brevidade do tempo narrado na maior parte das histórias permite apreciar, com mais clareza, que a narração de períodos amplos de tempo é um fato ainda muito anômalo nos livros dirigidos a esta idade.

A complexidade narrativa nos textos para 12-15 anos

A maioria das obras deste bloco (70,22 por cento) apresenta uma estrutura narrativa complexa na qual se inter-relaciona distintas linhas argumentais. Mais da metade das obras se afasta também das pautas de simplicidade narrativa por sua perspectiva focalizada, praticamente sempre situada no protagonista da história. Completa-se, pois, uma certa tendência progressiva para a focalização ao longo do itinerário de leitura, com exceção dos enfoques nas narrativas para primeiros leitores que se inserem em tipos distintos, tal como foi comentado.

---

* De E. O'Callaghan.

A focalização se combina majoritariamente com o uso do narrador interno da história. A cessão da voz é, pois, a complicação narrativa de aparição mais tardia, já que não é relevante até chegar a esta etapa. No comentário geral vimos a relação entre o enfoque no protagonista e a situação do narrador dentro ou fora da história. Esta relação pode variar aqui com a configuração de três variantes.

As duas primeiras correspondem à temática do amadurecimento pessoal. Na primeira, esta é abordada através de uma narrativa introspectiva. Então o leitor conhece as ações e reflexões do personagem mediante sua própria voz, em um diálogo implícito ou pelo acesso a seu diário pessoal. O uso da primeira pessoa facilita a incorporação de uma linguagem que se deseja próxima à dos adolescentes ou à possibilidade de apelar a seu mundo de referências. Isso permite resolver um dos problemas da narrativa infantil e juvenil assinalado por Wall (1991): o incômodo de uma voz narrativa adulta que se dirige a um público infantil ou adolescente, que pode desaparecer caso se ceda a voz aos próprios personagens. O recurso serve também para resolver a possível rejeição do leitor adolescente pela intromissão e pouca verossimilhança de um narrador adulto, que pretendesse explicar-lhe seus problemas; ou, no mínimo, resolve a dificuldade inerente à necessidade de descrever os conflitos ao mesmo tempo que oferece uma avaliação adulta dos mesmos. A tentativa de imitar a maneira como falam ou escrevem os adolescentes atuais sobre seus problemas é tão evidente, que qualquer fragmento destas narrações-diários pode servir de exemplo:

> Sou uma cãibra só. Com certeza você nota, porque não me concentro e pulo de um tema a outro que dá gosto. É melhor que o deixe por hoje. Se pudesse saber como estou, certamente me desejaria boa sorte. Cruze os dedos!
> Terry
> P. S. Estava me esquecendo. Hoje é a sua última noite de turnê. Vai fundo, tio!
> (*Querido Bruce Springsteen**, 125)

---

* De K. Major.

Na segunda, o amadurecimento se produz através de aventuras e conflitos externos. Então, o acesso à consciência dos protagonistas se mantém, mas se dá em terceira pessoa, através de um narrador distanciado do relato, que se encarrega de explicar as ações e pensamentos do personagem. Por isso, a combinação entre a focalização no protagonista e voz narrativa fora da história se produz em obras como *Julie y los lobos* ou *El Amigo oculto y los espíritus de la tarde*, citadas anteriormente.

A terceira variante da perspectiva focalizada centra-se em conflitos externos, mas se apresenta em primeira pessoa. Trata-se de narradores-protagonistas de aventuras ou de temas policiais, personagens normalmente adultos, que buscam a verossimilhança do relato, mas não a identificação do leitor adolescente enquanto tal. Os personagens de Gisbert ou vários contos de Pedrolo são exemplos disso. Muitas vezes, aliás, a verossimilhança se reforça porque o narrador se declara escritor ou detetive e supõem-se que não faça outra coisa, além de relatar o que lhe ocorreu de forma coerente com seu ofício.

Finalmente, também existem uns poucos casos (6,38 por cento) de focalização não centrada no protagonista. Trata-se de obras nas quais se quer variar a perspectiva sobre um mesmo problema ou proceder à reconstrução de fatos da perspectiva múltipla de diferentes personagens. Mas, inclusive em algumas destas obras, o interesse por aceder ao panorama da consciência de maneira verossímil leva a incluir a fórmula onipresente dos diários pessoais, como em *Las voces del Everest*.

A voz narrativa posterior aos acontecimentos narrados continua sendo predominante, enquanto que a voz narrativa simultânea reproduz as vozes protagonistas em um uso coincidente com o grande aumento de vozes interiores à história e em primeira pessoa, que se acaba de mencionar. Às vezes os narradores adolescentes explicam os acontecimentos com a suficiente imediatez, como ao escolher a forma presente (ou do pretérito perfeito, em um par de títulos), ou a elegem para expressar as reflexões que deles derivam, mantendo o pretérito para a narração dos acontecimentos. O mesmo ocorre quando a voz de um narrador, que explica sua própria vida, interfere entre seu plano do presente e do passado evocado, usando um tempo verbal diferente para cada um dos planos.

Só há um caso no qual a simultaneidade narrativa não se produz pela leitura de diários ou por entrar o leitor "em diálogo" com os protagonistas. Em *El mundo de Ben Lighthart** a voz narrativa é ulterior, exceto na narração inicial do acidente, que desencadeia a história, e na progressiva consciência de que nos está falando de um hospital. Segundo o leitor vai deduzindo, a evocação do acidente está-se produzindo através da mente do personagem que desperta. A alternância entre os fragmentos narrativos no passado e no presente – um presente que, em contraste, se encontra mais distante no tempo – propõe, pois, a criação de um efeito emocional que continua passando pela fusão com a consciência do personagem, mas de um modo diferente que no resto das obras. Pode-se ver aqui uma das tentativas da narrativa infantil e juvenil de ampliar as regras construtivas predominantes em sua busca de instrumentos mais eficazes para cada efeito desejado. Por último, pode-se destacar que predomina a ordem temporal, ainda que se produzam anacronismos, de todos os tipos assinalados, em uma parte considerável das obras (38,3 por cento).

Definitivamente, a narrativa infantil e juvenil atual tem complicado alguns aspectos da enunciação do discurso. Tem-no feito, especialmente, nos que se encontram mais relacionados com a narrativa psicológica e com as mudanças provocadas pela fragmentação e fusão de histórias. Mas também parece evidente que, neste trecho, as condicionantes de entendimento, ou as pressuposições adultas sobre a competência leitora de cada etapa, exercem uma forte pressão, que limita a complexidade narrativa, uma vez que, na realidade, as mudanças são pouco frequentes e inclusive, em muitos casos, estão presididas pela intenção de facilitar a leitura. No quadro seguinte podem-se representar as características mais acentuadas da complexidade narrativa em cada etapa leitora.

---

* De J. Haar.

	5-8	8-10	10-12	12-15
Estrutura complexa	-	-	+	+
Enfoque no protagonista	+	-	+	+
Outros enfoques	+	-	-	-
Voz simultânea	-	-	-	-
Voz interior	-	-	-	+
Anacronismos	-	-	+	+

(Sinal a partir de 25 por cento das obras analisadas em cada um dos blocos.)

A complexidade interpretativa

	Distanciamento			
Referências à situação comunicativa		Apelo a conhecimentos prévios	Uso do humor	Uso do humor Proporção interna
Ausência	78,10	73,14	49,24	
Presença	21,90	26,86	50,76	
		Transgressão	9,45	19,20
		Paródia	13,43	27,27
		Geral	26,36	53,53
Total	100	100	100	100

Ambiguidades de significado		Explicitação do pacto narrativo	
		Aparição do narrador	Aparição do narratário
Presença	22,88	68,16	39,30
Ausência	77,12	31,84	60,70
Total	100	100	100

A narrativa infantil e juvenil atual complicou a interpretação das histórias com recursos muito pouco utilizados nesta tradição literária porque tendem a afastar-se dos princípios de simplicidade literária e de univocidade moral que a tem regido até agora. A análise realizada mostra que as tendências artísticas da sociedade atual e a incorporação aos livros para crianças de temas e valores mais complexos, tem provocado a aparição de ambiguidades em diferentes níveis da construção da obra, assim como também a proposta de uma leitura mais distanciada através do humor, do apelo a elementos culturais da tradição artística e da opacidade intencionada dos elementos construtivos da narrativa que passaram a ser parte da própria mensagem.

O distanciamento humorístico

O humor é o recurso de distanciamento mais utilizado na narrativa infantil e juvenil atual. Empenhada em separar-se da imagem de didatismo que dirigiu sua criação, ou a serviço de novos valores educativos que exaltam o prazer vital, a literatura para crianças e jovens recorre ao uso do humor na metade das obras analisadas. Pode-se afirmar, pois, que este traço se converteu em uma das características mais relevantes desta literatura a partir da década de 1970.

O tipo de humor utilizado divide as obras em dois grandes blocos quantitativamente equivalentes. Um agrupa as obras que adotam os recursos humorísticos com uma presença mais aceita na tradição da literatura infantil. O estranhamento em relação ao contexto é um dos recursos mais utilizados, de maneira que o estopim humorístico pode ser, por exemplo, a colocação de um urso em uma fábrica ou a chegada de animais enviados pelo correio a um lugar que carece das condições para viverem. A exploração do estranhamento implica, na realidade, uma certa ponte entre os recursos tradicionais de humor e os de desmitificação incluídos no item sobre recursos inovadores. Recordemos, por outro lado, que o jogo com o absurdo foi considerado aqui como um humor de tipo tradicional, ainda que sua presença na literatura infantil autóctone tenha sido historicamente bastante escassa. Todos os fatores acabam por confluir, pois, na predileção deliberada por um tipo de humor, baseado no contraste imaginativo de elementos heterogêneos, que são associados com naturalidade ao predomínio da fantasia moderna como gênero narrativo.

O humor que foi classificado como inovador em relação à tradição, deriva da atitude de jogo literário e de ampliação da permissividade social, que nos interessava destacar. Cerca de uma quarta parte das obras do *corpus* se insere nesta linha e isso confirma, pois, que a paródia e a transgressão das normas passaram a constituir este tipo de ficção.

A classificação das obras em um ou outro item responde à sua linha principal de humor, mas, logicamente, podem apresentar um certo cruzamento de detalhes entre os recursos de um ou outro bloco. Por exemplo, *El tragasueños* tem sido classificada como de humor tradicional, mas a rainha passa a roupa de seu marido de um modo incongruente com o modelo do gênero e que responde aos novos recursos paródicos. Ou os propósitos de Munia, em *Munia y el cocolilo naranja*, de comer papinha a vida inteira para solucionar o problema da caída de seus dentes é um absurdo que não tem nada a ver com a desmitificação do crocodilo, a qual se deu prioridade para a classificação da obra.

A paródia é abundantemente utilizada na desmitificação dos personagens de terror. Basicamente consiste na colocação de personagens suscetíveis de aterrorizar em um novo contexto narrativo que neutraliza esta capacidade para passar a provocar hilaridade. A desmitificação inclui a situação destes personagens em um mundo cotidiano e moderno, o pouco efeito que causam nos personagens restantes e a atribuição de características pouco adequadas para personagens, que supostamente devem atemorizar.

Tal como assinalamos anteriormente, a desmitificação pode ser encontrada em um estado intermediário do processo, o qual pode ser apreciado, em primeiro lugar, na mistura de elementos ridículos e aterradores com que se apresentam os personagens. Assim, em *Las brujas**, estes seres são verdadeiramente malvados, tal como lhes corresponde, mas adotaram o disfarce de mulheres modernas, com detalhes excêntricos como as cócegas que lhes dão as perucas que vestem ou os pés sem dedos, torturados pelos sapatos de salto alto. Ou os fantasmas de *Todavía hay fantasmas*** são realmente perversos, mas também resultam absolutamente patéticos pela puerilidade de suas ações e por seu fracasso ante uma família decidida a tudo. Em segundo lugar, pode ser que a desmitificação tenha afetado somente determinados membros da espécie, como acontece em *O pequeno vampiro****, onde as crianças vampiras completaram o processo que as converte em amigas inocentes do protagonista, mas alguns de seus familiares mantêm as características tradicionais. E, em terceiro lugar, pode suceder que a caracterização do terror se conserve somente durante uma parte da narração e a seguir se revele como falsa, tal como ocorre na já citada *El hombre del saco*, por exemplo.

Outro tipo de desmitificação se refere ao tratamento humorístico de modelos narrativos completos, sejam gêneros literários, como os policiais parodiados em *Felipe Marlot, detective***** ou *El ladrón de sombras******, modelos cinematográficos, como em *¡Ah, si yo fuera un monstruo!*******, ou de aventuras imaginárias que sofrem um processo de hiperbolização (como em *¡No nos podemos dormir!*), que são contemplados com ceticismo (em *Mi abuelo es pirata********), ou que são ridicularizados a partir do registro linguístico ou das alusões culturais (em *El sombrero*).

Esta atitude irreverente em relação à tradição do imaginário corresponde a outro dos recursos humorísticos utilizados:

---

* De R. Dahal.
** De O. Lang.
*** De A. Sommer-Bodenburg.
**** De J. Carbo.
***** De J. Cela.
****** De M. L. Farre.
******* De J. Lööf.

o deleite na transgressão das normas de conduta, sobretudo em favor do que se considera excessivamente violento, asqueroso ou alterador da ordem. Na maioria dos casos os protagonistas destes assuntos são crianças, mas em alguns títulos destaca-se a cumplicidade adulta em favor da reivindicação de valores mais permissivos e mais compartilhados entre adultos e crianças, tal como acontece no personagem da senhora Bertolotti, a pouco convencional mãe de *Konrad, el niño que salió de una lata de conservas**. Às vezes, na proposta humorística coexistem o estabelecimento e a violação da norma. Tal como foi visto em outros trechos, parece que os leitores podem se identificar com os personagens, que adotam o papel de adultos e ensinam as normas a personagens menores ou menos civilizados e, ao mesmo tempo, pressupõe-se que funcione a ambivalência de desfrutar a espontaneidade natural destes segundos personagens. Por isso, em *Carlos, Emma y Alberico***, por exemplo, a aceitação/violação se desdobra através dos dois meninos protagonistas, encarregados de ensinar as normas ao pequeno dragão, e das ações deste, que tenta todo tipo de inconveniências.

Também existem algumas obras que não centram o humor nos elementos da história nem na dissolução das regras, mas dirigem a paródia à crítica de aspectos do mal funcionamento social. A sátira contra a burocracia administrativa de *Cosas de Ramón Lamote**** ou de *El secuestro de la bibliotecaria*****, é um bom exemplo disso.

O apelo aos conhecimentos culturais prévios

O apelo aos conhecimentos culturais prévios do leitor também constitui uma característica bastante usada, uma vez que se pode destacar em mais de uma quarta parte das obras.

---

* De Ch. Nöstlinger.
** De M. Greaves.
*** De P. Martin.
**** De M. Mahy.

Provavelmente, em estudos posteriores, seria necessário determinar com maior precisão o tipo de conhecimentos prévios implicados, porque aqui foram acolhidas alusões de tipos muito diferentes: desde as propriamente metaliterárias, a muitos outros tipos de cumplicidades, como o uso da língua inglesa para introduzir comentários marginais no discurso dos personagens adolescentes. Ainda assim, a partir desta primeira aproximação, pode-se estabelecer já uma primeira divisão entre a utilização de elementos culturais próprios da vertente do patrimônio artístico, por um lado, e de elementos culturais em um sentido amplo, que inclui referências sócio-históricas, sociolinguísticas, etc., por outro.

Os conhecimentos sobre o patrimônio artístico proporcionam o distanciamento literário que pretendíamos destacar. Encontram-se classificadas aqui algumas referências artísticas próprias da tradição culta, sobretudo da pictórica e da literária. Por exemplo, as alusões a vários aspectos da literatura medieval em obras de autores catalães ou às maravilhas históricas – como a Esfinge ou os jardins da Babilônia – em obras de Gisbert, um autor que habitualmente inclui descrições do patrimônio cultural.

Mas o jogo de alusões se estabelece, principalmente, com todos aqueles elementos que são considerados próprios da "enciclopédia" previsível – e desejável – das crianças. Ou dito de outra forma, recorre-se aos elementos que se supõe que os leitores podem reconhecer e que se entende que são adequados para sua formação literária básica. A análise realizada permitiu evidenciar que estes elementos "pertinentes" são constituídos pelas referências mitológicas, pela literatura de tradição oral e pela própria história da literatura infantil e juvenil.

Logicamente, as referências mitológicas e do folclore em geral são especialmente numerosas nas obras que se inserem nos modelos literários da tradição oral. Justamente temos assinalado que pressupor o conhecimento dessa bagagem é uma das razões do auge destes modelos, já que permitem cumprir o propósito de oferecer uma narrativa metaliterária como a que agora descrevemos. A leitura de reconhecimento pode circunscrever-se a alusões pontuais, ou pode abarcar a recriação de lendas ou obras completas, que obrigam o leitor a contrastar, permanentemente, a narrativa conhecida com a nova.

As referências à literatura infantil incluem, neste jogo de espelhos e trocas, tanto as obras clássicas (*O mágico de Oz*, o coelho de *Alice no país das maravilhas*, *Gulliver*, *Robinson*, *Els sis Joans**, etc.) como os livros atuais. Neste segundo caso se produzem referências cruzadas entre obras de um mesmo autor, de forma que um dos personagens de uma obra aparece em outra, mencionam-se fatos ocorridos em outras narrativas, um personagem lê um conto identificável para o leitor ou um autor atual aparece como personagem.

Em geral, muitas destas obras produzem a sensação de responder a uma vontade de invocar a tradição cultural. A impressão de que os autores recorrem à tradição para unir os elementos ali encontrados aos de nova criação, se reforça pela abundância de inclusões literais de textos poéticos ou folclóricos no interior do texto narrativo e pela fragmentação e complexidade estrutural a qual conduz essa união, de maneira que o jogo referencial se inter-relaciona aqui com outros itens analisados, como o da fragmentação narrativa. Pensemos, por exemplo, nas provas que tem que passar o protagonista de *Feral y las cigueñas*. Cada prova possui referências literárias: a primeira consiste em saber um refrão, na segunda se narra um conto de *As mil e uma noites*, na terceira se recita um poema de Alberti e a quarta consiste em resolver uma charada como em *Edipo*** ou tantas outras obras. E além destas alusões, as provas incluem outros refrões, adivinhações ou poemas, de maneira que a estrutura da narrativa há de se acomodar à necessidade de superpor as diferentes vozes das histórias.

O núcleo literário de referências que acabamos de definir se amplia com o apelo a filmes, gêneros de literatura adulta – como as novelas policiais – e cenários narrativos próprios do imaginário coletivo atual, apelos que se realizam, ou através da menção explícita de autores, títulos ou personagens e do

---

* N.T.: Do poeta pós-simbolista catalão Carles Riba.
** N.T.: Édipo Rei, de Sófocles.

plágio do argumento, ou através de jogos e fantasias dos personagens infantis. O conjunto de referências oferece um retrato muito sugestivo dos elementos artísticos que os adultos consideram configuradores dos imaginários legítimos e próximos aos destinatários. A ausência de alusões ao mundo da história em quadrinhos ou da televisão, por exemplo, ressalta a qualidade de sanção valorativa, que esta relação de referentes tem em relação a outros tipos de elementos culturais presentes na vida das crianças e jovens.

O conhecimento geral sobre o mundo é o segundo tipo de conhecimentos prévios utilizados como referente para o estabelecimento de cumplicidades com o leitor. É evidente que a crítica social humorística da qual falamos se baseia no pressuposto do narrador de que compartilha uma determinada valoração social sobre atitudes ou condutas próprias de determinados ofícios, setores sociais, tópicos de caráter dos diferentes países, conhecimentos históricos específicos, etc.

Outras vezes os conhecimentos culturais tentam criar um contexto narrativo próximo do leitor. Neste caso, falar de costumes ou referências próprias dos leitores do país no qual foi escrita a obra remete a especificidade dos conhecimentos a um problema de tradução, mais que à vontade de cumplicidade. Questões como a menção aos dialetos linguísticos de *Mi calle* ou à inflação vivida pela protagonista de *La abuela* supõem referências comuns para os leitores do próprio país mas que podem representar um pequeno obstáculo para os leitores de outros países. As referências às características sociológicas dos bairros de Barcelona em *La mesa del rastro** ou as referências a bandeiras e costumes suecos em *Miguel el travieso* são exemplos disso. Mas, ainda que apresente pouca dificuldade, é muito mais do que o esperado, já que nos leva a notar a escassíssima contextualização de livros, que parecem dirigidos a uma infância identificada como "ocidental" sem demasiadas concretizações.

Se os conhecimentos citados são de diferentes tipos, também o é a forma de apelar a eles. Às vezes o conhecimento

---

* In ¡*Ay Filomena, Filomena!*, de M. Obiols.

implicado se mantém implícito e não condiciona estritamente a compreensão, de maneira que somente os leitores de posse da bagagem necessária podem descobrir a referência oculta em um nome ou em uma cena, apreciar o gesto de cumplicidade do autor e extrair dele um prazer a mais. Como a tartaruga sábia do Ermitão Louco de *En Gilberto y las líneas**, que encontraremos também acompanhando o senhor do tempo de *Momo o senhor do tempo* ou o personagem de "Jaime Cabré" em *La guía fantástica***. Outras vezes, a ressonância secreta passa pela utilização de símbolos ou motivos clássicos, como as tranças cortadas, ou o equívoco das velas como mensagem de triunfo ou derrota em *La isla de Omar****.

Nos casos mais extremos, as referências e pistas, que são oferecidas aos leitores para detectar a alusão, remetem diretamente à discussão sobre o duplo destinatário das obras infantis e juvenis. Ocorre assim, por exemplo, em *El sombrero*, um dos títulos paródicos mais complexos para primeiros leitores, que contém a exclamação "Por mil Potemkins!" ante a queda de um carrinho de bebê por umas escadas, alusão que neste caso parece obviamente dirigida aos leitores adultos, que tenham visto o filme de Serguei Eisenstein.

São necessários, em compensação, alguns conhecimentos que permitam apreciar a graça da paródia, se não se quiser que a leitura proposta fique gravemente reduzida: os tópicos literários do destino de um personagem marcado por seu nome ou o da órfã raptada em *El secuestro de la bibliotecaria*, assim como as conotações literárias ou linguísticas dos animais nos quais se transformam os personagens de *Guillermina GGGRRR...* – e podemos recordar aqui que Applebee (1978) chega à conclusão de que aos seis anos as crianças já dominam muitas das conotações culturalmente atribuídas aos animais. Algumas das referências dão a medida das mudanças produzidas no conhecimento compartilhado através do tempo.

---

* De M. A. Gardella.
** De J. Sennell.
*** De M. P. Janer.

Em *Los secuestradores de burros**, por exemplo, uns meninos roubam os burros do povoado e deixam uma nota dizendo: "Burros do mundo, uni-vos". O prefeito do povoado exclama quando a lê: "São os comunistas!" Pessoalmente temos podido constatar a total incompreensão desta inferência por parte dos leitores atuais.

Num grau além podem-se situar os casos em que a referência é explícita. Ocorre, por exemplo, quando o protagonista de *Pantacracio Jinjolaina*** se converte em um náufrago do barco de Gulliver. Muitas vezes, então, tanto as referências de tipo patrimonial como as que aludem à realidade atual não demonstram a suposição de um conhecimento prévio por parte dos leitores, mas sim a vontade educativa de contribuir para sua aquisição. Um exemplo deste tipo, referente ao âmbito natural, seria a descrição das aves de *Las alas rojas*, um título a serviço da mensagem ecológica, que relata a preservação de um espaço natural maiorquino. Em um maior número de textos, os conhecimentos implicados são sócio-históricos, especialmente nas obras de autores catalães como Joles Sennell ou Sorribas que, em *La quinta gracia de Navapelada****, oferece quase um compêndio da evolução sócio--histórica e política da Catalunha moderna. Encontra-se aqui, pois, uma certa sobrevivência do uso da narrativa infantil catalã para divulgar questões de educação democrática e histórica, típico da década dos sessenta.

A intenção educativa chega a provocar, às vezes, que o narrador, o próprio autor ou inclusive o editor facilitem a informação necessária, alinhando-se deste modo com a linha didática da literatura infantil tradicional. Geralmente, no entanto, a consciência da necessidade de preservar a consistência literária da obra faz com que se busquem recursos menos lesivos do que os usados antigamente, por exemplo, deslocando a informação aos prólogos e comentários posteriores. Assim, por exemplo, em *El único rebelde* existe um prólogo

---

* De G. Durrell.
** De J. Sennell.
*** De S. Sorribas.

onde se explica a colonização americana e a situação dos índios nas reservas, ou em *Gilberto y las líneas* se esclarecem posteriormente tanto as referências pictóricas da obra como quem era Ramón Llull e sua relação com o relatado.

Deste modo, pois, o apelo aos conhecimentos prévios dos leitores mostra um uso ambivalente entre as velhas formas didáticas e as novas propostas de cumplicidade, que revelam as tensões entre as funções educativas e literárias assumidas por esta literatura e o estado de mudança em que se encontra.

A ambiguidade de significado

As ambiguidades no significado e as referências à situação de comunicação literária, que serão descritas no trecho seguinte, são traços de complicação interpretativa com uma presença ligeiramente inferior ao recurso da complicação analisado no trecho anterior. No entanto esperava-se que estes fenômenos constituíssem uma tendência mais reduzida e, portanto, sua presença em mais de 20 por cento das obras significa uma extensão bastante notável.

Efetivamente, a cumplicidade com o leitor através do humor e dos referentes compartilhados, aspectos aos quais acabamos de nos referir, partem de fenômenos literários habituais na literatura infantil e, na realidade, o que mudou é que agora são usados com maior frequência e de novas maneiras. Em troca, relatar uma história na qual o leitor não fica sabendo o que aconteceu ou o que acontecerá em relação ao conflito central, ou impedi-lo de esquecer que a história é um objeto literário construído entre o autor e ele mesmo, são fenômenos fundamentalmente novos na história da narrativa infantil e juvenil, que aliás atentam contra a leitura "inocente" e projetiva que se supõe que as crianças dominem inicialmente.

A presença de ambiguidades se situa, especialmente, na relação entre os elementos reais e fantásticos da ficção e reforça a ideia de que a relação entre estes dois planos é um dos aspectos que têm sofrido mais inovações na narrativa atual.

Uma das obras que utiliza este recurso é *Esto que ves es el mar**. Pode-se pensar que a menina protagonista imagina coisas fantásticas, mas, por outro lado, essas coisas parecem acontecer realmente. No final da obra a menina consegue que o fotógrafo retrate um suposto fantasma para poder ver seu rosto. Quando olha a fotografia o vê com o cabelo ruivo, tal como ela o imaginava, mas sua professora ao contrário o vê moreno, e a mãe, mais pragmática, simplesmente vê o cavalo de papel do fotógrafo sem nenhuma figura humana. O conto, apesar de alguma explicação anterior "razoável" sobre o porquê da fixação da menina em inventar coisas, termina com uma certa abertura imaginativa:

> Ninguém, exceto o velho, havia se dado conta de que, no meio da fotografia, o cavalo morria de rir (76).

A ambiguidade se apóia também nos recursos não verbais, tal como foi visto anteriormente ao falar da imagem. Em *Mi abuelo es pirata*, a contenda entre o avô, que sustém ter sido pirata-capitão e a avó que mantém que toda a vida foi empregado dos correios, conserva a ambiguidade até o final, já que se destroem as possíveis provas da aventura, mas a última imagem é o zepelim no qual o avô regressou.

Como nestes exemplos, a ambiguidade se relaciona fortemente com o desfecho aberto das obras. Às vezes sucede de forma explícita, como em *El oso que no lo era***, onde um urso não resolve se sua condição é a de urso ou a de homem, ainda que opte por hibernar porque, fosse o que fosse, "de qualquer maneira sabia que não era tolo" e o narrador comenta com o leitor, a seguir, a possibilidade de que o urso tenha acreditado ou não que era um homem, sem dar nenhuma segurança a respeito.

As fronteiras entre os elementos reais e fantásticos da ficção diluíram-se enormemente, portanto, para serem postas a serviço de uma literatura que descreve o mundo com um

---

* De G. Janer Manila.
** De F. Tashlin.

certo grau de incerteza, que utiliza a fantasia como uma forma de interrogar e ampliar os limites da realidade mostrada e que dirige o olhar para o mundo interior dos personagens, mundo muito mais propício a ser examinado – e expresso – através da representação do sonho e da fantasia.

Outras obras situam a ambiguidade em significados implícitos que apelam a uma determinada interpretação, mais distanciada ou mais profunda, por parte do leitor. Não se afirma a natureza dos fatos, mas espera-se que o leitor entenda seu significado simbólico ou o jogo humorístico que incluem. Em *Cometas fantásticas* a voz que explica ao leitor como confeccionar cometas o faz como se cresse, realmente, na possibilidade de construí-los e adverte continuamente sobre a interpretação racional da atividade que se pode esperar da gente sem imaginação. Mas a graça está em que o leitor simule aceitar a interpretação fantástica, sabendo que o narrador compartilha com ele a interpretação racional já que, justamente por isso, pode arriscar a explicação da gente comum. Ou, para citar dois casos muito diferentes, vemos que o narrador de *Los pájaros de la noche** não esclarece nunca o caráter da presença das aves no interior do armário do angustiado protagonista, e também é o leitor quem deve apreciar a saída de tom humorístico da repentina inconstância da protagonista de *El tigre de Mari Plexiglás*.

A possível interpretação da obra em níveis distintos não foi considerada aqui. A alegoria ou a utilização de símbolos são fenômenos relacionados com o estabelecimento de significados polivalentes e, às vezes, em obras como *El castillo de las tres murallas* ou *Los hijos del vidriero*, a inter-relação de realidade e fantasia apresenta, efetivamente, uma estratificação entre um nível real e outro simbólico. As dificuldades interpretativas de *Los hijos del vidriero* – com elementos não explicados, como o que os meninos se vejam no espelho com outro aspecto ou, finalmente, nem se reflitam – radicam na necessidade de uma interpretação simbólica, que se explicita apenas parcialmente e através de comentários dispersos. Será preciso

---

* De T. Haugen.

remeter esta questão a estudos futuros, já que temos evitado classificar de "ambíguas" as obras que se prestam a este tipo de interpretações se o relato pode ser entendido de forma unívoca em seu nível superficial.

Por último, em alguns títulos, a ambiguidade enlaça-se com a tematização dos elementos construtivos da obra e, portanto, com o jogo metaliterário que comentaremos a seguir. A confluência de ambas as complicações interpretativas se produz mediante recursos como a construção de imaginários situados na própria obra literária ou como o desdobramento e a presença de narradores e narratários como personagens, que não permitem estabelecer uma relação à margem da própria leitura da obra. Quer dizer, mais que aconteceu/não aconteceu, a dúvida se refere agora a aconteceu/é literatura.

Trata-se de situações como a de *Un viernes embrujado**, que deixa o leitor com a dúvida sobre se a protagonista trocou realmente de lugar com sua mãe ou se o que está lendo é unicamente a redação que o personagem reclama da professora desde o início do relato. Ou de personagens como o tigre de *Cuentos para engordar un tigre***, que vive nas páginas do livro que o leitor sustém em suas mãos e que tem que procurar o autor "na página 6" na qual se produz verdadeiramente o encontro entre ambos, ou a menina do mesmo conto, com vida suficiente para desenhar tanto o tigre como o autor e condicionar assim o desenvolvimento da trama; ou como o personagem de Guillermina que se esconde entre as folhas em branco da obra para esperar que desapareçam os estranhos fenômenos de *Guillermina GGGRRR...* Utilizar este tipo de imaginário anula a distância entre a história e sua representação, já que resulta impossível inclusive reduzir a história a uma construção fantástica situada no mundo imaginário do livro, de maneira que o jogo autorreferencial comporta uma ambiguidade de significado evidente.

Em um último grau, um título como *Pedres a la meva teulada*, de Manuel de Pedrolo, desloca a ambiguidade da

---

* De M. Rodgers.
** De D. Bisset.

relação entre fantasia e realidade, ou entre ficção e leitura, para a própria relação entre o mundo real e a literatura, mas esta última mudança traz uma complexidade que vai além da que foi vista até agora, é francamente minoritária e se situa no limite do que se pode considerar literatura juvenil.

A referência à comunicação literária

O quarto traço definido como indicativo de complexidade interpretativa, a colaboração do leitor na construção do relato, é derivado, de certa forma, da perda de segurança interpretativa do leitor que os traços anteriores evidenciam. Se a obra se oferece como um jogo para ser compartilhado a partir da distância do humor e da posse de uma tradição cultural conjunta, e se a realidade descrita apresenta pontos de fuga impossíveis de reduzir a uma explicação unívoca, será necessário manter a aquiescência do leitor a partir da explicitação e aceitação de um jogo que tem regras, ou para dizer de outra maneira, a base de ensinar-lhe as cartas.

As formas mais utilizadas em relação a este aspecto são, em primeiro lugar, expor a situação de comunicação escrita, fazendo saber ao leitor que é ou de onde sai o que está lendo, como se o mundo de ficção houvesse invadido o mundo da experiência primeira. Um caso "suave" de utilização deste recurso seria, por exemplo, *El tragasueños*, onde a referência pode alinhar-se às fórmulas de abertura e fechamento da situação de comunicação literária, próprias da literatura de transmissão oral. Assim, é como fórmula de fechamento que o narrador se dirige ao narratário para lhe explicar que o rei do conto mandou imprimir essa história para que todas as crianças do mundo pudessem chamar o duende quando tivessem pesadelos. A novidade se limita, aqui, à referência à história como uma realidade impressa em forma de livro. Mas é deste modo que o leitor descobre que lhe estão falando do mesmo objeto que tem entre as mãos, enquanto que nos contos populares as fórmulas servem para delimitar exatamente a separação entre os dois mundos. Da mesma maneira, em *Gilberto y las líneas*, o narrador onisciente se dirige ao leitor para estabelecer uma cumplicidade segundo a qual eles dois sabem mais do que os personagens, através da explicitação dos elementos da situação comunicativa:

> Mas ele não o sabe e talvez seja melhor assim: a responsabilidade que lhe cairia em cima seria enorme, talvez quando for mais velho, se chegar a ler este livro, saberá o verdadeiro desenlace desta história, mas esta é uma possibilidade remotíssima (118).

A determinação da situação comunicativa adquire formas pouco inovadoras nas abundantes narrativas adolescentes que buscam a sintonia com o leitor. Trata-se de explicar o porquê e como o protagonista-narrador decidiu escrever o que lhe ocorre, situando as condições de enunciação da obra. As obras representam redações, diários, cartas, agendas, etc. que os narradores escrevem para si mesmos, para o possível leitor a quem desejam passar sua experiência, ou para algum destinatário concreto. Por exemplo, o rapaz de *El último pasmarote* explica como conquistou a jovem de seus sonhos. O narrador justifica então o relato dizendo que o escreveu como uma redação escolar. Mas ao chegar ao final se deu conta de que, na realidade, o escreveu pensando em sua namorada e passa a dirigir-se a ela na segunda pessoa. Se até aqui o leitor se havia sentido na posição habitual de alguém a quem estão contando uma história, agora, com a mudança narrativa, fica sem álibi para ter tido acesso ao texto.

Às vezes este leitor supostamente "furtivo" se vê desafiado de forma humorística, como quando a narradora-protagonista de *El tigre de Mari Plexiglás* começa seu diário dizendo:

> JURO:
> Que todas as cartas são muito secretas e que nunca as enviarei a seus destinatários.
> CONJURO:
> A TODAS AS FORÇAS MÁGICAS DO PLANETA
> PARA QUE QUEM LEIA AS INTIMIDADES
> DO TIGRE
> MORRA NA HORA OU AO MENOS SE TORNE
> INVISÍVEL.
> (*O tigre de Mari Plexiglás*, 7)

Em segundo lugar, a impossibilidade de esquecer que se está lendo uma história é provocada pelos comentários do narrador que explicitam a construção e orientam a leitura. Assim, por exemplo, em *Me importa un comino el rey Pepino* o menino narrador se esforça para escrever de acordo com as supostas instruções do professor de línguas e, muitas vezes, realiza comentários sobre as novidades técnicas que incorpora ou sobre a impossibilidade de enquadrar a história em normas tão estritas.

NO DÉCIMO TERCEIRO CAPÍTULO NÃO HÁ MUITO O QUE ESTRUTURAR

Esperamos.
Continuamos esperando.
Além disso, naturalmente, lemos.
E como tudo isto é muito pouco para um capítulo,
conto também o que aconteceu no dia seguinte
no colégio.
O que aconteceu foi algo que deixou a todos assombrados (113).

E também se produz o apelo ao juízo do leitor sobre a correção e a verossimilhança do desenvolvimento do relato segundo seus conhecimentos sobre as regras narrativas e sobre as leis do gênero. Este recurso é utilizado em *Prohibido llover los sábados** a partir dos comentários do narrador e o narratário interpostos, enquanto que em *L'ocell meravellós*, o narrador apela diretamente ao leitor implícito, cuja competência tem que fazer-lhe notar que o conto não estaria bem construído com o desenlace que se acaba de anunciar, precisamente uma fórmula folclórica de fechamento:

> E Colorín, colorado, este conto está acabado... Mas este conto fica algo coxo, como se lhe faltasse uma peça... Vamos ver, vamos ver... Ah, sim! Falta explicar...

O fato de que um dos contos formalmente mais tradicionais da seleção para primeiros leitores use um recurso de

---

* De M. Carranza.

distanciamento deste tipo, é uma boa demonstração da percepção implícita dos autores sobre as mudanças produzidas na narrativa atual. A digressão final não é em absoluto necessária, mas aparece como um *se é, não é* humorístico que parece pretender, basicamente, adornar o conto com um detalhe de estilo moderno sobre o gênero adotado.

Em terceiro lugar, a colaboração passa por convidar o leitor a diferentes formas de participação ativa além da leitura, tal como outorgar-lhe uma página em branco para que escreva o fragmento seguinte. Este tipo de instruções distanciam o leitor da leitura fazendo-o recordar a situação de comunicação na qual se encontra, e convidando-o a inverter o papel de receptor pelo de autor em uma chamada à participação criativa, que parece haver sido adotada com entusiasmo pela narrativa dos últimos anos.

A última forma de associar o leitor ao jogo de criação é a que conflui com a ambiguidade de significado, que foi assinalada acima. A invenção de cenários narrativos consistentes no mesmo "andaime" da obra que se está lendo na realidade, como na citada *Cuentos para engordar un tigre*, indica um recurso comum aos dois fenômenos agora comentados.

A evolução da ambiguidade e o distanciamento segundo a idade do destinatário

Já assinalamos anteriormente a presunção assumida pela narrativa infantil e juvenil de que as crianças progridem literariamente de uma interpretação literal do texto até significados mais polivalentes e com mais possibilidades de estabelecer relações distanciadas, através do humor, das referências intertextuais e do jogo metaliterário. Como era de se esperar, pois, os resultados da análise mostram uma tendência geral, com alguns matizes, para exigências interpretativas mais complexas à medida que se ascende nos grupos de idade, à exceção do humor, que segue a evolução contrária, com o máximo de presença nas primeiras idades e uma forte queda nas narrativas para adolescentes.

O humor nas obras para primeiros leitores é tão onipresente, que o mais interessante ao falar deste recurso é analisar por que há algumas obras que não o utilizam. A resposta se encontra no tema tratado, já que temas como a morte resultam incompatíveis com as fórmulas do humor. Feita esta ressalva, pode-se ver que nestas idades as tendências rupturistas do humor triunfam decididamente sobre os recursos humorísticos mais habituais da literatura infantil. O absurdo, considerado como recurso tradicional, é bastante frequente, mas é interessante destacar que se limita ao absurdo do significado em relação à experiência de vida e não a jogos entre o significado e o significante. Quer dizer, quando este tipo de humor se dirige aos primeiros leitores pretende fazer graça a partir do que se explica e praticamente nunca a partir de como se explica.

Na etapa leitora seguinte, o humor só aparece na metade das obras. A escassa utilização deste traço de distância narrativa corre paralela ao uso abundante dos modelos de literatura oral, à introdução de temáticas sociais e ao aumento da variação de gêneros narrativos. Em princípio, estes fatores não teriam porque evocar a ausência de distância humorística, já que o incremento de temas e gêneros poderia aparecer cruzado pelo humor. Mas os resultados da análise mostram que a tendência não é esta. Parece que as obras deste grupo se inclinam por inscrever-se nos gêneros mais assentados na tradição da narrativa infantil, sem nenhuma vontade paródica, que cause o aumento de obras humorísticas.

O tipo de humor confirma também este resultado. Praticamente todas estas obras se situam no que foi classificado como "humor em geral e jogos de absurdo", com uma presença mínima da paródia e da transgressão das normas literárias ou de conduta. Desta forma, busca-se o sorriso do leitor na ruptura insólita do funcionamento do mundo e não na ruptura das normas de conduta convencionais, da mesma maneira que a ampliação do jogo literário se situa na aquisição de novos gêneros e temas e não na desagregação dos elementos da tradição literária.

Aludiu-se antes que na ficção desta etapa se configuram os imaginários positivos tópicos de nossa cultura. Podemos recorrer agora a este elemento para vê-lo como um exemplo em consonância com uma linha de aquisição, e não de dissolução, que condiciona a escassez do tratamento humorístico, que agora comentamos. Os elementos do imaginário utilizados resultam tão próprios de lugares comuns que os autores parecem conscientes do risco de resultar simplesmente vulgares. Por isso recorrem a um humor especialmente dirigido a tornar o tópico mais leve. No caso de *Cometas fantásticas*, por exemplo, os materiais citados para a confecção dos cometas são a luz, sumo das estrelas, as bolhas d'água, a sombra dos pássaros, as ilusões perdidas e as ilusões recobradas. Mas estes elementos são contrastados com a forma textual de um livro de instruções e a evanescência das sombras, da neblina ou das bolhas se fixa de forma humorística com manipulações técnicas à base de colas e pulverizadores.

Na ficção dirigida aos leitores de 10 a 12 anos, o uso do humor aumenta novamente até estar presente em 60 por cento das obras, que se dividem equilibradamente entre as que utilizam recursos tradicionais e novos. A paródia e a violação das normas de conduta têm aqui, pois, uma boa representação.

A utilização de modelos folclóricos e as temáticas sociais mantêm a tendência anterior a expulsar os recursos distanciadores. Definitivamente, portanto, é somente nas primeiras idades que se recorre à literatura oral com propósitos humorísticos de jogo e paródia, enquanto que aos 8 a 10 anos, como foi visto ao se falar dos gêneros, usa-se como via de renovação da fantasia e aos 10 a 12 anos com a intenção de transferir uma bagagem cultural ou a serviço da reflexão psicológica através de símbolos. Em troca a ficção para 10 a 12 anos, sim, incorpora o humor às obras de fantasia moderna, policiais, de relações pessoais e às baseadas em jogos formais. A fantasia moderna, o jogo formal e o humor se correlacionam aqui e mostram uma confluência, que era esperada na narrativa atual. É mais curioso constatar que o gênero policial se introduz pela via paródica e que a descrição das relações pessoais mantém, com grande frequência, o uso do humor como recurso de desdramatização dos conflitos, como o que fazia a ficção para as primeiras idades.

A tendência geral para o humor da narrativa infantil não continua nas narrações para adolescentes, onde os recursos humorísticos decaem abruptamente. Quando aparecem, aliás, trata-se de um humor pouco rupturista, se deixamos à parte uns poucos títulos que contêm uma certa paródia de gêneros como a novela cavaleiresca (em *Juanón de Rocacorba**) ou a de espionagem (em *El Superfenomen***).

Assim, pois, a divisão entre recursos tradicionais e novos coincide com a presença numérica de obras de humor em uma ou outra idade. Pode-se contemplar um conjunto de obras de humor mais escasso e tradicional na ficção dirigida aos 8 a 10 anos e aos adolescentes, e outro conjunto de humor mais abundante e inovador na ficção para primeiros leitores e para os de 10 a 12 anos.

Este fenômeno poderia obedecer a uma suposição de aquisição de competência literária por "escalões" sucessivos. Pode-se pensar que os primeiros leitores conheceram a literatura tradicional e seus personagens em sua etapa de recepção oral e o humor se dirige a estes elementos, quando necessita recursos para abordar a notável inovação temática, que este grupo apresenta. A ficção dirigida aos leitores de 8 a 10 anos, por outro lado, parece estar mais interessada na ampliação literária do imaginário, através de caminhos trilhados pela narrativa infantil, do que em uma introdução temática que requeira novas fórmulas. Por isso, apesar de manter um número notável de obras de humor, oferece a proporção mais elevada de recursos humorísticos "tradicionais" no resultado da proporção interna. Pode-se supor, no entanto, que nestas idades os leitores realizam um progresso em seus conhecimentos literários que permitirá parodiá-los e transgredi-los na etapa seguinte dos 10 a 12 anos. Como em uma escala sucessiva de aquisição e violação, a criação de uma narrativa juvenil

---

* De T. Duran.
** De O. Vergés.

se preocupará novamente pela introdução de temas e gêneros, mais que pelo jogo com os conhecimentos anteriores.

Em outro sentido é interessante constatar que o humor da novela juvenil também se caracteriza pelo predomínio da ironia e do jogo verbal, recursos que apenas haviam sido empregados na etapa anterior, a partir dos dez anos, enquanto que se tem destacado sua ausência nas primeiras idades. A análise quantitativa do tipo de humor revela, pois, uma segunda divisão, agora entre a ficção para os leitores menores ou maiores de dez anos.

As outras três características da complicação interpretativa se situam em uma proporção de uso similar entre elas, muito distante da presença do humor. Das três, o apelo aos conhecimentos prévios do leitor é a complicação mais usada.

O grande salto que estabelece entre os conhecimentos prévios utilizados até os dez anos e seu uso posterior é a característica mais destacável deste traço em relação à evolução leitora. Parte-se, sem dúvida, da ideia de um substrato de conhecimentos sobre o mundo, cada vez maior por parte do leitor, progressão que se relaciona também com a acentuação da contextualização narrativa, especialmente nos temas sociais, tal como foi assinalado em outros momentos.

Apesar do salto produzido aos dez anos, a informação sobre o mundo à qual apelam os contos destinados aos leitores de 8 a 10 anos já é muito maior que na fase anterior. Agora supõe-se que as crianças sabem coisas tão variadas como os movimentos planetários ou a existência de benefício aos empregados e não se vê uma excessiva preocupação para preencher as possíveis lacunas de conhecimento dos leitores. Em troca, curiosamente, desapareceram as referências a elementos geográficos ou naturais distantes da experiência direta do leitor, que se encontravam nas primeiras idades. Provavelmente a diminuição se deva a que na ficção para os 5 a 8 anos, cumpriam uma função de cenário exótico, que foi transferida ao mundo fantástico na ficção para os 8 a 10 anos. As outras referências analisadas se situam sobretudo no campo da literatura e se referem principalmente aos contos populares, que são supostamente suficientemente conhecidos pelas crianças.

Na etapa dos 10 a 12 anos confluem o jogo a partir das alusões referenciais e a vontade educativa que assinalávamos antes. É como se existisse a consciência de que é nesta idade que as crianças se encontram preparadas para receber a transmissão explícita de sua bagagem cultural. Aqui, a confluência entre o experimental e o propósito de ampliar a cultura leva as cumplicidades culturais a seu ponto culminante e esta complicação interpretativa é a que determinou a descrição geral deste trecho, tanto no tipo de conhecimentos como na forma de referir-se a eles.

As alusões diminuem nas narrativas juvenis, ainda que se encontrem em um notável 42,55 por cento das obras, e também mudam sua função. Somente uma minoria muito exígua da obras continua o jogo metaliterário ou se propõe uma transmissão cultural. Aqui, a maior parte dos apelos se dirige a configurar um mundo de referências culturais, que se supõe compartilhadas entre os narradores-personagens e os leitores implícitos, para ganhar proximidade identificadora. Trata-se de alusões às aprendizagens escolares secundaristas ou às modas musicais, literárias, plásticas, etc. Em outros casos os conhecimentos, aos que alude a novela juvenil, respondem à ampliação do mundo real ao qual se refere a ação. Encontramos, então, conhecimentos sociopolíticos, sociolinguísticos, históricos, sobre as conotações culturais de outros países, etc. Uma parte destes conhecimentos é deliberadamente concedida pela narrativa, como no caso da novela histórica, mas a maior parte responde à ideia de que os leitores tenham ampliado substancialmente seu conhecimento do mundo, em relação às etapas anteriores.

O terceiro traço de distanciamento narrativo, a explicitação da comunicação literária, oferece resultados pragmáticos do aumento progressivo de complexidade entre as obras para primeiros leitores e para adolescentes.

No primeiro grupo a explicitação da situação de comunicação literária é muito escassa. Só acontece em 9,37 por cento de títulos, ainda que sua simples aparição já seja destacável para um recurso tão inovador. Sua introdução se relaciona com a inclusão de formas textuais não narrativas, já que é através de textos que não são parte da história, que se convida diretamente o leitor a colaborar na construção do relato.

Na ficção da etapa seguinte, há um aumento para 16,42 por cento e o recurso se diversifica entre o imaginário meta-literário, que converte a obra em um cenário interior-exterior impossível de representar como um mundo autônomo, e a revelação das regras de construção narrativa. Em compensação o apelo à participação direta do leitor quase desapareceu.

Nas obras para os 10 a 12 anos volta a aumentar o uso do recurso (23,64 por cento), e esta presença ainda poderia ser maior se se considerasse a grande abundância de comentários em torno da criação da história nos prólogos, epílogos e apêndices. O jogo com as regras inclui todos os tipos experimentados, desde chamadas à participação do leitor, a comentários que orientam a história a partir de uma cumplicidade distanciada, ou a julgamentos a partir da competência do leitor.

É na ficção para adolescentes onde existem maiores referências à comunicação literária (36,18 por cento), mas, em muito poucas obras têm um caráter inovador. Geralmente servem para explicitar sobre quem escreveu, e como, a narrativa que se está lendo. Não é uma justificativa estrita, porque raramente se alude à sua publicação, exceto em alguns títulos que prometem continuações (como *Pabluras*) ou que caracterizam o protagonista-narrador como um escritor, que agora publica uma aventura ocorrida em algum momento de sua vida (como *El museo de los sueños**). Ou melhor, tenta-se, uma vez mais, legitimar os recursos de proximidade entre a obra e o público, ainda que também haja uma certa cumplicidade humorística em obras como *Juanón de Rocacorba* – que explica uma história inverossímil de reencarnações e viagens no tempo, que supostamente dão a razão de como o leitor pode ter esse livro nas mãos – e em outros títulos que jogam com manter a dúvida sobre se o que o leitor acaba de ler é uma narração de fatos ou uma invenção literária do personagem.

---

* De J. M. Gisbert.

Apenas um par de títulos, talvez os menos diferenciados da literatura para adultos, utilizam as referências à comunicação para proceder a um jogo literário mais complexo, no qual o leitor se veja obrigado a aceitar e rejeitar os fatos narrados ao mesmo tempo. E também cabe destacar a cuidadosa complicação dos níveis literários nas obras de Ende. Em *A Momo o senhor do tempo,* se estabelece um primeiro nível de comunicação entre o narrador e o leitor, um segundo nível entre o narrador e o homem misterioso que explica a história ao personagem do narrador em um compartimento de trem e, finalmente, a história propriamente; e em *História sem fim* existem jogos de implicação entre os níveis da ficção na relação entre o mundo de fantasia e o da realidade do personagem-leitor de Bastián.

Quanto às ambiguidades de significado, destaca-se especialmente sua presença em 21,88 por cento das obras para primeiros leitores, já que se trata de um traço difícil em uma literatura dirigida a leitores pouco experimentados. Logicamente, a ambiguidade se refere aqui à principal tendência observada, quer dizer, à mistura entre os níveis de realidade e fantasia.

Quantitativamente as obras para leitores de 8 a 10 anos são as menos ambíguas e também aquelas onde o traço de complexidade interpretativa é o menos utilizado, dentre os quatro analisados. Ainda que se possa apreciar tentativas de oferecer significados menos unívocos, as obras deste grupo recorrem a fontes mais tradicionais, tais como a alegoria, de maneira que os títulos que o fazem não foram contabilizados aqui porque permitem leituras literais.

De novo, o bloco mais inovador é o da ficção para os 10 a 12 anos, com 30,91 por cento de obras com elementos ambíguos. Trata-se principalmente do grau de certeza do leitor ou dos próprios personagens, sobre se determinados acontecimentos tenham sucedido ou foram imaginados. Mas se encontram também outros dos tipos assinalados, como a necessidade de uma interpretação mais distanciada ou profunda para poder apreciar o significado simbólico ou as discrepâncias entre fatos e percepção do narrador.

A presença de ambiguidades em relação à interpretação da história afeta 27,65 por cento das obras para adolescentes. Algumas obras se mantêm na ambiguidade entre o que aconteceu/não aconteceu já que admitem uma dupla explicação racional ou fantástica, mas, à diferença de todos os grupos anteriores, a ambiguidade já não radica majoritariamente na dúvida entre realidade e fantasia, mas em outros tipos, entre os quais tem especial ênfase o enlace com a explicitação meta--literária através do dilema aconteceu/é "literatura".

Definitivamente, pois, a análise da complexidade interpretativa na narrativa infantil e juvenil atual revela que nas primeiras idades predomina o humor e se faz menos uso dos outros recursos analisados, enquanto que a partir dos dez anos se produz a situação inversa. Dentro deste quadro, se destaca o salto produzido aos dez anos no uso dos conhecimentos prévios, a pouca presença do humor na novela juvenil e a conduta do grupo de ficção para os 10 a 12 anos, mais inovador que os demais na maioria dos traços. Podemos representar no quadro seguinte as características da complexidade interpretativa mais presentes, em cada uma das etapas leitoras:

	5-8	8-10	10-12	12-14
Ambiguidade	-	-	+	+
Comunicação literária	-	-	-	+
Humor	+	+	+	-
Conhecimentos prévios	-	-	+	+

(Sinal a partir de 25 por cento das obras.)

A explicitação do pacto narrativo

A maneira tradicional de contar uma história em literatura infantil e juvenil é fazê-lo através de um narrador que dá a informação, explicita inferências, antecipa os acontecimentos, comenta a avaliação que as condutas merecem, comunica o efeito emotivo que provocam, etc. A hipótese que formulamos sobre este ponto é que o incremento da complexidade interpretativa e a influência da literatura escrita na narrativa infantil e juvenil atual, deveriam ter "ocultado" a presença do narrador e do narratário derivada da comunicação literária oral, fazendo recair um maior peso interpretativo no leitor.

A ideia inicial é que se narrador e narratário aparecem em sua forma tradicional constituem um elemento de simplificação, uma maneira de dar facilidades ao leitor dizendo-lhe o que deve interpretar. Em compensação, a ausência explícita de narrador e narratário se inseririam em uma linha de modernidade, o famoso mostrar e não dizer, que revelaria a constituição da narrativa infantil e juvenil como uma literatura escrita e, consequentemente, permeável às formas literárias de nosso século.

No entanto os resultados da análise mostram que a mediação explícita do narrador continua sendo uma característica majoritária na narrativa atual. Em 68,16% das obras analisadas aparecem comentários diretos do narrador sobre a enunciação da história ou sobre sua avaliação moral, e em 39,30% se explicita a presença do narratário.

Pois bem, a análise dos dados revelou também a necessidade de distinguir com maior precisão, em estudos futuros, tanto a função desta presença como as marcas que a evidenciam. Efetivamente, os comentários do narrador e a aparição do narratário obedecem a propósitos de sentidos muito diversos, o que torna difícil relacionar diretamente os dados obtidos com a hipótese de que a evolução da narrativa para crianças conduzia ao desaparecimento do narrador.

Na realidade, o que se pôs em relevo é que a presença de narrador e narratário avançou um passo além da dicotomia que se havia estabelecido entre "presença-oralidade" e "ausência-escrita" e que a aparição destes elementos no discurso já não indica forçosamente uma ajuda à interpretação. Se a obra propõe ao leitor uma apreciação distanciada ou um jogo de cumplicidade criativa, a aparição destas figuras pode complicar a obra e inseri-la na tendência atual à ambiguidade e ao jogo metaliterário. Impõe-se, pois, acolher com prudência numéricos, já que não podem vincular-se em bloco a propósitos antigos ou novos. Da mesma maneira, a constatação da presença do narrador pode ser rastreada em diferentes níveis. Aqui tem-se tendido a coletar as formas mais superficiais e explícitas, mas inclusive neste plano as formas adotadas variam bastante e, sem dúvida, uma caracterização mais precisa deste ponto requereria uma classificação mais detalhada dos traços de análise.

Mas, apesar destas limitações, a avaliação da presença do narrador e do narratário permite apontar algumas tendências claras da narrativa atual.

Em primeiro lugar pode-se afirmar que a avaliação moral tradicional nesta literatura diminuiu e se tornou mais indireta, se bem que não desapareceu na medida em que a reivindicação generalizada de uma literatura não didática poderia levar a supor. Parece mais que a narrativa infantil e juvenil resiste a abandonar o controle da interpretação moral dos acontecimentos relatados e se encontra em uma fase de busca de novas fórmulas sancionadoras, que não resultem tão lesivas para a qualidade artística das obras.

Em segundo lugar se incrementaram os comentários do narrador encaminhados a facilitar a gestão narrativa e se tornaram mais específicos de uma narração escrita. Abandonar a oralidade e adotar características formais mais experimentais, tem provocado um aumento tal de complexidade, que os autores têm sentido a necessidade de contar com um narrador que guie o leitor através das obras, que, não nos esqueçamos, têm ampliado e complicado suas estruturas e condições de enunciação em relação às décadas anteriores, ao mesmo tempo que demandavam novas exigências interpretativas ao leitor. É, pois, a mesma consciência de haver complicado os textos o que levou a enchê-los de comentários do narrador. Além disso, os recursos de ajuda à leitura gerados por esta figura podem ser identificados agora, em sua maior parte, como recursos especificamente escritos, uma vez que resulta evidente que não funcionariam, quer dizer, que teriam que se adaptar ou que simplesmente seria impossível transferi-los, se se relatasse oralmente a mesma história.

Em terceiro lugar a tendência de uma proposta de leitura mais distanciada e participativa fez surgir uma nova relação explícita entre narrador e narratário, consistente em que o primeiro não se presta mais a interpretar os fatos ao segundo, nem a ajudá-lo a seguir a história, mas coloca-se ao seu lado para contemplá-la ou para brincarem de construí-la. Este fenômeno de um novo tipo de presença do narrador é o que distorce a avaliação dos dados sobre este aspecto tal como se haviam formulado.

Em quarto lugar as formas concretas de expressão da interpretação moral, da gestão da história ou de interpelação do narratário oferecem um amplo leque de possibilidades entre os recursos mais tradicionais e mais inovadores, que assinalaremos a seguir.

Em uma minoria de obras podem-se detectar ainda muitos dos traços próprios de um narrador oral que se dirige a uma audiência fisicamente presente. Existe uma voz a qual "se ouve" dizer o discurso e que inclusive tenta reproduzir por escrito os tons e ênfases do relato oral. *Miguel el travieso*, uma narração de construção muito tradicional, se mostra repleta de exemplos deste tipo:

> Mas, depois, Miguel tinha que tornar a tirar a cabeça e, preste atenção!, não podia. Tinha ficado encalhado!

A voz tradicional ressoa também em narrativas que resultam mais inovadoras em outros aspectos. O narrador de *Charlie y la fábrica de chocolate*, como qualquer narrador oral que exerce seu domínio cênico e que está atento às reações do receptor, fala-lhe diretamente e, enquanto lhe apresenta os personagens através da imagem, diz repentinamente: "E você, como está?"; ou tenta se explicar com referentes comuns que facilitem a compreensão, como quando, na mesma obra, se diz: "Era um barco grande, aberto com a parte anterior alta e a parte posterior alta (como um barco do tempo dos vickings)". O narrador é uma presença constante que dirige completamente a ação. Por exemplo, pode detê-la e comentá-la com o leitor: "(...) se pensar bem, já os pode imaginar...". e também controla as emoções. Por exemplo, pode projetar no personagem as reações de preocupação e empatia que nele imaginam as crianças leitoras: "Ah meu Deus! – exclamou Charlie, que olhava a porta com os demais – que diabo vai acontecer com eles agora?".

O narrador tradicional sobrevive também em algumas obras para fazer saber às crianças destinatárias o que devem pensar sobre a conduta moral dos personagens. A fórmula é utilizada apesar de que a proposta de valores tenha mudado e aponte uma nova moral que preconiza o compromisso social, como nas obras de Alonso, onde o narrador pode dizer frases como: "as pessoas que trabalham para os outros, para que nossa vida seja melhor, mais justa, mais livre e mais bonita"–, como de defesa de uma atitude imaginativa e utópica diante da vida, como no caso de Joles Sennell ou de Rodari, um autor muito representativo deste uso de um narrador que se dirige a toda hora aos leitores com frases como:

> Queria lhe dizer que não era impossível, que nada é impossível, que nunca se deve perder a esperança de realizar os próprios sonhos (118).

E também segue-se utilizando a voz oral tradicional para orientar o relato, ainda que tenha-se convertido em escrito. Na mesma obra de Rodari que acabamos de citar, *Gelsomino en el país de los mentirosos**, os comentários do narrador querem facilitar a compreensão organizacional do relato através de uma grande quantidade de referências às bifurcações da história, rememorações da situação dos personagens em capítulos anteriores, etc.: "aquele Toby que encontramos em um dos capítulos passados" (84) ou "quando havia acontecido um montão de coisas, que você ainda não sabe e que contarei no próximo capítulo".

Mas a narrativa atual recorreu também a outras fórmulas mais inovadoras. Uma delas não afeta a voz do narrador. Trata-se da presença de personagens, que passam por porta-vozes das mensagens morais através de seus discursos, às vezes de

---

* De G. Rodari.

maneira crua, como em *Natalia (Anagnórisis)** e às vezes mais sutil, através de discursos emitidos pelos personagens como se fossem opiniões ou possibilidades, mais que certezas morais.

Uma variante desta fórmula, impulsionada pela irrupção da introspecção psicológica, consiste em interpretar e avaliar os fatos não através de discursos explícitos, mas da consciência dos personagens, de forma que convida o leitor a seguir sua própria viagem mental. A fusão pode apresentar graus diversos. O mais acentuado seria reproduzir simuladamente o discurso mental com fórmulas próximas ao monólogo interior, como no caso de *La abuela*. De maneira um pouco mais distanciada encontramos uma exposição ordenada, mas supostamente direta, do raciocínio do personagem, como em *Theo se larga***: "Havia esquecido do almoço na carteira. Que estúpido era! Ao cabo de três dias começaria a cheirar mal". E ainda, em um grau além, pode-se oferecer uma interpretação própria do personagem, mas expressa do exterior: "Theo não estava preparado para isso".

A fusão da voz narrativa com a consciência do protagonista resultou uma via especialmente propícia para expressar de forma indireta a avaliação moral. A proposta de valores se faz então através da tentativa de arrastar o leitor para que compartilhe a desorientação ou a inocência de um personagem, que deve evoluir e amadurecer ante seus olhos e em sua companhia. O narrador reproduz a consciência do personagem com avaliações implícitas sobre o que se deve pensar e sentir. A vantagem de não pôr como manifesto a mensagem moral faz com que este recurso seja adotado intermitentemente por obras que mantêm uma perspectiva não focalizada. Assim, quando o narrador onisciente se sente impelido a avaliar moralmente os fatos, focaliza repentinamente o protagonista e funde sua voz com os pensamentos deste, de maneira que é uma espécie de voz conjunta a que emite juízos de valor sobre as condutas humanas descritas. É o que faz Nöstlinger, por exemplo, quando pula para a reprodução dos diários de Filo, o protagonista

---

* De M. V. Moreno.
** De P. Härtling.

de *Filo entra en acción*, ou Härtling, em *La abuela*, quando cede a palavra aos monólogos interiores da anciã.

Os saltos entre focalização e onisciência não se produzem somente para facilitar a avaliação moral, mas seu uso se estende com frequência à ajuda para a gestão narrativa, como se estivessem ensaiando fórmulas para limitar a intervenção em todos os campos. Um ensaio isolado nesta linha é o de *Asperú, juglar embrujado*, onde o narrador, em lugar de se fundir com a consciência do personagem, se dirige intermitentemente a ele para interpretar-lhe os sentimentos e os acontecimentos através do uso da segunda pessoa verbal; e outro mais frequente é o de *Gilberto y las líneas* na qual, quando o narrador salta para a onisciência, se dirige diretamente ao leitor:

> O Ermitão Louco, a Curva Bem Feita, que, ainda que o considerasse um híbrido espantoso, não era uma linha má...! Havia-os deixado dormir! (Gilberto ignora que os tenham feito prisioneiros e que naqueles precisos momentos preparam a borracha para executá-los). O que não daria para poder estar com eles e conhecer a paz no País Gráfico! (Que longe está de imaginar a triste situação naquele país!) (115).

Por outro lado, as obras que estabelecem uma relação de cumplicidade explícita entre o narrador e o narratário utilizam formas similares às tradicionais de narração "em presença", mas com um sentido bem diferente. Assim, em *Cepillo** ou em *Guillermina GGGRRR...* convida-se o narratário a considerar as ambiguidades da história com a intenção de continuar obtendo seu crédito, para que aceite a verossimilhança dos novos acontecimentos relatados a partir de sua aceitação como um jogo literário:

> Qualquer um que tenha notícia de tal prodígio se perguntará de onde uma escova que continuasse a ter a forma de escova podia tirar umas patas para se deslocar e uma barriga para mostrar. Mas, uma vez vencida a dificuldade de lhe dar vida, semelhante detalhe resulta tão carente de importância, que nem vale a pena esquentar os miolos para explicá-lo. (*Cepillo*).
> Claro, de cara acho que estou sonhando. Os sonhos explicam tudo (*Guillermina GGGRRR...*).

---

* De P. Calders.

Também há contos que buscam o mesmo efeito através da interposição de um personagem-narratário que pode formular as objeções dos leitores. Em algum destes casos, no entanto, ao final se desvela o recurso e fica claro que, além do personagem-receptor da história, se pressupõe a existência de outro narratário-leitor. Por exemplo, em *Cuentos para engordar un tigre*, os personagens interpostos se despedem prontamente das "crianças que leram os contos". Ou também pode acontecer o contrário. Em *Guillermina GGGRRR...* a protagonista se dirige sempre a um narratário leitor, mas quando se cede a palavra aos outros personagens se cria a figura implícita de um personagem interposto, que investiga o paradeiro da menina. Em todos estes casos, a mudança repentina das condições enunciativas serve para mostrar as cartas aos leitores, como se se retirasse o véu que as cobria. Naturalmente, também se insere no novo uso do narratário a chamada à participação real do leitor para que continue a história ou siga todo tipo de instruções do texto.

Em uma pequena parte das obras se produz, efetivamente, o desaparecimento do narrador explícito que se espera constatar como tendência importante. Ocorre, por exemplo, em *Ben quiere a Anna**, onde o narrador se limita a reproduzir a percepção do personagem para refletir sua desorientação sobre os sentimentos amorosos. A partir deste núcleo de obras parece possível arriscar que, globalmente, a tendência de "mostrar e não dizer" ocupa um lugar mais destacado que antes na narrativa infantil e juvenil, mas não até o ponto de confirmar a razoável afirmação de vários autores (Díaz Plaja, 1988) de que o "desaparecimento do narrador" é uma das características da narrativa infantil e juvenil moderna. Pelo contrário, o desaparecimento do narrador é um fenômeno minoritário e não parece que a produção esteja se inclinando para esta linha evolutiva.

Em geral, pois, seja pela sobrevivência das formas tradicionais de gestão e avaliação, seja pelo aumento das necessidades de ajuda à gestão, ou pela incorporação de novas

---

* De P. Härtling.

formas de explicitação das figuras narrativas, o certo é que as obras do *corpus* analisado fazem "ouvir" enormemente a presença do narrador, às vezes diretamente, outras através de personagens-narradores. Parece mais que nos encontramos na presença de um diálogo múltiplo, de uma comunicação multiforme entre autores e leitores, adultos e crianças, que aumenta através dos paratextos (Lluch, 1995) e, ainda além da leitura e na inter-relação de autores e público destinatário em muitas atividades atuais em torno da edição infantil e juvenil, tais como as visitas de autores a bibliotecas e escolas. Além da tentação de reclamar um certo silêncio para o leitor, um pouco menos de familiaridade, que permita receber a palavra escrita sem saber por que ocorreu ao autor escrevê-la – se nos permitem a contundência – é necessário pensar que a explicitação da situação comunicativa responde a algumas atitudes fundamentais da literatura infantil e juvenil atual.

Assim, uma atitude educativa que parte da anulação de fronteiras hierárquicas em favor da cumplicidade entre adultos e crianças e que preconiza valores de participação, imaginação e prazer, tem que colocar, consequentemente, a narrativa em situação de priorizar a relação direta com o leitor através de vozes narrativas infantis ou através de narradores coparticipantes. Atualmente o narrador se apresenta, pois, como uma figura adulta, que se situa ao lado do leitor infantil para ajudá-lo tanto a explorar o mundo de ficção criado, como a distanciar-se dele em um jogo de humor e cumplicidades que lhe recorda, que o que tem nas mãos é um objeto construído socialmente.

A evolução da presença do narrador e do narratário segundo a idade do destinatário

As diferentes etapas de leitura evidenciam algumas diferenças na aparição explícita de narrador e narratário e nos recursos utilizados para se poder extrair a avaliação direta dos fatos.

As diferenças na aparição do narratário podem ser um bom indicador das tendências atuais da narrativa infantil e juvenil, que foram se desenhando ao longo desta análise. Onde menos aparece explicitamente é nas narrações para leitores de 8 a 10 anos e de 12 a 15. Estes grupos de ficção são os que incorporam em menor medida os traços inovadores, que favorecem a explicitação "de novo tipo" de pacto narrativo, traços como o jogo de transgressão de normas no item sobre novidade temática, a mistura de gêneros literários ou o humor paródico.

Se o narratário não pode apresentar-se, pelas novas razões apontadas, sua aparição poderia se dever às "antigas", quer dizer, poderia revelar uma sobrevivência maior das formas da tradição oral. Mas isso tampouco ocorre e, portanto, a escassa presença desta figura, pode ser considerado um indício da diminuição do modelo tradicional na narrativa atual. Uma oralidade diminuída e um jogo literário pouco explorado confluem, pois, nas obras destes dois grupos de idade provocando o desaparecimento do destinatário inscrito no texto, tanto se adota a forma de um destinatário presente, caso da narrativa tradicional, como se adota a forma de um suposto leitor cooperativo, caso da narrativa mais experimental.

Quanto à figura do narrador, onde menos aparece é nas histórias para primeiros leitores. Quando o faz, seus comentários se dividem, em partes iguais, entre as ajudas à gestão da obra e as propostas de jogo com o leitor, enquanto que não existe a avaliação moral explícita. Uma vez que em todos os grupos de idade restantes aumentam a explicitação do narrador e a interpretação moral, o caráter inovador dos contos para as primeiras idades é reafirmado também neste elemento narrativo.

A intenção de oferecer ajuda para seguir uma narração progressivamente mais longa e complicada, predomina na ficção dirigida a leitores entre os oito e os doze anos. A ajuda à gestão vale-se tanto das formas tradicionais, como das novas de jogo e, concretamente, aos 8 a 10 anos é quando mais se adota a solução, intermediária entre o mostrar e o dizer, que consiste em criar narradores-narratários como personagens das obras, de maneira que sejam eles os que se encarreguem de negociar o significado, como figuras interpostas entre o leitor e a história.

Por outro lado, o recurso da fusão com a consciência do personagem, assinalado anteriormente, se desenvolve a partir da ficção para 10 a 12 anos e se prolonga na narração para jovens. Nesta última etapa a fusão dá um passo adiante e se converte em cessão da voz, tal como vimos ao comentar o aspecto da voz narrativa. O passo até um narrador auto-diegético, até uma voz interior à história, é um recurso de utilização evidente para a novela juvenil, já que lhe permite distanciar-se da voz adulta de um narrador que controla, valora e administra a informação e que dificultaria enormemente o tipo de proximidade identificadora buscado por estas obras.

Notas

1. As abreviaturas dos gêneros correspondem aos itens da ficha de análise: Modelos da literatura de tradição oral, Fantasia moderna, Forças sobrenaturais, Ficção científica, Construção de uma personalidade própria, Aventura, Viver em sociedade, Narrativa histórica, Narrativa policial.
2. Os termos "presença/ausência" se referem ao uso de elementos fantásticos, que dividem a ficção em fantástica e realista.
3. No Anexo 3 podem-se ver os títulos das obras no idioma original.
4. Valriu (1992) estudou em profundidade o tema da renovação/sobrevivência dos modelos tradicionais na literatura infantil e juvenil atual.
5. Os quadros incluídos ao final dos itens deste capítulo somente se propõem a ajudar na leitura comparativa entre idades de leitura. Por isso não se tomará sempre os 10 por cento das obras do *corpus* como linha de partida para ver graficamente a que idades o aspecto comentado adquire maior ou menor peso.
6. A novidade temática foi contabilizada segundo o tema principal. Nas obras para leitores mais velhos, sobretudo, esta entrada única pareceu muito distorcida do sentido real da mudança e foram levados em conta também outros temas relevantes das obras. Os resultados do quadro mantém a conta estrita da primeira entrada, mas a coluna da proporção interna corresponde à recontagem de todo conjunto de entradas admitidas. As abreviaturas dos quadros deste extrato correspondem às

denominações da ficha de análise: Focalização em conflitos psicológicos, Temas considerados inadequados para a infância, Novos temas sociais, Novos temas familiares e Jogos e transgressão das normas sociais e literárias.
7. Como A. Lemant: *Insultos*. Madrid, Plaza & Janés; R. Dahl: *¡Qué asco de bichos!*, Madrid, Altea; D. McKee: *Los dos monstruos*. Madrid, Espasa – Calpe; etc.
8. As abreviaturas do quadro correspondem às denominações: Positivo pelo desaparecimento do problema, Positivo pela assunção do problema, Negativo e Aberto.
9. Em Antagonistas não malvados, se agrupam os antagonistas reconvertidos, desmitificados e funcionais, para se poder ver a proporção total de obras onde há uma autêntica representação do mal. Antagonistas malvados corresponde aos antagonistas com conotação negativa estável.

8.
Conclusões

A análise da narrativa infantil e juvenil atual, que se acaba de expor, partiu de dois pressupostos. O primeiro: que esta literatura se define e evolui em função das ideias sociais sobre a infância e adolescência. O segundo: que as obras sancionadas socialmente como narrativa de qualidade se propõem a cumprir uma função de formação cultural da infância e adolescência, que se pode dividir em duas vertentes: favorecer sua educação social através de uma narração ordenada da interpretação do mundo e iniciá-la na aprendizagem das convenções literárias.

Supusemos que as mudanças produzidas durante as últimas décadas em nossa cultura em nível social, axiológico, educativo e literário, tinham que traduzir-se em uma nova caracterização do destinatário da narrativa infantil e juvenil. Definiu-se este novo destinatário como uma criança ou jovem, que vive imerso nas formas de vida de uma sociedade pós-industrial e democrática, que se caracteriza, também, pela extensão da alfabetização e dos sistemas audiovisuais de comunicação. Além disso, os destinatários infantis e juvenis destas narrativas são receptores das tendências culturais próprias da época atual e objeto dos pressupostos sociais vigentes sobre a maneira como evoluem as capacidades e os interesses humanos durante estas etapas.

Este conjunto de traços contribui para configurar o leitor deste tipo de literatura e, logicamente, esta configuração deve ser vista refletida nas narrativas que a ele são destinadas. Foram definidas, pois, as características, que se esperava encontrar, a partir de um duplo eixo: Os traços que as narrativas infantis e juvenis podiam ter adotado pelo fato de serem atuais e as que podiam ter pelo fato de apresentarem-se estratificadas em segmentos de idade. As hipóteses sobre a caracterização geral da narrativa atual foram baseadas na ideia estabelecida por Shavit (1986), de que a literatura infantil e juvenil evolui a partir da violação do que está assumido socialmente como traços de compreensão simples e de moral adequada. Em torno destes pressupostos básicos foram agrupadas, pois, as possíveis inovações da narrativa atual, para poder constatar o grau e o tipo de violação produzida. As hipóteses sobre as idades, em troca, partiram das divisões estabelecidas pelas instâncias da crítica de literatura infantil e juvenil existentes em nosso país.

Procedeu-se à seleção de um *corpus* de obras de qualidade, atual e por idades, e determinou-se um método de análise a partir da definição de características, que pareceram relevantes em relação aos fenômenos que se pretendia observar.

Os resultados da análise confirmaram, majoritariamente, que desde fins dos anos setenta tem havido uma inovação acentuada das características, tanto educativas como literárias, da literatura infantil e juvenil. Os resultados também confirmaram que estas obras apresentam traços mais homogêneos segundo as faixas de idade dos destinatários, segundo o que se crê que é adequado à caracterização psicológica e ao domínio literário dos leitores ao longo da infância. A confirmação destas duas hipóteses pode-se formular concretamente da seguinte maneira:

Conclusões sobre a caracterização geral da narrativa infantil e juvenil atual

a) *Configuraram-se novos modelos na representação literária do mundo*. Estes modelos supõem, em primeiro lugar, a renovação dos modelos literários existentes na tradição da narrativa infantil e juvenil; em segundo lugar, a atualização da descrição social e, em terceiro lugar, a introdução de novos valores e novas maneiras de transmiti-los educativamente. Os gêneros literários adotados, os temas tratados e os valores que se preconizam encontram-se em estreita relação, de tal forma que a mudança efetuada nestes aspectos pode ser apreciada indistintamente na ampliação temática e na diversificação dos tipos de desfecho que foram produzidos, nas características dos imaginários, nos personagens e cenários narrativos utilizados, na modificação da narrativa de tradição oral e na adoção de modelos gerados pela literatura de adultos.

Como consequência, pode-se afirmar que a fantasia, o humor, o jogo literário, a psicologização e a ruptura de tabus temáticos caracterizam a narrativa atual, assim como, também, que os valores que apresenta respondem aos valores educativos em auge nas sociedades altamente industrializadas e às formas de "pedagogia invisível" que os transmitem.

b) *Produziu-se uma tendência à fragmentação narrativa.* A tendência a dividir o discurso pode ser apreciada na frequência com que se produzem alguns dos traços analisados: em primeiro lugar, um grau elevado de autonomia das sequências ou outras unidades narrativas do discurso e uma inclusão abundante de vários tipos de textos no interior da narrativa; em segundo lugar, uma intensa mistura de elementos literários próprios de diferentes gêneros e, em terceiro lugar, uma notável integração de recursos não verbais na construção narrativa. Pudemos comprovar, no entanto, que a fragmentação do discurso não se produz exclusivamente como um elemento de inovação literária, mas que também serve para cumprir, e para atualizar de novas maneiras, uma função de ajuda à leitura que faz parte consubstancial da literatura infantil.

Pode-se concluir, pois, que se produziu uma certa desagregação da coesão narrativa, o que contribui para caracterizar a narrativa atual como uma forma literária escrita, em consonância com os traços próprios da cultura audiovisual e das tendências culturais definidas como "pós-modernidade". Esta mudança nas condições de simplicidade coexiste com a ajuda à governabilidade da informação, própria das narrativas infantis, e gera novas maneiras de fazê-lo.

c) *Houve um aumento da complexidade narrativa.* A narrativa infantil e juvenil incorporou novas possibilidades de enunciação do discurso narrativo. As complicações narrativas mais utilizadas nos livros infantis e juvenis são, de maior a menor frequência: estruturas narrativas complexas, perspectivas focalizadas, vozes narrativas simultâneas e intradiegéticas, e anacronismos. As complicações foram provocadas pela evolução literária da produção, que introduziu modelos literários que requeriam novas condições de enunciação. No entanto, este ponto parece especialmente condicionado pelo princípio de compreensibilidade que rege este tipo de literatura. Por isso, as complicações produzidas são bastante limitadas com respeito a suas possibilidades e guardam uma estreita relação com os pressupostos sobre a idade leitora a que se dirigem.

d) *Incrementou-se o grau de participação outorgado ao leitor na interpretação da obra.* A exigência de uma leitura mais participativa deriva de muitas das características adotadas pelas obras atuais:

1. A presença de ambiguidades no significado, principalmente na relação entre os elementos reais e fantásticos das obras.
2. O estabelecimento de perspectivas narrativas distanciadas através do humor.
3. A utilização de referências intertextuais e a opacidade outorgada aos elementos construtivos da obra, que passam a formar parte da mensagem.
4. A diminuição do controle explícito da narrativa por parte da figura do narrador em sua forma tradicional. Este aspecto, no entanto, mostrou-se especialmente complexo e revelador das tensões provocadas pelas mudanças no interior da narrativa para a infância e adolescência.

A narrativa infantil e juvenil se afastou, pois, em parte, do discurso unívoco e controlado pelo narrador que lhe era próprio e teve que adequar-se às correntes literárias e educativas próprias da cultura atual. A desmitificação, a cumplicidade com o narrador, a distância em relação à obra e a ambiguidade de significado, configuram agora uma literatura que intensificou o propósito de oferecer um produto prazeroso a seus leitores e uma nova forma de exploração da realidade.

e) *A narrativa infantil e juvenil consolidou sua vertente de literatura escrita.* Este processo inclui muitas das características constatadas nos itens anteriores. A fragmentação do discurso, os diferentes tipos de incorporação de recursos não verbais ou a utilização de imaginários e técnicas adequadas ao discurso escrito – tal como a psicologização dos temas ou determinados tipos de complexidade – demonstram que a narrativa atual começou a explorar as possibilidades das condições de enunciação, que lhe oferece sua consolidação como forma escrita.

Como consequência, a mescla de recursos narrativos desenvolvidos pela moderna literatura de adultos e por outras formas de ficção começou a ser muito fluida e a comunicação entre os subsistemas literários e ficcionais pode ser agora muito mais intensa.

Conclusões sobre a estratificação da narrativa infantil e juvenil em segmentos segundo as idades dos destinatários

a) *Cada grupo de obras dirigidas a idades determinadas apresenta características literárias mais coesas entre si, que em relação aos demais grupos.* A homogeneização por extratos de idade afeta tanto a representação da realidade como as características do discurso.

A análise por blocos de idades revelou que o itinerário que as narrativas atuais oferecem aos leitores se desenvolve, em primeiro lugar, de acordo com os interesses e capacidades que lhes são atribuídos. Mas, em segundo lugar, também o fazem de acordo com a maior ou menor incidência que tenham tido as mudanças produzidas a partir do substrato já existente da tradição da literatura infantil e juvenil para aquelas idades concretas. Como visão global, pode-se dizer que a análise da ficção segundo as idades dos destinatários revelou uma narrativa infantil e juvenil dividida nas seguintes etapas literárias:

1. A criação recente de livros para primeiros leitores propiciou a introdução de novidades nesta etapa. O uso da imagem potencializou sua formação como uma literatura especificamente escrita, enquanto que a utilização de elementos tradicionais da narrativa infantil não se situou em uma linha de aquisição literária, mas de desmitificação dos modelos narrativos orais. A fantasia e o humor revelaram-se traços predominantes, a serviço de uma temática centrada na resolução dos problemas psicológicos próprios da idade e de acordo com os novos valores educativos, especialmente visíveis nestas obras, presididas pela harmonia entre adultos e crianças e desenvolvidas, por outro lado, em um cenário de dimensões reduzidas e de imaginários limitados.
2. A ficção dirigida aos leitores entre os 8 e os 10 anos é a mais inserida nas características narrativas tradicionais, já que continua a linha habitual da narrativa dirigida a estas idades, consistente em uma ficção baseada na especulação imaginativa sobre o mundo exterior. A mudança mais evidente nas narrativas desta etapa é a da renovação dos modelos da literatura de tradição oral a partir da modernização da proposta de ficção fantástica.
3. As obras destinadas aos leitores de 10 a 12 anos parecem partir da ideia de um leitor que já configurou seus imaginários básicos nas etapas anteriores e a quem, portanto, pode-se dirigir uma proposta muito acentuada

de ampliação temática e de jogo literário. A suposição de que se ampliaram os interesses sociais dos meninos e meninas em direção ao ambiente familiar ou escolar, por um lado, e a tentativa de inserção cultural através da transmissão do legado cultural, por outro, orientam as obras deste grupo de idade, no qual se acumulam e superpõem temas e modelos literários através de uma orquestração de recursos que o levam a ser mais inovador do ponto de vista formal.

4. A novela infantil se refere também, como no primeiro caso, a um produto editorial recente em suas coordenadas atuais. A novidade de sua criação, quase deliberadamente programada, condicionou as duas linhas de força, que caracterizam estas narrações: uma ficção muito baseada no protagonismo e na temática própria da adolescência como etapa de amadurecimento na sociedade atual, e uma grande diversidade de modelos narrativos gerados pela confluência entre os modelos herdados da tradição infantil e juvenil e os modelos incorporados da literatura de adultos.

b) *A evolução literária através dos blocos de idade mostra um aumento progressivo da diversidade e complexidade* de muitos dos elementos analisados que, logicamente, respondem ao pressuposto de uma capacidade interpretativa cada vez maior por parte dos leitores. A concepção subjacente ao itinerário oferecido pelas narrativas coincide com a visão desenvolvida pelos estudos psicológicos sobre a resposta do leitor (Cullinam *et al.*, 1983) ao assinalar que o progresso se estabelece desde uma primeira interpretação literal dos textos até outras, paulatinamente mais complexas, que incluiriam, por exemplo, a capacidade de outorgar novos significados simbólicos ou de estabelecer referências intertextuais.

O progresso constatado é praticamente linear através dos quatro grupos de idade em relação à maioria de aspectos citados a seguir. Em alguns casos, não o é exatamente se se atém aos dados numéricos, mas a progressão estrita se restabelece a partir de uma avaliação mais qualitativa. Por outro lado, em vários dos aspectos assinalados, a evolução acarreta um salto quantitativamente importante entre os dois primeiros blocos de obras e os dois últimos.

1. Em relação à representação do mundo aumenta a ficção realista, os modelos literários próprios da literatura escrita, o número de gêneros utilizados, a presença de finais não convencionais, a inovação em temas familiares e sociais, os protagonistas que vivem sozinhos, o cenário em núcleos urbanos e a menção de ofícios modernos, a paisagem aberta, a determinação temporal e a localização em épocas passadas e futuras. A partir dos dez anos incrementa-se notavelmente o protagonismo humano, a presença de personagens antagonistas, sempre vinculados à sociedade moderna, e sua conotação negativa.
2. Em relação à fragmentação narrativa decrescem os recursos não verbais e proliferam tanto a inclusão de tipos de textos diversificados como a autonomia entre as unidades narrativas.
3. Em relação à complexidade narrativa há um aumento das possibilidades de enunciação de todos os elementos construtivos do discurso. Incrementa-se a voz narrativa intradiegética, a focalização no protagonista, o anacronismo na ordem do discurso e, a partir dos dez anos, as estruturas narrativas complexas.
4. Em relação à complexidade interpretativa é cada vez mais frequente a explicitação da obra como uma construção literária e se produz uma ausência paulatina do humor nos três tipos de recursos definidos. A partir dos dez anos aumentam consideravelmente as referências a conhecimentos culturais e literários prévios, assim como os comentários explícitos do narrador.

Em troca, constatou-se que a presença de alguns dos elementos contemplados não depende dos pressupostos de evolução das capacidades dos destinatários, mas obedece a causas diversas. É o caso dos seguintes:

5. O protagonismo infantil e masculino, assim como a vida em formas familiares, são características presentes de forma similar em todos os grupos de ficção. São traços que respondem a dados estáveis há muito tempo na história da narrativa infantil e juvenil e que obedecem à promoção da identificação do leitor, ao mesmo tempo que evidenciam a preponderância outorgada ainda ao gênero masculino em nossa sociedade.
6. Outros traços, que se caracterizaram como inovações atuais, tampouco seguem uma evolução crescente por segmentos de idade. Assim ocorre em alguns dos temas definidos como novidade temática, na mistura de gêneros literários e de tipos de personagens, e na ambiguidade do significado, de maneira que todos estes fenômenos parecem haver penetrado globalmente na narrativa infantil e juvenil.
7. Finalmente, a adoção de uma perspectiva focalizada, a presença do narratário ou da voz narrativa simultânea são traços associados a determinados fenômenos, como a ajuda à leitura autônoma dos primeiros leitores ou a cessão da voz aos protagonistas adolescentes, pelo que seu uso, em uma ou outra idade, não responde à ideia de um aumento linear de competência literária.

A confirmação geral das hipóteses estabelecidas permite considerar que, efetivamente, o período analisado supõe uma época especialmente ativa na modernização da narrativa infantil e juvenil e que este processo foi presidido pela ênfase em sua função literária. O impulso experimental ampliou os limites em relação aos condicionamentos anteriores sobre o que se considera adequado e compreensível nas obras dirigidas a crianças e jovens. A criação de um produto cultural menos protetor em relação a seus destinatários e mais inovador em suas características, modificou as normas de simplicidade que tendem a reger esta literatura e configurou um novo itinerário de formação literária para a infância e adolescência.

Analisar as características das narrativas atuais permitiu, pois, explicitar o itinerário leitor subjacente. Pode-se afirmar, em resumo, que a descrição do mundo que se oferece é agora mais fiel às sociedades pós-industriais e mais adequada a suas formas sociais de reprodução cultural. Os modelos de tradição oral continuam sendo muito ativos, mas têm sido reformulados de múltiplas maneiras. A narrativa infantil e juvenil consolidou-se como literatura escrita e isso implicou, por um lado, a incorporação de recursos próprios dos meios audiovisuais e, por outro, maior permeabilidade em relação à literatura de adultos, especialmente em relação à narrativa psicológica, aos traços englobáveis em termos de "pós-modernismo" e à incorporação de gêneros específicos. Finalmente, foram criados novos modelos de ficção narrativa destinados a etapas leitoras anteriormente pouco atendidas, como os primeiros leitores e os adolescentes. Em relação à evolução por idades leitoras, cabe recordar que são os pressupostos da crítica os que têm dividido o *corpus* em segmentos estratificados e, portanto, o interesse deste trabalho não radica na constatação da divisão, mas na explicitação dos critérios que decidem a que idade se destina uma obra.

Os resultados obtidos se oferecem, além do mais, como dados objetivos, suscetíveis de serem contrastados com futuras análises de outros períodos ou de divisões do *corpus* por literaturas específicas. A caracterização dos textos segundo as idades dos destinatários permite também utilizar os resultados no campo da programação das aprendizagens literárias, já que agora pode-se saber com maior segurança que características narrativas as crianças dominam implicitamente através de suas leituras. Por último, os resultados obtidos levam a questionar algumas das suposições vigentes nos estudos de literatura infantil e juvenil.

Por exemplo, fica evidente que estes estudos abordaram o itinerário evolutivo das obras por idades de uma perspectiva psicológica centrada no leitor. Este enfoque levou ao descuido da descrição da evolução histórica dos modelos literários relacionados com cada etapa leitora e sua influência no interior da totalidade do *corpus*, de maneira que apenas se assinalou a criação dos álbuns ou do romance juvenil como fenômenos geradores de mudanças no conjunto da literatura infantil e juvenil. Mas, tal como aqui se pôde comprovar, muitas vezes as diferenças entre os livros destinados a uma ou outra idade não provêm da avaliação sobre o leitor, mas do diferente impacto causado pela introdução de novos modelos narrativos. Os dados obtidos podem, assim, gerar novas hipóteses sobre o porquê e o como as novas características narrativas se incorporaram a uma ou outra idade e qual foi sua difusão no resto do *corpus*, com independência dos pressupostos de acessibilidade e pertinência assinalados da perspectiva psicológica. Neste sentido, fica evidente, por exemplo, a violação do pressuposto de maior proteção nas primeiras idades quanto à renovação temática ou à ambiguidade de significado, já que estes traços são mais frequentes nas narrativas para primeiros leitores, do que em outros grupos posteriores.

Também, vista a descrição das mudanças ocorridas, será preciso relativizar a entusiasmada assunção da identidade narrativa entre as características da narrativa infantil e as dos contos populares produzida durante os anos setenta. A ampliação das idades dos destinatários, quando se fala de literatura infantil e juvenil e a introdução de modelos literários próprios da literatura moderna, problematizaram esta identificação. Os estudos de literatura infantil terão que estabelecer, pois, tanto a reformulação dos parâmetros descritivos das narrações infantis, que em grande parte já não se ajustam aos modelos derivados da literatura oral, como a comprovação de se o público infantil entende, realmente, as novas narrativas.

Desta perspectiva, o estudo aqui exposto oferece uma descrição geral e de conjunto sobre as mudanças ocorridas na produção atual, mas seus dados teriam que poder ser utilizados em um amplo leque de aspectos concretos, que requereriam estudos mais detalhados. Apenas como exemplo assinalaremos, a seguir, um número convencional de dez possíveis estudos, que se revelaram de interesse ao longo deste trabalho:

1. A descrição da tensão atual entre a vertente educativa e literária da narrativa infantil e juvenil, analisando que tipo de conflitos são abordados, em que idades, com

que limitações, que recursos literários abriram caminhos para resolver as dificuldades geradas por sua introdução e que outros recursos terminaram configurando um novo tipo de didatismo.
2. A análise pormenorizada das mudanças ideológicas produzidas, especialmente naqueles aspectos que comportam problemas novos. Por exemplo, no caso entre as contradições assinaladas em relação à crítica das sociedades pós-industriais que as obras abordam.
3. O estudo de cada um dos elementos construtivos da obra, com uma sistematização detalhada das diversas possibilidades de complicação.
4. A definição e classificação dos recursos inseridos aqui genericamente como "formas próprias da literatura escrita".
5. A definição das competências narrativas das crianças, que podem ser desenvolvidas e compartilhadas tanto pelos livros de ficção, como pelos meios audiovisuais.
6. A descrição conjunta de todos os recursos dirigidos a facilitar a leitura e seu contraste com os resultados da pesquisa sobre compreensão leitora.
7. A distinção e inter-relação das inovações produzidas na narrativa infantil e juvenil entre as obras autóctones e as traduzidas, ou entre as atuais e as de outros períodos históricos.
8. O estudo de aspectos concretos que se revelaram especialmente convenientes para a reflexão sobre o fenômeno da literatura infantil e juvenil. Por exemplo, a figura do narrador aparece como um ponto-chave das tensões entre o controle moral e a vontade literária, por um lado, ou entre a ajuda à leitura e a experimentação do texto, por outro.
9. O estudo de modelos literários determinados, seja para precisar a grande renovação que sofreram (como no caso da literatura de tradição oral), seja para ver como evoluem depois de um período adverso para sua utilização (como no caso da aventura ou dos contos de terror).
10. A evolução da descrição aqui realizada. As décadas de setenta e oitenta assentaram as bases de uma nova

literatura, mas é necessário comprovar quais de seus aportes foram se consolidando e quais já começaram a desaparecer. Depois de um período tão ativo, a narrativa pode evoluir de maneiras muito diferentes. Pode ser, por exemplo, que se explore a fixação estereotipada de alguns desses modelos, que se mantenha a tensão experimental ou que se reconduzam os possíveis excessos em direção a uma etapa de amadurecimento, a partir do contraste com a recepção dos leitores.

No estado atual da pesquisa sobre literatura infantil e juvenil parece incontestável que os estudos sobre os textos, ou sobre sua utilização educativa, tenham que ser acompanhados de novas vias de investigação sobre a real leitura das obras, por parte de seus destinatários. A relação entre os textos e os leitores é a origem e o centro de uma das linhas que parecem mais promissoras do progresso futuro deste campo: a de entender as características dos textos como uma proposta de formação e ajuda ao leitor em seu itinerário de acesso à literatura como discurso social, que configura e expressa a experiência humana. Este trabalho pretendeu contribuir para esta expectativa, de maneira que o aumento do conhecimento sobre os textos, que se dirigem à infância e à juventude, traga consigo uma ajuda para todos aqueles que se interessam por sua educação literária.

Anexo 1
A ficha de análise

I. A representação literária do mundo

1. Gêneros literários

1.1. Presença/ausência de elementos fantásticos
1.2. Tipo de gênero literário

Obras de fantasia
1.2.1. Modelos da literatura tradicional
1.2.2. Fantasia moderna
    1.2.2.1. Fantasia moderna no sentido estrito
    1.2.2.2. Animais humanizados
1.2.3. Forças sobrenaturais
1.2.4. Ficção científica

Obras realistas
1.2.5. Construção de personalidade própria
    1.2.5.1. Relações interpessoais
    1.2.5.2. Relações entre iguais
    1.2.5.3. Amadurecimento pessoal
1.2.6. Aventura
1.2.7. Viver em sociedade
1.2.8. Narrativa histórica
1.2.9. Narrativa policial

2. Novidade temática

2.1. Presença/ausência de inovação temática
2.2. Tipo de novidade temática
    2.2.1. Focalização em conflitos psicológicos
    2.2.2. Temas considerados inadequados para crianças
    2.2.3. Problemas sociais novos
    2.2.4. Problemas familiares novos
    2.2.5. Jogos de transgressão das normas sociais ou literárias

3. Desenlace

3.1. Positivo pelo desaparecimento do problema
3.2. Positivo pela assunção do problema
3.3. Negativo
3.4. Aberto

4. Personagens

4.1. Protagonistas
    4.1.1. Tipo de protagonistas
        4.1.1.1. Humanos
        4.1.1.2. Animais
        4.1.1.3. Fantásticos
    4.1.2. Idade dos protagonistas
        4.1.2.1. Infantis
        4.1.2.2. Adultos
        4.1.2.3. Ambos ou indeterminados
    4.1.3. Sexo dos protagonistas
        4.1.3.1. Masculinos
        4.1.3.2. Femininos
        4.1.3.3. Ambos ou indeterminados
    4.1.4. Profissão dos protagonistas
        4.1.4.1. Própria da sociedade atual
        4.1.4.2. Trabalhos do lar
        4.1.4.3. Própria dos contos populares
        4.1.4.4. Própria das narrativas de aventuras
        4.1.4.5. Indeterminadas

4.1.5. Protagonistas animais tradicionais/não tradicionais
4.1.6. Protagonistas fantásticos tradicionais/não tradicionais
4.1.7. Mescla de tipos de personagens/ausência de mesclas
4.1.8. Tipos de mesclas de personagens
    4.1.8.1. Humanos e animais
    4.1.8.2. Humanos e fantásticos
    4.1.8.3. Animais e fantásticos
    4.1.8.4. Humanos, animais e fantásticos

4.2. Antagonistas
    4.2.1. Ausência/presença de personagens antagonistas
    4.2.2. Tipo de antagonistas
        4.2.2.1. Humanos
        4.2.2.2. Animais
        4.2.2.3. Fantásticos
    4.2.3. Tipo de antagonistas humanos
        4.2.3.1. Homens
        4.2.3.2. Entorno social
        4.2.3.3. Outros
    4.2.4. Conotação negativa dos antagonistas
        4.2.4.1. Negativos
        4.2.4.2. Reconvertidos
        4.2.4.3. Desmitificados
        4.2.4.4. Funcionais

5. Cenário narrativo

5.1. Contexto de relações
    5.1.1. Família completa
    5.1.2. Formas assimiláveis à família
    5.1.3. Viver só
    5.1.4. Formas comunais
    5.1.5. Não especificado
5.2. Quadro espacial
    5.2.1. Habitação
    5.2.2. Núcleo urbano
    5.2.3. Paisagem aberta
    5.2.4. Lugar fantástico

5.3. Quadro temporal
    5.3.1. Antigo
    5.3.2. Atual
    5.3.3. Futuro
    5.3.4. Indeterminado

II. A fragmentação narrativa

2.1. Grau elevado de autonomia entre as unidades narrativas/sem autonomia

2.2. Inclusão de textos não narrativos/não inclusão

2.3. Mescla de gêneros literários/sem mescla

2.4. Presença de recursos não verbais/ausência

III. A complexidade narrativa

3.1. Estrutura narrativa complexa/simples

3.2. Perspectiva narrativa

    3.2.1. Perspectiva focalizada/não focalizada
    3.2.2. Tipo de focalização
        3.2.2.1. Focalização no protagonista
        3.2.2.2. Outros enfoques

3.3. Voz narrativa

    3.3.1. Voz narrativa não ulterior/ulterior
    3.3.2. Voz narrativa interior à narrativa/exterior

3.4. Anacronismos na ordem cronológica/linearidade

IV. A complexidade interpretativa

4.1. Presença de ambiguidades de significado/ausência

4.2. Distância

    4.2.1. Referências aos elementos da comunicação literária/ sem referências
    4.2.2. Presença/ausência de recursos de humor
        4.2.2.1. Tipo de recursos humorísticos
            4.2.2.1.1. Humor em geral, jogos de absurdo
            4.2.2.1.2. Desmitificação e paródia
            4.2.2.1.3. Transgressão das normas de conduta
    4.2.3. Apelo a conhecimentos culturais prévios/sem apelo

4.3. Explicitação do pacto narrativo

    4.3.1. Presença/ausência de comentários do narrador
    4.3.2. Presença/ausência do narratário

Anexo 2
As fontes da seleção do *corpus*

Seleções bibliográficas utilizadas

1. AAPSA *¿Qué libros han de leer los niños?* 2ª edição, março 1981 (1ª edição abril 1977), Publicações de Rosa Sensat, Seminario de Bibliografía Infantil "Rosa Sensat", Associació de Mestres.

   AAPSA *Quins llibres han de llegir els nens? Nadal 1981 — Sant Jordi 1985* Seminario de Bibliografía Infantil de la Associació de Mestres "Rosa Sensat", 1ª edição 1985, Publicações de Rosa Sensat.

   AAPSA *Quins llibres han de llegir els nens? Nadal 1985 — Sant Jordi 1989,* Seminario de Bibliografía Infantil de la Associació de Mestres "Rosa Sensat", 1ª edição outubro 1989, Publicações de Rosa Sensat.

   AAPSA *Quins llibres han de llegir els nens?* Apéndice nº 21. Novedades Navidad 1989, nº 22 Sant Jordi 1990, nº 23 Navidades 1990, Publicações de Rosa Sensat. Seleção elaborada pelo Seminario de Bibliografía Infantil de la Associació de Mestres "Rosa Sensat".

   Seminario de Bibliografía Infantil de la Associació de Mestres "Rosa Sensat" y Sección de la Libreria Abacus, *Tria'88, 30 llibres especialment aconsellats per utilitzar a l'escola.* Livros aparecidos durante o ano de 1988.

   Seminario de Bibliografía Infantil de la Associació de Mestres "Rosa Sensat" y Sección de la Libreria Abacus, *Tria'90, 30 llibres especialment aconsellats per utilitzar a l'escola.* Livros aparecidos durante o ano de 1989.

Seminario de Bibliografía Infantil de la Associació de Mestres "Rosa Sensat" y Sección de la Libreria Abacus, *Tria'91, 30 llibres especialment aconsellats per utilitzar a l'escola*. Livros aparecidos durante o ano de 1990.
2. *Bibliografía bàsica per a Biblioteques Infantils i Juvenils*, Generalitat de Catalunya.
3. Selecciones de la Biblioteca Pública Infantil y Juvenil "Lola Anglada". Listas fotocopiadas.
4. C.C.E.I. *60 libros para chicos*. Madrid, 1979.
5. Grup GRILLS (Grup de Recerca del Llibre Infantil del Col.legi Oficial de Bibliotecaris i Documentalistes de Catalunya) (1988): "Els llibres infantils catalans, molta roba però menys sabó" *Guix, elements d'acció educativa* 129-130, monográfico: "Llibres per a infants i joves", 17-38.
6. Internationale Jugendbibliothek Munchen. Spanish and Catalan (1986, 1987, 1988, 1989, 1990): *The White Ravens, A Selection of International Children's and Youth Literature*.
7. *Selecció de literatura infantil i juvenil*. Selección bibliográfica del Servicio de Bibliotecas Escolares "L'Amic de paper", Barcelona, 1991.

Prêmios considerados

1. Prêmios nacionais de Literatura Infantil (1978-1990). Oferecidos pelo Ministério da Cultura desde o ano de 1978. O melhor trabalho de criação é a modalidade aqui acolhida.
2. Livros de interesse infantil e juvenil (1977-1983). Oferecidos pela primeira vez pela Direção Geral de Promoção do Livro e da Cinematografia no ano de 1975 e que acolhe os seis melhores títulos publicados a cada ano da Espanha. Suas últimas convocatórias foram feitas pela Direção Geral do Livro e bibliotecas, até 1983 quando deixou de ser concedido.
3. Prêmio Lazarillo de literatura infantil (1977-1990)*. Criado pela Comissão de Literatura Infantil e Juvenil do INLE com

---

* N. T.: Período considerado para a seleção das obras que formam o *corpus* deste trabalho.

o patrocínio do Ministério de Informação e Turismo e de Educação Nacional. Trata-se do prêmio mais antigo da Espanha já que foi criado em 1958 e sofreu várias modificações no seu regulamento ao longo de sua existência. No período citado era outorgado a obras inéditas escritas em qualquer um dos quatro idiomas do Estado.

4. Prêmio de Literatura Infantil da CCEI (1977-1990). Outorgado pela Comissão Católica Espanhola da Infância desde 1962. É o prêmio mais regular no tipo de regulamento dentre os que são da mesma época.
5. Prêmio Generalitat da Catalunha (infantil e juvenil) (1981--1987). Concedido por esta instituição desde 1981 até 1987. Dividia-se em um prêmio para contos infantis e um prêmio para romance juvenil de autores catalãos.
6. Prêmio Josep M. Folch i Torres (1977-1990). Convocado pela primeira vez em 1963 pela Editorial Spes, foi declarado nulo e iniciou-se realmente em 1964. É patrocinado pela Editorial La Galera até nossos dias e se destina a autores catalães.
7. Prêmio Joaquim Ruyra (1977-1989). Outorgado em 1963 pela Editorial Estela e desde 1976 pela Editorial Laia até 1990 quando já não foi concedido.
8. Prêmio Serra d'Or (1977-1990). Outorgado desde 1977 por críticos independentes para obras catalãs lançadas durante o ano.
9. Lista de Honra da Organização Internacional para o Livro Infantil e Juvenil (IBBY) (1978-1990). Nós nos referimos neste caso apenas aos prêmios concedidos a livros de autores catalães, castelhanos, galegos e bascos.

Anexo 3
O *corpus* de obras analisadas

Em primeiro lugar se oferecem as referências bibliográficas das obras analisadas. No caso das obras de autores catalães e castelhanos cita-se a primeira edição e a tradução castelhana das obras catalãs. No caso das traduções de outros idiomas refere-se à primeira tradução publicada na Espanha tanto quanto se trata de uma tradução em catalão quanto em castelhano e indica-se se as obras têm tradução na outra língua. Faz-se constar o local e a data da publicação e o título original, sempre que estes dados figurem na edição traduzida. Especifica-se se a obra formada por vários contos no caso em que estes tenham sido analisados separadamente. As fichas bibliográficas aparecem por ordem de autor e pela data da primeira edição catalã ou castelhana, na Espanha.

Em seguida aparecem as listas das obras segundo sua classificação quanto à faixa etária. Para esta divisão do *corpus* seguiu-se a *Bibliografia bàsica per a Biblioteques Infantiles i Juvenils*, do governo da Catalunha. No caso em que a obra não faça parte desta seleção, assimilou-se a indicação da época da seleção na qual tenha aparecido.

Referências bibliográficas das obras

AHLBERG, Allan; AHLBERG, Janet. *¡Qué risa de huesos!* Madrid: Altea, 1982 (Altea Benjamín; 42) (*Funnybones*, London, Heinemann, 1980).

ALONSO, Fernando. *El hombrecillo de papel.* Valladolid: Miñón, 1978.

———. *El hombrecito vestido de gris.* Madrid: Alfaguara, 1978 (Juvenil; 11). Incluye las narraciones: *El barco de plomo. Los árboles de piedra. El viejo reloj. El barco en la botella. El guardián de la torre. El espantapájaros y el bailarín. La pajarita de papel.*

———. *Feral y las cigueñas.* Il. F. del Amo, Barcelona: Noguer, 1980 (Mundo Mágico; 23).

———. *El bosque de piedra.* Il. J. R. Alonso, Madrid: Espasa--Calpe, 1985 (Austral Juvenil; 55).

BALAGUER, Marta. *Adéu, bon viatge!* Barcelona: Argos-Vergara, 1984 (Els llibres de la gata). Trad. cast. *¡Adiós, buen viaje!*

———. *Quan plou de nit.* Barcelona, Publicacions de l'Abadia de Montserrat, 1988 (La finestra; 3).

BALZOLA, Asun. *Munia y el cocolilo naranja.* Barcelona: Destino, 1982. Trad cat. *Múnia i el cocoril taronja.*

———. *Christie i la caçadora de l'Indiana Jones.* Barcelona: Cruïlla-SM, 1987 (El vaixell de vapor; 43. Sèrie vermella). (*Christie y la cazadora de Indiana Jones.*)

———. *Ala de mosca.* Barcelona: Pirene, 1989 (Garona; 2).

BARBAL FARRÉ, Maria. *Pedra de tartera*: Barcelona: Laia, 1985 (El Nus; 51). Trad. cast. *Canto rodado*, Lumen, 1995.

BECKMAN, Thea. *Mi padre vive en Brasil.* Il. J. A. Vallvé, Barcelona: La Galera, 1982 (Los grumetes) (*Mijn vader woont in Brazilie*, Rotterdam, 1974). Trad. cat. *Tinc el pare al Brasil.*

BEER, Hans de. *¿A dónde vas, osito polar?* Madrid: Lumen, 1988 (*Kleiner Eisbär whoin fährst du?*, Monchaltorf, Hamburg, Verlag, 1988). Trad. cat. *Petit ós polar, on vas?*

BISSET, Donald. *Cuentos para engordar un tigre.* Barcelona: Ediciones B, 1988 (Marobert; 7) (*Talks with a tiger*, 1967).

Trad. cat. *Contes per engreixar un tigre*. Incluye los cuentos: *Cuentos para engordar un tigre. La princesa Nina y el tigre. El elefante, el fuego y el patito blanco. La anciana señora de Highgate. El escarabajo y la apisonadora. Padre Neptuno y las ballenas. Gran rugido y Pequeño Rugido. Um bello día en plena noche. El rey perezoso y la araña lista. La merienda del Tigre.*

CALDERS, Pere. *Raspall*. Il. C. Solé Vendrell, Barcelona: Hymsa, 1981. Trad. cast. *Cepillo*.

CANELA, Mercè. *Asperú, joglar embruixat*. Il. I. Monés, Barcelona: La Galera, 1982 (Els grumets; 55). Trad. cast. *Asperú, juglar embrujado*.

——. *Els set enigmes de l'iris*. Il. F. Rifà, Barcelona: La Galera, 1984 (Els grumets). Trad. cast. *Los siete enigmas del iris*.

CARBÓ, Joaquim. *En Felip Marlot*. Il. M. Rius, Barcelona: Publicacions de l'Abadia de Montserrat, 1979 (La Xarxa; 21). Trad. cast. *Felipe Marlot, detective*, Edelvives, 1987.

——. *L'ocell meravellós*. Il. M. Ginesta, Barcelona: Publicacions de l'Abadia de Montserrat, 1981 (Llibres de la lluna; 12).

——. *La casa sobre el gel*. Il. J. M. Madorell, Barcelona: Laia, 1982 (El nus; 37).

CARRANZA, Maite. *La nit dels arutams*, Barcelona: Columna, 1990 (Columna jove; 12). Trad. cast. *La selva de los arutams*, Madrid, SM.

——. *Prohibit de ploure els dissabtes*. Barcelona: La Magrana, 1988 (El petit Esparver; 31). Trad. cast *Prohibido llover los sábados*, Anaya, 1993. Incluye los cuentos: *El cuento de Eric. El cuento de Francis. El cuento de Tania. El cuento de Julián.*

CELA, Jaume. *El lladre d'ombres*, Il. Lluïsot, Barcelona: Cruïlla--SM, 1989 (El vaixell de vapor; 70). Trad. cast. *El ladrón de sombras*, SM, 1990.

CIRICI, David. *Llibre de vòlics, laquidambres i altres espècies*. Il. M. Balaguer, Barcelona: Destino, 1986. Trad. cast. *Libro de voliches, laquidambrios y otras especies*.

CLEARY, Beverly. *Ramona empieza el curso*. Madrid: Espasa--Calpe, 1988 (Austral juvenil; 91) (*Ramona Quimby, age 8*. New York, W. Morrow & Company, 1981).

COLE, B. *Lo malo de mamá*. Madrid: Altea, 1988 (Altea Benjamín; 67) (*The trouble with Mum*, 1983).

COMPANY, Mercè. *El germà gran*. Il. F. Rovira, Barcelona: La Galera, 1985 (Els grumets). Trad. cast. *Mi hermano mayor*.

——. *La història de l'Ernest*. Il. J. M. Lavarello, Madrid: Cruïlla-SM, 1985 (El vaixell de vapor; 14). Trad. cast. *La historia de Ernesto*.

——. *La Nana Bunilda menja malsons*. Barcelona: Cruïlla-SM, 1985 (Contes de la torres i l'estel; 14). Trad. cast. *Nana Bunilda come pesadillas*.

——. *En Gil i el paraigua màgic*. Barcelona: Publicacions de l'Abadia de Montserrat, 1982 (Els llibres de la lluna, 17). Trad. cast. *Gil y el paraguas mágico*.

CHRISTOPHER, John. *Los guardianes* (Trilogía "Los Trípodes"). Madrid: Alfaguara, 1979 (Alfaguara juvenil; 21) (*The Guardians*, 1970).

DAHL, Roald. *Charlie y la fábrica de chocolate*. Il. F. Jacques, Madrid: Alfaguara, 1978 (Alfaguara juvenil; 15) (1964). Trad. cat. *Charlie i la fàbrica de xocolata*.

——. *Las brujas*. Il. Quentin Blake, Madrid: Alfaguara, 1985 (Alfaguara juvenil; 147) (*The Witches*, London, 1983). Trad. cat. *Les bruixes*.

DELGADO, Josep Francesc. *Si puges al Samarghata*. Barcelona: Laia, 1988 (El Nus; 71). Trad. cast. *Las voces del Everest*, SM.

DURAN, Teresa. *Joanot de Rocacorba, 1431-1482*. Il. Durer; Leonardo Da Vinci, Barcelona: La Galera, 1983 (Els grumets). Trad. cast. *Juanón de Rocacorba*, Madrid, SM.

DURRELL, Gerald. *Los secuestradores de burros*. Madrid: Alfaguara, 1982 (Alfaguara juvenil; 46) (*The Donkey Rustlers*, 1968). Trad. cat. *Els segrestadors de burros*.

——. *El pájaro burlón*. Madrid: Alfaguara, 1983 (Alfaguara juvenil; 77) (*The Mockery Bird*, 1981).

EGUILLOR, Juan Carlos. *La ciudad de la lluvia*. Madrid: Espasa-Calpe, 1984 (Austral juvenil; 2).

ENDE, Michael. *Momo*. Madrid: Alfaguara, 1978 (Alfaguara juvenil; 19) (*Momo*, Stuttgart, 1973). Trad. cat. *Momo*.

———. *La historia interminable*. Madrid: Alfaguara, 1982 (Alfaguara juvenil; 50). (*Die cenendliche Geschicht*, Stuttgart, Verlag, 1979) Trad. cat. *La història interminable*.

———. *El tragasueños*. Il. A. Fuchschber. Barcelona: Joventut, 1980 (Cuadrada). (*Das Traumfressrchen*, Stuttgart, Verlag, 1978) Trad. cat. *L'endrapasomnis*.

ESCARPIT, Robert. *Els reportatges d'en Gep Mandonguilla*. Barcelona: Joventut, 1981 (*Les reportages de Routelabosse*, Paris, Magnard, 1978). Trad. cast. *Los reportajes de Chepa Rulo*.

FARIAS, Juan. *Años difíciles*. Il. R. Díaz, Valladolid: Miñón, 1983 (Las campanas; 42).

———. *Por tierras de pan llevar*. Il. J. R. Alonso, Valladolid: Miñón, 1987 (Las Campanas; 79).

FARRÉ, Marie-Raymond. *¡Ah, si yo fuera un monstruo!* Il. D. Maja, Barcelona: Aliorna, 1987 (Aliorna joven; 9). (*Ah!, Si j'étais un monstre...* Hachette, 1979). Trad. cat. *Ah, si jo fos un monstre!*

FERNÁNDEZ DE VELASCO, Miguel Martín. *Pabluras*. Barcelona: Noguer, 1983 (Cuatro vientos; 40).

GALEANO, Emilio. *La piedra arde*. Il. L. de Horna, Salamanca: Lóguez, 1980.

GARDELLA, M. Angels. *En Gilbert i les línies*. Il. J. A. Poch, Barcelona: La Galera, 1983 (Els grumets). Trad. cast. *Gilberto y las líneas*.

GEORGE, Jean Graighead. *Julie y los lobos*. Madrid: Alfaguara, 1978 (Alfaguara juvenil; 10) (*Julie of the wolves*, New York, 1972). Trad. cat. *Julie dels llops*.

GISBERT, Joan Manuel. *El misterio de la isla de Tokland*. Il. A. Lenguas, Madrid: Espasa-Calpe, 1981 (Austral Juvenil; 7).

———. *Escenarios fantásticos*. Il. M. Calatayud, Barcelona: Labor, 1979 (Labor bolsillo juvenil; 17).

———. *El museo de los sueños*. Il. F. Solé, Madrid: Espasa-Calpe, 1981 (Austral Juvenil; 40).

GOSCINNY. *El pequeño Nicolás*. Il. Sempé, Madrid: Alfaguara, 1985 (Infantil Alfaguara, Álbumes de bolsillo; 14) (*Le petit Nicolas*, Paris, Denoël, 1960). Trad. cat. *El petit Nicolàs*.

GREAVES, Margaret. *Carlos, Emma y Alberico*. Barcelona: La Galera, 1988 (Los grumetes; 49) (*Charlie, Emma and Alberic*, 1980). Trad. cat. *Carles, Emma i Alberic*.

GRIPE, María. *Los hijos del vidriero*. Il. H. Gripe, Madrid: SM, 1980 (El Barco de vapor) (*Glasblasarus Barn*, 1964). Trad. cat. *Els fills del bufador de vidre*.

——. *Elvis Karlsson*. Il. H. Gripe, Madrid: Alfaguara, 1979 (Alfaguara juvenil; 18) (*Elvis Karlsson*, Stockholm, Bonniers Junior Förlag, 1972). Trad. cat. *Elvis Karlsson*.

HAAR, Jaap ter. *El mundo de Ben Lighthart*. Madrid: SM, 1983 (Gran angular; 30) (*Het wereldje van Beer Ligthart*, Holanda, 1973). Trad. cat. *El món de Ben Lighthart*.

HÄRTLING, Peter. *La abuela*. Madrid: Alfaguara, 1978 (Alfaguara juvenil; 17) (*Orna. Die geschichte von Kalle, der seine eltern verliet und von seiner grossmietter aufgenommen wird*, Verlag, 1975). Trad. cat. *La iaia*.

——. *¿Qué fue del Girbel?* Il. Ch. aus dem Siepen, Madrid: Lóguez, 1981 (La joven colección) (*Das war der Hirbel*, 1973). Trad. cat. *Aquest era el Hirbel*.

——. *Theo se larga*. Il. W. y F. Schmidt, Madrid: Alfaguara, 1983 (Alfaguara juvenil; 73). (*Theo haut ab*, Weinheim und Basel, Verlag). Trad. cat. *En Theo se'n va*.

——. *Ben quiere a Anna*. Il. S. Grandes, Madrid: Alfaguara, 1986 (Alfaguara juvenil; 49) (*Ben liebt Anna*, Weinheim und Basel, Verlag, 1984). Trad. cat. *En Ben estima l'Anna*.

HAUGEN, Tormod. *Los pájaros de la noche*. Barcelona: Juventud, 1984 (Gyldendal Norsk Forlag, Noruega, 1975). Trad. cat. *Els ocells de la nit*.

JANER MANILA, Gabriel. *Tot quant veus és el mar*. Il. M. Aránega, Barcelona: La Galera, 1987 (Els grumets). Trad. cast. *Esto que ves es el mar*.

JANER, M. Pau. *L'illa d'Omar*. Il. R. Capdevila, Barcelona: La Galera, 1989 (Els grumets de la galera; 93). Trad. cast. *La isla de Omar*.

JANOSCH. *Historias de conejos*. Madrid: Espasa-Calpe, 1984 (Austral infantil; 1) (*Ach, du liebes Hasenbuchlein*, Munich, Verlag, 1981).

KERR, Judith. *Cuando Hitler robó el conejo rosa*. Madrid: Alfaguara, 1978 (Alfaguara juvenil; 7) (*When Hitler stole pink rabbit*, 1971). Trad. cat. *Quan Hitler va robar el conill rosa*.

KURTZ, Carmen. *Veva*. Barcelona: Noguer, 1980 (Cuatro Vientos; 19).

LANG, Othmar Franz. *Todavía hay fantasmas*. Il. T. y W. Reiner, Barcelona: La Galera, 1983 (Los grumetes; 15) (*Wo gibt's heute noch Gespenster*, Berlin, 1981). Trad. cat. *Encara queden fantasmes*.

LANUZA, Empar de. *El savi rei boig i altres contes*. Il. M. Ginesta, Barcelona: La Galera, 1979 (Els grumets). Trad. cast. *El sabio rey loco*. Incluye los cuentos: *El sabio rey loco. Historia de un lápiz. Antonio, Juanito y las perdices. Marianín, el cazador de gorriones. La princesa Paulina. El gallo de pelea. El niño y el guerrero de chocolate. El botón que rodó por el mundo. La lechera fabulista. El cumpleaños de Andrea. El niño que no sabía ser valiente. El Gigante chico. Felipe y las cuatro estaciones. El niño que quiso ser perro y el perro que quiso ser niño. La anciana, la gata y el espliego. El brujo bromista*.

LIENAS, Gemma. *Aixi és la vida, Carlota*. Barcelona: Empúries, 1989 (L'Odissea; 45). Trad. cast. *Así es la vida, Carlota*, Madrid, SM.

LINDGREN, Astrid. *¡Yo también quiero tener hermanos!* Il. Ilon Wikland, Barcelona: Juventud, 1981 (*Jag vill ocksa ha ett syskon*, Estocolm, Ab Rabén & Sjögren Bokförlag, 1978). Trad. cat. *Jo també en vull, de germanets!*

——. *Ronja, la hija del bandolero*. Barcelona: Juventud, 1985 (*Ronja, rovardotter*, Estocolmo, 1981). Trad. cat. *Ronja, la filla del bandoler*.

——. *Miguel el travieso*. Barcelona: Juventud, 1978 (*Emil y Lönneberga*, Estocolm, 1963). Trad. cat. *En Miquel de Lönneberga*.

LOBE, Mira. *El fantasma de palacio*. Madrid: SM, 1983 (El Barco de vapor; 47) (*Das Schossgespenst*). Trad. cat. *El fantasma del palau*, 1988.

LOBEL, Arnold. *Historias de ratones*. Madrid: Alfaguara, 1978 (Alfaguara Infantil, Álbumes de bolsillo; 12) (*Mouse Tales*, USA, 1972).

——. *Sapo y Sepo son amigos*. Madrid: Alfaguara, 1979 (Infantil Alfaguara, Álbumes de bolsillo; 26) (*Frog and Toad Are Friends*, USA, 1970). Trad. cat. *En Gripau i en Gripou són amics*.

LÖÖF, Jan. *Mi abuelo es pirata*. Valladolid: Miñón, 1982 (*Morfar ar sjorovare*, Copenhagen, Carlsen, 1974).

LÓPEZ NARVÁEZ, Concha. *La tierra del sol y de la luna*. Il. J. R. Alonso, Madrid: Espasa-Calpe, 1984 (Austral Juvenil; 34).

——. *El amigo oculto y los espíritus de la tarde*. Barcelona: Noguer, 1985 (Cuatro Vientos; 51).

LOWRY, Lois. *Un estiu per morir*. Barcelona: La Magrana, 1985 (*A Summer to Die*, 1977). Trad. cast. *Un verano para morrir*, Aliorna, 1987.

——. *Anastasia Krupnik*. Il. V. Cruz, Madrid: Espasa-Calpe, 1987 (Austral juvenil; 79) (*Anastasia Krupnik*, Boston, H. Mifflin, 1979). Trad. cat. *Anastàsia Krupnik*, Aliorna.

MAHY, Margaret. *El secuestro de la bibliotecaria*. Madrid: Altea, 1983 (Altea mascota; 3) (*The librarian and the robbers*, Dent & Sons, Ltd. 1978). Trad. cat. *El segrest de la bibliotecària*, La Magrana, 1985.

MAJOR, Kevin. *Querido Bruce Springsteen*. Barcelona: Ediciones B, 1988 (Vía libre; 1) (*Dear Bruce Springsteen*, 1987). Trad. cat. *Estimat Bruce Springsteen*.

MANZI, Alberto. *"El Loco"*. Il. J. A. Vallvé, Barcelona: La Galera, 1983 (Los grumetes) (*"El Loco"*, Firenze, Salani, 1979). Trad. cat. *"El Loco", història d'una revolta*.

MARTÍ I POL, Miquel. *En Joan Silencis*. Il. C. Solé Vendrell, Barcelona: La Magrana, 1988 (L'esparver il. ilustrat; 3).

MARTÍN GAITE, Carmen. *El castillo de las tres murallas*. Il. J. C. Eguilor, Barcelona, Lumen, 1981 (Grandes autores bolsillo; 39).

MARTÍN, Andreu; RIBERA, Jaume. *No demanis llobarro fora de temporada*. Barcelona: Laia, 1987 (El Nus; 65). Trad. cast. *No pidas sardina fuera de temporada*, Madrid, Alfaguara.

MARTÍN, Paco. *Cosas de Ramón Lamote*. SM, 1987 (El barco de vapor; 39) (*Das cousas de Ramon Lamote*, Vigo, Galaxia, 1985). Incluye los cuentos: *La llegada del "reparante". La señora sentada en la escalera. El invento del Entomodelfo. El tubo. La estación* y *La carrera de nubes*. Trad. cat. *Les coses de Ramon Lamote.*

MARTÍNEZ GIL, Fernando. *El río de los castores*. Il. M. Puncel, Barcelona: Noguer, 1980 (Cuatro Vientos; 21).

MARTÍNEZ VENDRELL, Maria. *Yo las quería*. Il. C. Solé Vendrell, Barcelona: Destino, 1984. Trad. cat. *Jo les volia.*

MAYER, Mercer. *Una pesadilla en mi armario*. Madrid: Altea, 1982 (Altea benjamín; 50) (*There's a nightmare in my closet*, USA, The Dial Press, 1968).

MCKEE, David. *¡Ahora no, Fernando!* Madrid: Altea, 1984 (Altea benjamín; 87) (*Not Now Bernard*, London, Andersen Press, 1980).

MINARIK, Else Holmelund. *Osito*. Il. M. Sendak, Madrid: Alfaguara, 1980 (Infantil Alfaguara, Álbumes de bolsillo; 5) (*Little Bear,* New York, 1957). Trad. cat. *El petit ós.*

MORENO, M. Victoria. *Natalia (Anagnórisis)*. Barcelona: Pirene, 1989 (Garona; 5) (*Anagnórise*, Vigo, 1989).

MUNCHS, R. *¡Quiero hacer pis!* Madrid: Altea, 1988 (Altea benjamín; 169) (*I have to go!* 1986).

NÖSTLINGER, Christine. *Querida abuela... tu Susi*. Madrid: SM, 1987 (El Barco de vapor; 36) (*Liebe Oma, Deine Susi*, 1985). Trad. cat. *Estimada iaia, la teva Susie.*

———. *Konrad o el niño que salió de una lata de conservas*. Il. J. Wittkamp, Madrid: Alfaguara, 1980 (Alfaguara juvenil; 25) (*Konrad oder das kind aus der konservenbuchse*, Hamburg, 1975). Trad. cat. *Konrad.*

———. *Filo entra en acción*. Il. C. Gatagán, Madrid: Espasa--Calpe, 1983 (Austral juvenil; 29) (*Der Denker greift ein*, Viena-Munich, 1981).

———. *Me importa un comino el rey Pepino*. Il. W. Maurer, Madrid: Alfaguara, 1984 (Alfaguara juvenil; 100) (*Wir Pfeifen auf den Gurkenkonig*, Weinheim und Basel, 1972).

———. *Piruleta*. Il. A. Kaufman, Madrid: Alfaguara, 1984 (Alfaguara, juvenil; 72) (*Lollipop*, 1977).

O'Callaghan y Duch, Elena. *El petit roure*. Il. C. Peris, Barcelona: Cruïlla-SM, 1987 (El Vaixell de vapor, 46). Trad. cast. *Pequeño roble*, Barcelona, SM, 1990.

Obiols, Miquel. *Tatrebill en contes uns*. Il. R. Castells, Barcelona: Publicaciones de l'Abadia de Montserrat, 1980 (La Xarxa; 32). Incluye los cuentos: *Color de gos com fuig. L'home del sac. Abracadabra. Autopista 17. Margot (o feta a trencafils) y Tatrebill en contes uns*. Trad. cast. *Datrebil: 7 cuentos y 1 espejo*. Espasa-Calpe, 1983.

——. *El tigre de Mary Plexiglàs*. Barcelona: Laia, 1987 (El Nus; 64). Más tarde, Columna. Trad. cast. *El tigre de Mari Plexiglás*, Anaya, 1991.

——. *Quin dia més GGGRRR!* Il. M. Balaguer, Barcelona: Aliorna, 1988 (Baobab; 37). Trad. cast. *Guilhermina GGGRRR...*, Espasa-Calpe, 1989.

——. *Ai Filomena, Filomena! i altres contes*. Barcelona: Joventut, 1977. Incluye los cuentos: *¡Ay, Filomena, Filomena! El caramelo de fresa. ¡La tierra está en las nubes! El cuento de nunca acabar. Miranío y Miranía. ¿Quién quiere cambiar de cabeza? La mesa del rastro y Cola de caballo*. Trad. cast. *¡Ay Filomena, Filomena!*

Paola, Tomi de. *Oliver Button es un Nena*, Valladolid: Miñón, 1982 (Duende) (Harcourt Brace Jovanovich, 1979).

Pedrolo, Manuel de. *Set relats d'intriga i ficció*. Il. J. M. Bea, Barcelona: L'Atzar, 1980 (Lectures de l'estudiant). Incluye los cuentos: *L'origen de les cose. Angels al bar, Impunitat. Transformació de la ciutat. Les civilitzacions són mortals. Pedres a la meva teulada y El cens final*.

Pelot, Pierre. *El único rebelde*. Il. G. de Maccio, Barcelona: La Galera, 1984 (Los grumetes) (*L'unique rebelle*, París, 1971). Trad. cat. *L'únic rebel*.

Plante, Raymond. *El último pasmarote*. Barcelona: La Galera, 1989 (Cronos; 30) (*Le dernier des raisins*, Montreal, Ed. Quebec, 1986). Trad. cat. *L'últim estaquirot*.

Postma, Lidia. *El jardín de la bruja*. Barcelona: Lumen, 1978 (*De Heksentuin*, Lemniscaat Rotterdam, 1978).

Press, Hans Jurgen. *Aventuras de "La Mano Negra"*. Madrid:

Espasa-Calpe, 1981 (Austral juvenil; 10) (*Die Abenteuer der "Schwarzen Hand"*, Verlag, 1965). Trad. cat. *Les aventures de la "Mà negra"*.

PREUSSLER, Otfried. *Las aventuras de Vania el forzudo*. Madrid: SM, 1980 (El barco de vapor; 1) (*Die Abenteuer des starken Wanja*, Stuttgart). Trad. cat. *Les aventures de Vània el forçut*.

PRØYSEN, Alf. *Señora Cucharita*. Il. M. Ginesta, Barcelona: Juventud, 1980 (*Sagam om gumman som blev liten som en tesked*, Estocolmo, 1957). Trad. cat. *Madó Cullereta*.

RAYÓ i FERRER, Miquel. *Les ales roges*. Il. I. Balanyà, Barcelona: La Galera, 1988 (Els Grumets). Trad. cast. *Las alas rojas*.

RAYÓ, Eusèbia. *L'alquimia del cor*. Il. Berga; Vivarès; Seguí. Barcelona: La Galera, 1987 (Els grumets). Trad. cast. *La alquimia del corazón*.

RODARI, Gianni. *Gelsomino en el país de los mentirosos*. Il. R. Verdini. Barcelona: La Galera, 1982 (Los grumetes) (*Gelsomino nel paese dei bugiardi*, Roma, Riuniti, 1980). Trad. cat. *Gelsomino al país dels mentiders*.

———. *Atalanta*. Il. F. Anguera, Barcelona: La Galera, 1983 (Los Grumetes) (*Atalanta*, Roma, 1982). Trad. cat. *Atalanta, una jovencella a la Grècia dels déus i dels herois*.

RODGERS, Mary. *Quin dia tan bèstia!* Barcelona: La Magrana, 1982 (L'Esparver; 13) (*Freaky Friday*, Nueva York, 1972). Trad. cast. *Un viernes embrujado*, Madrid, Alfaguara.

———. *La tele boja*. Barcelona: La Magrana, 1985 (L'Esparver; 46) (*A bilion for Boris*, Nueva York, 1974).

SCHAMI, Rafik. *Una mano llena de estrellas*. Barcelona: Alfaguara, 1988 (L'Esparver; 66) (*Eine hand voller Sterne*, Basel, 1987). Trad. cat. *Una mà plena d'estels*, La Magrana.

SCHMIDT, Annie, M. G. *Uiplalá*. Barcelona: Noguer, 1983 (Mundo mágico; 39) (*Wiplala*, 1957). Trad. cat. *Uiplalà*.

SENDAK, Maurice. *Donde viven los monstruos*. Madrid: Alfaguara, 1977 (Infantil Alfaguara, Álbumes especiales; 5) (*Where the Wild Things Are*, USA, 1963).

SENNELL, Joles. *La guia fantàstica*. Il. M. Brucart, Barcelona: Publicacions de l'Abadia de Montserrat, 1977 (La Xarxa; 10). Trad. cast. *La guía fantástica*, Juventud, 1979.

—. *El núvol de la son*. Il. M. Rius, Barcelona: Publicacions de l'Abadia de Montserrat, 1980 (Llibres de la lluna; 10). Trad. cast. *La nube del sueño*, Ultramar, 1985.

—. *En Patancràs Xinxolaina*. Il. M. Brucart. Barcelona: La Galera, 1981 (Els grumets). Trad. cast. *Pantacracio Jinjolaina*.

—. *El bosc encantat*. Il. M. Rius. Barcelona: Publicacions de l'Abadia de Montserrat, 1982 (La Xarxa; 50). Trad. cast. *El bosque encantado*, Espasa-Calpe, 1985.

—. *El llapis fantàstic*. Barcelona: La Magrana, 1985 (El Petit Esparver; 1). Trad. cast. *El lápiz fantástico*, Labor, 1987; SM, 1996.

—. *Estels fantàstics*. Il. F. Salvà, Barcelona: Publicacions de l'Abadia de Montserrat, 1985 (Llibres de la lluna; 30). Trad. cast. *Cometas fantásticas*, Ultramar.

SOLE VENDRELL, Carme. *La lluna d'en Joan*, Barcelona, Hymsa, 1982. Trad. cast. *La luna de Juan*.

SOMMER-BODENBURG, Angela. *El pequeño vampiro*. Il. A. Glienke, Madrid: Alfaguara, 1985 (Alfaguara juvenil) (*Der Kleine vampir*. Hamburg, 1979). Trad. cat. *El petit vampir*.

SORRIBAS, Sebastià. *La cinquena gràcia de Collpelat*. Il. P. Bayés, Barcelona: La Galera, 1983 (Els grumets). Trad. cast. *La quinta gracia de Navapelada*.

STEVENSON, James. *¡No nos podemos dormir!* Barcelona: Anaya, 1983 (*We Can't Sleep*, New York, Greenwillow, 1980). Trad. cat. *No tenim son!* Barcanova.

TASHLIN, Frank. *El oso que no lo era*. Madrid: Alfaguara, 1981 (Alfaguara Infantil-juvenil; 36) (*The Bear that Wasn't*, USA. 1946). Trad. cat. *Però jo sóc un ós!* Aliorna.

TOMKINS, Jasper. *El catálogo*. Barcelona: Juventud, 1986 (California, The Green Tiger Press, 1981). Trad. cat. *El Catàleg*.

TOURNIER, Michel. *Viernes o la vida salvaje*. Barcelona: Noguer, 1983 (Cuatro vientos) (*Vendredi ou la vie sauvage*, Paris, 1971). Trad. cat. *Divendres o la vida salvatge*.

UNGERER, Tomi. *El sombrero*. Madrid: Alfaguara, 1978 (Infantil Alfaguara, Álbumes de bolsillo; 10) (*The hat*, Zurich, Verlag, 1970).

———. *Los tres bandidos*. Valladolid: Miñón, 1981 (Zurich, Verlag, 1963).

———. *Crictor*. Madrid: Alfaguara, 1986 (*Crictor, die gute Schlange*, USA, 1958, Zurich, Verlag, 1963).

VALLVERDÚ, Josep. *L'alcalde Ferrovell*. Il. J. Gual, Barcelona: La Galera, 1981 (Els grumets). Trad. cast. *El alcalde Chatarra*.

———. *El fill de la pluja d'or*. Il. R. Recio, Barcelona: La Galera, 1984 (Els grumets, 65). Trad. cast. *El hijo de la lluvia de oro*.

VERGÉS, Oriol. *La ciutat sense muralles*. Il. I. Monés, Barcelona: La Galera, 1978 (Els grumets). Trad. cast. *La ciudad sin murallas*.

———. (1979): *El superfenomen*. Il. I. Monés, Barcelona: Laia (El Nus; 16).

VERY, Pierre. *Los desaparecidos de Saint-Agil*. Madrid: Altea, 1983 (Altea junior, enigmas; 15) (*Les Disparus de Saint-Agil*, París, Gallimard, 1981; 1ª edición en los años treinta).

VRIES, Anke de. *Mi calle*. Il. R. Capdevila, Barcelona: La Galera, 1982 (Los grumetes) (*Bij ons in de Straat*, Rotterdam, 1978). Trad. cat. *El carrer de casa*.

———. *Cómplice*. Madrid: SM, 1985 (Gran Angular; 17) (*Medeplichtig*. Rotterdam, 1984). Trad. cat. *Còmplice*.

WELLS, Rosmary. *¡Julieta, estáte quieta!* Madrid: Altea, 1981 (Altea benjamín; 8) (*Noisy Nora*, New York, The Dial Press, 1973).

WILLIAMS, Leslie. *Què hi ha darrera l'arbre?* Il. C. Solé Vendrell, Barcelona: Hymsa, 1984 (*What's behind that tree?* G. B., Blackie & Son, 1984). Trad. cast. *¿Qué hay detrás del árbol?*, 1985.

WINDBERG, Anna-Greta. *Cuando uno se va* (*När någon bara sticker*, Estocolmo, Ab Rabén Sjögren, 1972). Trad. cat. *Quan un toca el dos*, Barcelona: La Magrana.

YEOMAN, John. *La rebelión de las lavanderas*. Il. Quentin Blake, Madrid: Altea, 1981 (Altea benjamín; 19) (*The wild Washerwomen*, H. Hamilton Ltd., 1979).

ZATON, Jesús; PUEBLA, Teo. *Un gato viejo y triste*. Bilbao: Júcar, 1988 (Manzana Mágica). Trad. cat.: *Un gat vell i trist*.

Lista das obras conforme a faixa etária recomendada para leitura

Obras para 5-8 anos

1. AHLBERG, A. y J.: *¿Qué risa de huesos!*
2. BALAGUER, M.: *¡Adiós, buen viaje!*
3. BALAGUER, M.: *Quan plou de nit*
4. BALZOLA, A.: *Munia y el cocolilo naranja*
5. BEER, H. de: *¿A dónde vas, osito polar?*
6. CARBO, J.: *L'ocell meravellós*
7. COLE, B.: *Lo malo de mamá*
8. COMPANY, M.: *La Nana Bunilda come pesadillas*
9. EGUILLOR, J. C.: *La ciudad de la lluvia*
10. ENDE, M.: *El tragasueños*
11. JANOSCH: *Historias de conejos*
12. LINDGREN, A.: *¡Yo también quiero tener hermanitos!*
13. LOBEL, A.: *Sapo y Sepo son amigos*
14. LOBEL, A.: *Historias de ratones*
15. LÖÖF, J.: *Mi abuelo es pirata*
16. MARTÍNEZ i VENDRELL, M.: *Yo las quería*
17. MAYER, M.: *Una pesadilla en mi armario*
18. MCKEE, D.: *¡Ahora no, Fernando!*
19. MINARIK, E. H.: *Osito*
20. MUNCHS, R.: *¡Quiero hacer pis!*
21. PAOLA, T. de: *Oliver Button es un Nena*
22. SENDAK, M.: *Donde viven los monstruos*
23. STEVENSON, J.: *¡No nos podemos dormir!*
24. TASHLIN, F.: *El oso que no lo era*
25. TOMKINS, J.: *El catálogo*
26. UNGERER, T.: *Crictor*
27. UNGERER, T.: *El sombrero*
28. UNGERER, T.: *Los tres bandidos*
29. WELLS. R.: *¡Julieta, estáte quieta!*
30. WILLIAMS, L.: *¿Qué hay detrás del árbol?*
31. YEOMAN, J.: *La rebelión de las lavanderas*
32. ZATON, J.: *Un gato viejo y triste*

Obras para 8-10 anos

1. ALONSO, F.: *El hombrecillo de papel*
2. ALONSO, F.: *El hombrecito vestido de gris*
3. BISSET, D.: *Cuentos para engordar un tigre*
4. CALDERS, P.: *Cepillo*
5. CARRANZA, M.: *Prohibido llover los sábados*
6. CIRICI, D.: *Libro de voliches, liquidambrios y otras especies*
7. CLEARY, B.: *Ramona empieza el curso*
8. COMPANY, M.: *Gil y el paraguas mágico*
9. COMPANY, M.: *La historia de Ernesto*
10. GALEANO, E.: *La piedra arde*
11. GREAVES, M.: *Carlos, Emma y Alberico*
12. LANUZA, E. de: *El sabio rey loco y otros cuentos*
13. LINDGREN, A.: *Miguel el travieso*
14. LOBE, M.: *El fantasma de palacio*
15. MAHY, M.: *El secuestro de la bibliotecaria*
16. NÖSTLINGER, Ch.: *Querida abuela... tu Susi*
17. OBIOLS, M.: *¡Ay Filomena, Filomena!*
18. OBIOLS, M.: *Guillermina GGGRRR...*
19. POSTMA, L.: *El jardín de la bruja*
20. PREUSSLER, O.: *Las aventuras de Vania el forzudo*
21. PRØYSEN, A.: *Señora Cucharita*
22. RODARI, G.: *Gelsomino en el país de los mentirosos*
23. SCHMIDT, A.: *Uiplalá*
24. SENNELL, J.: *El lápiz fantástico*
25. SENNELL, J.: *La nube del sueño*
26. SENNELL, J.: *Cometas fantásticas*
27. SOLÉ i VENDRELL, C.: *La luna de Juan*

Obras para 10-12 anos

1. ALONSO, F.: *El bosque de piedra*
2. ALONSO, F.: *Feral y las cigueñas*
3. CANELA, M.: *Asperú, juglar embrujado*
4. CANELA, M.: *Los siete enigmas del iris*
5. CARBO, J.: *Felipe Marlot, detective*
6. CELA, J.: *El ladrón de sombras*

7. COMPANY, M.: *Mi hermano mayor*
8. DAHL, R.: *Charlie y la fábrica de chocolate*
9. DAHL, R.: *Las brujas*
10. DURRELL, G.: *Los secuestradores de burros*
11. ESCARPIT, R.: *Los reportajes de Chepa Rulo*
12. FARIAS, J.: *Años difíciles*
13. FARRE, M. L.: *¡Ah, si yo fuera un monstruo!*
14. GARDELLA, M. A.: *Gilberto y las líneas*
15. GISBERT, J. M.: *El misterio de la isla de Tokland*
16. GISBERT, J. M.: *Escenarios fantásticos*
17. GOSCINNY: *El pequeño Nicolás*
18. GRIPE, M.: *Los hijos del vidriero*
19. GRIPE, M.: *Elvis Karlsson*
20. HÄRTLING, P.: *¿Qué fue del Girbel?*
21. HÄRTLING, P.: *Ben quiere a Anna*
22. HÄRTLING, P.: *Theo se larga*
23. HÄRTLING, P.: *La abuela*
24. JANER MANILA, G.: *Esto que ves es el mar*
25. JANER, M. P.: *La isla de Omar*
26. KURTZ, C.: *Veva*
27. LANG, O. F.: *Todavía hay fantasmas*
28. LINDGREN, A.: *Ronja, la hija del bandolero*
29. LOWRY, L.: *Anastasia Krupnik*
30. MARTÍ i POL, M.: *En Joan Silencis*
31. MARTÍN GAITE, C.: *El castillo de las tres murallas*
32. MARTÍN, P.: *Cosas de Ramon Lamote*
33. MARTÍNEZ GIL, F.: *El río de los castores*
34. NÖSTLINGER, Ch.: *Filo entra en acción*
35. NÖSTLINGER, Ch.: *Konrad*
36. NÖSTLINGER, Ch.: *Me importa un comino el rey Pepino*
37. NÖSTLINGER, Ch.: *Piruleta*
38. O'CALLAGHAN, E.: *Pequeño roble*
39. OBIOLS, M.: *Datrebil 7 cuentos y 1 espejo*
40. PELOT, P.: *El único rebelde*
41. PRESS, H. J.: *Aventuras de la Mano Negra*
42. RAYÓ I FERRER, M.: *Las alas rojas*
43. RAYÓ, E.: *La alquimia del corazón*
44. SENNELL, J.: *El bosque encantado*

45. SENNELL, J.: *Pantacracio Jinjolaina*
46. SENNELL, J.: *La guía fantástica*
47. SOMMER-BODENBURG, A.: *El pequeño vampiro*
48. SORRIBAS, S.: *La quinta gracia de Navapelada*
49. VALLVERDÚ, J.: *El alcalde Chatarra*
50. VRIES, A. de: *Mi calle*

Obras para 12-15 anos

1. BALZOLA, A.: *Ala de mosca*
2. BALZOLA, A.: *Christie y la cazadora de Indiana Jones*
3. BARBAL, M.: *Canto rodado*
4. BECKMAN, T.: *Mi padre vive en Brasil*
5. CARBO, J.: *La casa sobre el gel*
6. CARRANZA, M.: *La selva de los arutams*
7. CHRISTOPHER, J.: *Los guardianes*
8. DELGADO, J. F.: *Las voces del Everest*
9. DURAN, T.: *Juanón de Rocacorba*
10. DURRELL, G.: *El pájaro burlón*
11. ENDE, M.: *La historia interminable*
12. ENDE, M.: *Momo*
13. FARIAS, J.: *Por tierras de pan llevar*
14. FERNÁNDEZ DE VELASCO, M.: *Pabluras*
15. GEORGE, J. C.: *Julie y los lobos*
16. GISBERT, J. M.: *El museo de los sueños*
17. HAAR, J.: *El mundo de Ben Lighthart*
18. HAUGEN, T.: *Los pájaros de la noche*
19. KERR, J.: *Cuando Hitler robó el conejo rosa*
20. LIENAS, G.: *Así es la vida, Carlota*
21. LÓPEZ NARVÁEZ, C.: *El amigo oculto y los espíritus de la tarde*
22. LÓPEZ NARVÁEZ, C.: *La tierra del sol y de la luna*
23. LOWRY, L.: *Un verano para morir*
24. MAJOR, K.: *Querido Bruce Springsteen*
25. MANZI, A.: *"El Loco"*
26. MARTÍN, A.: *No pidas sardina fuera de temporada*
27. MORENO, M. V.: *Natalia (Anagnórisis)*

28. OBIOLS, M.: *El tigre de Mari Plexiglás*
29. PEDROLO, M. de: *Set relats d'intriga i ficció*
30. PLANTE, R.: *El último pasmarote*
31. RODARI, G.: *Atalanta*
32. RODGERS, M.: *La tele boja*
33. RODGERS, M.: *Un viernes embrujado*
34. SAHAMI, R.: *Una mano llena de estrellas*
35. TOURNIER, M.: *Viernes o la vida salvaje*
36. VALLVERDU, J.: *El hijo de la lluvia de oro*
37. VERGÉS, O.: *El superfenomen*
38. VERGÉS, O.: *La ciudad sin murallas*
39. VERY, P.: *Los desaparecidos de Saint Agil*
40. VRIES, A. de: *Cómplice*
41. WINDBERG, A. G.: *Cuando uno se va*

Anexo 4
Quadros dos resultados numéricos da análise

Os resultados numéricos dos quadros deste Anexo surgem da aplicação da ficha de análise a cada uma das unidades narrativas, ou seja, às 201 narrativas que as 150 obras do *corpus* selecionado contêm. Os resultados foram contabilizados agrupando as obras divididas nos quatro blocos de faixas etárias recomendadas, por um lado e, por outro, no total do *corpus*. Os resultados numéricos se encontram expressos em percentuais relacionados aos dois tipos de grupos: por colunas de idade e em uma coluna de resultados globais sobre o total do *corpus*[1]. A ordem dos quadros segue a dos itens da ficha de análise[2].

I. A representação literária do mundo

1. Gêneros literários[3]

QUADRO 1

	05-08	08-10	10-12	12-15	Global
Tradicional	18,75	22,38	18,19	6,38	16,92
Fantasia moderna[4]	68,76	59,70	29,09	8,52	41,79
Sobrenatural	0,00	1,50	5,45	8,52	2,98
Ficção científica	0,00	2,98	5,45	10,63	4,98
Constr. da personalidade[5]	9,37	10,46	21,83	31,9	18,41
Aventura	0,00	0,00	1,81	8,52	2,48
Viver em sociedade	3,12	2,98	9,09	12,76	6,96
N. Históricas	0,00	0,00	0,00	4,25	1,00
N. Policiais	0,00	0,00	9,09	8,52	4,48
	100	100	100	100	100

Quadro 2
Divisão da Fantasia Moderna

	5-8	08-10	10-12	12-15	Global
Fantasia moderna	34,38	49,26	27,28	8,52	32,34
Animais humanizados	34,38	10,44	1,81	0,00	9,45
	68,76	**59,70**	**29,09**	**8,52**	**41,79**

Quadro 3
Divisão da Construção de Personalidade Própria

	5-8	08-10	10-12	12-15	Global
Relações interpessoais	3,12	5,98	18,20	10,62	9,95
Relações entre iguais	0,00	1,50	3,63	2,12	2,00
Amadurecimento	6,25	2,98	0,00	19,15	6,46
	9,37	**10,46**	**21,83**	**31,9**	**18,41**

2. Presença e tipo de novidade temática[6]

Quadro 4
Obras do *CORPUS*. Temas segundo a primeira entrada[7]

	5-8	08-10	10-12	12-15	Global
Psicológicos	31,25	4,47	12,72	10,64	12,44
Inadequados	9,38	2,98	9,09	14,89	8,45
Sociais	12,50	17,92	20,00	34,05	21,40
Familiares	0	1,50	9,09	10,64	5,48
Jogos	21,87	13,43	30,92	12,76	19,40
	75	**40,30**	**81,82**	**82,98**	**67,17**

Quadro 5
Tipo de novidade temática. Proporção interna.
Conjunto de entradas

	5-8	8-10	10-12	12-15	Global
Psicológicos	41,66	11,12	19,71	21,67	22,42
Inadequados	12,52	7,40	13,64	21,67	14,95
Sociais	16,66	44,45	24,25	30,00	28,73
Familiares	0,00	3,70	15,17	15,00	10,34
Jogos	29,16	33,33	27,28	11,66	23,56
	100	**100**	**100**	**100**	**100**

3. Desenlace[8]

QUADRO 6

	5-8	8-10	10-12	12-15	Global
Desaparecimento	71,88	79,10	60,00	40,43	63,68
Assunção	6,25	8,95	18,18	25,53	14,92
Negativo	6,25	1,50	1,82	8,51	3,98
Aberto	15,62	10,45	20,00	25,53	17,42
	100	100	100	100	100

4. Personagens

4.1. Protagonistas

QUADRO 7
TIPO DE PROTAGONISTAS

	5-8	8-10	10-12	12-15	Global
Humanos	59,37	64,18	94,54	97,88	79,60
Animais	31,25	8,95	1,82	0,00	8,46
Fantásticos	9,38	26,87	3,64	2,12	11,94
	100	100	100	100	100

QUADRO 8
IDADE DOS PROTAGONISTAS

	5-8	8-10	10-12	12-15	Global
Infantis	62,50	46,27	58,18	65,95	56,71
Adultos	25,00	29,85	32,73	34,05	30,85
Ambos ou indeterminados	12,50	23,88	9,09	0,00	12,44
	100	100	100	100	100

QUADRO 9
SEXO DOS PROTAGONISTAS

	5-8	8-10	10-12	12-15	Global
Masculinos	56,25	50,75	69,09	57,44	58,20
Femininos	28,12	20,89	18,18	34,04	24,38
Ambos ou indeterminados	15,63	28,36	12,73	8,52	17,42
	100	100	100	100	100

Quadro 10
Profissão dos protagonistas[9]

	5-8	8-10	10-12	12-15	Global
Atuais	3,12	10,44	18,18	29,80	15,92
Trabalhos domésticos	3,12	1,50	0,00	0,00	0,99
Conto popular	6,25	23,88	10,92	0,00	11,94
De aventura	6,25	0,00	0,00	2,12	1,49
Indeterminados	81,26	64,18	70,90	68,08	69,66
	100	100	100	100	100

4.2. Antagonistas

Quadro 11
Presença e tipo de antagonistas[10]

	5-8	8-10	10-12	12-15	Global
Humanos	25,00	25,38	54,55	44,68	37,81
Animais	3,12	5,97	0	0	2,48
Fantásticos	9,37	4,47	12,73	6,38	7,96
	37,49	35,82	67,28	51,06	48,25

Quadro 12
Conotação negativa dos antagonistas[11]

	5-8	8-10	10-12	12-15	Global
Negativos	9,37	14,92	47,28	38,29	28,35
Reconvertidos	9,37	13,44	9,09	0,00	8,45
Desmitificados	9,37	0,00	0,00	0,00	1,50
Funcionais	9,37	7,46	10,90	12,77	9,95
	37,48	35,82	67,28	51,06	48,25

5. Cenário narrativo

5.1. Contexto de relações[12]

QUADRO 13

	5-8	8-10	10-12	12-15	Global
Família	53,12	31,35	45,45	34,05	39,30
Assimilável	25,00	19,40	18,18	27,65	21,89
Viver só	12,50	19,40	27,28	31,93	23,38
Comunais	6,25	2,98	3,64	4,25	3,98
Não especificado	3,13	26,87	5,45	2,12	11,45
	100	100	100	100	100

5.2. Quadro espacial

QUADRO 14

	5-8	8-10	10-12	12-15	Global
Habitação	37,50	16,42	14,55	6,38	16,92
Núcleo urbano	40,63	47,76	54,55	55,32	50,25
Paisagem aberta	21,87	29,85	25,45	36,18	28,85
Lugar fantástico	0,00	5,97	5,45	2,12	3,98
	100	100	100	100	100

5.3. Quadro temporal

QUADRO 15

	5-8	8-10	10-12	12-15	Global
Antigo	0,00	4,47	5,45	21,28	7,96
Atual	71,87	56,71	73,37	72,35	68,16
Futuro	0,00	5,97	3,64	4,25	3,98
Indeterminado	28,13	32,85	14,54	2,12	19,90
	100	100	100	100	100

II. A fragmentação narrativa

2.1. Grau elevado de autonomia entre as unidades narrativas

Quadro 16

	5-8	8-10	10-12	12-15	Global
Autonomia	37,50	19,40	60,00	51,06	40,80
Sem autonomia	62,50	80,60	40,00	48,94	59,20
	100	100	100	100	100

2.2. Inclusão de textos não narrativos

Quadro 17

	5-8	8-10	10-12	12-15	Global
Inclusão	18,75	22,38	65,45	53,20	40,80
Não inclusão	81,25	77,62	34,55	46,80	59,20
	100	100	100	100	100

2.3. Mescla de gêneros literários

Quadro 18

	5-8	8-10	10-12	12-15	Global
Mescla	28,12	11,95	52,73	25,54	28,85
Sem mescla	71,88	88,05	47,27	74,46	71,15
	100	100	100	100	100

2.4. Presença de recursos não verbais

Quadro 19

	5-8	8-10	10-12	12-15	Global
Presença	50,00	20,89	29,09	8,52	25,37
Ausência	50,00	79,11	70,90	91,48	74,63
	100	100	100	100	100

III. A complexidade narrativa

3.1. Estrutura narrativa

QUADRO 20

	5-8	8-10	10-12	12-15	Global
Complexa	21,88	20,89	72,72	70,22	46,76
Simples	78,12	79,11	27,28	29,78	53,24
	100	100	100	100	100

3.2. Perspectiva narrativa

QUADRO 21
PRESENÇA E TIPO DE FOCALIZAÇÃO[13]

	5-8	8-10	10-12	12-15	Global
No protagonista	31,25	8,95	36,36	51,07	29,85
Outros	25,00	4,49	9,09	6,38	9,45
	56,25	13,44	45,45	57,45	38,30

3.3. Voz narrativa

QUADRO 22
VOZ NARRATIVA NÃO ULTERIOR

	5-8	8-10	10-12	12-15	Global
Não ulterior	15,62	11,95	14,55	19,15	14,93
Ulterior	84,38	88,05	85,45	80,85	85,07
	100	100	100	100	100

QUADRO 23
VOZ NARRATIVA INTERNA À NARRAÇÃO

	5-8	8-10	10-12	12-15	Global
Interna	12,50	19,40	20,00	42,55	23,88
Externa	87,50	80,60	80,00	57,45	76,12
	100	100	100	100	100

3.4. Ordem temporal

Quadro 24

	5-8	8-10	10-12	12-15	Global
Anacronismos	3,12	11,95	43,64	38,30	25,37
Linearidade	96,88	88,05	56,36	61,70	74,63
	100	100	100	100	100

IV. A complexidade interpretativa

4.1. Ambiguidades de significado

Quadro 25

	5-8	8-10	10-12	12-15	Global
Presença	21,88	13,44	30,91	27,65	22,88
Ausência	78,12	86,56	69,09	72,35	77,12
	100	100	100	100	100

4.2. Distância

4.2.1. Referências à comunicação literária

Quadro 26

	5-8	8-10	10-12	12-15	Global
Presença	9,37	16,42	23,64	36,18	21,90
Ausência	90,63	83,58	76,36	63,82	78,10
	100	100	100	100	100

4.2.2. Utilização e tipos de recursos de humor

Quadro 27
Tipo de recursos humorísticos[14]

	5-8	8-10	10-12	12-15	Global
Gerais	28,12	31,35	29,09	14,89	26,36
Paródia	34,38	2,98	18,18	8,51	13,43
Transgressão	18,75	8,95	12,73	0,00	9,45
	81,25	**43,28**	**60,00**	**23,40**	**49,24**

Quadro 28
Tipo de recursos humorísticos. Proporção interna

	5-8	8-10	10-12	12-15	Global
Gerais	34,62	72,42	48,48	63,63	53,53
Paródia	42,31	6,90	30,30	36,37	27,27
Transgressão	23,07	20,68	21,22	0	19,20
	100	100	100	100	100

4.2.3. Apelo a conhecimentos culturais prévios

Quadro 29

	5-8	8-10	10-12	12-15	Global
Presença	15,63	16,42	67,28	42,55	26,86
Ausência	84,37	83,58	32,72	57,45	73,14
	100	100	100	100	100

4.3. Explicitação do pacto narrativo

4.3.1. Presença de comentários do narrador

Quadro 30

	5-8	8-10	10-12	12-15	Global
Presença	50,00	56,72	87,28	74,46	68,16
Ausência	50,00	43,28	12,72	25,54	31,84
	100	100	100	100	100

4.3.2. Presença do narratário

Quadro 31

	5-8	8-10	10-12	12-15	Global
Presença	46,88	26,86	56,36	27,65	39,30
Ausência	53,12	73,14	43,64	72,35	60,70
	100	100	100	100	100

Notas

1. Logicamente, o percentual global o é em relação ao *corpus* das 150 obras, especificamente, em relação às 201 unidades da análise, e, portanto, não corresponde à soma dos percentuais parciais.
2. Inclui-se uma ampla seleção dos resultados obtidos no trabalho de origem. Excluíram-se os seguintes: Tipo de novidade temática segundo a primeira entrada. Protagonistas animais. Protagonistas fantásticos. Mescla de tipos de personagens. Tipo de mescla. Proporção interna do tipo de antagonistas. Proporção interna da conotação negativa dos antagonistas. Podem consultar em Colomer, T. (1995b).
3. As abreviações dos gêneros correspondem aos termos da ficha de análise: Modelos da literatura tradicional, Fantasia moderna, Forças sobrenaturais, Ficção científica, Construção de personalidade própria, Aventura, Viver em sociedade, Narrativa histórica, Narrativa policial.
4. A Fantasia moderna supõe a soma dos itens: fantasia moderna no sentido estrito e animais humanizados. No quadro seguinte subdividiram-se estes dois itens.
5. A construção de uma personalidade própria supõe a soma dos itens: relações interpessoais, relações entre iguais e amadurecimento pessoal. Um quadro posterior subdivide estes três itens.
6. As abreviações dos quadros deste trecho correspondem às denominações: Foco nos conflitos psicológicos, Problemas sociais novos, Problemas familiares novos e Jogos de transgressão das normas sociais e literárias.
7. Já que este item não tem opções excludentes, recorreu-se a mais de uma entrada temática nas obras nas quais eram tratados temas de importância equivalente. Esta decisão afetou as obras destinadas aos leitores de mais idade, já que elas são as únicas que apresentam combinações importantes de mais de um tema. Neste primeiro quadro se indicam os resultados do cômputo de uma só entrada, expressos em percentuais relativos ao *corpus* das obras analisadas. No quadro seguinte se oferece a proporção interna dos resultados obtidos levando em conta mais de uma entrada temática. A soma dos resultados das colunas corresponde às obras com novidade temática.

8. As abreviações do quadro seguinte correspondem às denominações: Positivo por desaparecimento do problema, Positivo pela assunção do problema, Negativo e Aberto.
9. As abreviações deste quadro correspondem às denominações: Próprio da sociedade atual, Trabalhos domésticos, Próprio dos contos populares, Próprio das narrativas de aventura e Indeterminado.
10. A soma dos resultados das colunas corresponde às obras que apresentam personagens antagonistas.
11. A soma dos resultados das colunas corresponde às obras que apresentam personagens antagonistas.
12. As abreviações deste quadro correspondem às denominações: Família completa, Formas assimiláveis de família, Viver só, Formas comunais e Não especificado.
13. A soma dos resultados das colunas corresponde às obras que apresentam perspectiva focalizada. As abreviações deste quadro correspondem às denominações: Foco no protagonista e Outros focos.
14. A soma dos resultados das colunas corresponde às obras que apresentam recursos humorísticos. As abreviações deste quadro correspondem às denominações: Humor em geral e jogos de absurdo, Desmitificação e paródia, Transgressão das normas literárias e de conduta.

Referências bibliográficas

ADAM, J. M. "Linguistique et littérature: qu'est-ce qu'un texte?". *Langue Française*, 80 "Literature et enseignement, la perspective du lecteur", 5-23, 1988.

ALDERSON, B. "The Irrellevance of Children to the Children's Book Reviewer", 1969. *Children's Book News*, 10-11, January-February, reproducido en Hunt, P., op. cit., 1990.

ALVERMANN, D. E. et al. *Using discussion to promote reading comprehension*. Newark: International Reading Association, 1990. (Trad. cast. *Discutir para comprender*, Madrid, Visor-Aprendizaje, 1990.)

APPLEBEE, A. N. *The Child's Concept of Story: Ages Two to Seventeen*. Chicago III: University of Chicago Press, 1978.

ARBUTHNOT, M. H. *Children and books*. 1947. Chicago: Scott Foresman; 4th. ed. with Zena Sutherland, 1972.

ARIÈS, Ph. *L'enfant et la vie familiale sous L'ancien Régime*. Paris: Seuil, 1962. (Trad. cast. *El niño y la vida familiar en el Antiguo Régimen*, Madrid, Taurus, 1987.) (Trad. port. *A história social da criança e da família*. Rio de Janeiro: Guanabara, 1981.)

ARMELLINI, G. *Come e perché insegnare letteratura. Strategie e tattiche per la scuola secondaria*. Bologna: Zanichelli, 1987.

BAJTIN, M. *Esthétique et théorie du roman*. Paris: Gallimard, 1978 (1ª ed. rusa, 1975) (Trad. cast. *Teoría y estética de la novela,* Barcelona, Taurus, 1989).

BAJTIN, M.; MEDVEDEV, P. N. *The formal method in literary scholarship: A critical introduction to sociological poetics*. Cambridge, MA: Harvard University Press, 1985, citado en NYSTRAND, M., op cit., 1989.

BAL, M. *Teoría de la narrativa. Una introducción a la Narratología*. Madrid: Cátedra, 1990.

BARÓ, M.; MAÑÀ, T. *Les biblioteques a les escoles públiques de Catalunya*. Barcelona: Diputación de Barcelona, 1990.

BARTHES, R. *S/Z*. Paris: Seuil, 1970 (Trad. cast. *S/Z*, Madrid, Siglo xxi, 1980).

BASSA, R. *Literatura infantil catalana i Educació (1939-1985)*. Palma de Mallorca: UIB-Dundació Barceló, 1994.

———. *Literatura infantil, missatge educatiu i intervenció sòcioeducativa*. Mallorca: Ed. Moll-Conselleria de Cultura, 1995.

BAWDEN, N. "Emotional Realism in Books for Young People", *The Horn Book Magazine*, February, 33, 1980.

BELOTTI, G. 1974: *Dalla parte delle bambine*. Milan: Feltrinelli, 1980 (Trad. cast. *A favor de las niñas*, Barcelona, Monte Ávila, 1978).

BENTON, M. "Children Responses to the Text", *IV Symposium of the International Research Society for Children's Literature*, Exeter, 1978. Publicado en FOX, G. et al. *Responses to Children's Literature*. Munich, K. G. Saur, 1983.

———. Fox, G. 1985: *Teaching Literature Nine to Fourteen*. London: Oxford University Press, 1992.

BERSTEIN, B. *Class, codes and control*, London, Routledge and Kegan Paul, 1975; 2ª ed., 1977. (Trad. cast. *Clases, códigos y control*, Madrid, Akal, 1988.)

BERTONI DEL GUERCIO, G. "L'ensenyament del text literari". En: Colomer, T. (coord). *Ajudar a llegir. La formació lectora a primària i secundària*. Barcelona: Barcanova, 87-104, 1992.

BETTELHEIM, B. *The Uses of Enchantment, The Meaning and Importance of Fairy Tales*. London: Thames and Hudson, 1975 (Trad. cast. *Psicoanálisis de los cuentos de hadas*, Madrid, Crítica, 1977.) (Trad. port. *A psicanálise dos contos de fadas*. Rio de Janeiro: Paz e Terra, 1978.)

———. ZELAN, K. *On Learning to Read. The Child's Fascination with Meaning*. New York: Knopf, 1981 (Trad. cast. *Aprender a leer*, Barcelona, Crítica, 1982).

BIERWISCH, M. "Poetics and Linguistics", 1965. En: FREEMAN, D. C. (ed.): *Linguistic and Literary Style*. New York: Rinhehart and Winston, 1970, 96-115, citado en Pozuelo, J. M., op. cit., 1988.

BLACK, J. B. BOWER, G. H. "Episodes as chunks in memory", *Journal of Verbal Learning and Behavior*, 18, 309-318, 1979.

BOOTH, W. "Distance and point of view: An essay in classification". *Essays in Criticism*, 11, 1961 (Trad. cat. Sulla, E., op. cit., 107-148, 1985).

———. *The Rhetoric of Fiction*. Chicago: Chicago University Press, 1974 (Trad. cast. *La retórica de la ficción*, Barcelona, Bosch, A., 1974).

BORTOLUSSI, M. *Análisis teórico del cuento infantil*. Madrid: Alhambra, 1985.

BOURDIEU, P. *L'amour de l'art*. Paris: Ed. de Minuit, 1966, citado en Moisan, C. op. cit., 1990.

BOWLES, S. "New horizons?", *Books for Keeps*. 42, 17, 1987.

BRANTLINGER, P. *Crusoe's Footsteps: Cultural Studies in Britain and America*. New York: Routledge & Kegan Paul, 1990.

BRAUNER, A. *Nos livres d'enfants ont menti*. Pref. H. Wallon, Paris: Sabri, 1951.

BRAVO VILLASANTE, C. *Historia de la literatura infantil española*. Madrid: Doncel, 1959. 2ª ed. 1963.

———. *Historia de la literatura infantil española*. Madrid: Ed. Escuela española, 1985.

BRIOSCHI, F. et al. *Introducción al estudio de la literatura*. Barcelona: Ariel, 1988 (versión castellana de Brioschi, F.; Di Girolamo, C., *Elementi di teoria letteraria*, Principato, 1984).

BRITTON, J. N. "The role of fantasy". En: Meek, M., Warlow, A., Barton, G.: *The Cool Web. The Pattern of Children's Reading*. London: The Bodley Head 40-48, 1977.

BRUFEE, K. "Collaborative learning and the conversation of mankind", *College English*, 34, 634-643, 1984.

———. "Social construction, language, and the authority of knowledge", *College English*, 48, 773-790, 1986.

BRUNER, J. *On Knowing*. New York: Belknap, 1979.

———. *Actual Minds, Possible Words*. Cambridge: Harvard University Press, 1986 (Trad. cast. *Realidad Mental y Mundos Posibles, Los actos que dan sentido a la experiencia*, Madrid, Gedisa, 1988).

BRYANT, S. C. *How to tell stories to children*. Boston: Hougthon Mifflin Company, 1910 (Trad. cast. *Cómo explicar cuentos*, Barcelona, Nueva Tierra, 1965).

BUHLER, K. 1918: *The Mental Development of the Child*. London: Routledge & Kegan Paul, 1949, citado en Applebee, A., op. cit., 1978.

BUNBURY, R.: "Can children read for inference?" En: Bunbury, M. (ed): *Children's Literature: The Power of Story*. Melbourne: Deakin University, 1980.

——.TABBER, R. "A Bicultural Study of Identification: Reader's Responses to the Ironic Treatment of a National Heroe", *Children's Literature in Education*, 20 (1), 25-35, 1989.

BUTLER, D. *Cuslha and Her Books*. Boston: Horn Book, 1980.

CADOGAN, M.; CRAIG, P. *You're a Brick, Angela!: A New Look at Girls' Fiction from 1839-1975*. London: Gollancz, 1976.

CAIRNEY, T. H. *Teaching Reading Comprehension. Meaning Makers at Work*, Open University Press, 1990 (Trad. cast. *Enseñanza de la comprensión lectora*, Madrid, Morata, 1992).

——. LANGBIEN, S. "Building commuties of readers and writers", *The Reading Teacher*, 42, 8, 1989.

CALLEJA, S. *Todo está en los cuentos: propuestas de lectura y escritura*. Bilbao: Mensajero, 1992.

CAMPILLO, M.: "Text/Context: algunes consideracions sobre l'ensenyament de la literatura". En: *Text i ensenyament. Una aproximació interdisciplinària*. Barcelona: Barcanova, 95-116, 1990.

CARANDELL, J. "La Literatura Infantil", *Camp de l'Arpa*. 34, 19-24, 1976.

CARPENTER, H.; PRITCHARD, M. *The Oxford Companion to Children's Literature* (1984). London: Oxford University Press, 1991.

CASTILLO, M. *Grans il.lustradors catalans*. Barcelona: Barcanova-Biblioteca de Catalunya, 1997.

CENDÁN PAZOS, F. *Medio siglo de libros infantiles y juveniles en España (1935-1985)*. Madrid: Fundación Germán Sánchez Ruipérez-Pirámide, 1986.

CENTRO DE DOCUMENTACIÓN F.G.S.R. "250 documentos para la animación", *CLIJ Cuadernos de Literatura Infantil y Juvenil*, 17, 28-32, 1990.

CERRILLO, P.; GARCÍA PADRINO, J. (coord.) *Poesía infantil. Teoría, crítica e investigación*. Universidad Castilla-La Mancha, 1990.

CERVERA, J. *Historia crítica del teatro infantil español*. Madrid: Ed. Nacional, 1982.

———. *Teoría de la literatura infantil*. Bilbao: Mensajero, 1991.

CESARINI, R.; DE FEDERICIS, L. "La ricerca letteraria e la contemporaneità". En: *(1979-1988): Il materiale e l'immaginario. Laboratorio di analisi dei testi e di lavoro critico*. Torino: Loescher, 1988.

COLOMBO, A.; SOMMADOSSI, C. (Ed.) *Lingua e nuova didattica. Insegnare la lingua. Educazione Letteraria*. Milano: Edizione Scolastiche Bruno Mondadori, 1985.

COLOMER, T. "Últimos años de la literatura infantil y juvenil. Del mayo del 68 a la posmodernidad de los 80", *CLIJ. Cuadernos de literatura infantil y juvenil* 26, 14-24, 1991.

———. "Escrito en Democracia", *CLIJ. Cuadernos de literatura infantil y juvenil* 35, 7-19, 1992.

———. "A favor de las niñas. El sexismo en la literatura infantil", *CLIJ. Cuadernos de literatura infantil y juvenil* 57, enero, 7-24, 1994a.

———. "L'adquisició de la competència literària", *Articles de didàctica de la llengua i la literatura* 1, julio, 37-50, 1994b. Trad. cast. "La adquisición de la competencia literaria", *Textos de didáctica de la lengua y la literatura* 4, 8-22, 1995.

———. "El lector de la etapa infantil (0-6 años)", *Alacena* 21, 17-24; y "Los libros en la etapa infantil (0-6 años)", *Alacena* 23, 9-11, 1995a.

———. *La formació del lector literari a través de la literatura infantil i juvenil*. Tesi doctoral. Universitat Autònoma de Barcelona. Facultat de Ciències de l'Educació. Publicacions de la Universidad Autónoma de Barcelona (Microforma), 1995b.

———. "La didáctica de la literatura: temas y líneas de investigación e innovación", En Lomas, C. (coord). *La educación lingüística y literaria en la enseñanza secundaria 1*. Barcelona, ICE UB-Horsori, 123-142, 1996a.

———. "Lectura de ficción y redacción de cuentos en la

escuela primaria". *Textos de Didáctica de la lengua y la literatura*, 10, 29-39, 1996b.

——. "Cómo enseñan a leer los libros infantiles". En Cantero, F. J. *et al.* (ed): *Didáctica de la lengua y la literatura en una sociedad plurilingue del siglo XXI*. Barcelona: Publicacions UB, 203-208, 1997.

——. CAMPS, A. *Ensenyar a llegir ensenyar a comprendre*, Rosa Sensat, Edicions 62, 1991 (Trad. cast. *Enseñar a leer, enseñar a comprender,* Madrid, Celeste-EC, 1996).

COMTE, M.; RISNES, A-P. *Le plaisir de lire. Recherche auprès d'enfants de 11-12 ans*, Université de Genève, cahier n° 45, 1986.

COOPER, J. D. *Improving Reading Comprehension*. Houghton Mifflin Company, 1986 (Trad. cast. *Cómo mejorar la comprensión lectora*, Madrid, Visor, 1990).

CORCORAN, B.; EVANS E. (eds.) *Readers, Texts, Teachers*. Upper Montclair, N. J.: Boynton-Cook, 1987.

COVERI, L. (ac. di.) *Insegnare letteratura nell scuola superiore*. Firenze: La Nuova Italia, 1986.

CRAGO, H. "Cultural categories and criticism of children's literature", *Signal* 30, Thimble Press, 140-50, 1979.

——. *Prelude to Literacy: a preschool child's encounter with picture and story*. Urbana: Southern Illinois University Press, 1983.

——. "The Roots of Response", *Children's Literature Association Quarterly*, vol. 10 (3), Fall, 100-4, 1985.

CRAMPTON, P. *International Board on Books for Young People (IBBY), 1953-1988*. En: International Youth Library, *Children's Literature Research. First International Conference, april 5-7, 1988*, Munchen-London-New York-Paris, Seur, 209-212, 1991.

CROCE, B., 1922: *Breviario de estética. Cuatro lecciones seguidas de dos ensayos y un apéndice*. Madrid: Castalia, 1974.

CRUIZIAT, F. et al. *Lis-moi ça!* Paris: Editions Universitaires, 1988.

CUBELLS, F. *Corrientes actuales de la narrativa infantil y juvenil española en lengua castellana*. Madrid: AEALIJ, 1990.

CULLINAM, B. et al. "The reader and the story: comprehension and response". *Journal of Research and Development in Education* 16 (3), 29-38, 1983.

CHAMBERS, A. "The Reader in the Book: Notes from Work in Progress", *Signal* 23, Thimble Press, May, 64-87, 1977.

———. *Plays for Young People to Read and Perform*. South Woodchester, Thimble Press, 1982.

———. *Booktalk*, London, Bodley Head, 1985.

CHAMBERS, N. (ed.) *The Signal Approach to Children's Books*. London: Kestrel Books, 1980.

CHARTIER, A. M.; HÉBRARD, J. *Discours sur la lecture (1880--1980)*, Paris, BPI-Centre Georges Pompidou, 1994. (Trad. cast.: *Discursos sobre la lectura (1880-1980)*, Barcelona, Gedisa.)

CHATMAN, S. *Story and Discourse. Narrative Structure in Fiction and Film*. Ithaca-London: Cornell University Press, 1978.

CHOMBART DE LAUWE, M. J.; BELLAN, M. *Les enfants de l'image*, Paris: Payot, 1979.

DE MAUSE, LL. *Historia de la infancia*. Madrid: Alianza Editorial, 1982.

DANSET-LÉGER, J. *L'enfant et les images de la littérature enfantine*. Liège-Bruxelles: P. Mardaga, 2ª ed., 1988.

DARTON, F. J. H. *Children's Book in England, Five Centuries of Social Life*. 1932. 3ª ed. revised by Alderson, B., Cambridge: Cambridge University Press, 1982.

DEARDEN, C. D. "La literatura infantil y juvenil como útil de aproximación y comprensión de la diversidad cultural", *Memoria*, 24ª Congreso Internacional del IBBY, Sevilla, 29-36, 1994.

DEBYSER, F.; ESTRADE, CH. D. *Le Tarot des mille et un contes*. BELC: École des Loisirs, 1976.

DENHIERE, G. *Il était une fois... Compréhension et souvenir de récits*. Lille: Presses universitaires de Lille, 1984.

DIAS, P. "Making sense of poetry: patterns of response among Canadian and British secondary school pupils", *English in education* 20 (2), 44-53, 1986.

DÍAZ-PLAJA, A. "Estilos literarios en la literatura infantil y juvenil actual". En: Battaner, M. P.; Gutiérrez Cuadrado, J., *Llengua i literària i Expressió escrita*, Barcelona, Publicacions de la Universitat de Barcelona, 19-33, 1988.
DONALDSON, M. C. *Children's Mind*. London: Collins, 1978 (Trad. cast. *La mente de los niños*, Madrid, Morata, 1979).
DUBORGEL, B. *Imaginaire et pédagogie: de l'iconoclasme scolaire à la culture des songes*. Paris: Le sourire-qui-mord, 1983.
DURAN, T. "La imatge en el llibre il.lustrat per a infants". En *La literatura infantil i la construcció d'Europa*, Palma de Mallorca, Institut d'Estudis Baleàrics, 105-120, 1995.
——— . ROS, R. *Primeres literatures. Llegir abans de saber llegir*. Barcelona: Pirene, 1995. (Trad. cast. *Primeras literaturas. Leer antes de saber leer*, Barcelona, Pirene, 1995.)
DURKHEIM, E., 1947: *La división del trabajo social*. Madrid: Akal, 1982.
EAGLETON, T. "Capitalism, modernism and postmodernism". *Against the Grain*. London: Verso, 1986.
ECO, H. *Lector in fabula*. Milano: Bompiani, 1979 (Trad. cast. *Lectot in fabula*, Barcelona, Lumen, 1981).
EGOFF, S. et al. (eds.) *Only Connect. Readings on Children's Literature*. 2ª ed. Toronto: Oxford University Press, 1980.
ELÍADE, M. *Aspects du mythe. Idées*, Paris, Gallimard, 1963. (Trad. cast. *Mito y realidad*, Barcelona, Labor, 1985).
ENGDAHL, S. L. "The Changing Role of Science Fiction in Children's Literature", *The Horn Book Magazine*, vol. 47, October, 450, 1971. Citado en Huck et al., op. cit., 1979.
ESCARPIT, D. (dir.) *Les exigences de l'image dans le livre pour enfants*. Paris: Magnard, 1973.
——— . *La Littérature d'enfance et de jeunesse en Europa: panorama historique*. Paris: P. U. F., 1981 (Trad. cast. *La Literatura infantil y juvenil en Europa (panorama histórico)*, México, F. C. E., 1986).
ESCUELA ACTIVA DE PADRES. *Qué libros han de leer los niños*. Barcelona: Nova Terra, 1964.
EVEN-ZOHAR, Í. *Papers in Historical Poetics*. Tel Aviv: Tel Aviv University, 1978.

EZRATTY, V.; PATTE, G. "Hommage", *La Revue des livres pour enfants* 153, automne, 7-11, 1993.

FAUCHER, P. "La mission éducative des albums du Père Castor (Conference faite a Girenbad, près de Zurich, le mai 18, 1957)". *L'École nouvelle française*, 87, 3-14, 1957. Citado en Chartier, A. M.; Hébrard, J. op. cit., 1994.

FAVAT, A. *The Child and the Tale: The Origins of interest,* NCTE Committee on Research Report 19, Urbana, IL, National Council of Teachers of English, 1977, citado en Golden, J., op. cit., 1990.

FERNÁNDEZ, V. "Literatura infantil y juvenil: panorama crítico". En Cantero, F. J. et al. (ed): *Didáctica de la lengua y la literatura em una sociedad plurilingue del siglo XXI.* Barcelona: Publicacions UB, 61-66, 1997.

FERNÁNDEZ PAZ, A. *Ler en galego, Estratexias e libros para a animacion a lectura dende as aulas.* Vigo: Ir Indo, 1990.

FORSTER, E. M. *Aspects of the Novel.* London, 1927 (Trad. cast. *Aspectos de la novela*, Barcelona, Debate, 1983).

FOUCAMBERT, J. *La manière d'être lecteur.* Paris: OCDL-SERMAP, 1976 (Trad. cast: *Cómo ser lector*, Barcelona, Laia 1989).

FRANCÈS, R. *Intéret perceptif et préférence esthétique.* Paris: Ed. du C.N.R.S., 1977, citado en Danset-Léger, op. cit., 1988.

GARCÉS, T. (con seudónimo Ship-boy) artículo en *La Publicitat*, XLV, 15 febrero, 1923, citado en Rovira, T., op. cit., 1976.

GARCÍA PADRINO, J. *Libros y literatura para niños en la España contemporánea (1985-1985).* Madrid: Fundación Germán Sánchez Ruipérez-Pirámide, 1992.

GASOL, A.; LISSON, A. "Realismo...¿con apellido?", *CLIJ. Cuadernos de Literatura Infantil y Juvenil* 4, marzo, 20-27, 1989.

GEBER. "Towards a developmental social psychology". En: Geber, B. (ed.): *Piaget and Knowing.* London: Routledge, 226, 1977.

GEERTZ, C. *The Interpretation of Cultures.* London: Basic Books, 1973 (Trad. cast. *La interpretación de las culturas*, México, Gedisa, 1987).

GENETTE, G. *Figures III.* Paris: Seuil, 1972 (Trad. cast. *Figuras III*, Barcelona, Lumen, 1989).

GOLDEN, J. M. *The Narrative Symbol in Childhood Literature.*

Explortions in the Construction of Text. Berlin-New York: Mouton de Gruyter, 1990.

GOLDSTEIN, J-P.: "Michel Strogoff: initiation au récit, récit d'initiation", *Pratiques* 22-23, mars, 49-68, 1979.

——. *Pour lire le roman*. Bruxelles-Paris: De Boeck-Duculot, 6ª ed., 1989.

GOLDSTONE, B. "Views of chilhood in children'a literature over time", *Language Arts* 63 (8), 1986.

GÓMEZ DEL MANZANO, M. *El protagonista-niño en la literatura infantil del siglo xx. Incidencias en la personalidad del niño lector*. Madrid: Narcea, 1987.

——. "El niño y la literatura realista y fantástica", en *Apuentes de Educación*, 36, 3-6, 1990.

GONZÁLEZ GIL, M. D. "La literatura infantil. Estudio y crítica". *Memoria. I Congreso nacional del libro infantil y juvenil. Ávila 1993*. Madrid: AEALIJ, 55-84, 1994.

GONZÁLEZ NIETO, L. "La literatura en la enseñanza obligatoria". *Aula de innovación educativa* 14, mayo, 15-21, 1993.

GONZÁLEZ, T.; MAÑÀ, T. "A vueltas con la animación", *CLIJ. Cuadernos de Literatura Infantil y Juvenil* 24, 24-28, 1990.

GREEN, R. L. "The Golden Age of Children Books". En: *Essays and Studies*, 59-73, 1962.

——. *Tellers of Tales, Children's Books and their Authors from 1800-1968*, 1946. Norwich, Kaye and Ward, 1969.

HAAS DYSON, A. "Once-upon a time" reconsidered: the development dialectic between function and form", *Technical Report* 36, july, 1989.

HARDING, D. W. "The role of the onlooker". *Scrutiny*, 6, 247-58, 1937, citado en Applebee, A., op. cit., 1978.

HARDY, B. "Towards a poetics of fiction: an approach through narrative", 1977. En Meek, M. et al. (ed): op. cit., 12-24.

HAZARD, P. *Les Livres, les enfants et les hommes*. Paris: Flammarion, 1932. Réédition, Haitier, 1968 (Trad. cast. *Los libros, los niños y los hombres*, Barcelona, Juventud, 1950).

HELD, J. *L'imaginaire au povoir. Les enfants et la littérature fantastique*. Paris: Les Editions Ouvrières, 1977 (Trad. cast. *Los niños y la literatura fantástica. Función y poder de lo imaginario*, Barcelona, Paidós, 1981.) (trad. port. *O imaginário no poder*. São Paulo: Summus, 1980.)

HOLLINDALE, P. "Ideology and the children's book", *Signal* 55. Thimble Press, 3-22, 1989.
HOODGLAND, C. "Real "wolves in those bushes": readers take dangerous journeys with *Little Red Riding Hood"*. *Canadian Children's Literature*, 73, 7-21, 1994.
HUCK, CH. et al. *Children's Literature in the Elementary School*. Ohio State University, Holt: Rinehart and Winston, Inc., 4ª ed., 1987.
HUCHET, C. "L'Heure Joyeuse?", *Les Annales de l'enfance*, citado 1927. En Ezratty, V. op. cit., 1993.
HUGHES, F. A. "Children's Literature: Theory and Practice?", *ELH* 45. Baltimore, M. D.: Johns Hopkins University Press, 542--561, 1978.
HUNT, P. (ed.) *Children's Literature*. London-New York: Routledge & Kegan Paul, 1990.
——. *Criticism, Theory, & Children's Literature*. Cambridge--Massachusetts: Blackwell, 1991.
——. (ed.) *Literature for Children*. London-New York: Routledge & Kegan Paul, 1992.
——. (ed.) *Children's Literature and Illustrated History*. Oxford-New York: Oxford University Press, 1995.
HURLIMANN, B. *Europaische Kinderbucher in drei Jahrhunderten*. Zurich: Atlantis Vg., 1959 (Trad. cast. *Tres siglos de literatura infantil europea*, Barcelona, Juventud, 1968).
IRWIN, J. *Teaching Reading Comprehension Processes*. Englewood, N. J.: Prentice-Hall, 1986.
ISER, W. *Der Akt des Lesens. Theorie ästhetischer*. Munich: Fink, 1976 (Trad. cast. *El acto de leer*, Madrid, Taurus, 1987).
JAKOBSON, R. *Questions de poétique* (1923). Paris: Seuil, 1973 (Trad. cast. *Ensayos de poética*, México, Fondo de Cultura Económica, 1977).
JAMES, H. *The Future of the Novel. Essays on the Art of Fiction* (1899). New York, 1956, citado en Hughes, F., op. cit., 1978.
JAMESON. *Postmodernism or the Cultural Logic of Late Capitalism. Oxford: New Left Rewiew Ltd*, 1984. (Trad. cast. *El posmodernismo o la lógica cultural del capitalismo avanzado*, Barcelona, Paidós, 1991).

Jan, I., 1977: *La littérature enfantine*. Paris: Les Editions Ouvrières-Dessain et Tolra, 5è 1985 (Reedición de *Essais sur la littérature enfantine*, Paris, Les Ed. Ouvrières, 1969)).

Janer Manila, G. *Cultura popular i ecologia del llenguatge*. Barcelona: CEAC, 1982.

——. *Pedagogia de la imaginació poètica*. Barcelona: Aliorna, 1989.

Jauss, H. R. "Levels of identification of hero and audience", *New Literary History* 5, 283-317, 1973-4, citado en Bunbury, R.; Tabbert, R., op. cit., 1989.

Jean, G. *Pour une pédagogie de l'imaginaire*. Paris: Casterman, 2ª ed., 1976.

——. *Le pouvoir des contes*. Paris: Casterman, 1981 (Trad. cast. *El poder de los cuentos*, Barcelona, Pirene, 1988).

Jeffcoate, M. *Positive Image*. Readers' and Writers' Publishing Cooperative, 1979, citado en Moss. E., op. cit., 1980.

Jolles, A. *Formes simples* (1930). Paris: Seuil, 1972. (Trad port. *Formas simples*. São Paulo: Cultrix, 1976.)

Kergueno, J. "Ajudar els nens a esdevenir lectors". *Faristol* 2, Barcelona, 19, 1986.

Kermode, F. *The sense of an Ending: Studies in the Theory of Fiction*. Nueva York: Oxford University Press, 1967 (Trad. cast. *El sentido de un final*, Barcelona, Gedisa, 1983).

——. *Continuities*. London: Oxford University Press, 1968.

——. *The Genesis of Secrecy: on the interpretation of narrative*. London: Harvard University Press, 1979.

Kiefer, B. "The Responses of Children in a Combination Firts/Second Grade Classroom to Picture Books in a Variety of Artistic Styles", *Journal of Research and development in Education*, vol. 16, spring, 14-20, 1983.

Lahy-Hollebecque, M. *Les Charmeurs d'enfants*. Paris: Baudinière, 1928.

Laparra, M. "Le repérage initial des personnages: Difficultés éprouvées par des élèves réputés mauvais lecteurs", *Pratiques* 60, Décem., 59-74, 1988.

LARREULA, E. *Les revistes infantils catalanes de 1939 ençà*. Barcelona: Ed. 62, 1985.

LARSEN, O. *Violence and the mass media*. New York: Harper and Row, 1968.

LE GUIN, U. *The Language of the Night: Essays on Fantasy and Science Fiction*. New York: Putman, 1979.

LESNIK-OBERSTEIN, K. *Children's Literature. Criticism and the Fictional Child*. New York: Oxford University Press, 1994.

LESSON, R. *Sexism in Children's Books: Facts, Figures and Guideliness*. Readers' and Writers' Publishing Cooperative, 1976.

——. *Children's book and Class Society, Past and Present*. Readers' and Writers' Publishing Cooperative, 1977.

——. *Reading and Righting: the past, present, and future of books for the young*. London: Collins, 1985.

LOBATO, A. "Estudiar la ilustración hoy". *Amigos del Libro*, 31, 21-32, 1996.

LÓPEZ TAMÉS, R. *Introducción a la literatura infantil*. Santander: Universidad de Santander, 1985.

LOTMAN, I. *La structure du texte artistique*. Paris: NRF, 1970 (Trad. cast. *La estructura del texto artístico*, Madrid, Istmo, 1978).

——. Escuela de Tartu: *Semiótica de la cultura*. Madrid: Cátedra, 1979.

LUGARINI, E. (Ac di) *Insegnare letteratura nella scuola dell'obbligo*. Firenze: La Nuova Italia, 1985.

LLUCH, G. *El lector model en la narrativa infantil i juvenil actual*. Valencia: Universitat de València, tesis doctoral, 1996.

——. SERRANO, R. *Noves lectures de les Rondalles Valencianes*. València: Albatros-Tàndem, 1995.

MACHADO, A. M. "Ideología y libros infantiles". *24ª Congreso Internacional del IBBY de Literatura Infantil y Juvenil. Memoria*. Madrid: OEPLI, 371-384, 1995.

MALRIEU, Ph. *La construction de l'imaginaire*. Bruxelles: Charles Dessart, 1967.

MANESSE, D.; GRÉLLET, I. *La littérature du collège*. Paris: Nathan INRP, 1994.

MARCHESE, A.; FORRADELLAS, J. *Diccionario de retórica, crítica y terminología literaria*. Barcelona: Ariel, 1986.
MARTORELL, A. "Llibres catalans per a infants", *Butlletí dels Mestres* II, 25, 34-36, 1923.
MAYOR, J.; ROMERO, L.; RUTE, C. *Curso de LIJ por correspondencia*. Centro de Enseñanza de Prensa y LI. Madrid: Acción Católica Ediciones, 1982.
McHALE, B. *Postmodernist Fiction*. London: Methuen, 1987.
MEDINA, A. *Didáctica de la lengua y la literatura*. Madrid: Anaya, 1989.
——. "La tradición oral como vehículo literario infantil. Sus valores educativos". En: Cerrillo, P.; García Padrino, J. (coord.), op. cit., 37-65, 1990.
MEEK, M. et al. *The Cool Web. The Pattern of Children's reading*. London: The Bodley Head, 1977.
MEEK, M. "What Counts as Evidence in Theories of Children's Literature?" *Theory into Practice*, vol. 21 (4), 284-92, 1982.
——. *How Texts Teach What Readers Learn*, South Woodchester-Glos, Thimble Press, 1988.
——. MILLS, C. (eds) *Language and Literacy in the Primary School*. London: Falmer Press, 1988.
MENDOZA FILLOLA, A. *El teatro infantil español (1875-1950). Aspectos sociales*. Barcelona: Humanitas, 1980.
MICHEL, A. *NON AUX STEREOTIPES! Vaincre le sexisme dans les livres pour enfants et les manuels scolaires*. Unesco (Trad. cast. *FUERA MOLDES. Hacia una superación del sexismo en los livros infantiles y escolares*, Barcelona, Edicions LaSal-Unesco, 1987).
MITCHELL, J. *The Selected Melanie Klein*. Harmondsworth: Penguin, 1986; citado em Tucker, N., op. cit., 1992.
MOEBIUS, W. "Introduction to Picture-books Codes". *Word & Image*, vol. 2 (2), April-June, 141-158, 1986, en Hunt, P., op. cit., 1990.
MOISAN, C. *L'histoire littéraire*. Paris: Press Universitaires de France, 1990.
MOSENTHAL, J. "The Reader's Affective Response to Narrative Text", 1987. En: Tierney et al. (eds): *Understanding Readers's Understanding*, Hillsdale, N. J., Erbaum, L., 95-107.

Moss, A., 1985: "Varieties of Children's Metafiction". *Studies in the Literary Imagination* 18(2), 79-92, citada en Hunt, P., op. cit., 1992.

Moss, E. "The Seventies in British Children's Books". En: Chambers, N. (ed.), 1980: op. cit., 48-80, 1980.

——. *Picture Book for Children 9-15*. Stroud, Gloucester, The Thimble Press, 1981.

Moss, G. "Metafiction, Illustration, and the Poetics of Children's Literature". En: Hunt, P., op. cit., 44-66, 1992. Una primera versión en *Children's Literature Association Quarterly*, 15 (2), summer, 50-2, 1990.

Myers, M. "Missed opportunities and critical malpractice: New Historicism and children's literature". *Children's Literature Association Quarterly* 13 (1), 41-3, 1988.

Nobile, A. *Letteratura giovanile. L'infanzia e il suo libro nella civiltà tecnologica*. Brescia: Editrice La Scuola, 1990 (Trad. cast. *Literatura infantil y juvenil. La infancia y sus libros en la civilización tecnológica*, Madrid, Morata, 1992).

Nodelman, P. "Interpretation and the apparent sameness of children's novels", *Studies in the Literary Imagination* 18 (2) Fall, 5-20, 1985.

Nystrand, M. "A social-interactive Model of Writing", *Written Comunication* vol. 6 (1), January, 66-85, 1989.

Orquín, F. "La nueva imagen de la mujer", *CLIJ Cuadernos de Literatura Infantil y Juvenil* 11, nov. 15-19, 1989.

Ors, E. d'. "Contes, imatges?" En *Glosari*, Barcelona, 1906.

Parmegiani, C.-A. "Historia de las ilustraciones", 1985. En: Parmegiani, C.-A. (dir.). *Libros y bibliotecas para niños*. Madrid: Fundación Germán Sánchez Ruipérez-Pirámide, 1987.

Patte, G. *Laissez-les lire! Les enfants et les bibliothèques*. Paris: Les Editions Ouvrières, 1978 (Trad. cast. *Dejadles leer. Los niños y las bibliotecas*, Barcelona, Pirene, 1988).

Patureau, F. *Les Pratiques culturelles des jeunes*. Paris: La Documentation Française, 1992.

Paul, L. "Enigma variations: What Feminist Theory Knowns About Children's Literature", *Signal* 54, Thimble Press, September, 186-201, 1987.

Pelegrín, A. *La aventura de oír. Cuentos y memorias de tradición oral.* Madrid: Cincel, 1982.
——. *Cada cual atienda su juego. De tradición oral y literatura.* Madrid: Cincel, 1984.
——. *La flor de la maravilla. Juegos, recreos, retahílas.* Madrid: Fundación Germán Sánchez Ruipérez, 1996.
Perrot, J. *Du jeu, des enfants et des livres.* Paris: Ed. du Cercle de la Librairie, 1987.
——. Bruno, P. *La Littérature de jeneusse au croisement des cultures.* Créteil: Centre Regional de Documentation Pédagogique-Argos, 1993.
——. (dir.) *Jeux graphiques dans l'album pour la jeunesse.* Paris: CRDP Académie de Créteil-Université Paris-Nord, 1991.
Petitjean, A. "Variations textuelles à partir du Petit Chaperon Rouge". En Beaude, P-M. et al. (dir.): *La scolarisation de la littérature de jeunesse. Actes de colloque.* Metz: Université de Metz, 145-178, 1996.
Petit-Jean, R. *De la lecture à l'écriture: la transformation de texte*, Cedic-Nathan, 1984.
Petrini, E. *Avviamento critico alla letteratura giovanile.* Brescia: La Scuola, 1958 (Trad. cast. *Estudio crítico de la literatura juvenil.* Madrid: Rialp, 1963).
Piaget, J. *Six Etudes de Psychologie.* Ginebra: Gonhier, 1964 (Trad. cast. *Seis estudios de psicología*, Barcelona, Seix Barral, 1971).
Pickering, S. "The function of criticism in children's literature", *Children's Literature in Education* 13 (1), 13-18, 1982.
Poslaniec, Ch. *De la lecture a la littérature.* Paris: Editions du Sorbier, 1992.
Pozuelo, J. M. *Teoría del lenguaje literario.* Madrid: Cátedra, 1988.
Prédal, R. *Cinéma fantastique.* Paris: Seghers, citado en Held, J., op. cit., 1977.
Privat, J-M.; Vinson, M. Ch. "Les intermédiaires de lecture". *Pratiques* 63, 63-101, 1989.
Proutheroug, R. *Developing Responses to Fiction.* Milton Keynes: Open University Press, 1983.

RAY, S. *The Blyton Phenomenon*. London: Deutsch, 1982.
REES, D. *The Marble in the Water*. Boston: The Horn Book, 1980.
REUTER, Y. "L'importance du personnage", *Pratiques* 60, XII "Le personnage", 3-22, 1988.
REYNOLDS, K. *Girls Only? Gender and Popular Fiction in Britain, 1880-1910*. Hemel Hempstead: Harvester Wheatsheaf, 1990.
RIBA, C. "Pròleg". *Rondalles de Ramon Llull, Mistral i Verdaguer*. Barcelona: Ariel, 1949.
RICE, P.; WAUGH, P. (eds.). *Modern Literary Theory: A Reader*. London: Arnold, 1989.
RICO DE ALBA, L. *Castillos de arena, Ensayo sobre literatura infantil*. Madrid: Alhambra, 1986.
RICOEUR, P. *Temps et récit II. La configuration dans le récit de fiction*. Paris: Seuil, 1984.
—. *Lectures on Ideology and Utopia*. New York: Columbia University Press, 1986.
RICHARDS, J. (ed.) *Imperialism and Juvenile Literature*. Manchester: Manchester University Press, 1989.
RICHAUDEAU, F. *La lisibilité*. Paris: Retz, 1976.
—. (ed.) *La legibilidad. Investigaciones actuales*. Madrid: Fundación Germán Sánchez Ruipérez-Pirámide, 1987.
RIMMON-KENAN, S. *Narrative Fiction: Contemporary Poetics*. London-New York: Methuen, 1983.
ROBIN, N. "L'évolution de la lecture des jeunes d'après les enquetes françaises, Bilan 1960-1987", *Pratiques* 61, mars, 118-125, 1989.
RODARI, G. *Grammatica della fantasia*. Torino: Einaudi, 1973 (Trad. cast. *Gramática de la fantasía. Introducción al arte de inventar historias*, Barcelona, Avance, 1977). (Trad. port. *Gramática da fantasia*, São Paulo: Summus, 1982.)
RODRÍGUEZ ALMODÓVAR, A. *Los cuentos populares o la tentativa de un texto infinito*. Murcia: Universidad de Murcia, 1989.
ROSE, J. *The Case of Peter Pan, or, The Impossibility of Children's Fiction*. London-Basingstoke: Macmillan Press, 1984.
ROSENBLATT, M. L. *The Reader, the Text, the Poem: The Transactional Theory of the Literary Work*. Carbondale III: Southern Illinois University Press, 1978.

Rovira, T. *Noucentisme i llibre infantil: influència del Noucentisme sobre la producció i difusió del llibre per a infants*. Bellaterra: Universitat Autònoma de Barcelona, Facultat de Lletres, Tesi de llicenciatura, 1976.

—. "La literatura infantil i juvenil". En: *Història de la Literatura Catalana* (Riquer/Comas/Molas), vol. XI. Barcelona: Ariel, 421-471, 1988.

—. Ribé, C. *Bibliografía histórica del libro infantil en catalán*. Madrid: ANABAD, 1972.

Rustin, M. *Narratives of Love and Loss*. London: Verso, 1987.

Salway, L. (comp.) *Reading about Children's Books. An introductory guide to books about children's literature*. London: National Book League, 1986.

Sánchez Corral, L. *Literatura infantil y lenguaje literario*. Barcelona: Paidós, 1995.

Sánchez Ferlosio, R.: "Prólogo". En: Collodi, C.: *Pinocho*. Madrid: Alianza Editorial, 1972.

Sarland, C. "Piaget, Blyton and story: children's play and the reading process". *Children's Literature in Education* 16 (2), 102-109, 1985.

Sarto, M. *La animación a la lectura. Para hacer al niño lector*. Madrid: SM, 1984.

Segre, C. *Semiotica, storia e cultura*. Padova: Liviana, 1977 (Trad. cast. *Semiótica, historia y cultura*, Barcelona, Ariel, 1981).

Seminari de Bibliografia Infantil de "Rosa Sensat". *Quins llibres han de llegir els nens?* 4 vol. Barcelona: Publicacions de Rosa Sensat. 2ª ed. actualizada, 1980. Nuevos volúmenes 1981-1985, 1985-1989, 1989-1994, 1977 (Trad. cast. *¿Qué libros han de leer los niños?*).

Shavit, Z. *Poetics of Children's Literature*. Athens-London: The University of Georgia Press, 1986.

Simone, R. *Maistock, Il linguaggio spiegato da una bambina*. Firenze: La Nuova Italia, 1988 (Trad. cast. *Diario de una niña. ¿Qué quiere decir Maistock?* Barcelona: Gedisa, 1992).

Singly, F. de. *Lire à 12 ans*. Paris: Nathan, 1989.

—. *Les jeunes et la lecture*, Dossiers Educations et Formations, 24, 1993.

———. "Lire des livres, une activité peu masculine". *La Revue des livres pour enfants* 151-152, été, 39-47, 1993b.
SORIANO, M. *Guide de la littérature enfantine.* Paris: Flammarion, 1975 (Trad. cast. *La Literatura para niños y jóvenes. Guía de exploración de sus grandes temas*, Buenos Aires, Ediciones Colihue, 1995).
SOTOMAYOR, M. V. "Lectura y libros para niños en la Institución Libre de Enseñanza: Una reflexión desde el presente". Comunicación presentada al *I Congreso Nacional del Libro Infantil y Juvenil*, Ávila, septiembre-octubre 1993. Resumen publicado en AEALIJ (1994): *Memoria.* Madrid: Publicaciones de la AEALIJ, "Temas de literatura infantil"; 14, 1993.
SPINK, J.: *Children as readers: a study.* London: Clive Bingley, 1989 (Trad. cast. *Niños lectores*, Madrid, Fundación Germán Sanchez Ruipérez-Pirámide, 1990).
SPIRO, R. J. "Constructive prose comprehension and recall". En Spiro, R. et al. (eds.): *Theoretical issues in reading comprehension.* Hillsdale, N. J.: Erlbaum, 245-278, 1980.
STEPHENS, J. "Did I tell you about the time I pushed the Brothers Grimm off Humpty Dumpty's wall?" Metaficcional strategies for constituting the audience as agent in the narratives of J. and A. Alhberg". En: Stone, M.: *Children's Literature and Contemporary Theory.* Wollongong: New Literatures Research Centre, 1991.
———. *Language and Ideology in Children's Fiction.* London: Longman, 1992.
STEVENSON, R. L. En: COLVIN, S. (ed.) *Letters of Robert Louis Stevenson.* London, 1901, citado en Hughes, F., op. cit., 1978.
SUBIRATS, M.; BRULLET, C. *Rosa y azul. La transmisión de los géneros en la escuela mixta.* Madrid: Instituto de la Mujer, 1988.
SUBLET, F.; PRETEUR, I. "Los modos de acceso al libro para jóvenes. Prácticas de enseñanza y conductas observadas en niños de cinco a seis años". En: *Leer en la escuela. Nuevas tendencias en la enseñanza de la lectura.* Madrid: Fundación Germán Sánchez Ruipérez-Pirámide, 509-537, 1989.

SULLÀ, E. (A cura de). *Poètica de la narració*. Barcelona: Empúries, 1985.

TAUVERON, C. "Une histoire à problème ou comment un chat emporte un poisson de 25 F. le kilo sans demander l'addition". *Repères* 73, oct, 1987.

TEIXIDOR, E. "Literatura juvenil: las reglas del juego". *CLIJ Cuadernos de literatura infantil y juvenil* 72, 8-15, 1995.

TEJERINA, I. *Estudio de los textos teatrales para niños*. Universidad de Cantabria, 1993.

——. *Dramatización y teatro infantil. Dimensiones psicopedagógicas y expresivas*. Madrid: Siglo XXI, 1994.

THOMPSON, J. *Understanding Teenagers's Reading*. North Ryde, NSW, Methuen, 1987 (Resumen publicado en Thompson, J.: "Adolescents and literary response: the development of readers", *Children's Literature Association Quarterly* 15 (4), 189-196, 1990).

THOMPSON, J. B. *Ideology and Modern Culture: Critical and Social Theory in the Era of Mass Communication*. Cambridge: Cambridge Polity Press, 1990.

TODOROV, T. "Les catégories du récit littéraire". *Communications* 8, 125-151, 1966 (Trad. cast. En Sullà, E., op. cit. 107-148, 1985).

TOLCHINSKY, L. *Aprendizaje del lenguaje escrito. Procesos evolutivos e implicaciones didácticas*. Barcelona: Anthropos, 1993.

TOWNSEND, J. R. "Standards of Criticism for Children's Literature". *Children's service. Signal* 14, may 1974, Thimble Press, 91-105, 1971a. En: Chambers, N., op. cit. 193-207, 1980.

——. *A Sense of Story, Essays on Contemporany Writers for Children*. London: Longman, 1971b, reeditado como *A Sounding of Storytellers*, Harmondsworth, Kestrel, 1979.

TRIGON, J. *Histoire de la littérature enfantine: de ma mère l'Oie au Roi Babar,* Paris, Hachette, 1950.

TUCKER, N. *The Child and the Book: a psychological and literary exploration*. Cambridge: Cambridge University Press, 1981.

———. "Good Friends, or Just Acquaintances? The Relationship between Child Psichology and Children's Literature", 1992. En: Hunt, P. (ed.), op. cit. 156-173, 1992.

TURIN, A. "La literatura infantil y juvenil y su contribución a la igualdad entre los sexos". *24ª Congreso Internacional del IBBY de Literatura Infantil y Juvenil. Memoria*. Madrid: OEPLI, 37-55, 1955.

VALERI, E.; LISSON, A. "¿Qué libros han de leer los niños?" *CLIJ Cuadernos de Literatura Infantil y Juvenil* 1, diciembre, 14-19, 1988.

VALRIU, C. *Influències dels contes populars a la literatura infantil i juvenil catalana actual*. Mallorca: Universitat de les Illes Balears, tesis doctoral, 1992.

———. *Història de la literatura infantil i juvenil catalana*. Barcelona: Pirene, 1994.

VENTURA, N. *Llibres em català 1939-1970*. Barcelona: Universitat de Barcelona. Tesina de licenciatura, 1970.

VIGOTSKI, L. *Mind in society. The development of higher psychological processes*. Cambridge-Mass: Harvard University Press, 1978 (Trad. cast. *El desarrollo de los procesos psicológicos superiores*, Barcelona, Crítica, 1979).

WADE, B. "Assessing pupils" contributions in a appreciating a poem", *Journal of Education for Teaching* 7 (1), 41-9, 1981.

WALL, B. *The Narrator's Voice. The Dilemma of Children's Fiction*. London: Macmillan, 1991.

WELLS, G. *The meaning markers*. London: Heinemann, 1986 (Trad. cast. *Aprender a leer y escribir*, Barcelona, Laia, 1988).

WHALEN-LEVITT, P. "Picture play in children's books – a celebration of visual awareness". En: Barron, P. y Burley, J. (eds.) *Jump Over the Moon*, New York, Holt, Rinehart & Winston, 1984.

WILLIAMS, G.: "Literature and development of interpersonal understanding", 1985. En: Unswurth, L.: *Reading: an Australien Perspective*, Melbourne, Thomas Nelson.

WINNICOT, D. W.: *Realidad y juego*. Barcelona: Gedisa, 1993.

Índice analítico

Abracadabra, 324
abuela, La, 332, 344, 368, 400, 410
Adam, J. M., 131
Adams, R., 278
¡Aduós, buen viaje!, 279, 307, 310, 396, 408
¿A dónde vas, osito polar!, 239, 243, 295, 396, 408
Afanasiev, A. N., 55
Ahlberg, A., 104, 396, 408
Ahlberg, J., 104, 396, 408
¡Ahora no, Fernando!, 266, 278, 291, 403, 408
¡Ah, si yo fuera un monstruo!, 399, 410
Ala de moscsa, 271, 396, 411
alas rojas, Las, 274, 346, 405, 410
alcalde Chatarra, El, 273, 407, 411
Alcott, L. M., 188
Alderson, B., 47
Alicia para niños, **217**
Alonso, F., 366, 396, 409
Alonso, J. R., 396, 399, 402
alquimia del corazón, La, 226, 326, 405, 410
Alvermann, D. E., 135
Amades, J., 226
Amicis, E. de, 188
amigo oculto y los espíritus de la tarde, El, 255, 325, 335, 402, 411
Amo, M. del, 396
Anastasia Krupnik, 230, 410
Andersen, H. C., 29, 55, **75**
Anguera, F., 405
Años difíciles, 235, 399, 410
Applebee, A. N., 82, 85, 88, 89, 237, 345
Aránega, M., 400

Arbuthnot, M. H., 24, **32**
Ariès, Ph., 160
Armellini, G., 131
Así es la vida, Carlota, 249, 306, 401, 411
Asperú, juglar embrujado, 226, 314, 368, 397, 409
Atalanta, 255, 405, 412
aventuras de Alicia en el país de las maravillas, Las, 165, 167, 170, 172, 191, 193, 343
aventuras de Pinocho, Las, **43**, 191
aventuras de Tom Sawyer, Las, 190
aventuras de Vania el forzudo, Las, 241, 405, 409
Aventuras de "La Mano Negra", 404, 410
¡Ay, Filomena, Filomena!, 111, 404, 409

Bajtin, M., 98, 209
Bal, M., 185
Balaguer, M., 396, 397, 408
Balanyà, I., 405
Balzola, A., 396, 408, 411
Barbal Farré, M., 396, 411
Baró, M., 30, 424
Barrie, J. M., 191
Barthes, R., 109
Barton, G., 426
Basile, G., 55
Bassa, R., 30, 39, 161, 178, **217**, 235
Battaner, M. P., 431
Baum, L. & F., 123
Bawden, N., 171
Bayés, P., 406
Bea, J. M., 404
Beckman, T., 396, 411
Beer, H. de, 396, 408

Bellan, M., 201
Belleza negra, 190
Belotti, G., 61
Ben quire a Anna, 269, 369, 400, 410
Benton, M., 131, 134, 135
Berga-Vivarès-Seguí, 405
Bernstein, B., 162, 163, 425
Bertoni del Guercio, G., 131
Bettelheim, B., 60, 63, 64, 65, 68, **75**, **78**, 84, 85, 228
Bierwisch, M., 93
Bigas, 138
Bisset, D., 396, 409
Black, J. B., 312
Blake, Q., 398, 407
Blyton, E., 118, 170
Booth, W., 208
Bortolussi, M., 54, 55, **75**
bosque de piedra, El, 304, 312, 409
bosque encantado, El, 226, 406, 410
Bourdieu, P., 50, 114, 426
Bower, G. H., 312
Bowles, S., 111
Brantliger, P., 122
Brauner, A., 61
Bravo Villasante, C., 38
Breaktimes, 109
Bressan, T., 142
Brioschi, F., 93
Britton, J. N., 133
Brucart, M., 405
Bruffee, M., 83
brujas, Las, 289, 340, 410
Brullet, C., 297
Bruner, J., 83, 88
Brunhoff, J. de, **217**
Bruno, P., 120
Buhler, K., 66, 228, 427
Bunbury, R., 82
Burnett, F. H., 188
Butler, D., 427

Cadogan, M., 120
Cairney, T. H., 131, 134
Calatayud, M., 399
Calders, P., 221, 397, 409
Calleja, S., 141

Campillo, M., 141
Camps, A., 84
Canela, M., 397, 409
Cantero, F. J., 429, 432
Canto rodado, 287, 396, 411
Capdevila, R., 407
Carandell, J., 45
Carbo, J., 397, 408, 409, 411
Carlos, Emma y Alberico, 295, 341, 400, 409
Carner, J., 44
Carpenter, H., 38, 188, 194, 427
Carranza, M., 397, 409, 411
Carroll, L., 166, 167, 172, 191
cartero simpático, El, 104
casa sobre el gel, La, 251, 255, 397, 411
Castells, R., 404
castillo, El, 227, 281, 305, 349, 402, 410
Castillo, M., 105
catálogo, El, 293, 406, 408
Cela, J., 397, 409
Cedán Pazos, F., 38
Cepillo, 368, 397, 409
Cerrillo, P., 40
Cervera, J., 38, 40, 143
Cesarini, R., 107, 108, 109
Chambers, A., 97
Chambers, N., 40, 102, 109, 135
Charlie y la fábrica de chocolate, 312, 315, 365, 398, 410
Chartier, A. M., 127
Chatman, S., 97
Chesterton, G. K., 56
Chombart de Lauwe, M. J., 201
Christie y la cazadora de Indiana Jones, 396, 411
Christopher, J., 398, 411
Cirici, D., 397, 409
ciudad de la lluvia, La, 278, 398, 408
ciudad sin murallas, La, 251, 412
Claparède, E., 129
Cleary, B., 397, 409
Cole, B., 398, 408
Coleridge, S. T., 56
Collodi, C., 191
Colmont, M., 62
Colombo, A., 141

Colomer, T., 84, 91, 100, 121, 126, 137, 141, **218**, 234, 297
Cometas fantásticas, 324, 349, 356, 406, 409
Cómo el ratón descubre el mundo al caerle una piedra en la cabeza, 81
Company, M., 398, 409, 410
Cómplice, 251, 407, 412
Comte, M., 115
Cone Bryant, S., 25, **32**
Cooper, F., 233
Cooper, J. D., 131
Corazón, 188
Corcoran, B., 87, 134
Cosas de Ramón Lamote, 341, 402, 410
Costa i Llobera, M., 29
Coveri, L., 131
Crago, H., 105, 112, 143
Crago, M., 143
Craig, P., 120
Crampton, P., 27
Crictor, 240, 407, 408
Croce, B., 43
Cruiziat, F., 64
Cuando Hitler robó el conejo rosa, 251, 401, 411
Cuando uno se va, 429, 284, 407, 412
Cubells, F., 186, 187
cuento de Francis, El, 241
cuento de nunca acabar, El, 242
cuento de Perico, el conejo travieso, El, 140, 190
Cuentos para engordar un tigre, 350, 354, 369, 396, 409
Cullinam, B., 380
Cunqueiro, A., 221

Dahl, R., 373, 398, 410
Danset-Léger, J., 81, 105
Darton, F. J. H., **32**
Datrebill, 7 cuentos y 1 espejo, 223, 316, 404, 410
Daudet, A., 29
De Federicis, L., 107, 108, 109
Dearden, C. D., 120
Debyser, F., 430
Defoe, D., 189

Delas, 106
Delessert, E., 81
Deletaille, d'A., 62
Delgado, J.-F., 398, 411
Denhière, G., 68
desaparecidos de Saint Agil, Los, 407, 412
Di Girolamo, C., 93
Dias, P., 135
Díaz Plaja, A., 112, **217**, 369
Díaz, R., 399
Dickens Ch., 29, 56
Disney, W., 170
Dobrovsky, J., 126
Donaldson, M. C., 82
Donde viven los monstruos, 277, 317, 405, 408
Dubois, J., 114
Duborgel, B., 66
Duch, E., 404
Duran, T., 91, 105, 398, 411
Durer, A., 398
Durkheim, E., 162
Durrell, G., 398, 410, 411

Eagleton, T., 107
Eco, U., 96
Edipo, 343
Egoff, S., 131
Eguillor, J. C., 398, 402, 408
Eisenstein, S., 345
Elíade, M., 58
Elidor, 194
Els sis Joans, 343
Elvis Karlsson, 230, 267, 311, 400, 410
Emilio y los detectives, 234
En Joan Silenis, 402, 410
Ende, M., 222, 399, 408, 411
Engdahl, S. L., 195
Escarpit, D., 37, 105, 114
Escarpit, R., 114, 399, 410
Escenarios fantásticos, 312, 399, 410
Esto que ves es el mar, 222, 348, 400, 410
Estrade, Ch. D., 430
Evans, E., 134
Even-Zohar, I., 94

Fabre, 106
familia de los Robinsones suizos, La, 189
fantasma de palacio, El, 401, 409
Farias, J., 235, 399, 410, 411
Farré, M.-R., 399, 410
Faucher, P., 26
Favat, A., 67, 228
Felipe Marlot, detective, 340, 397
Feral y las cigueñas, 245, 287, 343, 396, 409
Fernández de Velasco, M. M., 399, 411
Fernández Pacheco, M. A., 105
Fernández Paz, A., 141
Filo entra acción, 288, 306, 368, 403, 410
Five children and it, 191
Forradellas, J., 210
Forster, E. M., 57, 207
Foucambert, J., 127
Fox, G., 131, 134
Francès, R., 81
Frankestein, 195
Freinet, C., 129
Fuchschber, A., 399

Galeano, E., 399, 409
Galí, A., 28
Garcés, T., 29
García Padrino, J., 38, 40, 178
Gardella, M. A., 399, 410
Gardner, A., 195
Gasol, A., 229
Gatagán, C., 403
gato viejo y triste, Un, 277, 407, 408
Geber, B., 330
Geertz, C., 122
Gelsomino en el país de los mentirosos, 242, 366, 405, 409
Genette, G., 17, 131, 185, 207, 210, 211, 213
George, J.-C., 399, 411
Gil y el paraguas mágico, 398, 409
Gilberto y las líneas, 345, 347, 351, 368, 399, 410
Ginesta, M., 397, 401, 405
Gisbert, J. M., 335, 342, 399, 410, 411
Glienke, A., 406

Golden, J. M., 187
Goldstein, J-P., 131, 141
Goldstone, B., 257
Gómez del Manzano, M., 38, 193
González Gil, M. D., 41
González Nieto, L., 141
Goscinny, R., 399, 410
Grahame, K., 123, 190
Grandes, S., 400
Greaves, M., 400, 409
Green, R. L., 37
Grelet, I., 130
Grimm, J. & W., 29, 55, 66
Gripari, P., 72
Gripe, M., 400, 410
Gual, J., 407, 411
Guansé, D., 28
guardianes, Los, 251, 253, 398, 411
guía fantástica, La, 223, 345, 405, 411
Guilhermina GGGRRR..., 313, 345, 350, 368, 369, 404, 409

Haar, J., 400, 411
Harding, D. W., 89
Hardy, B., 123
Härtling, P., 235, 368, 400, 410
Haas Dyson, A., 239
Haugen, T., 400, 411
Hazard, P., 25, **32**, 76, 121
Hébrard, J., 127
Heidi, 188
Held, J., 66, 71
hijo de la lluvia de oro, El, 255, 407, 412
hijos del vidriero, Los, 227, 281, 349, 400, 410
Historia de Babar, el elefantito, **217**
historia de Ernesto, La, 398, 409
historia interminable, La, 222, 252, 254, 361, 399, 411
Historia de conejos, 279, 400, 408
Historias de ratones, 279, 402, 408
Hobbit, El, 191
Holiday House, 188
Hollindale, P., 48, 118, 119
hombre del saco, El, 315, 340
hombrecillo de papel, El, 396, 409
hombrecito vestido de gris, El, 289, 396, 409

Homero, 29
Hoodgland, C., 72
Horna, I. de, 399
Huchet, C., **32**
Huck, Ch., 188, 192, 193, 196, 197, 236, 295
Huckleberry Finn, 209
Hughes, F. A., 35, 56
Hugues, T., 188
Hunt, P., 37, 101, 103, 105, 111, 122, 123, 144
Hurlimann, B., 35, 233

Inglis, F., 122
Irwin, J., 140
Iser, W., 96
isla de Omar, La, 345, 400, 410

Jacques, F., 398
Jakobson, R., 44
James, H., 56, 207
Jameson, F., 107
Jan, I., 26, 61, 62, 66, **75**, 225
Janer Manila, G., 40, 59, 60, 64, 66, 222, 400, 410
Janer, M. P., 400, 410
Janosch, 400, 408
jardín de la bruja, El, 404, 409
jardín de medianoche, El, 194
Jauss, H. R., 139
Jean, G., 58, 65, 66, 69
Jeffcoate, M., 120
Jolles, A., 68, **75**
Juanón de Rocacorba, 255, 357, 360, 398, 411
Julie y los lobos, 224, 253, 274, 327, 335, 399, 411
¡Julieta, estate quieta!, 276, 407, 408
Kaufaman, 403
Kergueno, J., 200
Kermode, F., 140
Kerr, J., 401, 411
Kiefer, B., 105
Kipling, R., 29, **32**, 190
Klein, M., 79
Knight, E., 190
Konrad, el niño que salió de una lata de conservas, 341, 403, 410

Kruss, J., **32**
Kurtz, C., 401, 411

L'ocell meravellós, 353, 397, 408
ladrón de sombras, El, 340, 397, 409
Lafite, R., 117
Lahy-Hollebecque, M., 25, **32**
Lang, O. F., 401, 410
Langbien, S., 134
Lanusa, E. de, 401, 409
Laparra, M., 200
lápiz fantástico, El, 406, 409
Larreula, E., 39
Larsen, O., 78
Lassie vuelve a casa, 190
Lavarello, J. M., 398
Le Guin, Ú., 38
Lemant, A., 373
Lenguas, A., 399
Lepman, J., 25, 36
Lesnik-Oberstein, K., 120, 160
Lesson, R., 120
libro de la Selva, El, 190
Libro de voliches, liquidambrios y otras especies, 294, 324, 397, 409
Lienas, G., 401, 411
Lindgren, A., 191, 401, 408, 409, 410
Lisson, A., 29, 229
Lluch, G., 97, 100, 370
Lluïsot, 397
Llull, R., 347
"Loco, El", 250, 285, 402, 411
Lo malo de mamá, 276, 317, 398, 408
Lobato, A., 106
Lobe, M., 401, 409
Lobel, A., 401, 408
Lomas, C., 428
Lööf, J., 402, 408
López Narváez, C., 402, 411
López Picó, J. M., 28
López Tamés, R., 38
Lowry, L., 402, 410, 411
Lugarini, E., 131
luna de Juan, La, 406, 409

Maccio, G. de, 404
Machado, A. M., 120
Madorell, J. M., 397

mago de Oz, El, 123, 343
Mahy, M., 402, 409
Maja, D., 399, 410
Major, K., 402, 411
Malrieu, Ph., 65
Manent. M., 45
Manesse, D., 130
mano llena de estrellas, Una, 250, 405, 412
Manzi, A., 402, 411
Mañà, T., 30, 424, 433
máquina del tiempo, La, 195
Maragall, J., 29
Marcelino pan y vino, 287
Marchese, A., 210
Margot (o un cuento sin ilación), 226, 288
Martí i Pol, M., 402, 410
Martín Gaite, G., 402, 410
Martín, A., 402, 411
Martín, P., 109, 402, 410
Martínez i Vendrell, M., 403, 408
Martínez Gil, F., 403, 410
Martorell, A., 28, 29
Mary Poppins, 191
Maurer, W., 403, 410
Mause, Ll. de, 160
May, K., 233
Mayer, M., 403, 408
Mayor, J., 112
McHale, B., 437
McKee, D., 110, 373, 403, 408
Me importa un comino el rey Pepino, 273, 302, 353, 403, 410
Medina, A., 59
Medvedev, P. N., 98
Meek, M., 48, 100, 131
Mendoza Fillola, A., 40
mesa del rastro, La, 344
Mi abuelo es pirata, 239, 340, 348, 402, 408
Mi calle, 230, 271, 344, 407, 4111
Mi hermano mayor, 265, 305, 398, 410
Mi padre vive en Brasil, 398, 411
Michel, A., 120
Miguel el travieso, 228, 344, 401, 409
mil una noches, Las, 205, 344

Milles, C., 131
Minarik, E. H., 403, 408
Miranio y Miranía, 274
misterio de la isla de Tokland, El, 315, 399, 410
Mitchell, J., 79
Moebius, W., 105
Moisan, C., 94
Momo, 253, 274, 298, 361, 398, 411
Monés, I., 397, 409
Moreno, M. V., 403, 411
Mosenthal, J., 87
Moss, A., 73, 74
Moss, E., 105
Moss, G., 109, 111
Mujercitas, 188, 300
Munchs, R., 403, 408
mundo de Ben Lighthart, El, 336, 400, 411
Munia y el cocolilo naranja, 213, 275, 339, 396, 408
museo de los sueños, El, 255, 360, 399, 411
Myers, M., 39, 122, 124

Nana Bunilda come pesadillas, 275, 398, 408
Natalia (Anagnórisis), 367, 403, 411
Nesbit, E., 191
No pidas sardina fuera de temporada, 316, 402, 411
No quiero mi osito, 110, 403
Nobile, A., 142
Nodelman, P., 102
¡No nos podemos dormir! 239, 329, 331, 340, 406, 408
Nos livres d'enfants ont menti, 61
Nöstlinger, Ch., 403, 409, 410
nube del sueño, La, 409
Nystrand, M., 99

O'Callaghan, E., 404, 410
Obiols, M., 111, 404, 410, 411
Odisea, 170, 204
Oliver Button es un Nena, 404
Orquín, F., 121, 141, 296
Ors, E. d', 27

Ortega y Gasset, J., 26
Osito, 240, 311, 324, 331, 403
oso que no lo era, El, 348, 407, 408

Pabluras, 224, 399, 411
Padre Neptuno y las ballenas, 241
pájaro burlón, El, 251, 274, 411
pájaros de la noche, Los, 305, 349, 400, 411
Pantacracio Jinjolaina, 346, 406, 411
Paola, T. de, 404, 409
Parmegiani, C.-A., 105
Patte, G., 25, 64, 263
Patureau, F., 115, 140
Paul, L., 121
Pavía, M., **217**
Pearce, Ph., 194
Pedres a la meva teulada, 346
Pedrolo, M. de, 335, 350, 404, 412
Pelegrín. A., 40, 59
Pelot, P., 404, 410
pequeño Lord, El, 188
pequeño Nicolás, El, 230, 247, 282, 290, 399, 410
pequeño roble, El, 333, 404, 410
pequeño vampiro, El, 340, 406, 411
Père Castor, 26, 61
Peris, C., 404
Perrault, Ch., 27, 55, 141
Perrot, J., 105, 111, 120, 231
pesadilla en mi armario, Una, 324, 408
Peter Pan, **79**, 191
Petit-Jean, R., 131
Petitjean, A., 139
Petrini, E., 58
Piaget, J., 66, 80, 81, 82, 105
Pickering, S., 102, 103
piedra arde, La, 399, 409
Pippa Calzaslargas, 191
Piruleta, 403, 410
Plante, R., 404, 412
Poch, J. A., 399
Poe, E. A., 29
Por tierras de pan llevar, 250, 399, 411
Poslaniec, Ch., 44, 131
Postma, L., 404, 409
Potter, B., 190

Pozuelo, J. M., 140, 185, 206
Prédal, R., 71
Press, H. J., 404, 410
Preteur, I., 115
Preussler, O., 405, 409
Prichard, M., 38, 188, 194
princesa Nina y el Tigre, La, 243
Privat, J.-M., 115
Prohibido llover los sábados, 353, 409
Propp, W., 129
Protheroug, R., 131
Proysen, A., 405, 409
Psicoanálisis de los cuentos de hadas, 63
Puebla, T., 407
Puncel, M., 403

Quan plou de nit, 240, 307, 408
¿Qué fue del Girbel?, 327, 400, 410
¿Qué hay detrás del árbol?, 331, 407, 408
¿Qué libros han de leer los niños?, 29, 50
¿Qué risa de huesos!, 330, 396, 408
Querida abuela... tu Susi, 244, 403, 409
Querido Bruce Springsteen, 271, 334, 402, 411
¿Quién quiere cambiar de cabeza?, 291
¡Quiero hacer pis!, 279, 295, 329, 403, 408
Quinta gracia de Navapelada, La, 346, 406, 411
Ramona empieza el curso, 397, 409
Ray, S., 170
Rayó i Ferrer, M., 405. 410
Rayó, E., 405, 410
rebelión de las lavanderas, La, 317, 407, 408
Recio, R., 407
Rees, D., 111
Reiner, T & W., 401
reportajes de Chepa Rulo, Los, 399, 410
Reuter, Y., 90, 131, 200
rey perezoso y la araña lista, El, 241
Reynolds, K., 39
Riba, C., 45, 98
Ribé, C., 41
Ribera, J., 402

Rice, P., 111
Richards, J., 39
Richaudeau, F., 84
Rico de Alba, L., 44
Ricoeur, P., 213
Rifà, F., 397
Rimmon-Kenan, S., 97
río de los castores, El, 403, 410
Risnes, A-P., 115
Rius, M., 397, 406
Robin, N., 115
Robinson Crusoe, 172, 189
Rodari, G., 70, 71, 204, 366, 405, 409
Rodgers, M., 405, 412
Rodríguez Almodóvar, A., 59
Ronja la hija del bandolero, 401, 410
Ros, R., 91
Rose, J., 112, 121, 122
Rosenblatt, M. L., 131
Rousseau, J.-J., 80
Rovira i Virgili, A., 28
Rovira, F., 398
Rovira, T., 26, 32, 38, 41
Rubió, J., 28
Rustin, M., 79
Ruyra, J., 29

sabio rey loco y otros cuentos, El, 273, 401, 409
Sahami, R., 412
Salvà, F., 406
Salway, L., 37
Sánchez Corral, L., 38
Sánchez Ferlosio, R., 43
Sánchez Silva, J. M., **32**
Sapo y Sepo son amigos, 240, 329, 402, 408
Sarland, C., 105
Sarto, M. del, 135
Schami, R., 405
Schmidt, A., 405, 409
Schimidt, W. & F., 400
Scholes, R., 207
Scott, W., 29, 196
secuestradores de burros, Los, 346, 398, 410
secuestro de la bibliotecaria, El, 341, 345, 402, 409
Segre, C., 94
selva de los arutams, La, 252, 255, 270, 397, 411
Sempé, 399
Sendak, M., 408
Sennell, J., 346, 366, 405, 406, 409, 410
Sensat, R., 29, 49
Señora Cucharita, 242, 405, 409
Sets relats d'intriga i ficció, 404, 412
Sewell, A., 190
Shavit, Z., 42, 95, 159, 164, 165, 170, 171, 214, 318, 375
Shelley, M., 195
Siepen, Ch., 400
siete enigmas del iris, Los, 225, 226, 397
Simone, R., 203, 291
Sinclair, C., 188
Singly, F. de, 116, 117
soldadito de plomo, El, 68
Solé Vendrell, C., 397, 402, 406, 409
Solé, F., 399
sombrero, El, 279, 340, 345, 406, 409
Sommadossi, C., 141
Sommer-Bodenburg, A., 406, 411
Soriano, M., 23, 51, 52, 53, 69, **74**, **75**, 225
Sorribas, S., 346, 406, 411
Sotomayor, M. V., **33**
Spink, J., 25
Spiro, R. J., 86
Spyri, J., 188
Stephens, J., 112
Stevenson, J., 406, 407
Stevenson, R. L., 56
Stone, M., 442
Subirats, M., 297
Sublet, F., 115
superfenomen, El, 255, 274, 357, 407, 412

Tabbert, R., 82
Tashlin, F., 406, 408
Tasis, R., 28
Tauveron, C., 200
Teixidor, E., 28, 53
Tejerina, I., 40

tele boja, La, 252, 271, 285, 405, 412
The nursery "Alice", 166
Theo se larga, 267, 367, 400, 410
Thompson, J. B., 123, 134
tierra del sol y de la luna, La, 402, 411
tigre de Mari Plexiglás, El, 313, 316, 349, 352, 404, 412
Todavía hay fantasmas, 340, 401, 410
Todorov, T., 126, 185, 205, 207, 322
Tolchinsky, L., 138, 212
Tolkien, J. R. R., 56, 192
Tom Brown's schooldays, 188
Tomkins, J., 407, 408
Tournier, M., 407, 412
Townsend, J. R., 51, 52, **74**, 111
Tragasueños, 275, 295, 339, 351, 399, 408
Travers, P. L., 192
tres bandidos, Los, 239, 300, 406, 409
Trigon, J., 37
Tucker, N., 80, 82, 330
Turin, A., 120
Twain, M., 190
Uiplalá, 405, 409
último pasmarote, El, 269, 325, 352, 404, 412
Ungerer, T., 72, 406, 408*único rebelde, El*, 313, 326, 346, 404, 410
Uspenki, B., 209

Valeri, E., 29
Vallvé, J. A., 396
Vallverdú, J., 407, 411, 412
Valor, E., 141
Valriu, C., 39, 193, 372
Vázquez, J. M., 39
vendedora de fósforos, La, 68, 287
Ventura, N., 41, **218**
verano para morir, Un, 285, 287, 306, 403, 411
Verdaguer, J., 29
Verdini, R., 405
Vergés, O., 407, 412
Verne, J., 29, 90, 190, 195
Very, P., 407, 412
Veva, 230, 401, 410
viajes de Gulliver, Los, **36**, 171

viento en los sauces, El, 123, 124, 190
viernes embrujado, Un, 350, 405, 412
Viernes o la vida salvaje, 253, 406, 412
Vigotsky, L., 83, 89
Vilanova, E., 29
Vinci, L. da, 398
Vinson, M. Ch., 115
voces del Everest, Las, 253, 255, 327, 335, 398, 411
Vries, A. de, 407, 411, 412

Wade, B., 135
Wall, B., 97, 164, 334
Wallon, H., 129
Warlow, A., 426
Waugh, P., 111
Wells, G., 84
Wells, H. G., 195
Wells, R., 407
Whalen-Levitt, P., 106
Wikland, I., 401
Williams, G., 137, 407, 408
Williams, L., 407
Windberg, A.-G., 407, 412
Winnicott, D. W., 60, 129
Wittkamp, J., 403
Yeoman, J., 407, 408
Yo las quería, 266, 278, 287, 403, 408
¡Yo también quiero tener hermanos!, 276, 401, 409

Zaton, J., 407, 408
Zelan, K., 84, 85
Zipes, J., 122
Zuzaya, **33**

Os livros destinados a crianças e jovens surgiram como fenômeno cultural específico no século XVIII, paralelamente ao desenvolvimento da instituição escolar. Sua principal função era a de formar moralmente o leitor por intermédio de histórias em que predominavam a moral da fábula e os bons sentimentos descritos em narrativas de vidas heroicas e exemplares.

Esta situação aos poucos passou por transformações à medida que textos de aventuras, escritos inicialmente para adultos, foram adaptados para crianças e ao mesmo tempo começou a produção de livros para atender à crescente alfabetização em um mundo que se industrializava. Hoje a literatura infantil e juvenil é um setor importante da indústria editorial em todo o mundo com tendência a crescer constantemente. Firma-se a consciência de que é por intermédio desses textos, criados como um produto específico para crianças e adolescentes, que se forma o adulto leitor.

A reflexão crítica sobre essa produção iniciou-se de forma pioneira no decorrer da década de 1920 e ganhou relevo nos estudos literários na segunda metade do século XX, com a publicação de vários estudos interdisciplinares, desenvolvidos principalmente na França, na Inglaterra e mais recentemente nos Estados Unidos.

A formação do leitor literário, de Teresa Colomer, professora de Didática da Língua e da Literatura na Universidade Autônoma de Barcelona e autora de trabalhos teóricos na área é um relato minucioso do desenvolvimento desses estudos. A autora demonstra, de forma erudita e muito bem fundamentada, que os textos destinados a este público tão especial apresentam características de uma literatura que relaciona suas qualidades literárias com o conceito social da educação da infância própria de cada época.

A partir de um *corpus* de 150 obras publicadas na Espanha, em castelhano e catalão, sancionadas pela crítica e destinadas às faixas etárias entre cinco e quinze anos, Teresa Colomer estuda as inovações temáticas e das formas narrativas da produção do período 1977/1990, comparando-as às criações anteriores, expondo sua complexidade e fragmentação, a crescente importância da ilustração e outros recursos não verbais, a evolução dessas inovações segundo as idades e, portanto, a capacidade de leitura de destinatário.

Laura Sandroni

Teresa Colomer – filóloga, doutora em ciência da educação e professora titular de didática de língua e literatura na Universidade Autônoma de Barcelona – é uma das mais conhecidas especialistas espanholas em literatura infantil e juvenil. Como conferencista orientou e impulsionou a participação ativa e o estímulo à compreensão leitora em diferentes foros e países. Também coordena e dirige diversas publicações sobre o mesmo tema. Atualmente é diretora da Rede de Pesquisadores de Literatura Infantil das Universidades da Catalunha e, junto com o Banco do Livro, da Venezuela e a Fundação Germán Sanchez Ruipérez, organiza um mestrado em livros e literatura para crianças e jovens.

Entre suas obras destacam-se: *Introdução à literatura infantil e juvenil atual* (Global, 2017), *Andar entre livros* (Global, 2007), *A formação do leitor literário* (Global, 2003), que obteve o Prêmio Cecília Meireles de livro teórico, dado pela Fundação Nacional do Livro Infantil e Juvenil, e *Siete Llaves para valorar las historias infantiles* (2005), estas duas últimas publicadas na Espanha pela Fundação Germán Sanchez Ruipérez.

Outras obras da autora publicadas pela Global Editora

Andar entre livros é uma obra de consulta essencial para quem se interessa em inovar suas atividades de promoção da leitura nas aulas ou fora delas, pois descreve "a maneira como, tanto livros quanto docentes, trabalham em conjunto para elaborar um itinerário de leitura que permite levar as novas gerações em direção às possibilidades de compreensão do mundo e da fruição da vida que a literatura abre".

Esta obra é uma sistematização rigorosa e completa de temas relativos à literatura infantil e juvenil, abordando valores educativos, critérios de seleção e de qualidade. Tendo como alvo pais, educadores, bibliotecários, animadores culturais, a autora responde a questões fundamentais e atuais, sempre respaldada por ampla bibliografia.